고등학교

기술·가정
자습서

최유현 교과서편

이 책의 구성과 특징

①

• 교과서 꽉꽉 다지기 •

교과서에서 다루고 있는 기본 개념과 원리를 학습자의 눈높이에 맞추어 일목요연하게 정리하였습니다.

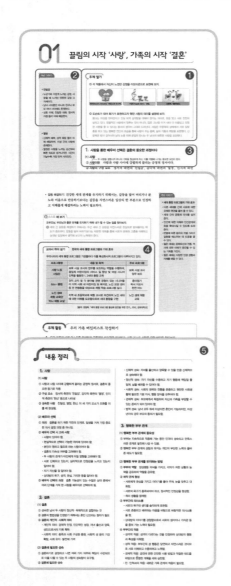

① 교과서 속 탐구

교과서의 활동이나 질문에 대한 예시 답안과 해설을 제공하여 수업을 문제없이 준비할 수 있게 하였습니다.

② 개념 더하기

해당 단원에서 중요한 단어를 제시하여 내용을 확인할 수 있도록 하였습니다.

③ 빨간펜과 보충 설명

추가 설명이 필요한 경우에는 보충 설명을 하였고, 중요한 부분은 첨삭을 하였습니다.

④ 교과서 뛰어 넘기

학습 내용과 관련된 참고 자료를 제시하여 학습에 도움이 될 수 있도록 하였습니다.

⑤ 내용 정리

핵심 내용을 일목요연하게 정리하여 한눈에 학습을 정리하고 마무리할 수 있도록 하였습니다.

② 실력 쑥쑥 올리기

교과서의 주요 개념을 다양한 형태의 문제를 통해 완벽하게 이해할 수 있도록 하였습니다.

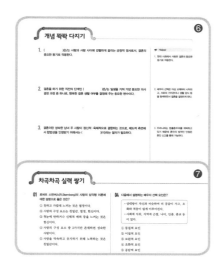

⑥ 개념 꽉꽉 다지기

- 중단원에서 배운 내용을 확인해 볼 수 있는 기본 문제들로 구성하여 스스로 정리할 수 있도록 하였습니다.
- Helper를 통해 질문에 대한 해설을 상세하게 하여 문제의 내용을 쉽게 정리할 수 있도록 하였습니다.

⑦ 차곡차곡 실력 쌓기

- 중단원별 평가를 통해 스스로 정리 학습을 하면서 피드백할 수 있도록 하였습니다.
- 내용을 쉽게 익힐 수 있도록 ○, × 형식을 포함해 다양한 형태의 문제로 제시하였습니다.

③ 대단원 마무리하기

대단원을 마무리하는 학습으로, 풍부한 문제들을 제시하여 내신에 대비할 수 있도록 하였습니다.

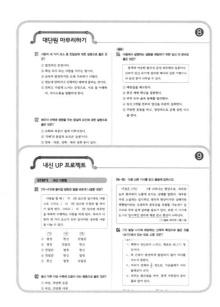

⑧ 대단원 마무리하기

- '객관식 문제'와 '주관식', '서술형 주관식' 등 유형을 달리한 풍부한 문제들을 수록하여 효율적으로 시험에 대비할 수 있도록 하였습니다.
- 문제의 중요도에 따라 중요/출제 예감을 표시하였습니다.

⑨ 내신 UP 프로젝트

- 중요 문제를 '내신 기본형'과 '내신 실전형'으로 나누어, 학생들이 시험 전 반복 학습을 통해 학교 시험에 효율적으로 대비할 수 있도록 하였습니다.
- 문제의 중요도에 따라 중요/출제 예감을 표시하였습니다.

이 책 의 차례

I

인간 발달과 가족

01 끌림의 시작 '사랑', 가족의 시작 '결혼'

개념 더하기

+친밀감
- 누군가와 가깝게 느끼는 감정. 사랑할 때 느끼는 따뜻한 감정 그 자체이다.
- 남녀 사이뿐만 아니라 친구나 부모 자녀 사이에도 존재한다.
- 상호 이해, 친밀한 대화, 정서적 지원 등이 이에 해당한다.

+열정
- 신체적 매력, 성적 욕망 등이 이에 해당하며, 이성 간의 사랑에 존재한다.
- 열정은 사랑을 느끼는 순간부터 빠른 속도로 생겨나지만, 시간이 지날수록 가장 먼저 사라진다.

+헌신
- 관계를 유지하기 위한 약속, 이를 지키기 위해 하는 행동, 즉 책임감이다.
- 관계 초기부터 빠르게 발달하고, 시간이 지날수록 그 비중이 커진다.

+성숙한 사랑
- 사랑의 크기는 세 요소의 비율에 의해 결정되며, 이 세 요소의 상대적 비율에 따라 다양한 형태의 사랑이 나타난다.
- 사랑의 강도가 클수록 삼각형의 면적은 커지고, 세 변의 길이가 같은 정삼각형일 때 사랑의 세 요소가 균형 잡힌 성숙한 사랑이 된다.

주제 열기

≫ 각 작품에서 자신이 느꼈던 감정을 이모티콘으로 표현해 보자.

뭉크(Munch, Edvard), 「에로스와 프시케」

샤갈(Chagall, Marc), 「생일」

신윤복, 「월하정인」

≫ 도슨트가 되어 화가가 표현하고자 했던 사랑의 의미를 설명해 보자.

뭉크는 의심을 벗어던지고 진실 되게 상대방을 대해야 한다는 의미로, 옷을 벗고 서로 찬찬히 살피고 있다. 정열적인 사랑에서 멈추는 것이 아니라, 많은 고난을 이겨 내야 더 아름답고 진정한 사랑을 할 수 있다는 뭉크의 생각이 그대로 드러난다. 샤갈은 무중력의 상태에서 서로 입맞춤을 하고 있는 행복한 연인의 모습을 통해 사랑이 주는 환희, 삶의 기쁨과 희망을 표현했다. 신윤복은 밤이 깊어서야 남의 눈을 피해 은밀히 만나는 두 남녀의 애틋한 사랑을 표현했다.

1, 사랑을 통한 배우자 선택은 결혼의 중요한 과정이다

(1) 사랑

— 두 사람을 결합시켜 하나의 가족을 형성하게 하고, 이를 지탱해 나가는 중요한 요인이 된다.
① **사랑이란** 사람과 사람 사이에 강렬하게 끌리는 긍정적 정서이다.
② **사랑의 구성 요소** 정서적 측면의 '친밀감', 감각적 측면의 '열정', 인지적 측면의 '헌신' 등으로 나타낸다.
③ 현대 사회에서 사랑은 결혼의 중요한 동기로 작용하므로, 사랑의 올바른 가치관을 확립하고 성숙한 사랑을 통해 조화로운 배우자를 찾는 것이 중요하다.
④ **로버트 스턴버그의 사람의 삼각형 이론** 세 가지 사랑의 요소를 조합할 경우 7가지 유형이 생긴다. 성숙한 사랑은 이 세 가지 요소가 조화를 이룰 때 완성된다.

친하고 가깝게 느끼는 것

첫눈에 반하거나 신체적 매력 등을 느끼는 것

사랑을 약속하고 유지하기 위해 노력하는 것

▲ 로버트 스턴버그(R. Sternberg)의 사랑의 삼각형 이론

더 들여다보기

🖱 두 사람 사이에 성숙한 사랑이 형성되려면 어떠한 노력이 필요할지 생각해 보자.

예 두 사람 간의 사랑을 유지하고 계속 발전시키기 위해서는 신체적 성적 매력을 넘어서 서로가 함께 나누는 동료감, 배려와 책임 의식, 서로에 대한 존중, 이해 등은 필수적이다.

(2) 배우자 선택
배우자를 어떠한 기준에 따라 적극적으로 고르는 것으로, 가족의 형성 과정에서 결정적인 역할을 하는 단계이다.

① 배우자 선택의 중요성

- 배우자 선택은 결혼하기 직전의 단계로, 일생을 거쳐 가장 중요한 의사 결정 과정 중 하나이다.
- 부부는 서로에게 많은 영향을 미치며, 다른 가족 구성원과 사회에도 영향을 주므로 배우자 선택은 행복한 결혼 생활 여부를 결정해 주는 중요한 변수이다.

② 배우자 선택 시 고려할 점
상대방이 완전한가를 따지기보다 서로의 차이와 개성을 인정하고, 자신도 좋은 배우자가 되기 위해 성숙한 태도, 능력을 갖추어야 한다.

사랑이 있어야 한다.

현실적으로 선택이 가능한 위치에 있어야 한다.

본인이 원하고 필요로 하는 사람이어야 한다.

결혼의 지속성 여부를 고려해야 한다.

두 사람의 관계가 타인에게 미칠 영향을 고려해야 한다.

서로 신뢰하고 있는지, 심리적 안정감을 느끼고 있는지 알아야 한다.

자기 자신을 잘 알아야 한다.

상대방의 욕구, 성격, 관심, 가치관 등을 알아야 한다.

▲ 배우자 선택 시 고려 사항

우드리(Udry, 1971)는 모든 가능한 데이트 상대와 만남을 시작한 후 사람을 선택하여 결혼에 이르기까지 6개의 여과망을 거친다고 하였다.

③ 배우자 선택 과정

- 배우자 선택은 우선 이성 교제부터 시작되고, 이성 교제를 통해 서로의 가치관이나 생활 양식 등을 탐색하면서 마침내 결혼을 결정하게 된다.
- 배우자를 선택할 때에는 결혼 가능성이 있는 수많은 상대 중에서 여러 단계에 거쳐 한 사람을 배우자로 선택하게 된다.
- 세상의 모든 남자와 여자는 다 나의 배우자 상대 $\xrightarrow{\text{근접성}}$ 그중에 나와 가까이 사는 상대 $\xrightarrow[\text{호감}]{\text{매력}}$ 그중에 서로에게 매력을 느끼는 상대 $\xrightarrow[\text{배경}]{\text{사회적}}$ 그중에 나와 연령, 직업, 교육 수준 등이 비슷한 상대 $\xrightarrow{\text{가치관}}$ 그중에 나와 인생관, 결혼관 등의 가치관이 유사한 상대 $\xrightarrow[\text{역할}]{\text{배우자}}$ 배우자로서의 역할을 충족시킬 수 있는 상대 $\longrightarrow$ 결혼 성공

결혼 준비 상태

🧑 스스로 생각해 보기

자신이 배우자를 선택한다고 할 때에 가장 중요하게 생각하는 요소는 무엇이며, 그렇게 생각한 까닭을 써 보자.

예 생활 태도, 공동의 관심, 행동의 기준, 양육 배경, 성숙, 자기 관리 등

개념 더하기

＋과거의 배우자 선택 기준

전통 사회에서 혼인은 개인과 개인의 결합이 아닌 가문과 가문의 결합이었으므로 배우자 선택 기준은 개인적 동기보다는 가문이나 사회적·경제적 지위가 중요했다.

＋건전한 이성 교제

- 이성 교제는 단순한 재미나 흥미로 하는 것이 아니라 배우자 선택의 전 단계이므로 자신의 정체성을 파악하고 자신과 어울리는 이상형을 현실적으로 설정한다.
- 이성에 대한 과도한 기대나 일방적인 요구를 하지 않는다.
- 솔직한 태도와 의사소통의 기술 등 적극적인 자세가 필요하다.

+ **결혼으로 부여되는 법적 권리**

• 부부가 되면 배우자는 친족이 되며, 상대방의 혈족 및 혈족의 배우자와 인척 관계가 생긴다.

• 부부는 서로 부양하고 협조해야 하며, 동거할 의무가 있고 서로 정조를 지킬 의무가 있다.

• 부부는 가사와 채무에 관해 연대 책임이 있다.

+ **결혼의 법적 요건**

• 혼인 적령(만 18세 이상)에 도달해야 한다.

• 당사자 간에 혼인에 관한 합치가 있어야 한다.

• 중혼이 아니어야 한다.

• 미성년자나 금치산자는 부모나 후견인의 동의가 있어야 한다.

• 근친혼이 아니어야 한다.

• 혼인 신고를 해야 한다.

+ **부부의 역할**

• 자녀 양육 및 사회화의 역할

• 가계 부양자의 역할

• 친족 관계의 조정 역할

• 오락 및 휴식의 역할

• 치료적 역할

• 성적인 역할

+ **안정 애착 관계**

• 안정적인 애착 관계는 사랑을 주고받는 대상이 가까운 데 있으면서, 반응을 보여 줄 수 있어야 하고, 반응이 섬세하고 민감해야 한다.

• 결혼 생활이 안정되고 행복하기 위해서는 서로의 욕구에 민감하게 생각하고 행동해야 한다.

2/ 결혼은 사랑하는 관계 이상의 의미가 있다

(1) 결혼

┌ 두 사람의 협조와 노력을 통해 어려움을 극복하며, 성숙한 인격체로 상호 성장해야 함을 의미한다.

① **결혼이란** 성숙한 남녀 두 사람이 정신적·육체적으로 결합하는 것으로, 결혼의 합법성을 인정받기 위해서는 혼인 신고라는 절차가 필요하다.

② **결혼의 개인적·사회적 의미**

• 결혼의 개인적 의미: 경제적 안정, 인간적인 성장, 자녀 출산과 양육, 성인으로서의 지위 획득

• 결혼의 사회적 의미: 종족과 사회 구성원 충원, 사회적 성 윤리 기강 확립, 사회 유지 및 발전에 기여

(2) 결혼에 필요한 성숙

┌ 성숙한 상태에서만이 서로의 문제를 현실에 맞추어 긍정적으로 해결하고 서로의 관계를 올바로 맺을 수 있다.

① 결혼을 결정하고 나면 지위와 역할이 생기고 인간관계가 확장되면서 여러 가지 의무와 책임이 수반되므로 이를 수행할 수 있는 두 사람의 성숙함이 요구된다.

② **결혼에 필요한 성숙**

• 신체적 성숙: 자녀를 출산하고 양육할 수 있을 만큼 성숙하고 건강해야 한다.

• 정신적 성숙: 자기 자신을 수용하고 자기 행동에 책임질 줄 알며, 남을 배려할 수 있어야 한다.

• 사회적 성숙: 사회의 권위와 전통을 존중하고 원만한 사회생활에 필요한 기본 지식, 행동 양식을 갖추어야 한다.

• 경제적 성숙: 부모에게서 독립하여 자신과 가족을 부양할 수 있는 경제적 준비가 되어 있어야 한다.

• 법적 성숙: 남녀 모두 18세 이상이면 혼인이 가능하지만, 미성년자의 경우 부모의 동의가 필요하다.

함께 해 보기

• 빈칸에 들어갈 신의 대답은 무엇일지 써 보자.

✏ **예** 상대방에게 사랑과 희생을 주는 것이다.

• 결혼의 의미를 생각해 보고, 친구들과 이야기해 보자.

✏ **예** 두 사람의 협조와 노력을 통해 어려움을 극복하며 성숙된 인격체로 상호 성장하는 것이다.

3/ 행복한 부부 관계는 건강한 가족을 유지할 수 있다

┌ 가정생활에서 가장 기본이 되는 관계이다.

(1) 행복한 부부 관계의 중요성

① 부부는 지속적으로 적응해 가는 동안 인격이 성숙되고 만족스러운 관계로 발전해 나갈 수 있는 반면, 고통스러운 관계가 될 수도 있다.

② 행복한 부부 관계 성립과 유지는 부부 관계에 관한 올바른 지식과 가치관, 의식적인 노력 여하에 달려 있으므로 개인의 부단한 노력과 올바른 태도가 필요하다.

(2) 행복한 부부 관계를 유지하는 방법

① 부부의 역할

- 책임 있는 남편과 아내로서의 역할 수행은 한 가족의 행복을 좌우하는 중요한 요소가 된다.
- 맞벌이 부부는 양성평등 의식을 가지고, 각자가 처한 상황과 능력을 고려하여 역할을 공유할 때, 건강하고 행복한 결혼 생활을 유지할 수 있다.

② 애착 관계 형성   애착은 부부 관계를 친밀하게 유지시켜 주는 중요한 요소이다.

- 서로에 대한 관심을 가지고 이야기를 들어 주며, 눈을 맞추고 대화한다.
- 서로의 욕구가 충족되어야 하고, 정서적인 안정감을 형성한다.
- 취미 생활을 함께한다.

③ 부부간의 의사소통

- 부부는 서로의 욕구와 생각을 솔직하게 표현한다.
- 서로 존중하고 배려하는 마음을 바탕으로 바람직한 의사소통을 한다.
- 상대방의 이야기를 경청함으로써 서로의 생각이나 가치관 등을 좁혀 가는 노력이 필요하다.

④ 부부간의 적응

- 성격적 적응: 성격이 다르다는 것을 인정하며, 상대방의 행동과 특성을 이해한다.
- 성적 적응: 부부간의 성 행동은 당연하고 자연스러운 것이므로 서로 이해하고 수용하려고 노력한다.
- 경제적 적응: 금전에 관한 건전한 사용 방법과 적절한 태도를 바탕으로 모두가 현명한 계획을 세워 실천한다.
- 친·인척과의 적응: 새로운 가족 관계의 적응이 필요하다.

> **스스로 생각해 보기**
>
> 행복한 부부 관계를 유지하기 위해 실천할 수 있는 구체적인 방법을 생각해 보자.
>
> 예) 손편지 쓰기, 부부만의 특별한 기념일 만들기, 부부 십계명 만들어 지키기

개념 더하기

+부부 관계를 나타내는 말

- 부부 싸움은 칼로 물베기이다.
- 부부는 돌아누우면 남이다.
- 고운 사람 미운 데 없고, 미운 사람 고운 데 없다.
- 남편은 두레박, 아내는 항아리
- 바늘 가는 데 실 간다(부부는 일심동체이니 언제나 함께 다닌다는 뜻).
- 인연 없는 부부는 원수보다 더하다(원수는 피하면 어느 정도 해결되지만, 부부간의 원수는 해결할 방법이 없다는 뜻).
- 마누라가 예쁘면 처갓집 말뚝 보고도 절한다(사랑하는 사람과 관계되는 일이라면 무엇이든 좋게 보인다는 뜻).

+부부간의 경제적 적응

- 경제적 적응은 수입이나 금전에 비례하는 것이 아니라 수입을 사용하는 방법에 대한 부부의 태도에 따라 달라진다.
- 경제적 문제에 대해 부부간에 일치된 의견을 갖는 것은 친밀감 형성에 중요한 요인이 된다.

> **주제 활동**   행복한 결혼 생활 준비하기

1. 자료 1에 제시된 배우자 선택 기준들의 순위를 매기고, 그 까닭을 써 보자. 그리고 우리가 이상적으로 생각하는 배우자 선택 기준이 행복한 결혼 생활을 위한 충분조건이 될 수 있는지 생각해 보자.

1-1. 1순위 – 사랑, 2순위 – 성격, 3순위 – 가치관, 결혼 생활에서는 수많은 어려움과 갈등이 발생될 수 있는데, 그때마다 이를 해결하고 행복한 부부 생활을 유지하기 위해서는 서로 간의 사랑과 상대방을 이해하고 배려할 수 있는 성격, 나와 비슷한 가치관이 있어야 하기 때문이다.

1-2. 외적 조건은 행복한 결혼 생활을 위한 기본 조건이 될 수는 있지만, 충분 조건이 되기는 어렵다.

2. 자료 2와 자료 3에서 행복한 결혼 생활의 가치를 탐색하고, 새로운 배우자 선택 기준을 제안해 보자.

나와 긍정적인 상호 작용이 충분한가, 생활 전반에 걸친 행동이 성숙한가 등이 배우자를 선택할 때 중요한 기준이 될 수 있다.

내용 정리

1/ 사랑

(1) 사랑
① 사람과 사람 사이에 강렬하게 끌리는 긍정적 정서로, 결혼의 중요한 동기로 작용
② **구성 요소** 정서적 측면의 '친밀감', 감각적 측면의 '열정', 인지적 측면의 '헌신' 등으로 나타냄
③ **성숙한 사랑** 친밀감, 열정, 헌신, 이 세 가지 요소가 조화를 이룰 때 완성됨.

(2) 배우자 선택
① **의의** 결혼을 하기 위한 직전의 단계로, 일생을 거쳐 가장 중요한 의사 결정 과정 중 하나임.
② **배우자 선택 시 고려 사항**
  • 사랑이 있어야 함.
  • 현실적으로 선택이 가능한 위치에 있어야 함.
  • 본인이 원하고 필요로 하는 사람이어야 함.
  • 결혼의 지속성 여부를 고려해야 함.
  • 두 사람의 관계가 타인에게 미칠 영향을 고려해야 함.
  • 서로 신뢰하고 있는지, 심리적으로 안정감을 느끼고 있는지 알아야 함.
  • 자기 자신을 잘 알아야 함.
  • 상대방의 욕구, 성격, 관심, 가치관 등을 알아야 함.
③ **배우자 선택의 과정** 결혼 가능성이 있는 수많은 상대 중에서 여러 단계를 거쳐 한 사람을 배우자로 선택하게 됨.

2/ 결혼

(1) 결혼
① 성숙한 남녀 두 사람이 정신적·육체적으로 결합하는 것
② 결혼의 합법성을 인정받기 위해서는 혼인 신고라는 절차가 필요
③ **결혼의 개인적·사회적 의미**
  • 개인적 의미: 경제적 안정, 인간적인 성장, 자녀 출산과 양육, 성인으로서의 지휘 획득
  • 사회적 의미: 종족과 사회 구성원 충원, 사회적 성 윤리 기강 확립, 사회 유지·발전에 기여

(2) 결혼에 필요한 성숙
① 결혼하기로 결정하고 나면 여러 가지 의무와 책임이 수반되므로 이를 다할 수 있는 두 사람의 성숙함이 요구됨.
② **결혼에 필요한 성숙**

  • 신체적 성숙: 자녀를 출산하고 양육할 수 있을 만큼 신체적으로 성숙해야 함.
  • 정신적 성숙: 자기 자신을 수용하고 자기 행동에 책임질 줄 알며, 남을 배려할 수 있어야 함.
  • 사회적 성숙: 사회의 권위와 전통을 존중하고 원만한 사회생활에 필요한 기본 지식, 행동 양식을 갖추어야 함.
  • 경제적 성숙: 부모에게서 독립하여 자신과 가족을 부양할 수 있는 준비가 되어 있어야 함.
  • 법적 성숙: 남녀 모두 18세 이상이면 혼인이 가능하지만, 미성년자의 경우 부모의 동의가 필요함.

3/ 행복한 부부 관계

(1) 행복한 부부 관계의 중요성
① 부부는 지속적으로 적응해 가는 동안 인격이 성숙되고 만족스러운 관계로 발전해 나갈 수 있음.
② 행복한 부부 관계의 성립과 유지는 개인의 부단한 노력과 올바른 태도가 필요함.

(2) 행복한 부부 관계를 유지하는 방법
① **부부의 역할** 양성평등 의식을 가지고, 각자가 처한 상황과 능력을 공유하여 역할을 공유함.
② **애착 관계 형성**
  • 서로에게 관심을 가지고 이야기를 들어 주며, 눈을 맞추고 대화함.
  • 서로의 욕구가 충족되어야 하고, 정서적인 안정감을 형성함.
  • 취미 생활을 함께함.
③ **부부간의 의사소통**
  • 서로의 욕구와 생각을 솔직하게 표현함.
  • 서로 존중하고 배려하는 마음을 바탕으로 바람직한 의사소통을 함.
  • 상대방의 이야기를 경청함으로써 서로의 생각이나 가치관 등을 좁혀 가는 노력이 필요함.
④ **부부간의 적응**
  • 성격적 적응: 성격이 다르다는 것을 인정하며 상대방의 행동과 특성을 이해함.
  • 성적 적응: 부부간의 성 행동은 당연하고 자연스러운 것이므로 서로 이해하고 수용하려고 노력함.
  • 경제적 적응: 금전에 관한 건전한 사용 방법과 적절한 태도를 바탕으로 현명한 계획을 세워 실천함.
  • 친·인척과의 적응: 새로운 가족 관계의 적응이 필요함.

개념 꽉꽉 다지기

1. (   )은/는 사람과 사람 사이에 강렬하게 끌리는 긍정적 정서로서, 결혼의 중요한 동기로 작용한다.

Helper

1. 현대 사회에서 사랑은 결혼의 중요한 동기로 작용한다.

2. 결혼을 하기 위한 직전의 단계인 (   )은/는 일생을 거쳐 가장 중요한 의사 결정 과정 중 하나로, 행복한 결혼 생활 여부를 결정해 주는 중요한 변수이다.

2. 배우자 선택은 이성 교제부터 시작되고, 서로의 가치관이나 생활 양식 등을 탐색하면서 결혼을 결정하게 된다.

3. 결혼이란 성숙한 남녀 두 사람이 정신적·육체적으로 결합하는 것으로, 제도적 측면에서 합법성을 인정받기 위해서는 (   )(이)라는 절차가 필요하다.

3. 우리나라는 법률혼주의를 채택하고 있기 때문에 혼인의 법적인 인정은 혼인 신고를 통해 가능하다.

4. 결혼을 할 것인지, 말 것인지의 결정은 개인의 자유의사에 달렸지만, 일단 결정하기로 결정하고 나면 지위와 역할이 생기고, 인간관계가 확장되면 여러 가지 (   )와/과 (   )이/가 수반된다.

4. 성공적인 결혼 생활을 위해서는 여러 가지 책임과 의무를 다할 수 있는 두 사람의 성숙함이 요구된다.

5. 결혼 후 부부간의 적응이 필요한 요소로 옳지 <u>않은</u> 것은?

　① 성적 적응

　② 법적 적응

　③ 경제적 적응

　④ 성격적 적응

　⑤ 친·인척과의 적응

5. 서로 다른 문화와 환경에 성장한 남녀는 결혼 후 서로에게 적응하며 함께 발전해 나가기 위해 노력해야 한다.

01 로버트 스턴버스(R.Sternberg)의 사랑의 삼각형 이론에 대한 설명으로 옳은 것은?

① 친하고 가깝게 느끼는 것은 열정이다.

② 사랑의 구성 요소는 친밀감, 열정, 헌신이다.

③ 첫눈에 반하거나 신체적 매력 등을 느끼는 것은 헌신이다.

④ 사랑의 구성 요소 중 2가지만 존재하면 성숙한 사랑이다.

⑤ 사랑을 약속하고 유지하기 위해 노력하는 것은 친밀감이다.

02 배우자 선택 시 고려 사항으로 옳지 <u>않은</u> 것은?

① 결혼의 지속성 여부를 고려해야 한다.

② 상대방의 욕구, 성격, 관심, 가치관 등을 알아야 한다.

③ 두 사람의 관계가 타인에 미칠 영향을 고려해야 한다.

④ 본인보다는 가족이 원하고 필요로 하는 사람이어야 한다.

⑤ 서로 신뢰하고 있는지, 심리적 안정감을 느끼고 있는지 알아야 한다.

03 배우자 선택의 일반적 과정 중 (가)에 해당되는 것은?

```
세상의 모든 남자와 여자는 다 나의 배우자 상대
                    ↓
              (가)
                    ↓
      서로에게 매력(호감)을 느끼는 상대
```

① 나와 가까이 사는 상대

② 배우자로서의 역할을 충족시킬 수 있는 상대

③ 나와 연령, 직업, 교육 수준 등이 비슷한 상대

④ 나와 인생관, 결혼관 등의 가치관이 유사한 상대

⑤ 나와 이성 교제를 통해 서로를 탐색하고 있는 상대

04 다음에서 설명하는 배우자 선택 요인은?

> • 상대방이 자신과 비슷하여 더 공감이 가고, 조화와 적응이 쉽게 이루어진다.
> • 사회적 지위, 지역적 근접, 나이, 인종, 종교 등이 있다.

① 동질적 요인

② 이질적 요인

③ 보완적 요인

④ 조화적 요인

⑤ 공감적 요인

05 결혼의 사회적 의미로 옳은 것은?

① 경제적 안정

② 인간적인 성장

③ 자녀 출산과 양육

④ 성인으로서 지위 획득

⑤ 사회 유지 및 발전에 기여

06 결혼에 필요한 성숙 요건에 대한 설명으로 옳지 <u>않은</u> 것은?

① 남녀 모두 만 15세 이상이면 법적으로 혼인이 가능하다.

② 자기 자신을 수용하고 자기 행동에 책임질 줄 알아야 한다.

③ 자신과 가족을 부양할 수 있는 경제적 준비가 되어 있어야 한다.

④ 원만한 사회생활에 필요한 기본 지식, 행동 양식을 갖추어야 한다.

⑤ 자녀를 출산할 수 있을 만큼 신체적으로 성숙하고 건강해야 한다.

07 결혼 생활에서 부부간의 적응에 대한 설명으로 옳지 <u>않은</u> 것은?

① 나와 다른 상대방의 성격을 변화시키기 위해 노력한다.

② 결혼 생활의 만족과 안정은 가족 전체의 행복과 직결된다.

③ 결혼 후 서로에게 적응하며 발전해 나가기 위해 노력해야 한다.

④ 부부가 서로 다른 문화와 환경에서 성장하였기 때문에 필요하다.

⑤ 결혼은 가족 간의 결합이므로 친·인척 관계에 대한 적응이 필요하다.

08 부부간의 애착 관계를 형성하는 방법으로 옳지 <u>않은</u> 것은?

① 눈을 맞추고 대화한다.

② 서로 다른 취미 생활을 한다.

③ 정서적인 안정감을 형성한다.

④ 서로의 욕구가 충족되어야 한다.

⑤ 서로에게 관심을 가지고 이야기를 들어 준다.

09 결혼생활에서 발생하는 부부 갈등의 특징에 대한 설명으로 옳은 것은?

① 갈등을 해결하지 못하더라도 이에 대한 적응이 필요하다.

② 서로의 생각이나 가치관 등을 좁혀 가는 노력이 필요하다.

③ 상대방의 이야기를 경청하기보다는 자신의 주장을 분명하게 내세운다.

④ 결혼 생활에서 부부간의 갈등이 발생하는 것은 정상적인 일이 아니다.

⑤ 갈등을 해결하는 방식보다는 갈등 자체의 발생이 관계에 큰 영향을 미친다.

10 (   ) 안에 들어갈 알맞은 말을 쓰시오.

> (   )은/는 부부 관계를 친밀하게 유지시켜 주는 중요한 요소로, 안정적인 애착 관계를 형성하여 애정이 식지 않도록 꾸준히 노력한다.

(   )

핵심을 되짚는 O·X 문제

11 현대 사회에서 사랑은 결혼의 중요한 동기로 작용하므로, 성숙한 사랑을 통해 조화로운 배우자를 찾는 것이 중요하다.
(O, X)

12 핑크 렌즈 효과란 사랑에 빠지면 그 사람의 장점만 보이고, 무엇을 해도 사랑스러워 보이는 것을 뜻한다. (O, X)

13 현대 사회는 부부 중심의 가족 생활이 주를 이루므로 부부는 서로에게 많은 영향을 미치며, 다른 가족 구성원과 사회에도 영향을 준다. (O, X)

14 배우자를 선택할 때에는 외모, 건강, 경제력, 직업 등 상대방이 얼마나 완전한가를 따진다. (O, X)

15 배우자를 선택할 때에는 결혼 가능성이 있는 수많은 상대 중에서 여러 단계를 거치면서 한 사람을 배우자로 선택하게 된다.
(O, X)

16 결혼이란 성숙한 남녀가 애정과 신뢰를 바탕으로 합법적으로 부부가 되는 제도이다. (O, X)

17 결혼의 시기는 신체적, 정신적, 정서적, 사회적, 경제적으로 성숙되고, 결혼의 법적 요건을 갖추어야 한다. (O, X)

18 행복한 부부 관계는 건강한 가족을 성립하고 유지하게 한다.
(O, X)

02 책임 있는 부모, 지금부터 지금부터 준비하기

개념 더하기

+부모 됨의 의미

• 부모 입장에서: 부모는 자녀를 통하여 자기 연장감 또는 자기 지속감을 느끼면서 만족감을 얻게 된다. 자녀를 양육하여 부모의 역할, 봉사, 책임 등을 수행함으로써 인간의 생활 주기를 경험하고 생의 의미를 이해하게 된다.

• 자녀 입장에서: 자녀는 출생 초기부터 성격과 인성의 측면에서 부모로부터 많은 영향을 받을 뿐 아니라 인지적 문제 해결 방법, 사회적 관계를 유지하는 방법, 성 역할 등의 영향을 받는다.

+부모 교육의 필요성

• 과거에는 특별한 준비가 없어도 주위에 함께 어울려 살며 바로 곁에서 조언해 주고 도와주는 친지와 친척 등과 같은 인적 자원이 많았지만, 현대에는 가족 구조상 '부모하기'를 어떻게 해야 하는지 배울 수 있는 기회가 매우 제한적이다.

• 주변 사람들이나 인터넷, 서적 등을 통해 흔히 정보를 얻지만 이는 부모로서 당면한 현실적인 문제를 바로바로 해결하고 안내받기에는 부족한 경우가 많다.

주제 열기

≫ 어릴 때 혹은 현재의 부모님 모습을 떠올리면서 내가 미래에 부모가 된다면 어떠한 감정을 갖게 될지 느낌말 목록에서 찾아 써보자. 그리고 그 까닭도 함께 써 보자.
• 긍정적 느낌말: 사랑스러운, 뿌듯한, 즐거운 등 • 까닭: 자신이 낳은 아이를 돌볼 때 너무 사랑스럽고 예쁘기 때문에
• 부정적 느낌말: 고단한, 우울한, 걱정되는 등 • 까닭: 매일 반복되는 아기 돌보기에 신체적으로 힘들기 때문에

≫ 내가 미래에 부모가 되었을 때 주로 긍정적인 감정을 가지려면 어떠한 준비가 필요할지 생각해 보자.
부모가 되기 전에 신체적·정서적으로 성숙되어야 하고, 자녀 교육에 대한 정보와 방법을 미리 알아두어야 한다.

1, 책임 있는 부모가 되기 위해서는 준비가 필요하다

(1) 부모 됨

① 개인적 의미
• 부모라는 지위를 얻고, 인격적으로 성숙해질 수 있다.
• 자녀의 성장과 발달을 도우며 성취감을 얻는다.
• 가족의 결속력이 강해질 수 있다.

② 사회적 의미
• 가계를 계승하고, 사회의 전통과 문화를 다음 세대로 이어 준다.
• 사회 구성원을 충원함으로써 사회의 유지·발전에 이바지한다.
• 가정과 사회의 안정성을 높인다.

(2) 책임 있는 부모가 되기 위한 역량

① 책임 있는 부모가 되기 위한 준비
• 심리적 준비: 자녀를 받아들일 마음의 준비를 하고, 자녀에게 사랑과 헌신을 베풀 수 있는 심리적으로 성숙한 상태여야 한다.
• 신체적 준비: 자녀를 낳고 양육할 수 있을 만큼 신체적으로 성숙하고, 건강한 상태를 유지해야 한다.
• 사회적 준비: 사회성을 높이고, 사회에서 독립적인 성인 역할을 잘 수행해야 한다.
• 경제적 준비: 자녀가 성장하여 독립할 때까지 자녀를 양육하고 교육하는 데 필요한 경제적 능력을 갖추어야 한다. <small>부모의 역할을 인식하도록 돕고, 자녀의 성장과 발달을 촉진하는 환경 조성의 지식과 자녀 양육에 필요한 자질을 습득하는 교육</small>
② 부모 교육에 참여하는 등 꾸준히 계획하고 노력하는 자세가 필요하다.

책임 있는 부모가 되기 위해 어떤 준비를 해야 하는지 다음 빈칸에 써 보고, 친구들과 이야기해 보자.

예 심리적 준비(자신감 갖기, 정서적 안정감 형성하기), 신체적 준비(건강한 신체 유지하기, 균형 잡힌 식사하기), 사회적 준비(의사소통 능력 기르기, 사회적 관계망 형성하기), 경제적 준비(용돈 기입장을 작성하여 수입과 지출 관리하기)

2. 건강한 임신과 출산은 축복이다

(1) 건강한 임신을 위한 준비

① 부부는 충분한 대화를 통해 임신을 계획하고 준비한다.

└─ 시금치, 브로콜리, 쑥, 부추, 파 등과 같은 녹색 채소류와 키위, 딸기, 바나나 등 과일, 김 등에 함유되어 있다.

② 준비 사항 금연과 금주, 건강 검진, 풍진 항체 여부 검사, 꾸준한 엽산 복용, 배란일 체크, 충분한 영양 섭취, 꾸준한 운동 등
└─ 난소에서 성숙한 난자가 배출되는 현상

(2) 임신 중 태아의 발달과 모체의 변화

	1~3개월	4~5개월	6~8개월	9~10개월
개월 수에 따른 엄마와 태아의 모습 변화				
태아의 발달 과정	• 뇌와 신경계의 세포가 80 % 정도 만들어지고, 신장, 간, 위 등의 기관 분화가 시작된다. • 얼굴과 손발 모양이 형성되고, 머리와 몸통의 구분이 확실해진다.	• 뇌가 발달하며, 손발톱이 생기고 머리카락이 자란다. • 생식 기관이 발달하고, 성별을 구별할 수 있다. • 외부 소리를 들을 수 있으며, 전신 운동이 활발하다.	• 뼈와 근육이 발달한다. • 청각이 발달하여 소리에 반응한다. • 태아 머리가 차츰 아래로 향하기 시작한다.	• 피하 지방이 늘어나고 신생아다운 모습을 갖춘다. • 폐, 신장 기능이 성숙해진다. • 청력과 시력이 거의 완성된다. • 머리 골격이 단단해지고, 태어날 준비를 한다.
모체의 변화	• 월경이 중지되고 피로감을 느낀다. • 공급되는 혈액량이 늘어나 분비물이 많아진다. • 입덧이 시작되고, 태반이 미숙하게 발달되어 있으므로 유산에 주의해야 한다.	• 태반이 발달하여 임신 안정기에 접어든다. • 입덧이 줄어들어 식욕이 늘어난다. • 유방과 복부가 커지며, 태동을 느끼기 시작한다.	• 자궁이 배꼽과 명치 사이까지 올라와 심장과 위가 눌려서 더부룩한 느낌이 든다. • 발등과 발목이 붓기 시작하고, 아랫배에 임신선이 나타난다.	• 배가 단단히 뭉치는 현상을 느끼기도 하고, 허리 통증이 심해진다. • 호흡 곤란을 느끼고, 질 분비물이 많아진다. • 변비가 생길 수 있다.

(3) 임신 중 생활

모체의 자궁 내벽에 붙어 태아와 탯줄로 연결되어 있다.

① 균형 잡힌 영양 섭취 임신부가 섭취하는 영양소는 태반을 통하여 태아에게 전달되므로 고르게 섭취하는 것이 좋다. 특히, 철분은 임신성 빈혈, 조산, 미숙아, 사산을 예방할 수 있다.

+ 철분

• 성인의 몸속에 3~4 g 정도 들어 있는 미량 무기질이다.

• 전 세계적으로 어느 나라에서나 철 결핍성 빈혈은 흔한 영양 문제이며, 어린이, 임신부, 사춘기 이후의 가임 여성, 노인에게 있어서 철 결핍이 우려된다.

• 임신 중에는 태아의 태반 조직 및 태아의 형성과 모체의 적혈구 증가, 태아의 간 내 철 비축을 위해 철 요구량이 증가한다.

• 임신부의 충분한 철 공급을 위해 철을 약제로 투여받도록 권장하고 있다. 빈혈인 경우 철 섭취량을 더 증가시켜야 한다.

• 급원 식품: 간, 굴, 돼지고기, 쇠고기, 조개, 달걀, 배아, 참깨, 콩, 시금치, 파래, 깻잎, 코코아 등이 있다.

+ 임산부의 영양

임산부는 비임신 여성에 비해 에너지의 추가량은 16~21 % 정도이지만, 단백질, 비타민 D, 비타민 B_6, 엽산, 철, 칼슘 등의 무기질을 많게는 100 %까지 더 섭취할 것을 권장하고 있다. 따라서 임신기에는 에너지는 높지 않으면서 단백질과 비타민, 무기질 등을 풍부하게 함유한 다양한 식품을 골고루 섭취하는 것이 좋다.

+태교신기

- 1796년에 사주당 이씨가 직접 체험하고 관찰한 것과 중국 문헌을 참고로 하여 쓴 세계 최초의 태교 단행본이다.
- 태내 가르침의 뜻, 태교의 효과, 음식물 먹는 방법, 엄마의 마음가짐, 태교 방법, 임산부의 걷는 자세, 자는 자세 등으로 구성되었다.
- 아내뿐만 아니라 남편들이 지켜야 할 태교법까지 적어 태교가 엄마와 아빠가 함께해야 하는 것임을 강조했다.

+배우자의 출산 휴가

- 배우자가 출산했을 때 모든 남성 근로자가 사용할 수 있는 휴가이다.
- 산모와 태아의 건강을 지키고, 남성을 출산과 육아에 참여시키기 위한 제도이다.
- 휴가 기간은 5일이고 최초 3일은 유급 휴가이다.

+가족 분만

분만의 모든 과정을 배우자와 가족이 지켜보는 가운데 산모가 진통을 하고, 아기를 낳는 출산법이다.

② **정기 검진** 임신 초기에는 한 달에 1번, 중기에는 한 달에 2번, 말기에는 1주에 1번 정도 정기 검진을 통해 임신부와 태아의 건강상태를 살핀다.

③ **적당한 운동** 체중 조절, 혈액 순환 촉진, 원활한 분만을 도와주므로 꾸준히 한다.

④ **금주, 금연, 약물 섭취 주의** 음주와 흡연을 피하고, 치료를 목적으로 하는 약물은 반드시 의사의 지시에 따라 복용한다.

⑤ **마음의 안정과 태교** 태교는 건강한 아기를 출산하기 위하여 부부가 함께하는 교육적 노력으로, 태아의 정신적·심리적 발달과 임신부의 안정에 도움을 준다.

⑥ **남편의 역할** 아내의 신체적·정서적 변화를 자연스럽게 받아들여 적극적으로 지원하고 배려하며, 아버지로서의 역할을 준비한다.

(4) 출산 전 준비 실제 출산일은 출산 예정일과 다를 수 있으므로, 예정일 2주 전부터 준비 사항을 꼼꼼히 점검하는 것이 좋다.

① **출산 예정일** 생리가 규칙적인 경우(28일 주기) 임신 전 마지막 생리 시작일에서 280일(40주) 후이다.

② **준비 사항**

- 출산 시 필요한 산모 준비물과 신생아 용품을 준비한다.
- 산후조리 장소와 집안일을 돌봐 줄 사람을 미리 정해 둔다.
- 직장 여성의 경우 출산 예정일을 고려하여 출산 휴가를 낸다.

함께 해 보기

미래에 예비 부모가 되었을 때 태아의 태명은 무엇으로 지을 것인지 정하고, 친구들과 태명과 태명에 담긴 의미를 서로 이야기해 보자.

예 튼튼이, 건강하고 튼튼하게 자라라는 의미이다.

(5) 출산 징후 및 과정

① **출산의 징후** 출산 2~3주일 전부터 출산이 가까워짐을 알리는 신호가 나타난다.

- 태아가 자궁 아래로 내려가면서 배가 처지고 소변이 잦아진다.
- 태동이 감소하고 불규칙한 간격으로 가벼운 복통과 요통이 나타난다.

② **이슬** 출산이 임박했음을 알리는 신호로 자궁에서 피가 섞인 이슬이 나온다. 양막의 일부가 자궁벽에서 떨어지면서 나오는 출혈 현상이다. 태아를 둘러싸고 있는 막으로, 양수가 차 있어 태아를 보호함.

③ **진통** 태아가 모체 밖으로 나올 때 자궁이 수축하는데, 이때 산모가 느끼는 통증이다. 처음에는 간격이 길다가 점차 짧아지며 강도도 강해진다.

④ **출산 과정**

개구기	만출기	후산기
자궁 입구가 완전히 열릴 때까지의 시기이다. 양수가 터지고 진통이 규칙적으로 온다.	자궁 입구가 완전히 열려 태아가 모체 밖으로 나오는 시기이다. 진통이 최고조에 이른다.	태아가 나온 후 자궁이 수축되면서 태반과 탯줄, 양막이 나오는 시기이다. 가벼운 진통이 온다.

(6) 산후 조리

① **산욕기란** 산모가 임신 전의 상태로 회복되는 기간으로, 보통 6~8주 정도 걸린다.

② **산후 증상**

- 후진통: 출산 직후 자궁 수축 때문에 약간의 후진통이 있는데, 모유를 먹이거나 적당한 운동을 하면 자궁 수축에 도움이 되어 회복이 빨라진다.
- 오로: 출산 때 산도에 상처가 생겨 혈액이 섞인 분비물이 나오는 현상으로, 질에서 암적색의 오로가 분비될 때 세균 감염에 주의한다.
- 산후 우울증: 산모는 신체적, 정신적으로 매우 약해진 상태이므로 산후 우울증을 겪기도 한다. 충분한 휴식과 영양 섭취는 물론 정신적으로 안정을 취해야 한다.

③ **산후 조리 방법**

- 휴식: 출산의 피로를 풀기 위하여 충분한 수면과 안정을 취한다.
- 영양: 단백질, 칼슘, 철, 비타민 등이 들어간 음식과 소화하기 쉬운 음식을 섭취한다.
- 운동: 출산 4주 후부터 걷기 등 가벼운 운동을 시작으로 활동 범위를 넓혀 나간다.
- 청결: 산도에 생긴 상처의 세균 감염을 막기 위하여 몸을 깨끗이 씻는다.
- 수유: 출산 전후에 모유가 잘 나오도록 관리하고, 아기에게 모유를 자주, 충분히 먹인다.
- 임신 계획: 모체의 건강을 위하여 다음 임신까지는 적어도 1년 정도의 간격을 두는 것이 좋다.

🔍 스스로 해 보기

내가 임신부라면 다양한 분만 방법 중 무엇을 선택할 것인지, 그리고 그 까닭은 무엇인지 써 보자.

에 르봐이예 분만. 집과 같은 편안한 분위기와 스트레스 없는 환경에서 출산하기 때문에 임신부의 심신이 안정된다.

개념 더하기

+산후 조리의 영양
- 미역국: 미역은 칼슘과 요오드 등 무기질이 풍부해 피를 맑게 하고 뼈를 튼튼하게 해 주어 산모에게 좋은 음식이지만, 너무 질리도록 먹을 필요는 없다. 특히 갑상선 질환을 앓고 있는 산모나 신생아 선별 검사에서 갑상선에 문제가 나타난 경우 전문가와 상의해서 섭취해야 한다.
- 칼슘: 임신과 출산으로 빠져나간 칼슘을 보충하고 모유를 만드는 데에도 필요하므로 꼭 챙겨 먹어야 한다.
- 철: 분만 시 흘린 혈액을 보충해야 하기 때문에 산후 한 달 동안은 철분제와 비타민 C를 충분히 섭취하고, 철 흡수를 방해하는 카페인 음료는 피한다.
- 단백질: 모유 생산과 산후 기력 회복에 도움이 된다.
- 기타: 수분도 평소보다 하루 800 mL 이상 섭취하고, 짜고 맵고 기름진 음식, 질기고 단단한 음식은 피한다.

주제 활동 ▸ 예비 부모 교육 프로그램 기획하기

1. 책임 있는 부모가 되기 위한 준비를 위해 도움이 되는 예비 부모 교육 프로그램을 만들어 보자.

프로그램 주제	상세 설명	기획한 까닭
자존감 향상	자신의 장점을 탐색하고, 자신감 있게 자신을 표현하는 연습을 한다.	자녀를 받아들일 마음의 준비를 하기 위해서는 부모 자신이 성숙해야 하므로, 심리적 준비를 위해 필요하다.

2. 예비 부모 교육 프로그램에 참여하여 책임 있는 부모가 되기 위한 준비를 하는 것이 왜 중요한지 생각해 보자.

부모가 자녀를 양육하면서 직면하는 문제를 해결함으로써 부모로서 자신감과 만족감을 가질 수 있게 된다.

2. 책임 있는 부모, 지금부터 준비하기 **17**

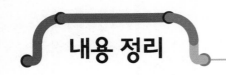
내용 정리

1. 책임 있는 부모가 되기 위한 준비

(1) 부모 됨

① 개인적 의미
- 부모라는 지위를 얻음.
- 자녀의 성장과 발달을 도우며 성취감을 얻음.
- 인격적으로 성숙해질 수 있음.
- 가족의 결속력이 강해질 수 있음.

② 사회적 의미
- 가계를 계승하고, 사회의 전통과 문화를 다음 세대로 이어 줌.
- 사회 구성원을 충원함으로써 사회의 유지·발전에 이바지함.
- 가정과 사회의 안정성을 높임.

(2) 책임 있는 부모가 되기 위한 역량

① 올바른 가치관을 가져야 함.
② 자녀를 양육하고 교육하기 위한 준비 및 심리적·신체적·사회적·경제적 준비를 해야 함.
③ 개인적인 노력 및 부모 교육 참가 등 꾸준히 계획하고 노력하는 자세가 필요함.

2. 건강한 임신과 출산

(1) 건강한 임신을 위한 준비

① 부부는 충분한 대화를 통해 임신을 계획하고 준비해야 함.
② 금연, 금주, 건강 검진, 풍진 항체 여부 검사, 엽산 복용, 꾸준한 운동, 충분한 영양 섭취, 배란일 체크 등

(2) 임신 중 태아의 발달과 모체의 변화

① 태아의 발달 과정 1~3개월(뇌와 신경계의 세포 형성, 기관 분화 시작, 얼굴과 손발 모양 형성, 머리와 몸통의 구분), 4~5개월(뇌 발달, 손발톱, 머리카락 자람, 생식 기관 발달, 성별을 구별, 외부 소리를 들을 수 있으며, 전신 운동 활발), 6~7개월(뼈와 근육 발달, 청각 발달로 소리에 반응, 태아 머리가 아래로 향하기 시작), 8~9개월(피하 지방이 늘어남, 폐, 신장 기능의 성숙, 청력과 시력 거의 완성 머리 골격이 단단해지고, 태어날 준비를 함.)

② 모체의 변화 1~3개월(월경 중지, 피로감, 분비물 증가, 입덧, 태반 미숙으로 유산 주의), 4~5개월(태반 발달로 임신 안정기, 입덧 줄고 식욕 늘어남, 유방과 복부가 커짐, 태동 시작), 6~7개월(자궁이 올라와 더부룩한 느낌이 듦, 발목이 붓기 시작, 임신

선 나타남), 8~9개월(배가 단단히 뭉치는 현상, 허리 통증, 호흡 곤란, 질 분비물 많아짐, 변비)

(3) 임신 중 생활

① 균형 잡힌 영양 섭취
② 적당한 운동
③ 정기 검진
④ 금주, 금연, 약물 섭취 주의
⑤ 마음의 안정과 태교

(4) 출산 전 준비

① 출산 예정일 임신 전 마지막 생리 시작일에서 280일(40주) 후, 예정일 1주 전부터 준비 사항을 점검하는 것이 좋음.
② 준비 사항
- 출산 시 필요한 산모 준비물과 신생아 용품을 준비함.
- 산후조리 장소와 집안일을 돌봐 줄 사람을 미리 정해 둠.
- 직장 여성의 경우 출산 예정일을 고려하여 출산 휴가를 냄.

(5) 출산 징후 및 과정

① 출산의 징후
- 태아가 자궁 아래로 내려가면서 배가 처지고 소변이 잦아짐.
- 태동이 감소하고 불규칙한 간격으로 가벼운 복통과 요통이 나타남.
- 이슬: 양막의 일부가 자궁벽에서 떨어지면서 나오는 출혈 현상으로, 출산이 임박했음을 알리는 신호임.

② 진통
- 태아가 모체 밖으로 나올 때 자궁이 수축하면서 산모가 느끼는 통증
- 간격이 길다가 점차 짧아지며 강도도 강해짐.

③ 출산 과정 개구기, 만출기, 후산기의 세 단계로 진행되며, 각 단계가 진행되는 시간은 개인마다 차이가 있음.

(6) 산후 조리

① 산욕기 산모가 임신 전의 상태로 회복되는 기간으로, 보통 6~8주 정도 걸림.
- 후진통: 출산 직후 자궁 수축 때문에 생김. 모유 수유와 적당한 운동은 자궁 수축에 도움이 됨.
- 오로: 질에서 암적색의 오로 분비, 세균 감염에 주의함.
- 산후 우울증: 충분한 휴식과 영양 섭취는 물론 정신적으로 안정을 취해야 함.

② 산후 조리 방법 휴식, 영양, 운동, 청결, 수유, 임신 계획 등

개념 꽉꽉 다지기

1. (   )(이)란 인생의 축복인 동시에 막중한 책임과 의무가 따르는 과정으로, 자녀가 올바른 가치관을 가지고 건강하게 자랄 수 있도록 양육하고 교육하는 것을 의미한다.

1. 부모가 되어 자녀의 올바른 성장을 돕는 일은 개인적으로나 사회적으로 다양한 의미를 포함하고 있다.

2. 계획적인 임신을 위한 준비 사항으로 옳지 <u>않은</u> 것은?

① 엽산 복용

② 금주, 금연

③ 고열량 섭취

④ 꾸준한 운동

⑤ 배란일 체크

2. 책임 있는 부모가 되기 위해서는 자녀를 낳고 양육할 수 있을 만큼 신체적으로 성숙하고, 건강한 상태를 유지해야 한다.

3. 임신 중 모체의 변화로 옳지 <u>않은</u> 것은?

① 월경이 중지된다.

② 변비가 생길 수 있다.

③ 유방과 복부가 커진다.

④ 질 분비물이 감소한다.

⑤ 아랫배에 임신선이 나타난다.

3. 수정란이 자궁에 착상하면 호르몬의 영향으로 자궁의 활동이 활발해지면서 분비물도 많아진다.

4. (   )(이)란 태아가 모체 밖으로 나올 때 자궁이 수축하는데, 이때 산모가 느끼는 통증이다. 처음에는 간격이 길다가 점차 짧아지며 강도도 강해진다.

4. 진통은 태아를 밖으로 내보내기 위해 자궁이 수축을 반복하는 과정에서 느끼는 통증으로, 자궁 자체에서 일어나는 통증은 아니다.

5. 여자는 임신과 출산을 겪으면서 몸의 변화를 겪는다. 아기를 낳았다고 몸이 금방 임신 전 상태로 돌아가는 것은 아니다.

5. (   )(이)란 산모가 임신 전의 상태로 회복되는 기간으로, 보통 6~8주 정도 걸린다.

01 부모 됨의 사회적 의미는?

① 부모라는 지위를 얻는다.

② 인격적으로 성숙해질 수 있다.

③ 가정과 사회의 안정성을 높인다.

④ 가족의 결속력이 강해질 수 있다.

⑤ 자녀의 성장과 발달을 도우며 성취감을 얻는다.

02 책임 있는 부모가 되기 위한 심리적 준비로 가장 옳은 것은?

① 부모 교육에 꾸준히 참여하며 노력해야 한다.

② 자녀를 양육할 수 있을 만큼 건강한 상태를 유지해야 한다.

③ 자녀에게 사랑과 헌신을 베풀 수 있는 성숙한 상태여야 한다.

④ 사회에서 독립적인 성인의 역할을 잘 수행할 수 있어야 한다.

⑤ 자녀를 양육하고 교육하는 데 필요한 경제적 능력을 갖추어야 한다.

03 다음에서 설명하는 영양소로 옳은 것은?

> • 비타민 B군의 일종이다.
> • 태아의 신경 발달과 기형아 출산을 방지한다.
> • 임신 3개월 전부터 꾸준히 섭취해야 한다.

① 철분   ② 엽산

③ 티아민   ④ 나이아신

⑤ 리보플라빈

04 임신 1~3개월 중 모체의 변화로 옳지 <u>않은</u> 것은?

① 입덧이 시작된다.

② 월경이 중지된다.

③ 분비물이 많아진다.

④ 쉽게 피로감을 느낀다.

⑤ 태동을 느끼기 시작한다.

05 임신 6~8개월 중 태아의 발달 과정으로 옳지 <u>않은</u> 것은?

① 뼈와 근육이 발달한다.

② 폐, 신장 기능이 성숙해진다.

③ 얼굴과 손발 모양이 형성된다.

④ 청각이 발달하여 소리에 반응한다.

⑤ 태아 머리가 차츰 아래로 향하기 시작한다.

06 임신 중 생활에 대한 설명으로 옳지 <u>않은</u> 것은?

① 정기 검진

② 운동 금지

③ 마음의 안정과 태교

④ 균형 잡힌 영양 섭취

⑤ 금주, 금연, 약물 섭취 주의

07 출산 징후인 이슬에 대한 설명으로 옳은 것은?

① 태동이 감소하는 현상이다.

② 태아가 방광을 눌러 소변이 잦아지는 것이다.

③ 태아가 자궁 아래로 내려가 배가 처지는 것이다.

④ 태아가 모체 밖으로 나올 때 자궁이 수축하는 현상이다.

⑤ 양막의 일부가 자궁벽에서 떨어지면서 나오는 출혈 현상이다.

08 출산의 과정을 순서대로 나열한 것은?

> ㄱ. 양수가 터지고 진통이 규칙적으로 온다.
> ㄴ. 자궁이 수축되면서 태반과 탯줄, 양막이 나온다.
> ㄷ. 자궁 입구가 완전히 열려 태아가 모체 밖으로 나온다.

① ㄱ → ㄴ → ㄷ   ② ㄱ → ㄷ → ㄴ

③ ㄴ → ㄱ → ㄷ   ④ ㄴ → ㄷ → ㄱ

⑤ ㄷ → ㄱ → ㄴ

09 산후 조리 방법에 대한 설명으로 옳지 <u>않은</u> 것은?

① 가벼운 운동

② 1년 정도의 피임

③ 신체의 청결 유지

④ 충분한 수면과 안정

⑤ 질기고 단단한 음식의 섭취

10 출산 직후 산모의 증상으로 옳은 것은?

① 소변이 잦아진다.

② 질에서 암적색의 이슬이 분비된다.

③ 신체적, 정신적으로 매우 강해진다.

④ 배가 단단히 뭉치는 현상을 느낀다.

⑤ 자궁 수축 때문에 약간의 후진통이 있다.

핵심을 되짚는 O·X 문제

11 책임 있는 부모가 되기 위해서는 심리적, 신체적, 사회적, 경제적 준비를 해야 한다.   (O , X)

12 건강한 임신을 준비하기 위해 남성의 풍진 항체 여부 검사는 필수적이다.   (O , X)

13 풍진을 예방하기 위해서는 임신 3개월 전부터 엽산을 꾸준히 섭취해야 한다.   (O , X)

14 태반이 발달하여 임신 안정기에 접어드는 시기는 임신 9~10개월경이다.   (O , X)

15 임신 4~5개월경이면 생식 기관이 발달하여 성별을 구별할 수 있다.   (O , X)

16 임신부가 섭취하는 영양소는 양수를 통하여 태아에게 전달되므로 고르게 영양을 섭취하는 것이 좋다.   (O , X)

17 실제 출산일은 출산 예정일과 다를 수 있으므로, 예정일 2주 전부터 준비 사항을 꼼꼼히 점검하는 것이 좋다.   (O , X)

18 산욕기에는 출산 때 자궁과 산도에 상처가 생겨 혈액이 섞인 분비물이 나오는데, 이때 세균 감염에 주의한다.   (O , X)

03 자녀 발달 단계에 따른 부모 역할

개념 더하기

주제 열기

>> 다음 부모의 행동에서 문제점은 없는지 생각해 보고, 나라면 어떻게 행동할지 써 보자.
> - **영아기**: 아이가 블라인드 끈을 만지고 있는 위험한 상황인데도 부모는 아이에게 시선을 두지 않고 청소에 몰두하고 있다. 블라인드 안전 키트를 설치하거나 블라인드 끈을 아이의 손에 닿지 않는 위치에 묶어 두어 안전한 환경 만든다.
> - **유아기**: 유아가 스스로 우유를 마실 수 있도록 도와주는 것이 아니라, "엄마가 먹여 줄게."라며 과잉보호를 하고 있다. 아이가 우유를 스스로 마실 수 있도록 유아용 컵에 담아 준다.
> - **아동기**: "무조건 안 돼."라는 말로 아동의 행동을 제지하고 있다. 아동의 입장에서 생각해 보려는 노력이 부족하다. 아동과 함께 합의하여 게임을 할 시간 및 장소 등을 규칙으로 정하고, 규칙이 필요한 까닭을 설명해 주며 아동이 그 규칙을 지킬 수 있도록 지지해 준다.
> - **청소년기**: 다른 아이와 수학 점수를 비교하여 자녀의 자존감을 손상시키고 좌절감을 안겨 주고 있다. 다른 아이와 성적은 절대로 비교하지 않고, 자녀를 있는 그대로 수용한다. 점수가 상승했다면 크게 칭찬을 하고, 점수가 하락했다면 분발할 수 있게 지지해 준다.

+**신생아기 및 영아기의 부모 역할**
- 양육자 및 보호자
- 기본적 신뢰감 형성의 조력자
- 자극 제공자
- 자율성 발달의 조력자
- 학습 경험 제공자

1, 자녀의 발달에 따라 부모 역할에도 변화가 필요하다

자녀의 발달 단계별 돌보기 방법에 따라 부모 역할을 적절히 수행하여 자녀가 긍정적인 자아 정체감을 형성하고 사회생활을 원만하게 해 나갈 수 있도록 한다.

보육자	신생아기	출생~4주	• 새로운 환경에 적응하는 시기로, 목욕하기, 옷 입기, 식사하기 등 일상생활의 거의 모든 상황에서 다른 사람의 도움이 필요하다.
	영아기	생후 4주~ 만 2세	• 자녀의 신체적·정신적 욕구가 만족되도록 보살핀다.
양육자	유아기	만 2~ 만 6세	• 호기심이 많은 유아를 위해 다양한 환경을 제공한다. • 신체적 접촉, 행동, 관심 등을 통해 정서적 만족감을 준다. • 기본적인 생활 습관을 형성하도록 도와주며, 자신의 행동에 책임질 수 있게 지도한다.
격려자	아동기	만 6~ 만 12세	• 칭찬과 격려를 많이 해 주어 자율성과 주도성을 키우며, 학교생활에 잘 적응하도록 돕는다. • 자녀를 지도할 때 심한 간섭보다는 애정과 관심을 보이고, 아동의 질문에 성실하게 답해 준다.
상담자	청소년기	만 12~ 만 19세	• 자녀를 독립된 인격체로 인정하고 존중하며, 독립심을 길러 준다. • 학업, 친구 관계, 진로 등 고민이 많은 시기이므로 자녀와 긍정적인 의사소통을 하여 친밀한 관계를 유지한다.

+**유아기의 부모 역할**
- 양육자
- 훈육자
- 자아 개념 발달의 촉진자
- 주도성 발달의 조력자
- 학습 경험 제공자

🧑 스스로 생각해 보기

신생아 때부터 현재까지 나는 누구의 돌봄을 받아 왔는지 생각해 보자.
예) • 신생아기: 어머니, 아버지 • 영아기: 외할머니, 어머니, 아버지 • 유아기: 할머니, 어린이집 선생님, 어머니, 아버지 • 아동기: 할머니, 어머니, 아버지 • 청소년기: 어머니, 아버지

+**아동기의 부모 역할**
- 격려자
- 훈육자
- 근면성 발달의 조력자
- 긍정적 자아 개념 형성의 조력자
- 학습 경험 제공자

2. 신생아기 발달 특징과 돌보기를 알아보자

(1) 신생아 발달의 특징

① 신체적 특징

- 체격: 평균 키는 50 cm, 평균 체중은 2.9~4 kg로 개인차가 있다.
- 머리: 머리 크기는 몸의 $\frac{1}{4}$ 정도, 머리 둘레가 가슴둘레보다 1 cm정도 크다.
- 피부: 주름이 많고 붉은빛을 띠며, 솜털과 흰색 지방질의 분비물인 태지로 덮여 있다. ┌─ 피부를 덮고 있는 하얀색 막이다.
- 배꼽: 출생 후 7~10일 이내에 탯줄이 떨어지면서 배꼽이 된다.
  └─ 태아와 태반을 연결시켜주는 끈이다.

② 감각 기능 발달

- 시각: 시력은 약하지만 밝은 빛이나 사람의 얼굴을 따라 눈동자를 움직인다.
- 청각·후각: 여러 가지 소리를 구분할 수 있고, 엄마의 젖 냄새를 구별할 수 있다.
- 미각: 이미 태어나기 전부터 발달하였고, 특히 단맛을 좋아한다.
  └─ 분유나 엄마 젖의 달착지근한 맛을 좋아한다.

③ 생리적 특징

- 신생아 황달: 간 기능이 미숙하여 생후 2~3일경 황달이 나타나지만, 일주일 정도 지나면 사라진다. ┌─ 피부와 눈의 흰자위가 노랗게 보이는 상태로, 성숙한 간이라면 충분히 제거할 수 있는 색소인 빌리루빈을 제거하지 못해 생기는 증상이다.
- 배내똥 배설: 생후 1~2일경 암녹색의 끈적끈적한 배내똥을 본다.
- 체중 감소: 배내똥 배설, 피부 수분 증발 등으로 생후 2~3일 동안 체중이 일시적으로 감소한다. ┌─ 태변으로, 엄마 배 속에 있을 때 양수와 함께 태아의 입속으로 들어간 세포나 태지, 솜털 등이 장에 쌓여 있다가 나오는 것이다.
- 맥박 및 체온: 맥박은 120~140회 정도로 성인보다 빠르고, 체온은 36.5 ℃ ~37.5 ℃ 정도이다.

④ 반사 행동   본능적으로 가지고 태어나는 무의식적인 행동이다.

- 바빈스키 반사: 발바닥에 자극을 주면 부채처럼 쫙 폈다가 오므린다.
- 잡기 반사: 손에 잡히는 것을 꽉 쥐려고 한다.
- 모로 반사: 놀라거나 자극을 받으면 팔다리를 벌렸다가 오므린다.
- 빨기 반사: 입에 무언가 닿으면 빠는 동작을 한다.

(2) 신생아 돌보기

① 울음에 반응하기   울음에 빠르게 반응하는 것이 정서 발달에 중요하다.

② 안기와 재우기   안을 때에는 목을 받쳐 주고, 방 안의 온도와 습도를 조절한다.

③ 목욕시키기

- 일주일에 3회 이상, 시간은 5~10분 이내, 물의 온도는 38~40 ℃가 적당하다.
- 수유 직후에는 목욕을 피한다.
- 탯줄이 떨어지기 전에는 배꼽에 물이 들어가지 않도록 조심하고, 목욕 후에는 배꼽 주변을 잘 소독하여 염증이 생기지 않도록 주의한다.

④ 기저귀 갈기   기저귀를 빨리 갈아 주어 피부가 손상되지 않도록 하고, 변의 색깔과 상태를 잘 살피며, 기저귀는 배꼽에 닿지 않도록 접어서 내려 준다.

⑤ 수유하기

- 모유는 신생아에게 필요한 영양이 풍부하며 소화가 잘된다. 특히 출산 후 2~3일간 분비되는 초유는 면역 성분이 많고, 배내똥 배설을 도우므로 반드시 먹인다.

+ 숫구멍

앞숫구멍
(대천문)

뒷숫구멍
(소천문)

- 머리뼈 접합부가 완전히 닫히지 않아 말랑말랑한 부분이다.
- 마치 숨을 쉬듯이 팔딱팔딱 뛰며, 아기가 울거나 긴장하면 약간 불룩해진다.
- 두개골이 열려 있는 이유는 생후 18개월 정도가 될 때까지 아주 빨리 커지는 뇌의 용량이 들어갈 공간을 만들어 주기 위해서이다.
- 숫구멍은 2세 이내에 닫힌다.
- 저절로 닫힐 때까지 심하게 누르거나 압박을 하지 않는다.

+ 신생아의 시각

- 인간의 오감 중 가장 늦게 발달하는 감각이다.
- 출생 직후의 신생아는 한 물체에 시선을 고정시키거나 초점을 맞추지 못해 물체의 자세한 부분까지는 볼 수 없다.
- 아기가 사물을 잘 볼 수 있는 위치는 엄마가 아기를 안고 젖을 먹일 때의 거리인 20~25 cm 정도이다.

- 수유 초기에는 2~3시간에 한 번씩 하다가 아기의 욕구와 신체 조건 등에 따라 횟수와 먹이는 양을 조절한다.
- 수유하는 동안 아기와 눈을 맞추고 충분한 신체 접촉을 하면 아기는 정서적 안정감을 느끼고 엄마와의 친밀감을 형성할 수 있다.
- 수유 후에는 아기의 등을 가볍게 쓰다듬어 트림이 나오게 한다.

> **스스로 해 보기**
>
> 아기에게 모유를 먹이면 좋은 점을 조사해 보자.
>
> (예)
> - 아기에게 좋은 점: 모유는 항체나 면역체를 다량으로 함유하고 있으므로, 아기에게 질병에 대한 저항력을 길러 준다. 특히 출산 후 일주일 동안 나오는 초유에는 좋은 성분이 많이 들어 있어 태변을 잘 배출하게 하며, 황달에 걸리는 것을 예방할 수 있다. 또한 모유 수유를 통한 엄마와의 피부 접촉은 아기에게 심리적인 안정감을 준다.
> - 엄마에게 좋은 점: 모유 수유를 할 때 분비되는 호르몬들이 빠른 산후 회복을 도우며, 산후 출혈을 예방해 준다. 모유 수유를 통해 아기와의 정서적인 유대감이 증가할 수 있다. 산후 다이어트에도 효과적이며, 유방암, 난소암 등 여성 질환을 예방한다. 또한 위생적이며 편리하다.

3. 영아기 발달 특징과 돌보기를 알아보자

(1) 영아기 발달의 특징

① 신체 발달
- 생후 1년이 되면 출생 때보다 키는 1.5배(약 77 cm), 체중은 3배(약 10 kg) 정도가 된다.
- 생후 6개월경부터 이가 나기 시작하여 생후 2년 반을 전후로 20개의 젖니가 난다.

② 인지 발달
- 손에 닿는 것은 입으로 가져가 빨면서 탐색한다.
- 생후 9~12개월경에는 대상 영속성이 발달하여 물체가 보이지 않거나 소리가 들리지 않아도 그 물체가 여전히 존재한다는 것을 안다.

③ 정서 및 사회 발달
- 생후 2~3개월이 되면 아기의 정서는 쾌감, 불쾌감과 같은 감정에서 차츰 기쁨, 분노 등의 감정으로 분화된다.
- 자신을 돌봐주는 사람과 애착 관계를 형성하여 사회성이 발달한다. (아기와 양육자 사이에 형성되는 강한 정서적 유대 관계이다.) 생후 6~9개월경에는 낯가림을 하며, 양육자와 떨어지면 분리 불안을 느낀다.
- 만 2세쯤 되면 공감, 질투, 당황 등 대부분의 정서가 발달한다.

④ 언어 발달
울음, 표정 등으로 의사 표현을 하다가 옹알이를 시작하면서 한 단어, 두 단어, 문장 순으로 말을 하게 된다.

⑤ 운동 기능의 발달
- 발달 순서에 따라 머리에서 다리 방향으로, 대근육 운동에서 소근육 운동으로, 몸통에서 팔다리 쪽으로 발달한다.
- 머리 가누고 뒤집기(3~4개월) → 혼자 앉기(7개월) → 물건 붙잡고 서기(9~10개월) → 혼자 서기(12개월) → 혼자 걷기(15개월) → 계단 오르거나 달리기(24개월)

(2) 영아 돌보기

① **이유식 먹이기** 생후 6개월 이후에는 성장에 필요한 영양소를 골고루 제공하고, 소화·흡수 기능의 발달을 위해 이유식을 먹여야 한다.

② **대소변 가리기** 배변 의사 표시가 가능한 18개월 이후에 시작하고, 강압적으로 할 경우 아이가 수치심과 좌절감을 느끼므로 자율적인 분위기에서 시작한다.

③ **언어 지도하기**
- 정확한 발음을 들려 주고, 많은 말을 건네어 언어 발달을 자극한다.
- 옹알이를 하거나 말을 할 때마다 대답해 주고, 끊임없이 말을 걸어 주면 더 많은 소리를 내게 되어 언어 능력이 발달한다.

④ **놀이 지도하기**
- 놀이는 아이를 즐겁게 해 줄 뿐만 아니라 새로운 자극을 제공하여 성장과 발달을 촉진시킨다.
- 발달 단계와 안정성을 고려하여 다양한 모양과 재질의 장난감을 제공하여 감각 기능과 조작 능력을 길러 준다.

⑤ **애착 형성하기**
- 부모와의 신체 접촉은 두뇌 발달뿐만 아니라 사랑을 느끼게 한다.
- 아이와 항상 눈을 맞추고 신체 접촉을 하여 정서적인 유대감을 형성하고, 일관성 있는 양육 태도로 아이에게 신뢰감을 줄 수 있도록 한다.

⑥ **안전한 환경 만들기**
- 아이가 기어 다니거나 걸어 다니면서 문이나 모서리 등에 부딪히거나 넘어질 수 있고, 무엇이든 손에 잡힌 물건은 입으로 가져가므로 주의 깊게 살펴본다.
- 아이에게 위험한 물건을 항상 치운다.

더 들여다보기

👆 영아기에 형성된 애착이 이후 아동 발달에 어떠한 영향을 미칠지 생각해 보자.

예 영아기에 형성된 애착은 이후 인지, 정서, 사회성 발달에 중요한 영향을 미친다. 안정된 애착 관계를 형성한 영아는 유아기에 자신감, 호기심, 타인과의 관계에서 긍정적인 성향을 보인다. 또한, 아동기에 접어들어서도 도전적인 과제를 잘 해결하고, 좌절을 잘 참아 내며, 문제 행동을 덜 보인다. 그러나 영아기에 불안정한 애착 관계를 가졌던 영아는 이후의 대인 관계에서 어려움을 경험할 가능성이 크다.

4. 유아기 발달 특징과 돌보기를 알아보자

(1) 유아기 발달의 특징

① **신체 발달** 머리가 몸 전체에서 차지하는 비율이 낮아지고, 팔다리가 길어져 균형 잡힌 신체가 된다. 매년 키는 5~7 cm, 체중은 2~3 kg씩 증가한다.

② **언어 발달**
- 어휘 수가 급격히 늘고 다양한 문장을 구사할 수 있게 된다.

+ **이유식 먹이기**
- 쌀미음부터 시작하여 차츰 과일, 채소, 생선, 고기 등 다양한 식품을 접하게 한다.
- 부드러운 음식에서 점차 단단한 음식으로 바꾸고 양도 늘려 나간다.

+ **배변 훈련**
- 대소변을 가릴 때 부모가 칭찬해 주면 자율성이 발달하지만, 무리하게 지도하면 수치심을 갖게 된다.
- 부모가 강압적으로 실시하면 영아는 실패의 두려움 때문에 소극적이고 타율적인 성격이 되기 쉽다.

+ **영아기의 장난감**
- 1~3개월: 모빌, 딸랑이, 뮤직 박스, 커다란 오색 오리
- 4~6개월: 누르면 소리 나는 장난감, 이로 물고 빨 수 있는 장난감
- 7~15개월: 공, 큰 인형, 장난감 전화기 등
- 16~24개월: 타악기, 페달로 움직이는 자동차, 초보 그림 맞추기

+유아기의 주도성
- 유아기에는 자기 혼자 일을 도모하고 스스로 일을 해내고자 하는 주도적인 성향이 발달하고, 이러한 주도성의 획득은 이 시기의 주요 발달 과업이다.
- 유아기의 주도성을 발달시킬 수 있는 기회를 많이 주는 것이 좋다.

+상징적 사고
- 이미지를 기호로 변화시켜 의미를 부여하는 것으로, 사물을 또 다른 사물에 대입시켜 생각하는 것이다.
- 상징적 사고가 가능하여 의사 놀이, 소꿉놀이 등의 가상 놀이가 가능해진다.

+물활론적 사고
생명이 없는 대상에게 생명과 감정을 부여하는 것이다.

+제1의 반항기
유아기에는 자아의식이 강해져 "내 거야.", "내가 할 거야." 등과 같은 자기주장과 고집이 세지므로 제1의 반항기라고도 한다.

+유아의 발달을 돕는 놀이 형태
- 감각 놀이: 블록 쌓기, 색깔 놀이, 점토 놀이, 모래 놀이 등
- 신체 놀이: 공 던지기, 점프하기, 춤추기, 가위질하기 등
- 언어·인지 놀이: 선 따라 그리기, 이야기 만들기, 짝 맞추기 등
- 정서·사회성 놀이: 노래 부르기, 병원 놀이, 숨바꼭질 등

- 호기심이 많아져 끊임없이 질문하며, 자기중심적 언어를 구사하다가 만 6세 정도에 성인과 같은 일상 대화를 할 수 있다.
  > 반복, 독백, 다른 사람과 의사소통할 목적이나 의도가 없이 하는 언어 행위이다.

③ 운동 기능의 발달
- 대근육과 소근육, 골격의 발달로 빨리 달리기, 계단 오르내리기, 자전거 타기 등을 할 수 있고, 활동량이 많아진다.
- 손과 눈의 협응 발달: 젓가락 사용하기, 단추 채우기, 색칠하기, 종이접기 및 자르기 등을 할 수 있다.
  > 근육, 신경 기관, 운동 기관 등이 서로 도와 반응하는 능력이다.

④ 정서 및 사회성 발달
- 거의 모든 정서가 분화·발달하지만, 감정을 조절하는 능력이 부족하여 울다가 웃다가 떼를 쓰기도 한다.
- 스스로 결정하고 행동하고 싶어 하는 자기 주도성과 독립심이 발달한다.
- 또래들과 어울리면서 경쟁, 싸움, 협동, 양보 등과 같은 사회적 행동을 하게 되고, 사회 규범을 배운다.
- 부모 및 또래들과의 놀이를 통해 규칙을 지키고 역할 분담 등 사회성을 배운다.

⑤ 인지 발달
- 상징적 사고: 물체에 의미를 부여하고 상상하여 생각한다.
- 물활론적 사고: 모든 물체는 살아 있다고 생각한다.
- 자기중심적 사고: 자기 입장에서만 생각하고 다른 사람의 관점을 이해하지 못한다.
- 직관적 사고: 물체의 형태가 바뀌어도 양과 질은 변하지 않는다는 것을 이해하지 못한다.

(2) 유아 돌보기

① 기본 생활 습관 형성하기
- 기본 생활 습관이 형성되는 시기이므로 수면, 정리·정돈, 인사, 식사, 청결, 배변 등 지켜야 할 규칙과 생활 습관을 바르게 형성하도록 지도하는 것이 중요하다.
- 양육자는 과정을 중시하며 격려와 칭찬을 충분히 해 주고, 적절한 사회적 행동을 배울 수 있게 돕는다.

② 놀이 지도하기
- 놀이를 통해 신체 및 운동 기능, 지적 발달이 이루어지고, 또래와의 놀이를 통한 상호 작용을 하면서 사회성 및 정서가 발달한다.
- 나이별로 발달 단계를 고려한 장난감과 놀이를 통해 다양한 영역의 놀이 활동을 할 수 있게 많은 기회를 준다.
  - 혼자 놀이: 그림 맞추기, 인형 놀이, 블록 쌓기 등 혼자 하는 놀이
  - 병행 놀이: 같은 종류의 장난감을 사용하면서 나란히 앉아서 하는 놀이
  - 협동 놀이: 공동 목표를 달성하기 위해 구성원들의 역할을 나눈 조직적인 놀이

③ 언어 및 정서 지도하기
- 언어 발달이 급속도로 이루어지므로 정확한 발음으로 많은 이야기를 들려 준다.
- 호기심이 왕성하여 "왜?" 등의 질문을 많이 하는데, 이때 성실하게 대답해 준다.
- 충분한 애정 표현으로 아이가 사랑받고 있다는 느낌을 갖게 한다.

유아기 신체 및 정서, 사회성 발달을 도울 수 있는 놀이는 무엇이 있을지 생각해 보자.

예 • 신체 놀이: '머리어깨무릎발' 노래에 맞춰 율동하기, 엉덩이 씨름하기
  • 정서, 사회성 발달 놀이: 엄마아빠 놀이, 병원 놀이 등 다양한 역할 놀이, 술래잡기, 숨바꼭질 등 여러 명의 아이들이 함께 규칙을 정해서 실시하는 놀이 등

5. 아동기 발달 특징과 돌보기를 알아보자

(1) 아동기 발달 특징

① **신체 발달** 전체적인 신체 모습이 성인과 비슷해지고, 치아는 점차 영구치로 바뀐다. 아동기 후반에 생식 기관 발달이 시작하며, 여아가 더 빨리 발달한다.

② **정서 발달** 정서가 안정되고 자신의 감정을 조절할 수 있다. 다른 사람의 감정을 생각할 수 있으며, 간접적인 표현 방법도 터득한다.

③ **언어 발달** 어휘력과 기본 문법 기능이 향상하여 읽기와 쓰기 능력이 빠르게 발달하고, 타인을 배려하는 대화 기술이 생긴다.

④ **인지 발달** 주의 집중력과 기억력이 좋아지고, 지식과 이해력이 풍부해지며, 논리적 사고를 할 수 있다.

⑤ **운동 발달** 운동 능력이 향상하여 어려운 운동도 할 수 있고, 소근육이 정교하게 발달하여 미술 활동을 좀 더 잘하게 된다.

⑥ **사회성 발달** 또래 관계를 통해 대인 관계 능력과 문제 해결 능력이 발달하고, 도덕적 규칙과 규범을 준수하려는 도덕성이 발달한다.

(2) 아동 돌보기

① **학습 격려하기** 자신에게 맞는 특기와 적성을 찾도록 칭찬과 격려를 해 주고, 배움의 중요성을 강조하여 스스로 공부하고자 하는 동기를 유발한다.

② **생활 습관 지도하기** 스스로 규칙을 정하여 이를 지킬 수 있게 하고, 스스로가 자기 습관을 갖도록 부모와 주변 사람들이 모범을 보인다.

③ **사회성 지도하기** 또래들과 좋은 친구 관계를 유지하도록 관심을 가진다.

④ **건강 관리** 올바른 식습관과 청결한 생활, 규칙적인 운동을 바탕으로 스스로 건강을 관리하도록 지도한다.

개념 더하기

+ **아동기의 근면성**
아동은 주어진 과제를 성공적으로 수행하여 부모나 교사, 또래로부터 인정받게 되면 매사에 더 열심히 하려는 근면성이 발달하고, 이를 통해 긍정적인 자아 개념을 형성한다.

+ **아동기의 또래 관계**
또래 관계를 잘 유지하기 위해서는 상대방의 말 경청하기, 양보하고 협동하기, 적절한 의사소통 기술 등이 필요하다.

+ **아동기의 탈중심화**
• 탈중심화: 사물을 한 가지 특성으로만 파악하는 것이 아니라 사물의 여러 면을 동시에 고려하여 판단할 수 있다.
• 아동은 이전 시기에 비해 훨씬 덜 자기중심적이기 때문에 탈중심화된다.
• 어떤 상황에 두 가지 차원을 동시에 고려할 수 있고, 대부분의 물리적 조작이 가역적이라는 것을 인식한다.
• 다른 사람의 입장을 이해할 수 있는 능력이 증가하면서 보다 융통성 있는 도덕적 사고를 갖게 된다.

주제 활동 자녀 돌보기

자료들을 읽고 질문에 각자의 의견을 써 보고, 피라미드 토론을 통해 의견을 모아 보자. 자녀를 잘 키운다는 것은 어떠한 의미일까?

예 아동이 한 문화에서 반드시 습득해야 할 보편적인 습관, 기술, 행동, 가치관을 발달시키게 도움을 주고, 마음과 몸이 건강한 성인으로 성장할 수 있도록 양육하는 것이다. 자녀의 요구에 대해 민감하게 반응하고 관심을 보이며, 참을성을 갖고 자녀와 관계를 형성하는 것이다.

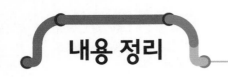

내용 정리

1, 자녀 발달에 따른 부모의 역할

자녀의 발달 단계별로 요구되는 돌보기 방법에 따라 부모의 역할을 적절히 수행하여 자녀가 긍정적인 자아 정체감을 형성하고 사회생활을 원만하게 해 나갈 수 있도록 돕는 것이 중요함.

2, 신생아기 발달 특징과 돌보기

(1) 신생아기 발달의 특징

① **신체적 특징**
- 체격 : 평균 키 50 cm, 평균 체중 2.9~4 kg, 개인차가 있음.
- 머리: 크기는 몸의 $\frac{1}{4}$ 정도, 머리 둘레가 가슴둘레보다 큼.
- 피부: 주름, 붉은빛, 솜털, 태지 등
- 배꼽 : 출생 후 7~10일 이내에 탯줄이 떨어짐.

② **감각 기능 발달** 시력은 약하지만 청각, 후각, 미각 발달

③ **생리적 특징** 신생아 황달, 배내똥 배설, 체중 감소, 성인보다 빠른 맥박 및 36.5 ℃~37.5 ℃ 정도의 체온

④ **반사행동** 바빈스키 반사, 잡기 반사, 모로 반사, 빨리 반사 등

(2) 신생아 돌보기 울음에 반응하기, 안기와 재우기, 목욕시키기, 기저귀 갈기, 수유하기 등

3, 영아기 발달 특징과 돌보기

(1) 영아기 발달의 특징

① **신체 발달**
- 생후 1년 출생 때보다 키는 1.5배(약 77 cm), 체중은 3배(약 10 kg) 정도가 됨.
- 생후 6개월경부터 이가 나기 시작하여 생후 2년 반을 전후로 20개의 젖니가 남.

② **인지 발달** 손에 닿는 것은 입으로 가져가 빨면서 탐색함. 생후 9~12개월경에는 대상 영속성이 발달함.

③ **정서 및 사회 발달**
- 생후 2~3개월이 쾌감, 불쾌감과 같은 감정에서 차츰 기쁨, 분노 등의 감정으로 분화됨.
- 생후 6~9개월경에는 낯가림을 하며, 애착을 형성한 양육자와 떨어지면 분리 불안을 느낌.
- 만 2세쯤 되면 공감, 질투, 당황 등 대부분의 정서가 발달함.

④ **언어 발달** 울음, 표정 등으로 의사 표현을 하다가 옹알이를 시작하면서 한 단어, 두 단어, 문장 순으로 말을 하게 됨.

⑤ **운동 기능의 발달** 발달 순서에 따라 머리에서 다리 방향으로, 대근육 운동에서 소근육 운동으로, 몸통에서 팔다리 쪽으로 발달함.

(2) 영아 돌보기 이유식 먹이기, 대소변 가리기, 언어 지도하기, 놀이 지도하기, 애착 형성하기, 안전한 환경 만들기 등

4, 유아기 발달 특징과 돌보기

(1) 유아기 발달의 특징

① **신체 발달** 균형 잡힌 신체가 됨. 매년 키는 5~7 cm, 체중은 2~3 kg씩 증가함.

② **언어 발달** 어휘 수가 급격히 늘고 다양한 문장을 구사할 수 있게 됨. 호기심이 많아져 끊임없이 질문하며, 자기중심적 언어를 구사하다가 만 6세 정도에 성인과 같은 대화를 할 수 있음.

③ **운동 기능의 발달** 대근육과 소근육, 골격의 발달, 손과 눈의 협응이 발달함.

(2) 유아 돌보기 기본 생활 습관 형성하기, 놀이 지도하기, 언어 및 정서 지도하기 등

5, 아동기 발달 특징과 돌보기

(1) 아동기 발달 특징

① **신체 발달** 성인과 비슷해지고, 치아는 점차 영구치로 바뀜. 아동기 후반에 생식 기관 발달이 시작하는데, 여아가 빠름.

② **정서 발달** 정서가 안정되고 자신의 감정을 조절할 수 있음. 다른 사람의 감정을 생각할 수 있으며, 간적접인 표현 방법도 터득함.

③ **언어 발달** 어휘력과 기본 문법 기능이 향상하여 읽기와 쓰기 능력이 빠르게 발달하고, 타인을 배려하는 대화 기술이 생김.

④ **인지 발달** 주의 집중력과 기억력이 좋아지고, 지식과 이해력이 풍부해지며, 논리적 사고를 할 수 있음.

⑤ **운동 발달** 운동 능력이 향상하여 어려운 운동도 할 수 있고, 소근육이 정교하게 발달함.

⑥ **사회성 발달** 또래 관계를 통해 대인 관계 능력과 문제 해결 능력이 발달하고, 도덕적 규칙과 규범을 준수하려는 도덕성이 발달함.

(2) 아동 돌보기 학습 격려하기, 생활 습관 지도하기, 사회성 지도하기, 건강 관리 등

개념 꼭꼭 다지기

1. 부모의 기본적인 역할은 자녀가 자립적인 사회 구성원으로 성장하도록 교육하고, 올바른 인성을 형성하도록 도와주는 것인데, 이에 따른 구체적인 역할은 자녀의 (   )에 따라 다르다.

2. 신생아의 (   )은/는 본능적으로 가지고 태어나는 무의식적인 행동으로, 뇌와 신경의 상태를 평가하는 기준이 된다.

3. 영아기에는 자신을 돌봐주는 사람과 (   ) 관계를 형성하여 사회성이 발달한다.

4. 유아기의 인지 발달 특성으로 옳지 <u>않은</u> 것은?
   ① 상징적 사고
   ② 논리적 사고
   ③ 직관적 사고
   ④ 물활론적 사고
   ⑤ 자기 중심적 사고

5. 아동기는 만 6세 이후부터 만 12세까지의 시기로, 부모는 (   )에 잘 적응하고 건강한 생활을 유지하도록 돕고, 관심과 애정을 쏟아야 한다.

🔊 Helper

1. 자녀의 발달 단계별로 요구되는 돌보기 방법에 따라 부모의 역할을 적절히 수행하여 자녀가 긍정적인 자아 정체감을 형성하고 사회생활을 원만하게 해 나갈 수 있도록 돕는 것이 중요하다.

2. 바빈스키 반사, 잡기 반사, 모로 반사, 빨기 반사 등이 있다.

3. 생후 6~9개월경에는 낯가림을 하며, 애착을 형성한 양육자와 떨어지면 분리 불안을 느낀다.

4. 아동기에는 논리적 사고를 할 수 있다.

5. 아동기는 초등학교에 입학하여 학교생활에 적응하는 시기이다.

차곡차곡 실력 쌓기

01 다음 그림을 통해 알 수 있는 부모의 역할로 옳은 것은?

영아기 – 보육자 ▶▶ 유아기 – 양육자

▶▶ 아동기 – 격려자 ▶▶ 청소년기 – 상담자

① 건강한 발달을 위해 적절한 의식주를 제공한다.
② 따뜻한 애정과 관심으로 정서적 안정을 돕는다.
③ 자녀의 발달 단계에 따라 적절한 방법으로 돌본다.
④ 칭찬과 격려로 긍정적인 자아 정체감을 형성하게 한다.
⑤ 자녀가 자립적인 사회 구성원으로 성장하도록 교육한다.

02 다음의 부모 역할에 해당하는 자녀의 발달 단계로 옳은 것은?

• 자녀를 독립된 인격체로 인정하고 존중하며, 독립심을 길러 준다.
• 자녀와 긍정적인 의사소통을 하여 친밀한 관계를 유지한다.

① 영아기　　　　② 유아기
③ 아동기　　　　④ 신생아기
⑤ 청소년기

03 신생아기 발달 특징으로 옳지 <u>않은</u> 것은?

① 황달　　　　　② 반사 행동
③ 배내똥 배설　　④ 긴 수면 시간
⑤ 생리적 체중 증가

04 다음에서 설명하는 신생아기의 반사 행동으로 옳은 것은?

놀라거나 자극을 받으면 팔다리를 벌렸다가 오므린다.

① 잡기 반사　　　② 모로 반사
③ 빨기 반사　　　④ 걷기 반사
⑤ 바빈스키 반사

05 영아기의 신체 발달 특징으로 옳은 것을 〈보기〉에서 있는 대로 고른 것은?

┤보기├
ㄱ. 치아는 점차 영구치로 바뀌게 된다.
ㄴ. 얼굴과 몸의 비율이 성인과 비슷해진다.
ㄷ. 몸무게는 태어날 때의 3배인 10 kg 정도가 된다.
ㄹ. 일생 중 가장 빠른 속도로 신체가 성장하게 된다.

① ㄱ, ㄴ　　　　② ㄱ, ㄷ
③ ㄴ, ㄷ　　　　④ ㄴ, ㄹ
⑤ ㄷ, ㄹ

06 영아기의 운동 기능 발달 순서를 바르게 나열한 것은?

① 뒤집기 → 머리 들기 → 혼자 앉기 → 혼자 서기
② 머리 들기 → 혼자 앉기 → 뒤집기 → 혼자 서기
③ 머리 들기 → 뒤집기 → 혼자 앉기 → 혼자 서기
④ 머리 들기 → 뒤집기 → 혼자 서기 → 혼자 앉기
⑤ 혼자 앉기 → 뒤집기 → 머리 들기 → 혼자 서기

07 영아기 자녀의 부모 역할로 옳지 <u>않은</u> 것은?

① 이유식 먹이기

② 언어 지도하기

③ 애착 형성하기

④ 학습 격려하기

⑤ 안전한 환경 만들기

08 유아기의 운동 기능 중 성격이 <u>다른</u> 것은?

① 색칠하기

② 빨리 달리기

③ 단추 채우기

④ 젓가락 사용하기

⑤ 종이 접기 및 자르기

09 유아기 자녀를 둔 부모의 역할로 옳지 <u>않은</u> 것은?

① 애정 표현을 충분하게 한다.

② 정확한 발음으로 많은 이야기를 들려 준다.

③ 자녀가 적절한 사회적 행동을 배울 수 있게 돕는다.

④ "왜?" 등의 질문에 내용이 정확한 경우만 답해 준다.

⑤ 다양한 영역의 놀이 활동을 할 수 있는 기회를 준다.

10 아동기의 발달 특징으로 옳지 <u>않은</u> 것은?

① 또래 관계를 통해 대인 관계 능력이 발달한다.

② 정서가 안정되고 자신의 감정을 조절할 수 있다.

③ 도덕적 규칙과 규범을 준수하려는 도덕성이 발달한다.

④ 소근육이 정교하게 발달하여 미술 활동을 좀 더 잘하게 된다.

⑤ 자기 입장에서만 생각하고 다른 사람의 관점을 이해하지 못한다.

핵심을 되짚는 O·X 문제

11 신생아기는 울음으로 몸과 마음의 상태를 표현하므로 울음에 관심을 가지고 빠르게 반응하는 것이 정서 발달에 중요하다.
(O , X)

12 생후 2~3일간 분비되는 초유는 노랗고 끈적끈적하여 소화를 방해하므로 아기에게 먹이지 않는 것이 좋다. (O , X)

13 신생아 황달은 폐의 기능이 미숙하여 생후 2~3일경에 나타나는데, 일주일 정도 지나면 사라진다. (O , X)

14 아기가 양육자와 떨어지면 분리 불안을 느끼는 것은 아직 애착 관계가 형성되지 않아서이다. (O , X)

15 생후 9~12개월경에는 대상 영속성이 발달하여 물체가 보이지 않거나 소리가 들리지 않아도 그 물체가 여전히 존재한다는 것을 안다. (O , X)

16 모유나 분유는 성장에 필요한 영양소를 완벽하게 공급하므로 가능한 오래 먹이고, 이유식을 시작하는 시기는 늦을수록 좋다.
(O , X)

17 같은 종류의 장난감을 사용하면서 나란히 앉아서 하는 놀이를 협동 놀이라고 한다. (O , X)

18 아동기에는 학교에서 학습할 수 있는 인지적 능력과 사회성, 그리고 도덕성이 발달한다. (O , X)

04 건강한 세대 간의 관계 만들기

개념 더하기

주제 열기

➤ 우리 집의 가족 문화를 알아보고, 우리 집에서 지키고 있는 가족 규칙을 써 보자.
- 우리 집의 가족 문화: 약속 지키기를 중시하는 가족 문화, 소통을 중시하는 가족 문화
- 우리 집의 가족 규칙: 약속 시간에는 절대 늦지 않는다. 저녁 식사는 온 가족이 함께한다. 멀리 떨어져 사시는 할머니께 일주일에 두 번 안부 전화를 한다. 자기 방 청소는 스스로 한다.

➤ 이러한 가족 규칙이 건강한 세대 간의 관계 형성에 어떤 영향을 주는지 생각해 보자.
매일 저녁 온 가족이 식사를 함께하며 대화를 나누는 규칙은 부모님이 겪는 어려움과 자녀가 겪는 어려움을 함께 나누며 서로를 이해할 수 있는 시간을 보장해 주어 부모·자녀 간 유대감과 친밀감을 돈독히 하는 데 도움이 된다.

+결혼관의 변화
- 혼인을 필수적인 것으로 생각하기보다는 선택이라는 인식이 확산되어 혼인율이 감소하고 있다.
- 개인적 성취나 자유, 출생 가족, 산업화, 교육 수준, 경제적 상황 등이 초혼 연령의 상승에 영향을 미친다.
- 최근 황혼 이혼의 증가는 모든 세대에서 결혼 생활의 안정성이 위협받아 이혼율이 급증하고 있음을 반영한다.

+자녀관의 변화
- 아들을 통한 가계 계승과 노후 의존도가 점차 약화되어 가고, 자녀를 통한 자기실현보다 자녀 양육 자체의 보람과 직업을 통한 자기실현에 의미를 두면서 자녀 출산의 문제는 사회적 문제로 대두되고 있다.
- 희망하는 자녀 수가 현저하게 감소하여 세계에서 가장 낮은 수준이다.

1, 건강한 가족 문화를 형성하자

(1) 변화하는 가족 문화

① **가족 문화** 한 가족이 일상생활에서 공유하는 고유한 생활 습관이나, 가치관, 규범, 생활 태도, 행동 유형 등이 반영된 삶의 양식이다.

② **변화하는 가족 문화** 가족의 역사가 담겨 있어 가정마다 다르며, 사회의 변화에 따라 계속해서 변화한다.

- 산업화와 도시화의 영향으로 가족의 양육 및 부양의 기능 축소됐지만, 정서적 기능 강조되고 있다. 그 결과 가족 간의 유대감과 친밀감을 돈독히 하려는 경향이 늘어났다.
- 결혼관 및 자녀관 등의 변화로 결혼하지 않거나 결혼 시기를 늦추는 경우가 많아졌다.

▲ 가족 문화의 변화

- 이혼율 증가와 평균 수명의 연장 등으로 오늘날 가족의 형태가 다양하게 변화하면서 가족 문화가 다양한 모습으로 나타나고 있다.

(2) 건강한 가족 문화 민주적이고 양성평등한 가족 관계를 형성하고, 세대 간 원활한 소통을 통해 조화를 이루며, 이웃과 함께 화합을 이루는 가족 문화를 말한다.

① 건강한 가족 문화 형성의 필요성

• 가치관의 변화와 과거와 현대의 가족 문화의 혼재, 개인주의의 영향으로 가족 간 유대감 약화 등 가족 구성원 간의 부적응과 갈등이 늘어나고 있다.

• 급격한 사회 변화로 세대 간 삶의 방식과 생각의 차이가 벌어지면서 가족 내 세대 간 소통과 교류에 어려움을 겪고 있다.

• 가족 구성원의 삶의 질을 높여 가족 모두가 행복한 생활을 누리기 위해 건강한 가족 문화가 실현되어야 한다.

② 건강한 가족 문화 형성의 중요성

• 가족 부적응 및 갈등 문제의 예방과 해결: 건강한 가족 문화를 가지고 있는 가족은 가족 관계 혹은 가족 생활에서 경험할 수 있는 크고 작은 문제가 발생했을 때 가족 구성원이 함께 협력하고 노력하여 가족의 건강성을 회복하고 더 강화할 수 있다.

• 가족 구성원의 삶의 질 향상: 가족 구성원 개개인의 행복을 위해서도 매우 중요하다.

• 건강한 사회 문화 형성 및 사회 발전의 원동력: 가족의 건강성은 곧 건강한 사회의 기초가 되므로, 우리 사회의 건강을 위해서도 매우 중요하다.

민주적이고 양성평등한 가족 문화 ✚ 세대 간 조화를 이루는 가족 문화 ✚ 이웃과 함께하는 가족 문화

가족 부적응 및 갈등 문제의 예방과 해결 / 가족 구성원의 삶의 질 향상 / 건강한 사회 문화 형성 및 사회 발전의 원동력

▲ 건강한 가족 문화 형성의 중요성

💬 함께 해 보기

가족과 함께하는 시간이 많아진다면 가정생활과 사회에 어떤 변화를 가져올 수 있는지 친구들과 함께 생각하여 보자.

예 • 가정생활의 변화: 부모 자녀 관계가 돈독해진다. 가족의 소중함을 알 수 있게 된다. 유대감을 높일 수 있다.

• 사회의 변화: 일과 가정의 조화를 이루어 업무에 더 집중할 수 있다. 이웃과 친근한 관계가 된다. 사회가 건강하고 행복해진다.

개념 더하기

+가족 문화의 구성 요소

• 가치: 가족 문화의 토대이며, 다양한 상황 속에서 각각의 가족 구성원들이 어떠한 행동을 취해야 하는지의 기준을 제공해 준다.

• 규범: 가족이 어떻게 생활해야 하는지에 대한 명시적이고 암묵적인 규칙이며, '행동하는 가치'를 뜻한다.

• 의례와 전통: 가족에게 정체감과 목적 의식을 제공해 주는 일련의 행동과 일과를 뜻하며, 핵가족에게는 결속력을, 확대 가족에게는 유대감을 느끼게 해 준다.

+가족 자원봉사 활동

지역 사회와의 교류 활동으로, 가족이 함께 자원봉사의 가치를 익히고, 지역 사회의 발전에 기여할 수 있는 좋은 기회가 된다.

2, 건강한 세대 간의 관계를 이루기 위하여 노력하자

(1) 세대 간 갈등 ── • 같은 시대를 살면서 공통의 의식을 가지는 비슷한 연령층의 사람들
• 부모가 속한 시대와 자녀가 속한 시대와의 차이를 가지는 대략 30년의 기간
• 부모와 자식, 손자로 이어지는 대

① 원인

• 각 세대는 서로 각기 다른 생애 주기 과정에 속해 있으며, 사회·문화적 환경도 다르다.

• 세대들 간에는 가치, 태도 생활 방식에서 차이가 발생하고, 이는 세대 간 갈등 으로 이어질 가능성이 크다.

② 문제점

• 건강한 가족 관계를 위협한다.

• 윗세대의 경험과 교훈이 아랫세대에게 제대로 전달되지 않는다.

• 윗세대가 아랫세대를 통해 새로운 삶의 방식을 배울 기회를 단절시키는 등 세대 간 교류를 방해한다.

• 사회 전체를 고려했을 때에도 사회적 조화나 배려가 제대로 이루어지지 않아 세대 차별을 강화하는 요인이 된다.

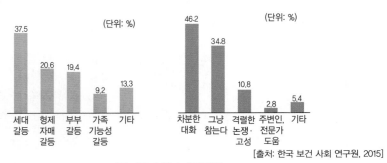

[출처: 한국 보건 사회 연구원, 2015]

▲ 가족 갈등 유형과 대처 방법

(2) 건강한 세대 간 관계

① 건강한 세대 간 관계의 필요성

• 건강한 가족 문화가 형성된다.

• 가족 구성원은 서로 도와주는 관계이자 삶의 의미를 부여해 주는 관계로 발전할 수 있다.

• 사회 전체의 갈등과 손실을 최소화하는 데 이바지할 수 있다.

② 건강한 세대 간 관계를 조화롭게 유지하는 방안

• 배려하기: 윗세대와 아랫세대가 서로 자기 것을 고집하기보다, 상대방을 먼저 생각하며 이해하고 존중할 때 세대 간의 조화로운 관계를 형성할 수 있다.

• 소통하기: 윗세대와 아랫세대가 조화롭게 상호 작용하며, 열린 마음으로 대할 때 상호 이해와 친밀감이 증진될 수 있다.

• 서로의 문화 이해하기: 서로의 문화 차이를 존중하고 진정으로 이해하려는 태도를 보이는 것이 중요하다.

• 서로 돌보기: 젊은 세대는 노인 세대의 고충을 이해하며 돌본다. 노인 세대는 젊은 세대의 의견을 존중하며 연륜과 경험으로 돌봄으로써 세대 간의 상호 보완적인 관계를 유지할 수 있다.

+세대 차이

서로 다른 세대들 사이에 생리적·심리적·사회적 특성과 생활 환경, 경험이 달라 의식, 가치관 등에 차이가 있는 것

+가족회의의 효과

• 문제 해결: 가족회의는 구성원 간의 긴장을 없애고 논의를 통한 문제 해결을 이끌어 낼 수 있다. 가족 전체가 직면하고 있는 문제를 다룰 수도 있지만, 구성원 각자의 문제 해결을 돕는 데도 유용하다.

• 스트레스 해소: 가족회의는 모든 가족 구성원들이 일정을 공유하고, 현재 가정 내에서 일어나고 있는 일에 대해 동일한 의견을 가질 수 있는 기회를 제공해 준다.

• 가족 결속력 형성: 가족과의 시간을 위해 매주 시간을 투자하는 것은 삶의 고난을 견딜 수 있는 단단한 가족 결속력을 형성할 수 있게 해 준다.

• 가족 문화 및 가치 강화: 가족회의는 부모가 자녀에게 고취시키고 싶은 원칙을 가르치고, 그것을 어떻게 현실 상황에 적용시킬지 논의해 볼 수 있는 정기적인 기회를 제공해 준다.

• 갈등 해결하기: 건강한 세대 관계를 유지하기 위해서는, 갈등을 덮어 버리거나 분노와 미움으로 반응하기보다는 갈등을 자연스러운 일상의 한 부분으로 인정하고 지혜롭게 해결하려는 노력이 필요하다.

스스로 해 보기

조부모님, 부모님과 좋은 관계를 유지하기 위해 내가 할 수 있는 일을 찾아보자.

예 세대 간 갈등을 해결하기 위해서는 우선 세대 간 갈등을 자연스러운 현상으로 받아들이는 태도가 중요하다. 갈등을 덮어 버리기보다는 차분한 대화를 통해 서로의 문화와 고충을 이해하고 상대방 입장에서 생각해 보고자 노력해야 한다.

교과서 뛰어 넘기   한국의 세대 통합 프로그램과 기대 효과

우리나라의 세대 통합 프로그램은 기관들마다 이를 특성화시켜 프로그램이 이루어지고 있다.

프로그램명	내용 및 목적	주요 프로그램
사랑 느낌 사업단	보육 시설 교사의 업무를 보조하는 역할을 수행하며, 종일제 어린이집의 서비스 질 향상 및 여성 시니어 인력을 활용한 1, 3세대 통합 교육	보육 시설 교사 업무 보조
Edu - 클럽	전직 교직 및 각 분야별 관련 경험이 있는 시니어들이 지역 사회 내 어린이집 및 복지관, 노인 요양 센터 등 전 연령층을 대상으로 체험 학습 프로그램 실시	종이접기 독서 지도사 천연 비누
노인 생애 체험 교육단 '지니 체험 교실'	지역 내 초등학교에 체험 교사로 파견하여 노인 세대에 대한 이해를 도모함으로써 세대 통합을 구현	노인 생애 체험 교육

[출처: 정필복, 「세대 통합 프로그램 활성화 방안을 위한 연구」, 2012, 경희대학교]

주제 활동   우리 가족 버킷리스트 작성하기

1. 우리 가족의 버킷 리스트를 작성하여 공통점과 차이점을 분석하고, 버킷 리스트 실현을 위한 방안을 찾아보자.

• 조부모님: 온 가족과 함께하는 여행하기, 영어와 컴퓨터 배우기, 꾸준히 운동하기, 새로운 취미 찾기 등

• 부모님: 새로운 취미 찾기, 부모님과 함께하는 여행하기, 악기 배우기, 페이스북 이용하기 등

• 나: 해외 배낭여행하기, 일주일에 한 권 독서하기, 내 힘으로 용돈 벌기 등

• 공통점: 여행

• 공동 실현을 위한 노력 방안: 3세대가 함께 가족 여행을 계획하고 실행함으로써 '여행'이라는 3세대 모두의 버킷 리스트를 공동 실현할 수 있다

• 차이점: 조부모님의 '영어와 컴퓨터 배우기'와 부모님의 '새로운 취미 찾기', 나의 '일주일에 한 권 독서'가 각각의 차이점이다.

• 차이점을 극복하기 위한 노력 방안: 나는 조부모님과 조부모님께 컴퓨터나 소셜 네트워크 서비스 이용과 같은 IT 기술의 기초적인 교육을 해 드린다. 이에 조부모님과 부모님은 나에게 소정의 용돈을 주시면 나는 그 돈을 미래에 갈 해외 배낭여행 비용을 모으는 데 보탬으로써 세대 간의 조화를 이루고, 서로의 버킷 리스트를 실현할 수 있다.

2. 1번 활동 후 세대 간의 조화를 이루는 것이 중요한 까닭을 생각하여 보자.

세대 간 조화가 이루어지지 않을 때 가족 구성원이 행복한 가족 생활을 하기가 어렵기 때문이다.

내용 정리

1. 건강한 가족 문화의 형성

(1) 변화하는 가족 문화

① **가족 문화** 한 가족이 일상생활에서 공유하는 고유한 생활 습관이나, 가치관, 규범, 생활 태도, 행동 유형 등이 반영된 삶의 양식

② **변화하는 가족 문화** 가족의 역사가 담겨 있어 가정마다 다르며, 사회의 변화에 따라 계속해서 변화함.
- 산업화와 도시화의 영향으로 가족의 양육 및 부양 기능은 축소되고, 정서적 기능이 강조되고 있음.
- 결혼관 및 자녀관 등의 변화로 결혼하지 않거나 결혼 시기를 늦추는 경우가 많아짐.
- 가족의 형태가 다양하게 변화하면서 가족 문화가 다양한 모습으로 나타나고 있음.

과거	현재
효와 예를 중시하고 차례와 제사를 지내며 조상을 섬김.	가족 형태가 다양해지고, 가족 관계가 민주적이고 우애적인 관계로 변화함.
가부장을 중심으로 수직적인 가족 관계였으며, 남녀 역할이 엄격히 구분됨.	가족 구성원의 상황이나 능력에 따라 역할을 분담하는 양성평등의 문화로 변화함.
통과 의례와 명절, 절기 등의 행사를 중요하게 여김.	가족 단위의 여가 활동이나 봉사 활동이 퍼져 가고 있음.

(2) 건강한 가족 문화

① **건강한 가족 문화 형성의 필요성**
- 가치관의 변화와 과거와 현대의 가족 문화의 혼재, 개인주의의 영향으로 가족 간 유대감 약화 등 가족 구성원 간의 부적응과 갈등이 늘어나고 있음.
- 급격한 사회 변화로 세대 간 삶의 방식과 생각의 차이가 벌어지면서 가족 내 세대 간 소통과 교류에 어려움을 겪고 있음.
- 가족 구성원의 삶의 질을 높여 가족 모두가 행복한 생활을 누리기 위해 건강한 가족 문화가 실현되어야 함.

② **건강한 가족 문화 형성의 중요성**
- 가족 부적응 및 갈등 문제의 예방과 해결: 건강한 가족 문화를 가지고 있는 가족은 가족 관계 혹은 가족 생활에서 경험할 수 있는 문제가 발생했을 때 가족 구성원이 함께 협력하고 노력하여 가족의 건강성을 회복하고 더 강화할 수 있음.
- 가족 구성원의 삶의 질 향상: 가족 구성원 개개인의 행복을 위해서도 매우 중요함.

- 건강한 사회 문화 형성 및 사회 발전의 원동력: 가족의 건강성은 곧 건강한 사회의 기초가 되므로, 우리 사회의 건강을 위해서도 매우 중요함.

2. 건강한 세대 간의 관계

(1) 세대 간 갈등

① **원인**
- 각 세대는 서로 각기 다른 생애 주기 과정에 속해 있으며, 사회·문화적 환경이 다름.
- 세대들 간에는 가치, 태도, 생활 방식에서 차이가 발생하고, 이는 세대 간 갈등으로 이어질 가능성이 큼.

② **문제점**
- 건강한 가족 관계를 위협함.
- 윗세대의 경험과 교훈이 아랫세대에게 제대로 전달되지 않음.
- 윗세대가 아랫세대를 통해 새로운 삶의 방식을 배울 기회를 단절시키는 등 세대 간 교류를 방해함.
- 사회 전체를 고려했을 때에도 사회적 조화나 배려가 제대로 이루어지지 않아 세대 차별을 강화하는 요인이 됨.

(2) 건강한 세대 간 관계

① **건강한 세대 간 관계의 필요성**
- 건강한 가족 문화가 형성됨.
- 가족 구성원은 서로 도와주는 관계이자 삶의 의미를 부여해 주는 관계로 발전할 수 있음.
- 사회 전체의 갈등과 손실을 최소화하는 데 이바지할 수 있음.

② **건강한 세대 간 관계를 조화롭게 유지하는 방안**
- 배려하기: 윗세대와 아랫세대가 서로 자기 것을 고집하기보다, 상대방을 먼저 생각하며 이해하고 존중할 때 세대 간의 조화로운 관계를 형성할 수 있음.
- 소통하기: 윗세대와 아랫세대가 조화롭게 상호 작용하며, 열린 마음으로 대할 때 상호 이해와 친밀감이 증진될 수 있음.
- 서로의 문화 이해하기: 서로의 문화 차이를 존중하고 진정으로 이해하려는 태도를 보이는 것이 중요함.
- 서로 돌보기: 젊은 세대는 노인 세대의 고충을 이해하며 돌보고, 노인 세대는 젊은 세대의 의견을 존중하며 연륜과 경험으로 돌봄으로써 세대 간의 상호 보완적인 관계를 유지함.
- 갈등 해결하기: 갈등을 덮어 버리거나 분노와 미움으로 반응하기보다는 갈등을 자연스러운 일상의 한 부분으로 인정하고, 지혜롭게 해결하려는 노력이 필요함.

개념 꽉꽉 다지기

1. 한 가족이 일상생활에서 공유하는 고유한 생활 습관이나, 가치관, 규범, 생활 태도, 행동 유형 등이 반영된 삶의 양식을 (   )(이)라고 한다.

2. 가족 문화는 여러 (   )을/를 통해 끊임없이 변화하며 전수되어 온 것으로, 가족은 건강한 (   ) 간의 관계를 통해 가족 문화를 더 풍부하게 만들 수 있다.

3. (   )(이)란 가족 구성원들이 민주적이고 양성평등한 관계를 형성하고, 세대 간 원활한 소통을 통해 조화를 이루며, 이웃과 함께하는 가족 문화이다.

4. 세대 간 갈등으로 인한 문제점으로 옳지 않은 것은?

① 세대 간 차별이 강화된다.
② 건강한 가족 관계를 위협한다.
③ 사회적 조화나 배려가 이루어진다.
④ 바람직한 세대 간 교류를 방해한다.
⑤ 윗세대의 경험과 교훈이 전달되지 않는다.

5. 건강한 세대 간 관계를 조화롭게 유지하는 방안으로 옳지 않은 것은?

① 배려하기
② 소통하기
③ 서로 돌보기
④ 갈등 덮어 버리기
⑤ 서로의 문화 이해하기

Helper

1. 가족의 역사가 담겨 있어 가족마다 다르며, 사회의 변화에 따라 계속해서 변화한다.

2. 가족은 세대를 통해 가족의 전통이나 생활 방식, 가치관 등을 전달한다.

3. 가족 생활의 궁극적인 목적은 가족 구성원의 생활의 질을 높여 가족 모두가 행복하게 사는 데 있다. 행복한 가족 생활을 누리기 위해서는 건강한 가족 문화가 실현되어야 한다.

4. 세대 간 갈등은 건강한 가족 관계를 위협하고, 윗세대의 경험과 교훈을 아랫세대에 제대로 전달하지 못하며, 아랫세대의 새로운 삶의 방식을 배울 기회를 단절하는 등 세대 간 교류를 방해해 세대 차별을 강화하는 요인이 된다.

5. 건강한 세대 관계를 조화롭게 유지하기 위해서는 상대방을 먼저 이해하고 존중하며, 열린 마음으로 상호 작용하며, 서로의 문화 차이를 존중하고, 상호 보완적인 관계를 유지하는 것이 필요하다.

차곡차곡 실력 쌓기

01 가족 문화의 하위 요소로 옳지 <u>않은</u> 것은?

① 규범
② 가치관
③ 가족 형태
④ 행동 유형
⑤ 생활 태도

02 가족 문화의 변화에 대한 설명으로 옳은 것은?

① 가족의 정서적 기능이 축소되었다.
② 가족의 양육 및 부양의 기능이 강조되고 있다.
③ 결혼하지 않거나 결혼 시기를 늦추는 경우가 적어졌다.
④ 가족 간의 유대감과 친밀감을 돈독히 하려는 경향이 늘어났다.
⑤ 가족의 형태는 다양해졌으나, 가족 문화는 동일한 모습을 나타나고 있다.

03 가족 문화의 변화에 영향을 주는 요인으로 옳지 <u>않은</u> 것은?

① 다문화 사회 증가
② 여성의 사회 진출 증가
③ 산업화와 도시화의 발달
④ 결혼관과 자녀관 등의 변화
⑤ 개인주의와 양성평등 의식의 축소

04 과거의 가족 문화에 대한 설명으로 옳은 것은?

① 가족의 형태가 다양하다.
② 가족 관계가 민주적이고 우애적이다.
③ 가족 단위의 여가 활동이나 봉사활동을 즐긴다.
④ 통과 의례와 명절, 절기 등의 행사를 중요하게 여긴다.
⑤ 가족 구성원의 상황이나 능력에 따라 역할을 분담한다.

05 건강한 가족 문화 형성을 방해하는 요인으로 옳지 <u>않은</u> 것은?

① 개인주의의 확대
② 급격한 사회 변화
③ 가족 가치관의 변화
④ 양성평등 의식 확대
⑤ 과거와 현대의 가족 문화의 혼재

06 건강한 가족의 특성으로 옳지 <u>않은</u> 것은?

① 갈등이나 문제가 없다.
② 가족 간의 신뢰를 다진다.
③ 가족에게 감사와 고마움을 표시한다.
④ 가족 간에 효과적인 의사소통이 이루어진다.
⑤ 가족 구성원 서로가 위기를 극복하고 함께 성장한다.

07 건강한 가족 문화 형성의 중요성으로 옳지 <u>않은</u> 것은?

① 사회 발전의 원동력이 된다.

② 건강한 사회 문화를 형성한다.

③ 가족 구성원의 삶의 질이 향상된다.

④ 효와 예를 중시하는 문화를 이어나갈 수 있다.

⑤ 가족 부적응 및 갈등 문제를 예방하고 해결할 수 있다.

08 건강한 세대 관계의 필요성에 대한 설명으로 옳지 <u>않은</u> 것은?

① 건강한 가족 문화가 형성된다.

② 가족 구성원이 서로 도와주는 관계가 된다.

③ 가족 단위의 봉사 활동을 확산시킬 수 있다.

④ 서로가 삶의 의미를 부여해 주는 관계로 발전할 수 있다.

⑤ 사회 전체의 갈등과 손실을 최소화하는 데 이바지할 수 있다.

09 ( ) 안에 들어갈 알맞은 말을 쓰시오.

> ( )은/는 윗세대와 아랫세대가 조화롭게 상호 작용하며, 열린 마음으로 대할 때 상호 이해와 친밀감이 증진될 수 있다.

( )

10 건강한 세대 간 관계를 조화롭게 유지하는 방안으로 옳지 <u>않은</u> 것은?

① 서로를 돌봄으로써 세대 간의 상호 보완적인 관계를 유지한다.

② 서로의 문화 차이를 존중하고 진정으로 이해하려는 태도를 갖는다.

③ 윗세대와 아랫세대의 문화 차이를 인정하고 대화하는 시간을 최소화한다.

④ 자기 것을 고집하기보다는, 상대방을 먼저 생각하고 이해하고 존중한다.

⑤ 갈등을 자연스러운 일상의 한 부분으로 인정하고 지혜롭게 해결하려고 노력한다.

핵심을 되짚는 O·X 문제

11 가족 문화는 가정마다 비슷하며, 사회의 변화에도 불구하고 변하지 않는 고유한 특성을 가진다. (O , X)

12 가치관의 변화와 과거와 현대의 가족 문화의 혼재, 개인주의의 영향으로 가족 간 유대감 약화 등 가족 구성원 간의 부적응과 갈등이 늘어나고 있다. (O , X)

13 급격한 사회 변화로 세대 간 삶의 방식과 생각의 차이가 벌어지면서 가족 내 세대 간 소통과 교류에 어려움을 겪고 있다. (O , X)

14 건강한 가족 문화를 가지고 있는 가족이라도 가족 관계 혹은 가족 생활에서 문제가 발생했을 때 가족 구성원의 노력으로 건강성을 회복하기는 어렵다. (O , X)

15 가족의 건강성은 곧 건강한 사회의 기초가 되므로, 건강한 가족 문화를 형성하는 것은 우리 사회의 건강을 위해서도 매우 중요하다. (O , X)

16 각 세대는 서로 다른 생애 주기 과정에 속해 있으며, 사회·문화적 환경이 다르기 때문에 세대 간 갈등으로 이어질 가능성이 크다. (O , X)

17 건강한 세대 관계를 유지하기 위해서는 갈등을 덮어 버리기보다는 격렬한 논쟁을 통해 갈등에 적극적으로 반응해야 한다. (O , X)

18 세대 간 갈등은 윗세대의 경험과 교훈이 아랫세대에게 전달되지 않게 하고, 윗세대가 아랫세대를 통해 새로운 삶의 방식을 배울 기회를 단절시킨다. (O , X)

대단원 마무리하기

01 사랑의 세 가지 요소 중 친밀감에 대한 설명으로 옳은 것은?

① 열정적인 감정이다.

② 책임 의식 또는 사랑을 지키는 힘이다.

③ 급속히 발전하지만 오래 지속하기 어렵다.

④ 첫눈에 반하거나 신체적인 매력에 끌리는 것이다.

⑤ 친하고 가깝게 느끼는 감정으로, 서로 잘 이해하며, 의사소통을 원활하게 한다.

02 배우자 선택에 영향을 주는 동질적 요인에 대한 설명으로 옳은 것은?

① 조화와 적응이 쉽게 이루어진다.

② '지배'의 동질적 요인은 '순종'이다.

③ 양육 – 의존, 성취 – 대리 성취 등이 있다.

④ 상대방의 나와 다른 점에 매력을 느낀다.

⑤ 서로의 성격이나 욕구가 다르면 상호 보완이 될 수 있다.

출제 예감

03 밑줄 친 부분에 해당하는 배우자 선택 기준으로 옳은 것은?

> 결혼은 서로 상이한 조건을 가진 두 사람이 새로운 생활에 적응하여 살아가야 하므로 상대를 이해하고 자신을 적응시켜 나가는 능력이 필요하다. 따라서 단순한 개인의 생활 연령보다는 <u>결혼 연령</u>에 관계되는 사회적·정서적 연령이 더 중요하다고 할 수 있다.

① 성숙   ② 인격

③ 사랑   ④ 희생

⑤ 사회적 지위

중요

04 다음에서 설명하는 질환을 예방하기 위한 임신 전 준비로 옳은 것은?

> 홍역과 비슷한 발진성 급성 피부병의 일종이다. 산모가 임신 초기에 걸리면 태아의 심장 기형이나 뇌 손상 등이 나타날 수 있다.

① 배란일을 체크한다.

② 풍진 예방 백신을 접종한다.

③ 부부 모두 술과 담배를 멀리한다.

④ 임신 3개월 전부터 엽산을 꾸준히 섭취한다.

⑤ 꾸준한 운동을 하고, 영양적으로 균형 잡힌 식사를 한다.

중요

05 임신 중 개월 수에 따른 태아의 발달 과정으로 옳은 것을 〈보기〉에서 있는 대로 고른 것은?

보기
ㄱ. 1~3개월: 피하 지방이 늘어나고, 감각 체계가 거의 완성된다.
ㄴ. 4~5개월: 생식 기관이 발달하고, 외부 소리를 들을 수 있다.
ㄷ. 6~8개월: 태아 머리가 차츰 아래로 향하기 시작한다.
ㄹ. 9~10개월: 신장, 간, 위 등의 기관 분화가 시작된다.

① ㄱ, ㄴ   ② ㄱ, ㄹ

③ ㄴ, ㄷ   ④ ㄴ, ㄹ

⑤ ㄷ, ㄹ

06 임신 중 바람직한 생활에 대한 설명으로 옳지 <u>않은</u> 것은?

① 남편도 아버지로서의 역할을 준비한다.

② 적당한 운동은 원활한 분만을 도와준다.

③ 체중 증가를 통해 빈혈, 조산 등을 예방한다.

④ 태교를 통하여 태아를 정서적으로 안정시킨다.

⑤ 정기적으로 검진을 받아 임신부와 태아의 건강 상태를 살핀다.

중요

07 그림은 출산 과정의 일부이다. 이 과정에 관한 설명으로 옳은 것을 〈보기〉에서 있는 대로 고른 것은?

| 보기 |

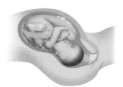

ㄱ. 만출기에 해당한다.

ㄴ. 진통이 최고조에 이른다.

ㄷ. 분만 시간의 대부분을 차지한다.

ㄹ. 양수가 터지고 진통이 규칙적으로 온다.

① ㄱ, ㄷ 　　② ㄱ, ㄹ

③ ㄴ, ㄷ 　　④ ㄴ, ㄹ

⑤ ㄷ, ㄹ

08 배우자 출산 휴가에 대한 설명으로 옳은 것을 〈보기〉에서 있는 대로 고른 것은?

| 보기 |

ㄱ. 휴가 기간은 7일이다.

ㄴ. 전체 기간은 무급 휴가이다.

ㄷ. 남성을 출산과 육아에 참여시키기 위한 제도이다.

ㄹ. 배우자가 출산했을 때 모든 남성 근로자가 사용할 수 있다.

① ㄱ, ㄴ 　　② ㄱ, ㄹ

③ ㄴ, ㄷ 　　④ ㄷ, ㄹ

⑤ ㄴ, ㄹ

09 산욕기에 대한 설명으로 옳지 <u>않은</u> 것은 ?

① 자궁에서 피가 섞인 이슬이 나온다.

② 자궁 수축 때문에 약간의 후진통이 있다.

③ 단백질, 칼슘, 철, 비타민 등이 들어간 음식을 섭취한다.

④ 산도에 생긴 상처의 세균 감염을 막기 위해 몸을 깨끗이 씻는다.

⑤ 태반이 떨어져 나간 자리에 상처가 생겨 혈액이 섞인 분비물이 나온다.

출제 예감

10 신생아의 감각 발달에 대한 설명으로 옳지 <u>않은</u> 것은?

① 딸랑이 소리가 나는 쪽으로 고개를 돌린다.

② 천장에 높게 걸린 모빌을 뚜렷이 볼 수 있다.

③ 친숙한 엄마의 목소리에 민감하게 반응한다.

④ 분유나 엄마 젖의 달착지근한 맛을 좋아한다.

⑤ 엄마와 다른 여성의 젖 냄새를 구분할 수 있다.

11 그림은 신생아의 머리를 나타낸 것이다. 이를 통해 알 수 있는 신생아 돌보기 방법으로 옳은 것은?

앞숫구멍(대천문)

뒷숫구멍(소천문)

① 아기의 머리부터 목욕을 시킨다.

② 두뇌 발달을 위해 꼭 초유를 먹인다.

③ 아기 머리를 세게 누르거나 부딪히지 않도록 한다.

④ 머리를 똑바로 세우고 등을 쓸어 주어 트림을 시킨다.

⑤ 아기를 안을 때는 목을 받쳐 머리가 뒤로 넘어가지 않도록 한다.

12 신생아 돌보기 방법에 대한 설명으로 옳지 <u>않은</u> 것은?

① 목욕 후에 배꼽을 잘 소독한다.

② 젖은 기저귀는 빨리 갈아 준다.

③ 우유를 먹인 직후 목욕시키는 것이 좋다.

④ 수유 후에는 아기의 등을 가볍게 쓰다듬어 트림이 나오게 한다.

⑤ 배꼽이 떨어지기 전에는 기저귀가 배꼽에 닿지 않도록 접어 준다.

13 영아기 배변 훈련 시 부모의 자세로 옳은 것을 〈보기〉에서 있는 대로 고른 것은?

┤보기├

ㄱ. 자율적인 분위기에서 시작한다.

ㄴ. 가능한 일찍 시작하여 독립심을 길러 준다.

ㄷ. 수치심을 느낄 수 있으므로 강압적으로 하지 않는다.

① ㄱ   ② ㄷ

③ ㄱ, ㄴ   ④ ㄱ, ㄷ

⑤ ㄱ, ㄴ, ㄷ

중요

14 영아기의 부모 역할로 옳지 <u>않은</u> 것은?

① 부모에 대해 신뢰감을 가질 수 있도록 한다.

② 모든 물건을 입으로 가져가므로 주변을 잘 정리한다.

③ 기본적인 욕구를 일관성 있고 민감하게 충족시켜 준다.

④ 수면, 인사, 식사 등 기본 생활 습관을 형성하도록 지도한다.

⑤ 생후 6개월 이후부터는 엄마 젖과 함께 이유식을 먹여야 한다.

[15~16] 다음을 읽고 물음에 답하시오.

(엄마가 200 mL 우유 두 개를 가지고 온다.)

엄마: 철수야, 우유 마시자.

(모양이 다른 유리컵에 엄마가 우유를 따른다)

철수: 어? 이상하다. (가) 똑같았는데 엄마 우유가 더 <u>많아요.</u> 그렇죠?

중요

15 밑줄 친 (가)에 해당하는 철수의 인지 발달 특성은?

① 논리적 사고

② 직관적 사고

③ 상징적 사고

④ 물활론적 사고

⑤ 자기중심적 사고

출제 예감

16 철수가 속한 시기의 발달을 돕기 위한 부모 역할로 옳은 것을 〈보기〉에서 있는 대로 고른 것은?

┤보기├

ㄱ. 발달 단계를 고려한 장난감과 놀이 기회를 준다.

ㄴ. 호기심이 많으므로 다양한 환경을 제공하여 인지 발달을 돕는다.

ㄷ. 또래 관계를 통해 문제 해결 능력과 대인 관계 능력을 발달시킨다.

ㄹ. 자신에게 맞는 특기와 적성을 찾도록 칭찬과 격려를 해 준다.

① ㄱ, ㄴ   ② ㄱ, ㄹ

③ ㄴ, ㄷ   ④ ㄴ, ㄹ

⑤ ㄷ, ㄹ

중요

17 다음 육아 일기에서 알 수 있는 유아기 발달 특징으로 옳은 것은?

> 수지는 베개를 연상하게 해 주는 천 조각 위에 누워서 마치 잠이 오는 듯 엄지손가락을 빨며 눈을 깜빡거리고 있는 동안 내내 웃으면서 놀이를 했다.

① 놀이를 통해 정서적인 만족감을 얻는다.

② 물체에 의미를 부여하고 상상하여 생각한다.

③ 동생이나 주변 어린아이의 행동을 모방한다.

④ 주의 집중력이 좋아져 지속적인 놀이 시간을 갖는다.

⑤ 호기심이 왕성하여 주변 사물을 적극적으로 탐색한다.

출제 예감

18 다음은 건강한 가족 문화 형성의 중요성을 설명한 글이다. (가)에 들어갈 내용으로 옳은 것은?

> 가족 문제는 개인과 가족, 사회에 영향을 미치지만, 이것은 어느 한계에서 따로 분리시킬 수 있는 문제는 아니다. 가족 문제는 개인에게 영향을 주고 다시 사회에까지 영향을 미치는 순환 작용을 한다. 결국, 인간은 개인 → 가족 → 사회가 연결된 사회에서 살고 있기 때문이다.
> 따라서 건강한 가족 문화를 형성하는 것은
> (가) _____

① 가족 구성원의 삶의 질을 향상시킨다.

② 가족 모두가 행복하게 살 수 있게 한다.

③ 가족 구성원 각자의 능력을 발휘할 수 있게 한다.

④ 가족 부적응 및 갈등 문제를 예방하고 해결할 수 있다.

⑤ 건강한 사회 문화 형성 및 사회 발전의 원동력이 된다.

서술형 평가

19 성숙한 사랑의 의미를 간단히 서술하시오.

20 르봐이예 분만에서 아기에게 스트레스 없는 환경을 만들어 주는 방법을 세 가지 이상 서술하시오.

21 영·유아기 자녀의 놀이 지도에 대한 부모 역할을 세 가지 서술하시오.

01 (가)~(다)에 들어갈 알맞은 말을 바르게 나열한 것은?

> 사랑을 할 때 (가)만 있으면 일시적인 사랑
> 으로 그치고, (나)만 있으면 우정과 별 차이
> 가 없게 된다. 그리고 (다)만 있다면 의무만
> 을 묵묵히 수행하는 사랑을 하게 된다. 따라서 사
> 랑의 세 가지 요소가 모두 있어야만 성숙한 사랑
> 을 나눌 수 있다.

	(가)	(나)	(다)
①	열정	헌신	친밀감
②	열정	친밀감	헌신
③	친밀감	열정	헌신
④	친밀감	헌신	열정
⑤	헌신	열정	친밀감

02 출산 직후 자궁 수축에 도움이 되는 행동으로 옳은 것은?

① 피임, 적당한 운동
② 피임, 간단한 샤워
③ 모유 수유, 적당한 운동
④ 모유 수유, 간단한 샤워
⑤ 적당한 운동, 간단한 샤워

중요
03 ㄱ~ㄷ에 대한 설명으로 옳지 않은 것은?

ㄱ   ㄴ   ㄷ

① ㄱ: 진통이 규칙적으로 온다.
② ㄱ: 자궁 입구가 완전히 열릴 때까지의 시기이다.
③ ㄴ: 태아의 머리부터 모체 밖으로 나온다.
④ ㄷ: 진통이 최고조에 이른다.
⑤ ㄷ: 후산기이며, 태반, 탯줄, 양막이 나온다.

[04~05] 다음 신문 기사를 읽고 물음에 답하시오.

> 이것은 (가)(   )에 나타나는 현상으로, 피부와
> 눈의 흰자위가 노랗게 보이는 상태를 말한다. 대부분
> 자연 소실되는 일시적인 생리적 현상이지만 심해지면
> 핵황달이라는 신경학적 증후군을 유발할 가능성이 있
> 으므로 주의 깊게 살펴볼 필요가 있다. 또한 이 시기에
> 는 (나) 일시적인 생리적 체중 감소 현상이 나타난다.
> ○○일보, 2017년 ○월 ○일

04 (가) 발달 시기에 해당하는 신체적 특징으로 옳은 것을 〈보기〉에서 있는 대로 고른 것은?

> ┤보기├
> ㄱ. 맥박이 성인보다 느리고, 체온은 36.5 ℃ 정
> 　도이다.
> ㄴ. 목 근육이 완전하게 발달되지 않아 머리를
> 　가누지 못한다.
> ㄷ. 머리가 전체의 $\frac{1}{5}$ 정도로, 가슴둘레가 머리
> 　둘레보다 크다.
> ㄹ. 피부는 붉은빛을 띠며, 흰색 지방질의 분비
> 　물로 덮여 있다.

① ㄱ, ㄴ
② ㄱ, ㄹ
③ ㄴ, ㄷ
④ ㄴ, ㄹ
⑤ ㄷ, ㄹ

출제 예감
05 (나)의 원인으로 옳은 것을 〈보기〉에서 있는 대로 고른 것은?

> ┤보기├
> ㄱ. 배내똥이 배설된다.
> ㄴ. 간 기능이 미숙하다.
> ㄷ. 피부에서 수분이 증발된다.
> ㄹ. 생후 7~10일 이내에 탯줄이 떨어진다.

① ㄱ, ㄴ
② ㄱ, ㄷ
③ ㄴ, ㄷ
④ ㄴ, ㄹ
⑤ ㄷ, ㄹ

06 스턴버그의 사랑의 삼각형 이론에 대한 설명으로 옳은 것을 〈보기〉에서 있는 대로 고른 것은?

┤ 보기 ├
ㄱ. 사랑의 강도가 클수록 삼각형의 면적이 작아진다.
ㄴ. 삼각형의 모양은 사랑의 균형이라는 측면을 나타낸다.
ㄷ. 직각삼각형일 때 세 요소가 균형 잡힌 성숙한 사랑이 된다.
ㄹ. 불균형적인 관계는 가장 큰 요소의 방향으로 치우치는 형태의 삼각형이 된다.

① ㄱ, ㄴ
② ㄱ, ㄹ
③ ㄴ, ㄷ
④ ㄴ, ㄹ
⑤ ㄷ, ㄹ

출제 예감

07 스턴버그의 사랑의 요소와 시간, 강도의 관계를 나타낸 그래프이다. 이에 대한 해석으로 옳은 것을 〈보기〉에서 있는 대로 고른 것은?

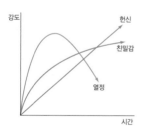

┤ 보기 ├
ㄱ. 열정은 시간과 정비례해서 강도가 높아진다.
ㄴ. 친밀감은 꾸준히 상승하며 점차 완만한 기울기를 보여 준다.
ㄷ. 사랑을 지속시키고자 한다면 그것을 유지하도록 행동하는 실천이 필요하다.
ㄹ. 열정이 친밀감 아래로 떨어질 때 결혼할 가능성이 가장 높다.

① ㄱ, ㄷ
② ㄱ, ㄹ
③ ㄴ, ㄷ
④ ㄴ, ㄹ
⑤ ㄷ, ㄹ

중요

08 부부간의 적응 방법에 대한 설명으로 옳은 것을 〈보기〉에서 있는 대로 고른 것은?

┤ 보기 ├
ㄱ. 서로 다른 성격적 특성을 가지는 것이 당연하다는 것을 인정한다.
ㄴ. 성적 적응을 위해서 공동 책임 의식, 친밀감, 신뢰감이 전제되어야 한다.
ㄷ. 결혼은 두 사람을 둘러싼 가족 관계의 결합이므로 인척 관계에 대한 적응이 필요하다.
ㄹ. 경제적 적응은 수입을 사용하는 방법에 대한 부부의 태도보다는 수입과 금전에 비례한다.

① ㄱ, ㄴ
② ㄱ, ㄹ
③ ㄱ, ㄴ, ㄷ
④ ㄴ, ㄷ, ㄹ
⑤ ㄱ, ㄴ, ㄷ, ㄹ

09 계획 임신에 대한 신문 기사의 일부이다. (가)에 알맞은 영양소로 옳은 것은?

계획 임신이 좋은 6가지 이유

임신 계획을 세우지 않고 출산하는 비계획 임신이 계획 임신에 비해 기형아 유발 물질에 노출될 위험이 2배 이상 높은 것으로 나타났다.

이에 따라 건강한 아이를 출산하기 위해서는 계획 임신을 통해 반드시 임신 3개월 전부터 기형 유발 물질을 피하는 것이 중요하다. 그리고 임신하기 전부터 DNA를 이루는 중요한 구성 성분으로, 태아의 신경관 결손, 심장 기형 등을 예방하는 (가) _____을/를 복용해야 한다. 전문의들은 기형과 조산을 예방하는 (가) _____을/를 복용하고, 운동으로 건강한 몸을 유지하는 것이 필요하다고 조언한다.

① 엽산
② 철분
③ 칼슘
④ 단백질
⑤ 리보플라빈

10 다음 고전서의 내용에서 강조하는 임신 중 생활로 옳은 것은?

> "아이를 가졌을 때 옆으로 잠자지 말며, 한쪽에 앉지 말며, 텁텁한 음식을 입에 대지 말며, 바르게 끓인 것이 아니면 먹지 말며, 바르지 않은 자리에 앉지 말며, 눈으로 옳지 않은 빛을 보지 말며, 귀는 음란한 소리를 듣지 말며, 밤이면 소경으로 하여금 시를 외게 하여 이를 듣고 항상 바른 일을 말하라. 이렇게 하여 아이를 낳으면 얼굴과 모양이 단정하고 재주가 뛰어나다."
>
> 중국 전한시대 유향(劉向)의 『열녀전 烈女傳』 중에서

① 명상
② 종교 생활
③ 적당한 운동
④ 마음의 안정과 태교
⑤ 균형 잡힌 영양 섭취

11 임신 중 개월 수에 따른 모체의 변화로 옳은 것을 〈보기〉에서 있는 대로 고른 것은?

┤ 보기 ├
ㄱ. 1~3개월: 태반이 미숙하게 발달되어 있으므로 유산에 주의해야 한다.
ㄴ. 4~5개월: 유방과 복부가 커지며, 태동을 느끼기 시작한다.
ㄷ. 6~8개월: 배가 단단히 뭉치는 현상을 느끼기도 하고, 허리 통증이 심해진다.
ㄹ. 9~10개월: 발등과 발목이 붓기 시작하고, 아랫배에 임신선이 나타난다.

① ㄱ, ㄴ　　　　② ㄱ, ㄹ
③ ㄴ, ㄷ　　　　④ ㄴ, ㄹ
⑤ ㄷ, ㄹ

12 다음은 임산부와 의사의 대화이다. 의사가 설명하고자 하는 내용으로 옳은 것은?

> 임산부: 초산이라 걱정이 돼요. 무엇을 알아야 할까요?
> 의사: 마지막 월경이 올해 3월 2일이었죠? 곧 분만일이네요. 산모와 태아가 건강하지만, 다음 사항을 알아 두세요.

① 분만 예정일은 11월 22일입니다.
② 소변의 횟수와 태동이 점차 감소합니다.
③ 분만의 첫 신호로 오로가 나오게 됩니다.
④ 안정을 위해 가벼운 운동도 삼가셔야 합니다.
⑤ 분만 전 태아가 자궁 아래로 내려가면서 배가 처집니다.

13 르봐이예 분만의 5가지 배려로 옳은 것을 〈보기〉에서 있는 대로 고른 것은?

ㄱ. 촉각: 모유 수유를 한다.
ㄴ. 청각: 클래식 음악을 틀어 준다.
ㄷ. 호흡: 분만 5분 후에 탯줄을 자른다.
ㄹ. 중력: 따뜻한 물에 아기를 목욕시킨다.
ㅁ. 시각: 머리가 보이면 밝게 한다.

① ㄱ, ㄴ, ㄷ　　　　② ㄱ, ㄷ, ㄹ
③ ㄱ, ㄹ, ㅁ　　　　④ ㄴ, ㄷ, ㄹ
⑤ ㄴ, ㄹ, ㅁ

14 신생아의 반사 행동에 대한 설명으로 옳은 것을 〈보기〉에서 있는 대로 고른 것은?

구분	자극	반응
(가)	발바닥을 간지럽힌다.	발가락을 부채처럼 짝 폈다가 오므린다.
(나)	입에 무언가 닿는다.	빠는 동작을 한다.
(다)	손바닥을 누른다.	손을 꽉 쥔다.

┤ 보기 ├

ㄱ. (가)는 모로 반사이다.

ㄴ. (나)를 통해 모유나 분유를 먹을 수 있다.

ㄷ. (다)는 외부 자극에 의한 의식적 반응이다.

ㄹ. (가)~(다)는 뇌와 신경의 상태를 평가하는 기준이 된다.

① ㄱ, ㄴ   ② ㄱ, ㄷ

③ ㄴ, ㄷ   ④ ㄴ, ㄹ

⑤ ㄷ, ㄹ

[15~16] 다음은 엄마와 자녀의 대화이다. 물음에 답하시오.

엄마: 엄마가 입혀 줄게.

자녀: 싫어. 내가 할 거야!

엄마: 저런! 또 단추를 잘못 채웠네.

출제 예감

15 위의 대화를 통해 알 수 있는 자녀의 발달 시기 특징으로 옳은 것을 〈보기〉에서 있는 대로 고른 것은?

┤ 보기 ├

ㄱ. 감정을 조절하는 능력이 발달된다.

ㄴ. 스스로 결정하고 행동하고 싶어 한다.

ㄷ. '내가', '싫어' 등의 단어를 많이 사용한다.

ㄹ. 자기중심성 때문에 사회화된 언어를 사용한다.

① ㄱ, ㄷ   ② ㄱ, ㄹ

③ ㄴ, ㄷ   ④ ㄴ, ㄹ

⑤ ㄷ, ㄹ

중요

16 자녀의 행동에 대한 부모의 자세로 옳은 것을 〈보기〉에서 있는 대로 고른 것은?

┤ 보기 ├

ㄱ. 과정보다는 결과를 중시하여 철저하게 훈련 시킨다.

ㄴ. 혼자서 입고 벗기 쉬운 옷을 마련해 주는 것 이 좋다.

ㄷ. 시간이 걸리거나 미숙할 경우 즉시 개입하여 도와준다.

① ㄱ   ② ㄴ

③ ㄱ, ㄷ   ④ ㄴ, ㄷ

⑤ ㄱ, ㄴ, ㄷ

중요

17 다음은 세대 갈등에 대한 신문 기사이다. (가)에 들어갈 내용으로 옳은 것은?

[함께하는 사회] 다름 인정해야 '세대 갈등' 해결…
"틀린 게 아니다" 성인 62% "세대 갈등 심하다"…
청소년 66% "더 심해질 것"

지난 3월 한국 보건 사회 연구원이 발표한 보고서에 따르면 '세대 갈등이 심하다'는 성인의 비율은 62.2%였다. 지난 4월 한국 청소년 정책 연구원이 발표한 '세대 문제 인식 실태 조사'에서는 청소년의 66.6%가 앞으로 '세대 갈등이 지금보다 더 심해질 것'으로 전망했다.

전문가들은 세대 갈등 문제를 그나마 누그러뜨릴 수 있는 해법은 (가)(이)라고 설명한다. 가정이든, 직장이든 서로 문제를 얘기하고, 이해도를 높여야 한다는 것이다.

○○신문, 2017년 6월 19일

① 배려하기

② 소통하기

③ 서로 돌보기

④ 갈등 해결하기

⑤ 서로의 문화 이해하기

엄마와의 안정된 관계는 인간관계의 원형이 된다

유아기를 거치면서 아기들은 점점 사회적으로 노출되어 엄마와의 애착 관계가 또래 관계로 이어진다. 본격적인 인간관계가 시작되는 셈이다. 그렇다면 엄마와의 애착 관계는 또래 관계에 어떤 영향을 미칠까? 초등학생을 대상으로 이루어진 다음 실험은 엄마와의 애착 관계가 인간관계 형성에 어떤 영향을 미치는지를 알려 준다.

엄마와의 애착 관계가 또래 관계에 어떤 영향을 미칠까?

실험은 대전 모 초등학교 1학년 중 한 반을 선택해 그중 8명을 무작위로 골라 부모와의 애착 관계를 검사했다. 그 결과 5명은 안정 애착 아이였고, 3명은 불안정 애착 아이였다. 그런 다음 반 아이들에게 다음과 같은 내용의 설문 조사를 실시했다.

'내 생일에 친한 친구 세 사람을 데려올 수 있다면 누구를 데려오고 싶은가?'

설문 조사 결과 놀랍게도 안정 애착아 5명은 많게는 7명에서 적게는 4명으로부터 초대를 받았다. 하지만 불안정 애착아 3명은 모두 단 한 명에게도 초대를 받지 못했다.

같은 학교 3학년 학생들에게도 똑같은 설문 조사를 실시했다. 설문 결과, 2~3명에게 초대받은 아이들이 가장 많았고, 무려 12명으로부터 초대받은 아이도 있었다. 반면 단 한 명에게도 초대받지 못한 아이 5명도 있었다. 그런데 놀랍게도 이 아이들 모두 불안정 애착 아이라는 공통점을 가지고 있었다. 영·유아기 때 만들어진 엄마와의 애착의 질이 인간관계 형성에 적지 않은 영향을 미친 것이다.

엄마와의 애착 관계는 아기 인생에 전반에 걸쳐 지속적인 영향을 미친다. 영·유아기 때, 엄마와 안정적인 애착을 형성한 아기들은 굳이 타인과 원만한 관계를 유지하는 기술을 학습하지 않아도 친구들과 자연스럽게 어울려 노는 법을 스스로 터득한다. 반면 엄마와 불안정 애착 관계를 맺은 아기들 대부분은 그렇지 못하다. 이처럼 엄마와의 초기 애착 관계는 인간관계의 원형이 된다. 엄마와의 사이에 형성된 기본적인 신뢰감이 타인에 대한 신뢰로 이어지기 때문이다. 따라서 엄마와 긍정적인 애착 관계를 만든 아기는 누구와도 쉽게 친해진다.

안정적인 애착을 통해 적절하게 감정을 조절할 줄 알게 된 아기는 자신의 감정을 다른 사람과 공유할 줄도, 필요한 경우에는 도움을 청하거나 타협할 줄도 안다. 뿐만 아니라 타인의 감정을 제대로 해석해 상대방의 마음을 잘 이해하고 배려하며 사람들과 긴밀하고 조화로운 관계를 맺어 간다.

하지만 엄마와 불안정한 애착 관계를 형성한 아기들은 자신의 요구에 민감하게 반응하지 않았던 엄마처럼 다른 모든 사람도 그럴 거라 믿는다. 엄마를 신뢰하지 않듯 다른 사람도 신뢰하지 않는 것이다. 이처럼 타인에 대한 기본적인 신뢰감이 없는 불안정 애착아는 다른 사람을 대할 때 긍정적이기보다는 부정적인 감정을 강하게 느낀다. 스스럼없이 친구를 사귀는 안정 애착아와는 전혀 다른 모습이다.

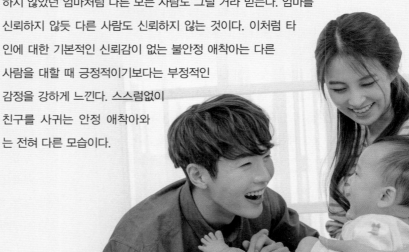

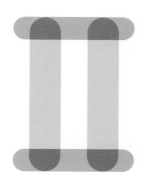

가정생활 문화

01 건강한 먹거리, 한식의 우수성 찾기

개념 더하기

+주식과 부식
- 한식은 주식과 부식으로 구성되는 이중성의 음식 문화로, 이는 우리 전통 음식 문화의 중요한 특성이다.
- 주식인 밥, 죽, 국수 등은 탄수화물의 급원이 된다.
- 부식을 통해 단백질, 지방, 각종 비타민과 무기질, 식물성 섬유소 등 영양소를 고르게 섭취할 수 있다.

+약식동원 사상의 음식
- 여러 가지 재료를 섞어 영양가 있게 밥을 지은 약식(藥食)
- 유밀과인 약과(藥果)
- 같은 고추장이라도 몸에 좋은 꿀과 다진 소고기를 넣고 볶은 약고추장
- 궁중 보양식으로 우족이나 가죽을 삶아 여러 가지 재료와 함께 끓여 굳힌 후 족편처럼 썰어 만든 음식인 전약(煎藥)

주제 열기

≫ 문학 작품에 묘사된 각각의 음식 만드는 방법을 순서대로 표현해 보자.
> 화양적은 각각의 재료를 양념하여 익힌 후 꽂이에 끼우고, 호박전은 호박에 밀가루를 묻힌 후 계란물을 입혀 지져 낸다.

≫ 문학 작품 속 음식에 사용된 재료의 색을 표현해 보자.
> 도라지는 백색, 쇠고기는 흑색, 당근은 적색, 애호박은 청색, 달걀은 황색

≫ 문학 작품 속에서 표현한 한식의 느낌을 써 보자.
> 재료의 오방색이 주는 아름다움이 시각을, 다양한 양념이 어우러지면서 나는 음식 냄새가 후각을 자극한다.

1. 한식의 이해를 통하여 가치를 찾자

(1) 한식의 이해

① **한식이란** 우리나라 전통 음식을 말하며, 넓은 의미로는 전통 음식의 조리법, 상차림, 식사 예절 등을 포함한다.

② 보기에 아름답고 맛이 조화로우며, 영양상으로나 조리법 면에서 과학적인 음식 문화이다.

(2) 한식의 우수성

① **균형 잡힌 영양 섭취**
- 주식과 부식이 명확하게 구분되어 있고, 주식에 따라 반찬을 구성한다.
- 주식인 곡류에서 생활에 필요한 에너지를 얻고, 반찬인 부식에서 채소류, 육류, 생선류 등을 다양하게 섭취함으로써 영양의 균형을 이룬다.

— 한식의 철학은 약식동원(藥食同源) 사상이다.

② **약식동원 사상**
- 약식동원: '약과 음식은 그 근본이 같다.'라는 뜻으로, 약을 짓는 마음으로 음식을 만드는 것이다.
- 한식에 많이 사용되는 양념 재료인 마늘, 생강, 대추, 은행, 잣, 호두 등은 모두 몸을 보호해 주는 효과가 있는 약재이다.
- 약식: 찹쌀, 대추, 밤, 꿀, 잣 등을 섞어 만드는 것으로, 쌀에 부족한 영양을 보충한 영양식이자 '약식동원'의 원리를 잘 실천한 음식이다.

스스로 해 보기

내가 평소에 즐겨 먹는 한식을 써 보고, 그 까닭이 무엇인지 생각해 보자.

예 비빔밥, 열량이 낮으면서도 고기, 채소, 달걀 등 다양한 식품이 들어 있어 영양소를 고르게 섭취할 수 있기 때문이다.

③ 저열량 조리법 활용

• 물과 수증기를 이용하여 끓이기, 찌기, 삶기, 데치기, 무치기 등의 조리법을 많이 활용한다.
  └ 고기는 주로 삶거나 끓이고, 생선은 찜, 찌개, 조림, 회 등으로 이용하며, 채소류는 생채, 숙채 등으로 조리한다.
• 음식의 열량이 높지 않고, 불필요한 지방의 섭취를 줄일 수 있다.
• 편육, 호박선 등이 있다.

더 들여다보기

※ 채식이 건강과 환경에 미치는 긍정적인 면에는 무엇이 있을지 생각해 보자.

예 육류 위주의 서구형 식단이 유발하는 암, 비만, 관상동맥 질환, 당뇨병 등의 질병을 예방할 수 있다. 또한, 자원의 낭비를 막아 주며 지구 온난화의 주범인 이산화 탄소와 메탄가스를 줄여 준다.

④ 발효의 과학

• 발효 식품: 젖산균이나 효모 등 미생물의 발효 작용을 이용하여 만든 식품을 말한다.
  └ 미생물이 자신이 가지고 있는 효소를 이용해 유기물을 분해시키는 과정이다.
• 고추장, 된장, 김치 등은 대표적인 발효 음식이다.

⑤ 자연과의 조화

• 우리나라는 지역마다 기후와 자연환경이 다르므로 지역에 따라 생산되는 식품을 이용한 특색 있는 향토 음식이 발달하였다.
• 향토 음식, 시식과 절식의 발달 등 자연의 순리에 맞추어 자연 친화적인 식생활을 실천하였다.
  └ 철에 따라 몸에 부족한 영양 성분을 자연스럽게 보충해 준다.
• 메밀 막국수(향토 음식), 팥죽(시식과 절식) 등이 있다.

함께 해 보기

우리나라의 시식과 절식, 향토 음식에는 무엇이 있는지 친구들과 함께 조사해 보자.

예 • 시식: 애탕국은 봄철에 나오는 어린 쑥과 쇠고기 완자를 맑은 육수에 넣어 끓인 국이다.
  • 절식: 정월대보름의 음식으로는 약식, 오곡밥, 부럼, 귀밝이술, 묵은 나물, 원소병 등이 있다.
  • 향토 음식: 강원도 – 메밀묵, 오징어 순대, 산나물, 경상도 – 추어탕, 동래파전, 통영굴밥 등

⑥ 미적인 아름다움

• 음식의 미적 감각을 중시하는 한식은 색의 조화를 고려하여 음식을 만든다.
• 구절판과 신선로, 전이나 나물, 오색 고명, 떡이나 한과 등이 있다.

더 들여다보기

※ 대표적인 지중해 음식에는 무엇이 있는지 찾아보자.

예 이탈리아의 해물 샐러드, 스페인의 빠에야, 그리스의 무사카와 수블라키 등

개념 더하기

+ 발효 식품
• 우리 조상들은 식품을 장기간 보존하기 위한 기능적인 방법으로 발효라는 과정을 창안했다.
• 김치, 장류, 젓갈 등은 오랜 숙성과 발효를 거쳐 특유의 맛과 향, 소화성, 건강 기능성, 저장성 등이 향상되는 발효 과학 음식으로, 세계적으로 인정받고 있다.

+ 된장과 간장
• 된장은 제조되는 과정에서 콩 단백질이 각종 곰팡이와 효모, 세균에 의해 분해되어 약 20종에 달하는 아미노산이 생성된다.
• 콩도 항암 효과가 있지만 콩이 발효되면 효과가 더 크며, 그중 재래식 된장이 가장 크고, 상품용 된장, 청국장, 일본 된장 순이다.
• 소금을 많이 넣고 담그기 때문에 저장성이 뛰어나, 맛이 변하거나 상하지 않을 뿐 아니라 오히려 해가 지날수록 맛이 깊어진다.
• 간장은 메주를 소금물에 담가 충분히 우려 낸 후 찌꺼기가 남지 않도록 국물만 거른 것으로, 짠맛만 있는 소금과 비교할 수 없다.

+ 오색 고명
• 붉은색 고명: 홍고추와 실고추, 대추, 당근 등
• 녹색 고명: 대파, 실파, 은행, 미나리, 쑥갓, 애호박, 오이, 풋고추 등
• 노란색 고명: 달걀노른자 지단 등
• 흰색 고명: 달걀흰자 지단, 참깨, 잣, 밤 등
• 검은색 고명: 소고기, 표고버섯, 흑임자, 석이버섯 등

+음식과 문화

• 식품의 획득 방법과 종류, 조리 가공법, 식기류, 상차림 및 음식을 먹는 방법 등 식품을 조리·가공하는 체계와 식사 행동 체계를 통합하여 음식 문화(飮食文化)라고 한다.
• 민족이 오랜 세월 동안 현실에 적응하여 온 생활 자체이기 때문에 이를 통해 한 국가의 역사, 관습, 전통, 종교, 국민성 등을 보다 쉽게 이해할 수 있다.

+식생활 문화의 형성 요인

• 자연적 요인: 수질, 토지, 기후, 지형 등
• 사회적 요인: 종교, 관습, 세대, 가족 형태, 연령, 직업 등
• 경제적 요인: 소득, 생활 수준, 취업 상태 등
• 기술적 요인: 식품 생산·가공·저장 기술, 식품 유통의 발달 등

+동북아시아의 음식 문화

• 한국, 일본, 중국, 대만, 몽골, 홍콩, 마카오 등이 속한다.
• 농경지와 산과 바다로 이루어진 자연환경을 가지고 있어서, 쌀을 주식으로 하고 채소, 해산물, 콩, 콩 발효 식품을 많이 사용한다는 공통점이 있다.

+이슬람교의 음식 문화

• 짐승을 도살할 때는 엄숙한 의식을 행한다. 할랄이라는 정해진 절차를 밟은 고기만 먹을 수 있다.
• 술 역시 금기 식품이다. 대신 카레 문화가 발달하여 여러 가지 카레를 만들어 먹는다.
• 이슬람교의 대표적인 금기 식품은 돼지고기로, 일반적인 소시지, 햄, 베이컨 등은 먹지 않으며, 양고기로 소시지를 만들어 먹는다.

2. 다른 나라의 식생활 문화를 알아보자

└─ 자연환경의 영향과 사회·문화적 환경의 영향을 받으면서 형성된다.

(1) 중국의 식생활 문화
└── 국토가 넓어 지역마다 다양한 음식이 발달하였다.

① **식생활 문화 특징**

• 주로 음식을 익혀 먹고, 녹말과 기름을 사용하여 고온에서 단시간 조리하는 경우가 많다.
• 여러 가지 재료를 섞어 조리함으로써 외관이 화려하다.
• 주식과 부식의 구분이 없다.

② **대표 음식** 북경 지역의 오리 요리, 광동 지역의 탕수육, 사천 지역의 마파두부, 상해 지역의 동파육 등

(2) 일본의 식생활 문화

① **식생활 문화 특징**

• 국토가 모두 바다로 둘러싸여 있어 신선한 해산물이 풍부하다.
• 자연으로부터 얻은 식품의 고유한 맛과 멋을 최대한 살리는 조리법이 발달하였다.
• 그릇의 모양과 색상까지도 고려한 '눈으로 먹는' 음식 문화로 유명하다.

② **대표 음식** 오코노미야키, 스시 등

└── 세계에서 가장 풍부한 식생활 문화유산을 가진 나라이다.

(3) 프랑스의 식생활 문화

① **식생활 문화 특징** 프랑스 사람들은 맛은 물론, 식사 시간도 매우 중요하게 여겨 아침은 간단히 먹지만, 점심은 2시간, 저녁은 2~4시간에 걸쳐 먹는다.

② **대표 음식** 포도주, 빵, 치즈, 달팽이 요리, 푸아그라(거위 간) 등

(4) 이란의 식생활 문화

① **식생활 문화 특징**

• 이슬람의 경전인 코란에는 이슬람인에게 허용된 음식(halal, 할랄)과 금지된 음식(haram, 하람)을 규정하였다.
• 금지된 음식: 돼지고기, 양서류, 술 등

② **대표 음식** 육류를 주재료로 하는 케밥, 이란식 푸딩인 솔레 자르드 등

(5) 멕시코의 식생활 문화

① **식생활 문화 특징**

• 대체로 화려하고 매콤하면서 풍성하다.
• 고대부터 융성했던 마야, 아즈텍 문화에서 기원한 토르티야가 대표적 음식이다.

② **대표 음식** 부리토, 케사디야, 타코 등

> 💬 **함께 해 보기**
>
> 제시된 국가 외에 다른 나라의 전통 음식은 무엇이 있는지, 그리고 어떠한 특징이 있는지 찾아보자.
>
> 예 태국은 중국, 인도, 포르투갈의 영향을 받아 독특한 음식 문화를 발달시켰다. 풍부한 해산물과 열대 과일에 독특한 향의 향신료와 양념을 사용하여 맛이 자극적이고 화려하다. 카오팟(볶음밥), 팟타이(볶음 국수), 똠양꿍(새우 수프) 등이 있다.

3. 한식을 응용한 식생활을 생활화하자

(1) 필요성

① 한식은 영양상으로 균형 잡힌 과학적인 음식으로, 다른 음식에 비해 열량이 적고 건강에 좋아 현대인의 식생활 대안으로 주목받고 있다.

② 바쁜 생활 속에서 비교적 만들기가 복잡한 한식의 섭취가 줄고 있다. 따라서 한식을 생활화하여 건강한 식생활을 실천하기 위한 구체적인 노력이 필요하다.

(2) 한식의 생활화 방안

① **한식의 올바른 이해** 한식의 우수성, 재료와 조리 방법 등의 바른 이해가 필요하다.

② **전통 음식 만들기 체험** 한식의 거리감을 줄이고 더욱 친숙하게 한식을 생활화할 수 있다.

③ **한식의 재료 및 조리법 표준화** 다음 세대에 한식을 전수하기가 수월해지고, 우리나라 사람뿐 아니라 외국인도 쉽게 한식을 만들 수 있어 세계화가 가능해진다.

④ **한식을 응용한 퓨전 음식 개발** 한식과 여러 나라 음식의 특성을 접목한 퓨전 음식을 개발한다면 한식의 생활화가 촉진될 것이다.

• 식품 선택의 폭 확장: 브로콜리, 치즈, 낫토 등 세계 여러 나라의 식품을 한식에 접목한다.

• 다양한 양념과 소스 제작: 간장, 고추장, 된장 등을 활용한 다양한 양념과 두부, 깨를 이용한 소스 등을 만든다.

• 색색의 고명 활용: 미적인 아름다움이 두드러지고, 영양소 또한 조화로워진다.

• 한국 전통 조리법 이용: 다른 나라의 음식 재료를 한식의 저열량 조리법과 우리 고유의 양념을 이용하여 맛을 낸다.

▲ 식품 선택의 폭 확장

▲ 다양한 양념과 소스 제작

▲ 색색의 고명 활용

▲ 한국 전통 조리법 이용

개념 더하기

+한국 전통 음식의 기본 양념

• 쇠고기: 간장, 파, 마늘, 깨소금, 후춧가루, 참기름 등
• 돼지고기를 양념할 때: 간장, 새우젓국, 파, 마늘, 후춧가루, 생강즙, 깨소금, 참기름, 술 등
• 닭고기를 양념할 때: 소금, 간장, 파, 마늘, 깨소금, 후춧가루, 참기름 등
• 생선을 양념할 때: 간장, 파, 마늘, 깨소금, 후춧가루, 설탕, 고춧가루, 고추장 등
• 나물을 무칠 때: 간장, 파, 마늘, 깨소금, 후춧가루, 참기름 등

주제 활동 한식의 우수성 홍보하기

외국인이 선호하는 한식을 다른 나라의 음식 문화에 맞게 현지화 방안 및 홍보 방안을 생각해 보자.

• **선택한 국가의 식문화 특징:** 일본. 신선한 해산물을 주로 이용하고, 자연으로부터 얻은 식품의 고유한 맛과 멋을 최대한 살리는 조리법이 발달하였다. 그릇의 모양과 색상까지 고려한 '눈으로 먹는' 음식 문화 특징을 가지고 있다.

• **현지화 방안:** 해산물을 선호하는 일본인의 기호를 고려하여 오징어와 새우로 해산물의 맛을 살리고, 파의 향과 담백한 맛이 잘 어우러지도록 한다. 또한 음식의 모양을 중시하는 일본의 식문화를 고려하여 쪽파의 모양을 살리고, 일본인들이 선호하는 초간장 소스를 개발하여 기호에 따라 조절하여 먹을 수 있게 한다.

• **홍보 방안:** 온라인 마케팅을 통한 웹 사이트 홍보, 메뉴판을 영어과 일본어의 혼합 사용, 소스의 다양화를 통한 접근, 국내 관광객을 대상으로 한 이벤트 홍보 등

내용 정리

1, 한식의 이해

(1) 한식의 이해

① **한식** 우리나라의 전통 음식으로, 넓은 의미로는 전통 음식의 조리법, 상차림, 식사 예절 등을 포함

② 보기에 아름답고 맛이 조화로우며, 영양상으로나 조리법 면에서 과학적인 음식 문화

(2) 한식의 우수성

① **균형 잡힌 영양 섭취**
- 주식과 부식의 명확한 구분, 주식에 따라 반찬을 구성함.
- 주식인 곡류에서 에너지를 얻고, 반찬인 부식에서 채소류, 육류, 생선류 등을 다양하게 섭취함으로써 영양의 균형을 이룸.

② **약식동원 사상**
- 약식동원: 한식의 철학, '약과 음식은 그 근본이 같다.'라는 뜻으로, 약을 짓는 마음으로 음식을 만드는 것
- 한식에 많이 사용되는 양념 재료: 마늘, 생강, 대추, 은행, 잣, 호두 등은 모두 몸을 보호해 주는 효과가 있는 약재

③ **저열량 조리법 활용**
- 물과 수증기를 이용하여 끓이기, 찌기, 삶기, 데치기, 무치기 등의 조리법을 많이 활용함.
- 열량이 높지 않고, 불필요한 지방의 섭취를 줄일 수 있음.

④ **발효의 과학**
- 발효 식품: 젖산균이나 효모 등 미생물의 발효 작용을 이용하여 만든 식품
- 고추장, 된장, 김치 등은 대표적인 발효 식품

⑤ **자연과의 조화**
- 향토 음식, 시식과 절식 등의 발달: 자연의 순리에 맞추어 자연 친화적인 식생활을 실천함.
- 향토 음식: 지역마다 기후와 자연환경이 다르므로 지역에 따라 생산되는 식품을 이용한 특색 있는 음식
- 절식: 명절이나 절기에 해 먹는 음식
- 시식: 제철에 나는 재료로 만든 음식

⑥ **미적인 아름다움**
- 음식의 미적 감각을 중시하는 한식은 색의 조화를 고려함.
- 구절판과 신선로, 전이나 나물, 오색 고명, 떡이나 한과 등

2, 다른 나라의 식생활 문화

(1) 중국

① 국토가 넓어 지역마다 다양한 음식이 발달함.

② 여러 가지 재료를 섞어 조리함으로써 외관이 화려함.

③ 주식과 부식의 구분이 없음.

④ **대표 음식** 북경 지역의 오리 요리, 광동 지역의 탕수육, 사천 지역의 마파두부, 상해 지역의 동파육 등

(2) 일본

① 국토가 모두 바다로 둘러싸여 있어 신선한 해산물이 풍부함.

② 자연으로부터 얻은 식품의 고유한 맛과 멋을 최대한 살리는 조리법이 발달함.

③ '눈으로 먹는' 음식 문화로 유명함.

④ **대표 음식** 오코노미야키, 스시 등

(3) 프랑스

① 세계에서 가장 풍부한 식생활 문화를 가짐.

② 맛은 물론 식사 시간도 매우 중요하게 여김.

③ **대표 음식** 포도주, 빵, 치즈, 달팽이 요리, 푸아그라 등

(4) 이란

① 할랄(halal, 이슬람인에게 허용된 음식), 하람(haram, 이슬람인에게 금지된 음식(돼지고기, 양서류, 술 등)) 등을 규정

② **대표 음식** 케밥, 솔레자르드

(5) 멕시코

① 대체로 화려하고 매콤하면서 풍성함.

② **대표 음식** 토르티야, 부리토, 케사디야, 타코 등

3, 한식을 응용한 식생활의 생활화

(1) 필요성

한식을 생활화하여 건강한 식생활을 실천하기 위한 구체적인 노력이 필요함.

(2) 한식의 생활화 방안

① 한식의 올바른 이해

② 전통 음식 만들기 체험

③ 한식의 재료 및 조리법 표준화

④ 한식을 응용한 퓨전 음식 개발
- 식품 선택의 폭 확장
- 다양한 양념과 소스 제작
- 색색의 고명 활용
- 한국 전통 조리법 이용

개념 꽉꽉 다지기

1. (　　　　　　　)은/는 우리나라 전통 음식을 말하며, 넓은 의미로는 전통 음식의 조리법, 상차림, 식사 예절 등을 포함한다.

Helper

1. 한식은 우리나라 고유의 음식으로, 조상들의 지혜와 혼이 깃든 가장 한국적인 산물이다.

2. 한식의 우수성으로 옳지 <u>않은</u> 것은?

① 저열량 조리법을 활용한다.

② 주식과 부식의 구분이 없다.

③ 발효를 활용한 다양한 식품이 있다.

④ 자연 친화적인 식생활을 실천하였다.

⑤ 색의 조화를 고려하여 음식을 만든다.

2. 한식은 주식과 부식이 명확하게 구분되어 있고, 주식에 따라 반찬을 구성한다.

3. (　　　　　　　)(이)란 '약과 음식은 그 근본이 같다.'라는 뜻으로, 약을 짓는 마음으로 음식을 만드는 것이다.

3. 한식의 철학은 약식동원 사상으로 양념을 사용한다.

4. 이슬람 경전인 코란에는 이슬람인에게 허용된 음식인 (　　　　　　　)와/과 금지된 음식 (　　　　　　　)을/를 규정하였다.

4. 이슬람인에게 금지된 음식으로는 돼지고기, 양서류, 술 등이 있다.

5. 한식의 생활화 방안으로 옳지 <u>않은</u> 것은?

① 전통 음식 만들기 체험을 한다.

② 한식에 대한 바른 이해가 필요하다.

③ 만들기 복잡한 한식의 섭취를 늘린다.

④ 한식을 응용한 퓨전 음식을 개발한다.

⑤ 한식의 재료 및 조리법을 표준화한다.

5. 한식을 생활화하여 건강한 식생활을 실천하기 위한 구체적인 노력이 필요하다.

01 주식과 부식이 명확하게 구분되는 한식의 특징으로 인한 우수성으로 옳은 것은?

① 저열량 조리법을 활용한다.
② 균형 잡힌 영양 섭취가 가능하다.
③ 한식의 철학은 약식동원 사상이다.
④ 발효를 활용한 다양한 식품이 있다.
⑤ 자연 친화적인 식생활을 실천하였다.

02 한식의 철학인 약식동원에 대한 설명으로 옳지 <u>않은</u> 것은?

① 한식에는 양념을 많이 사용한다.
② 약을 짓는 마음으로 음식을 만든다.
③ 자연의 순리에 맞추어 조화를 이룬다.
④ '약과 음식은 그 근본이 같다'라는 뜻이다.
⑤ 약식은 약식동원의 원리를 잘 실천한 음식이다.

03 한식의 물과 수증기를 이용한 조리법을 〈보기〉에서 있는 대로 고른 것은?

┤보기├
ㄱ. 삶기　　　ㄴ. 찌기　　　ㄷ. 부치기
ㄹ. 데치기　　ㅁ. 무치기　　ㅂ. 튀기기

① ㄱ, ㄴ, ㄷ, ㅁ
② ㄱ, ㄴ, ㄷ, ㅂ
③ ㄱ, ㄴ, ㄹ, ㅁ
④ ㄴ, ㄷ, ㄹ, ㅁ
⑤ ㄷ, ㄹ, ㅁ, ㅂ

04 고추장의 맛에 해당되지 <u>않는</u> 것은?

① 소금의 짠맛
② 젖산의 신맛
③ 고추의 매운맛
④ 탄수화물의 단맛
⑤ 아미노산의 감칠맛

05 김치가 숙성되는 과정에서 합성되는 비타민은?

① 비타민 A
② 비타민 C
③ 비타민 D
④ 비타민 E
⑤ 비타민 K

06 다음을 통해 알 수 있는 한식의 우수성으로 가장 적절한 것은?

> 제철 식품을 이용하여 영양이 우수한 음식을 만드는 시식과 24절기에 맞추어 갖가지 음식을 차려 놓고 조상께 제사를 지낸 뒤 가족, 이웃과 함께 음식을 나눠 먹는 절식은 한국의 고유한 풍습이다.

① 발효를 활용한다.
② 약식동원 사상이다.
③ 영양의 균형을 이룬다.
④ 저열량 조리법을 활용한다.
⑤ 자연과 조화를 이루는 식생활이다.

07 한식의 미적인 아름다움을 표현한 음식의 예로 옳지 <u>않은</u> 것은?

① 오색 고명

② 삼색 나물과 삼색 전

③ 고기를 삶아 눌러 편편하게 굳힌 편육

④ 다양한 색이 조화를 이룬 구절판이나 신선로

⑤ 약재, 약초, 꽃가루 등으로 물들인 떡이나 한과

08 일본 음식 문화의 특징으로 옳은 것은?

① 주로 음식을 익혀 먹는다.

② 대체로 화려하고 매콤하면서 풍성하다.

③ 국토가 넓어 지역마다 다양한 음식이 발달하였다.

④ 아침은 간단히 먹지만 점심은 2시간에 걸쳐 먹는다.

⑤ '눈으로 먹는' 음식 문화로, 그릇의 모양과 색상까지 고려한다.

09 프랑스의 대표 음식으로 옳은 것은?

① 부리토

② 동파육

③ 솔레 자르드

④ 달팽이 요리

⑤ 오코노미야키

10 한식을 응용한 퓨전 음식을 개발하기 위한 방법으로 옳지 <u>않은</u> 것은?

① 색색의 고명을 활용한다.

② 저열량 조리법을 이용한다.

③ 식품 선택의 폭을 확장한다.

④ 다양한 양념과 소스를 제작한다.

⑤ 우리 고유의 맛이 나지 않게 한다.

핵심을 되짚는 O·X 문제

11 물과 수증기를 이용한 한식의 조리법은 음식의 열량을 높이지 않고 불필요한 지방의 섭취를 줄일 수 있다. (O , X)

12 한식은 채식과 육식의 비율이 대략 5:5로, 영양의 균형을 이룬다. (O , X)

13 채식 위주의 식단은 식물에 주로 존재하는 파이토케미컬 등의 생리 활성 물질들이 건강을 증진시키고, 각종 질병에 걸릴 확률을 낮춰 준다. (O , X)

14 항암 효과가 큰 콩을 주재료로 하는 된장은 저장성이 뛰어나나, 시간이 지날수록 깊은 맛이 덜하다. (O , X)

15 발효 식품이란 젖산균이나 효모 등 미생물의 발효 작용을 이용하여 만든 식품이다. (O , X)

16 명절이나 절기에 해 먹는 음식을 시식, 제철에 나는 재료로 만든 음식을 절식이라고 한다. (O , X)

17 중국 음식은 녹말과 기름을 사용하여 고온에서 단시간 조리하는 경우가 많다. (O , X)

18 프랑스 사람들은 식사 시간을 매우 중요하게 여겨 아침을 2~4시간에 걸쳐 먹는다. (O , X)

19 한식의 재료와 조리법을 표준화하면 다음 세대에 한식을 전수하기가 수월해진다. (O , X)

02 한복과 현대 의복의 동행

개념 더하기

> ### 주제 열기
>
> ≫ 다음 항목을 평가해 보고, 나는 한복을 어떻게 생각하는지 써 보자.
>
> 한복을 입으면 활동하기 불편하지만 색상 배합이 세련되어 한옥 나들이나 특별한 날에 입고 싶다. / 내가 생각하는 한복은 선의 아름다움이 살아 있는 옷으로, 우리가 꾸준히 알리고 발전시켜야 할 옷이다.

1, 한복의 이해와 우수성을 통해 가치를 찾자

(1) 한복의 이해

① **한복이란** 우리나라 고유의 전통 의상으로, 우리 민족의 정서와 생활 양식이 반영된 소중한 우리 문화이다.

② **한복의 형태와 구조의 변화**
- 한복은 오천여 년 동안 각 시대의 생활 문화와 시대 상황, 미적 기준 등에 따라 다양하게 변화해 왔다.
- 현재 우리가 입는 한복은 조선 시대 중·후기의 형태를 따르고 있다.

③ **한복의 옷차림**
- 기본형: 윗옷으로 저고리, 아래옷으로 바지와 치마가 있다.
- 남자와 여자의 한복 옷차림
  - 남자: 윗옷(저고리, 조끼, 마고자), 아래옷(바지)
  - 여자: 윗옷(저고리, 배자, 마고자), 아래옷(치마)
- 두루마기: 현대 의복에 비유하자면 외투에 해당하는 옷으로, 주로 외출할 때 입지만 남자는 예의를 갖추기 위한 목적으로 실내에서도 두루마기를 입는다.
  ┗ 두루마기는 방한을 목적으로 하는 외출복이며, 여자는 실내에서 벗는 것이 예의이다.

④ **한복의 명칭**

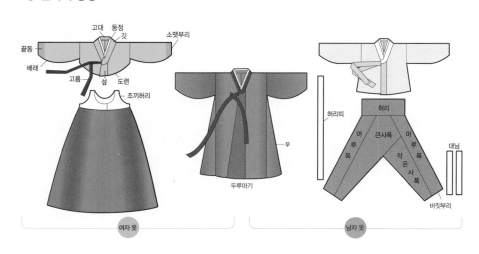

+버선
발을 따뜻하고 모양을 맵시 있게 하기 위하여 발에 신는 오늘날의 양말과 같은 의복이다.

+우리나라의 전통 혼례복
- 남녀가 성인이 되어 일생에서 가장 중요한 의례인 혼례를 할 때는 화려하고 격식을 갖춘 옷을 입는 것이 특징이다.
- 혼례복은 신랑과 신부에게 건강과 행복 등을 기원하는 의미가 있다.
- 신랑은 단령포를 입고 사모를 쓰며, 신부는 연꽃, 모란 등 부부의 백년해로에 대한 바람이 담긴 자수가 놓인 활옷이나 원삼을 입고, 족두리를 착용한다.

더 들여다보기

🖱️ 전통 혼례복 이외에 옛날 사람들의 생활을 엿볼 수 있는 전통 옷에는 무엇이 있는지 찾아보자.

예 신생아(배냇저고리), 돌(색동 소매), 회갑(오방장 두루마기), 상복, 제례복 등이 있다.

(2) 한복의 우수성

① **체형적 측면**　키가 작고 하체가 큰 우리나라 사람의 체형을 보완하도록 구성되었다.

• 저고리와 치마의 비율: 하체가 길어 보이게 하는 효과가 있다.

• 두루마기: 더욱 크고, 조화롭게 보일 수 있는 착시 효과를 준다.

• 풍성하고 여유 있는 치마와 바지: 입는 사람의 신체적 결점을 가려주면서도 우아한 실루엣을 만들어 낸다.

② **색상적 측면**　하나의 색을 더 이상 분해시킬 수 없는 기본색으로,
└─ 오방색이 원색의 종류에 속한다.

• 원색을 사용해도 잘 어울리는 배색의 조화미가 있다.

• 음양오행의 원리에 따라 저고리와 치마, 저고리와 바지의 배색을 맞춘 경우가 많았으며, 저고리 색은 보통 치마보다 더 옅게 하는 경우가 보통이다.

• 색동 옷은 어린아이가 입었던 옷으로, 오방색을 중심으로 옷에 우주 만물의 기운을 넣어 액운을 피하고 무병장수를 기원하는 의미를 담고 있다.

③ **구성적 측면**　직선과 평면으로 재단하여 매우 단순하지만 착용 후 선이나 주름의 아름다움이 살아나 입은 사람의 체형에 맞춘 듯 입체적 형태가 완성된다.

• 깃, 도련, 배래 등 부드럽고 완만한 곡선이 많아, 입었을 때 편안함을 준다.

• 풍성한 주름과 여유가 있어 활동하기 편하다.

• 만들 때부터 시접을 넉넉하게 두어 고쳐 입기가 가능하고, 버려지는 옷감이 거의 없다.
└─ 옷감의 부분과 부분을 이을 때 생기는 솔기

④ **건강적 측면**　한방에서는 머리를 맑게 하고 아랫배를 따뜻하게 하는 것을 중요하게 생각하는데, 이에 적합한 구조로 되어 있다.

• 깃 사이를 넓게 하여 가슴을 시원하게 하고, 허리를 묶어 배를 따뜻하게 한다.

• 옷과 몸 사이에 충분한 공기층을 만들어 단열 효과가 생기기 때문에 추울 때는 따뜻하고, 더울 때는 시원하다.

• 대님은 밖의 찬 기운을 막아 주고, 몸의 기운이 빠져나가는 것을 막는 기능을 한다.

👤 스스로 생각해 보기

옷과 관련 있는 옛 속담들을 읽고, 의미를 생각해 보자.

예 • 옷이 몸에 붙으면 복 들어갈 틈이 없다.
　　→ 몸에 꼭 맞는 옷을 입는 것보다 여유 있는 옷을 입어야 건강에 좋다는 의미이다.
• 핫바지, 저고리 한 벌이면 삼대를 물린다.
　　→ 옷을 잘 관리하여 오랫동안 입어야 경제적일 뿐 아니라 환경에도 이롭다는 의미이다.

개념 더하기

+ 오방색

각 방위에 해당하는 5가지 색인 오방색들이 서로 균형 있게 통합될 때 질서를 유지하게 된다는 음양오행설에 기반을 둔 믿음이 있어 색동저고리 등을 만들어 입으며 복을 기원하였다.

+ 삼회장저고리

저고리의 여러 부분(깃, 끝동, 곁마기, 옷고름)을 길과 다른 색으로 배색한 저고리이다. 깃, 끝동, 옷고름만을 다른 색으로 배색한 반회장저고리도 있다.

+ 색동저고리

아이들이 돌이나 명절에 입는 색동 소매의 저고리이다. 오방색을 이어 붙여 저고리를 지어 입힘으로써 액땜을 하고 복을 받기를 기원하였다.

+ 오방장두루마기(까치두루마기)

연두색 길, 색동 소매, 자주색 무, 색동 노랑 섶, 분홍색 안섶, 남색 깃과 고름을 단 아이들이 입는 두루마기이다. 의미는 색동저고리와 같다.

2 다른 나라의 의생활 문화를 알아보자

(1) 중국의 의생활 문화

① **치파오** 보통 원피스 형태의 여성 의복을 말하며, 실용적인 것부터 비단에 화려한 수를 놓은 것까지 다양하다.

② **붉은 계통의 옷** 중국인들은 붉은색을 행운을 가져다 주는 색이라고 생각하기 때문에 대체로 붉은 계통의 옷이 많다.

(2) 일본의 의생활 문화

① **기모노** 일본의 전통 의상으로, 소맷부리가 넓고 몸에 둘러 입는 옷이다. 오비는 전통적인 기모노와 함께 착용하는 긴 장식용 천으로, 여성의 상의에 둘러 맨다.

② **신발** 기모노를 입을 때 신는 신발인 조리는 가죽 제품으로 의례적인 장소에 갈 때 신고, 게타는 평상복에 맞춰 신는다.

(3) 인도의 의생활 문화

① **사리** 여성이 입는 전통 의상이다.

② **토티** 사리와 비슷한 형태의 남자 옷이다.

③ 사리는 계급과 종교, 지역을 막론하고 거의 모든 지역의 여성들이 입는다.

(4) 베트남의 의생활 문화

① **아오자이** 베트남 전통 의상으로, 더운 지방 특성에 맞게 바지는 품을 넉넉하게 하고, 상의는 길게 만들어서 통기성을 좋게 하였다.

② **농라** 베트남 여성들이 쓰는 모자로, 비가 올 때는 우산, 햇빛이 내리쬘 때는 양산, 더울 때는 부채로 사용한다.

(5) 멕시코의 의생활 문화

① **우이필** 여성이 주로 입는 원피스이다.

② **솔브레로** 남성이 쓰는 모자로, 뜨거운 태양을 막기 위해 창이 넓고 끝이 말려서 올라가 있다.

▲ 치파오　　▲ 기모노　　▲ 사리　　▲ 아오자이　　▲ 우이필

함께 해 보기

제시된 국가 외에 다른 나라의 전통 의복과 특징을 더 찾아보자.

예 영국의 킬트는 스코틀랜드식 영국의 전통 의상으로, 남자들이 입는 스커트이다. 타탄이라 불리는 체크무늬로 된 천을 사용하는 것이 특징이고, 길이는 무릎까지 오는 짧은 것으로 주름이 같은 방향으로 잡혀 있다. 이 타탄 체크는 색이나 무늬에 따라 가문이나 계급을 나타낸다.

2. 전통 한복의 현대화에 앞장서자

(1) 전통 의복의 현대화

① **의미**　전통 의복을 현대인의 감각과 정서에 맞게 단순하고 편리하게 변형시킴으로써 세계인이 애용하는 의복으로 재탄생시키는 것이다.

② 다른 나라와 차별되는 고유의 독자성을 발견하고, 거기에 현대인이 공감할 수 있는 보편성을 더하는 노력이 필요하다.

(2) 한복의 현대화 방안

① **소재 개발**　전통 소재들을 내구성, 탄력성 등 관리에 편리한 실용적인 소재로 개발하는 작업이 필요하다.

② **전통 문양 및 색상의 활용**　한국의 전통적인 아름다움을 나타낼 수 있는 금박, 매듭, 자수, 누비, 전통 염색, 전통 장식 기법 등을 활용한다.

③ **전통 복식미와 실용적 디자인**　조선 시대 복식뿐만 아니라 삼국 시대부터 다양하게 발달하였던 유(저고리), 고(바지), 상(치마), 포(두루마기)의 세부적인 형태를 적극적으로 활용한다.

④ **한복의 의식 전환**　실생활에서 친밀하게 한복을 접할 수 있으려면 전문가들의 노력과 의식 개혁, 그리고 국민의 관심, 정부의 제도적 지원 등이 필요하다.

> **더 들여다보기**
>
> 👆 내가 한복 디자이너라면 우리 옷의 현대화, 세계화를 위해 한복의 아름다움을 어떻게 표현하고 싶은지 생각해 보자.
>
> 예 한복 고유의 곡선의 미를 살리는 것, 음양오행을 바탕으로 한 오방색, 정성과 실용성 및 아름다움을 겸비한 누빔 기법과 패치워크 기법, 화려한 자수, 다양하게 응용할 수 있는 노리개, 한국적 문양의 활용 등 한복의 아름다움을 표현할 것이다.

교과서 뛰어 넘기　전통의 현대화에 성공한 세계 명품

- **미국의 랄프로렌(Ralph Lauren):** 영국 귀족의 전통복을 현대 미국인의 취향에 맞도록 변형시켜 미국의 명문가 이미지 룩을 탄생시켰다.
- **중국의 상하이 탕(Shanghai Tang):** 중국 전통 의상인 치파오에 영감을 받은 기성복이나 차이나 칼라와 비단 소재, 중국 문양 등을 이용한 작품들을 선보이고 있다.
- **프랑스의 크리스찬 디올(Christian Dior):** 1947년 패션계에 '뉴 룩(new look)'을 선보였는데, 뉴 룩은 19세기 서양의 크리놀린 스타일의 스커트를 무릎 길이로 짧게 하여 여성의 다리를 노출시킴으로써 센세이션을 일으켰다.

개념 더하기

+현대 복식에 활용되고 있는 전통 복식

- 전통을 재현한 디자인: 한국 전통 복식의 구성과 형태를 고증하여 한국적 이미지를 강조하고, 부각시킬 수 있는 디자인으로 활용되고 있다.
- 전통 장식 기법을 활용한 디자인: 전통 매듭, 전통 누비, 전통 자수, 전통 조각보 등 전통 한국 복식에서 사용된 다양한 기법을 현대 패션에 활용하여 한국적 이미지를 나타냄과 동시에 서양 복식과의 차별화된 색감과 실루엣, 구성으로 독특한 미감을 표현하기도 한다.
- 한국적 요소를 활용한 디자인: 한국적 요소는 고구려 고분 벽화, 전통 문양, 조선 시대 풍속화와 같은 회화 작품 등 한국의 전통 문화를 말하는 것으로, 현대 패션에서 디테일하게 활용되고 있다.

주제 활동　나만의 맞춤 한복 설계하기

다음 예시를 참고하여 개성 있는 나만의 한복을 설계하여 보자.

- 여학생: 고름(폭을 좁게), 동정(얇게), 저고리(짧은 저고리), 끝동(얇게), 치마(짧게), 눈물고름(2줄), 고무신(샌들), 버선(없음)
- 남학생: 고름(매듭), 동정(영구 동정), 끝동(길게), 허리 부분은 묶을 수 있는 끈, 배래(직배래), 고무신(단화), 바지끝단(매듭)

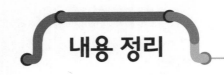

내용 정리

1, 한복의 이해와 우수성

(1) 한복의 이해

① **한복이란** 우리나라 고유의 전통 의상으로, 우리 민족의 정서와 생활 양식이 반영된 소중한 우리 문화

② **한복의 옷차림**

- 기본형은 윗옷으로 저고리, 아래옷으로 바지와 치마가 있음.
- 남자와 여자의 한복 옷차림

구분	남자	여자
윗옷	저고리, 조끼, 마고자	저고리, 배자, 마고자
아래옷	바지	치마

- 두루마기: 외투에 해당하는 옷으로, 주로 외출할 때 입지만 남자는 예의를 갖추기 위한 목적으로 실내에서도 입음.

(2) 한복의 우수성

① **체형적 측면** 키가 작고 하체가 큰 우리나라 사람의 체형을 보완하도록 구성됨.

- 저고리와 치마의 비율: 하체가 길어 보이게 하는 효과가 있음.
- 두루마기: 더욱 크고, 조화롭게 보일 수 있는 착시 효과를 줌.
- 풍성하고 여유 있는 치마와 바지: 입는 사람의 신체적 결점을 가려 주면서도 우아한 실루엣을 만들어 냄.

② **색상적 측면**

- 원색을 사용해도 잘 어울리는 배색의 조화미가 있음.
- 음양오행의 원리에 따라 저고리와 치마, 저고리와 바지의 배색을 맞춘 경우가 많았으며, 저고리 색은 보통 치마보다 더 엷게 하는 경우가 보통임.

③ **구성적 측면**

- 직선과 평면으로 재단하여 매우 단순하지만 착용 후 선이나 주름의 아름다움이 살아나 입은 사람의 체형에 맞춘 듯 입체적 형태가 완성됨.
- 깃, 도련, 배래 등 부드럽고 완만한 곡선이 많아, 입었을 때 편안함을 줌.
- 풍성한 주름과 여유가 있어 활동하기 편함.

④ **건강적 측면**

- 깃 사이를 넓게 하여 가슴을 시원하게 하고, 허리를 묶어 배를 따뜻하게 함.
- 옷과 몸 사이에 충분한 공기층을 만들어 단열 효과가 생김.
- 대님: 밖의 찬 기운을 막아 주고, 몸의 기운이 빠져나가는 것을 막는 기능을 함.

2, 다른 나라의 의생활 문화

(1) 중국의 의생활 문화

① **치파오** 보통 원피스 형태의 여성 의복, 실용적인 것부터 비단에 화려한 수를 놓은 것까지 다양함.

② **붉은 계통의 옷** 붉은색은 행운을 가져다 주는 색이라고 생각하기 때문에 대체로 붉은 계통의 옷이 많음.

(2) 일본의 의생활 문화

① **기모노** 일본의 전통 의상, 소맷부리가 넓고 몸에 둘러 입는 옷

② **오비** 전통적인 기모노와 함께 착용하는 긴 장식용 천, 여성의 상의에 둘러 맴.

③ **신발** 기모노를 입을 때 신는 조리는 가죽 제품으로 의례적인 장소에, 게타는 평상복에 맞춰 신음.

(3) 인도의 의생활 문화

① **사리** 여성이 입는 전통 의상

② **토티** 사리와 비슷한 형태의 남자 옷

③ 사리는 계급과 종교, 지역을 막론하고 거의 모든 지역의 여성들이 입음.

(4) 베트남의 의생활 문화

① **아오자이** 베트남 전통 의상, 더운 지방 특성에 맞게 바지는 품을 넉넉하게 하고, 상의는 길게 만들어서 통기성을 좋게 함.

② **농라** 베트남 여성들이 쓰는 모자, 우산, 양산, 부채로 사용함.

(5) 멕시코의 의생활 문화

① **우이필** 여성이 주로 입는 원피스

② **솔브레로** 뜨거운 태양을 막기 위해 남성이 쓰는 모자

3, 전통 한복의 현대화

① **전통 의복의 현대화** 전통 의복을 현대인의 감각과 정서에 맞게 단순하고 편리하게 변형시킴으로써 세계인이 애용하는 의복으로 재탄생시키는 것

② **한복의 현대화 방안**

- 소재 개발
- 전통 문양 및 색상의 활용
- 전통 복식미와 실용적 디자인
- 한복의 의식 전환

개념 꽉꽉 다지기

1. 한복의 기본형은 윗옷으로 저고리, 아래옷으로 바지와 ( )이/가 있다.

Helper

1. 한복의 기본형은 윗옷으로 저고리, 아래옷으로 바지와 치마가 있다.

2. 한복의 여자 옷에 해당하지 <u>않는</u> 것은?

① 배자　　　　　　　　② 조끼

③ 마고자　　　　　　　④ 저고리

⑤ 두루마기

2. 여자는 치마를 입고, 저고리, 배자, 마고자를 입는다.

3. 한복은 입체적으로 만드는 서양 의복과는 달리 ( )인 형태로 만든다.

3. 한복은 직선과 평면으로 재단한다.

4. 각 나라의 전통 의상이 바르게 짝지어진 것은?

① 중국 – 사리

② 인도 – 치파오

③ 베트남 – 토티

④ 멕시코 – 우이필

⑤ 일본 – 아오자이

4. 멕시코의 여성은 우이필이라는 원피스를 주로 입고, 남성은 솔브레로라는 모자를 쓴다.

5. ( )(이)란 전통 의복을 현대인의 감각과 정서에 맞게 단순하고 편리하게 변형함으로써 세계인이 애용하는 의복으로 재탄생시키는 것이다.

5. 전통 의복의 현대화를 위해서는 다른 나라와 차별되는 고유의 독자성을 발견하고, 거기에 현대인이 공감할 수 있는 보편성을 더하는 노력이 필요하다.

01 한복의 옷차림에 대한 설명으로 옳은 것은?

① 마고자는 저고리나 조끼 안에 입는 옷이다.

② 한복의 기본형은 윗옷으로 두루마기가 있다.

③ 여자는 윗옷으로 저고리, 조끼, 마고자를 입는다.

④ 남자는 윗옷으로 저고리, 배자, 마고자를 입는다.

⑤ 남자는 실내에서 두루마기를 입는 것이 예의이다.

02 키가 작고, 하체가 큰 체형을 보완하는 한복의 특징으로 옳은 것은?

① 오방색을 사용한다.

② 평면적인 형태로 만든다.

③ 만들 때부터 시접을 넉넉하게 둔다.

④ 여자 한복의 저고리는 짧고 치마는 길다.

⑤ 옷과 몸 사이에 충분한 공기층이 만들어진다.

03 한복의 색상에 대한 설명으로 옳지 <u>않은</u> 것은?

① 서민은 평상시 흰색 한복만 즐겨 입었다.

② 상류층에서 입었던 한복은 색이 다양하였다.

③ 원색을 사용해도 잘 어울리는 배색의 조화미가 있다.

④ 음양오행에 따라 윗옷과 아래옷의 배색을 맞춘 경우가 많았다.

⑤ 저고리 색은 치마와 다르거나 더 짙게 하는 경우가 보통이다.

04 구성적 측면에서 한복의 우수성으로 옳지 <u>않은</u> 것은?

① 가슴을 시원하게 하고, 배를 따뜻하게 한다.

② 풍성한 주름과 여유가 있어 활동하기 편하다.

③ 깃, 도련, 배래 등 부드럽고 완만한 곡선이 많다.

④ 고쳐 입기가 가능하고, 버려지는 옷감이 거의 없다.

⑤ 평면적인 형태지만 실제로 입으면 입체적으로 변화한다.

05 건강적 측면에서 한복의 우수성을 보여 주는 예로 옳은 것은?

① 대님

② 활옷

③ 원삼

④ 단령포

⑤ 족두리

06 인도의 의생활 문화 특징으로 옳은 것은?

① 대체로 붉은색 계통의 옷이 많다.

② 창이 넓고 끝이 말려서 올라간 모자를 쓴다.

③ 조리는 가죽 제품으로 의례적인 장소에 갈 때 신는다.

④ 바느질을 하지 않은 긴 천을 몸에 둘러 입는 것이 특징이다.

⑤ 바지는 품을 넉넉하게 하고, 상의는 길게 만들어서 통기성을 좋게 한다.

07 세계 여러 나라의 의복에 대한 설명으로 옳은 것은?

① 게타 – 멕시코 남성의 모자이다.

② 사리 – 기모노를 입을 때 신는 신발이다.

③ 토티 – 인도 여성이 입는 전통 의상이다.

④ 우이필 – 원피스 형태의 중국 여성의 의복이다.

⑤ 오비 – 전통적인 기모노와 함께 착용하는 긴 장식용 천이다.

08 베트남 여성들이 쓰는 모자인 농라의 용도를 〈보기〉에서 있는 대로 고른 것은?

┌ 보기 ┐
ㄱ. 방석   ㄴ. 우산   ㄷ. 부채
ㄹ. 양산   ㅁ. 그릇
└────────┘

① ㄱ, ㄴ, ㄷ   ② ㄱ, ㄷ, ㅁ

③ ㄴ, ㄷ, ㄹ   ④ ㄴ, ㄹ, ㅁ

⑤ ㄷ, ㄹ, ㅁ

09 다음 전통 의복의 공통점으로 옳은 것은?

• 중국의 치파오
• 멕시코의 우이필

① 통기성이 좋다.

② 원피스 형태이다.

③ 몸에 둘러 입는다.

④ 화려한 수가 놓여 있다.

⑤ 대체로 붉은색 계통이다.

10 전통 한복의 현대화 방안으로 옳지 <u>않은</u> 것은?

① 전통 문양 및 색상을 디테일하게 활용한다.

② 전통 복식미는 살리되 실용적 디자인이 될 수 있도록 한다.

③ 전통적인 복식 구조의 발전을 위해 전통 소재와 구성 방식을 고수한다.

④ 전통 의복을 현대인의 감각과 정서에 맞게 단순, 편리하게 변형시킨다.

⑤ 실생활에서 한복을 친밀하게 접할 수 있도록 다양한 노력이 필요하다.

핵심을 되짚는 O·X 문제

11 한복은 각 시대의 생활 문화와 시대 상황, 미적 기준 등에 따라 형태와 구조가 다양하게 변화해 왔는데, 현재 우리가 입는 한복은 고려 시대 중·후기의 형태를 따르고 있다. (O , X)

12 배자는 저고리 위에 덧입는 소매 없는 옷으로, 좌우에 같은 모양의 깃이 있고, 긴 끈이나 단추로 여며 입는다. (O , X)

13 두루마기는 착용하였을 때 더욱 크고, 조화롭게 보일 수 있는 착시 효과를 준다. (O , X)

14 오방색은 오행의 각 기운과 직결된 청(靑), 적(赤), 황(黃), 백(白), 흑(黑)의 다섯 가지 기본색이다. (O , X)

15 어린아이가 입었던 색동옷은 오방색을 중심으로 옷에 우주 만물의 기운을 넣어 액운을 피하고 무병장수를 기원하는 의미를 담고 있다. (O , X)

16 서양 의복은 처음 만들 때부터 체형에 맞게 평면적으로 만들지만, 한복은 입체적인 형태로 만든다. (O , X)

17 한방에서는 머리를 따뜻하게 하고 아랫배를 시원하게 하는 것을 중요하게 생각했는데, 한복은 이에 적합한 구조이다. (O , X)

18 의생활 문화는 그 나라의 자연환경, 사회·문화적 요인, 생활 방식 등의 영향을 받으며 끊임없이 발전해 왔다. (O , X)

03 한옥에서 찾은 친환경살이

개념 더하기

+기와집

기와로 지붕을 이은 집으로, 기와는 지붕 재료로 사용하기 위해 진흙을 불에 구운 도기로, 값이 비싸 주로 양반가에서 사용하였다.

+초가집

지역에서 쉽게 구할 수 있는 갈대나 억새, 볏짚 등으로 지붕을 이은 집으로, 볏짚은 속이 비어 있고 그 안에 공기가 있어 단열과 보온성이 뛰어나다.

+너와집

나무를 쪼개어 널빤지를 만든 너와로 지붕을 이은 집으로, 너와 사이에 틈이 있어 환기와 배연이 잘 되고 단열 효과가 좋다.

+굴피집

참나무, 굴참나무, 상수리나무 등의 속껍질을 벗긴 굴피로 지붕을 이은 집으로, 볏짚을 구하기 어려운 산간 지방에서 주로 지었다.

+돌기와집

기와나 볏짚 대신 납작하게 쪼개지는 돌을 지붕에 얹은 집으로, 돌기와는 보통 암회색이어서 멀리서 보면 기와 지붕처럼 보이지만 지붕을 만드는 원리는 너와집과 유사하다.

주제 열기

» 오늘날까지 널리 이용되고 있는 한옥의 재료를 찾아보자.

나무, 문살, 한지, 마루, 기와 등

» 최근 다양한 형태로 한옥을 짓는 사람이 많아졌다. 아파트를 선호하던 사람들이 한옥에 관심을 보이는 까닭은 무엇인지 생각해 보자.

한옥의 과학적, 미적, 기능적 우수성이 재조명되면서 육체적, 정서적 건강까지 생각하게 되었기 때문이다.

1. 한옥의 이해를 통하여 가치를 찾자

(1) 한옥의 이해 — 사람의 육체적 건강뿐만 아니라 정서적 건강까지 함께 배려하는 자연을 닮은 집이다.

① **한옥이란** 한국의 전통적인 건축 양식으로 지어진 건물로, 우리 조상의 얼이 담겨 있는 주거이다.

② **한옥의 종류** 초가집, 너와집, 기와집 등의 주택뿐만 아니라 궁궐, 사찰, 향교 등 한국의 전통 건축물들을 포함한다.

③ **한옥의 구조**

- **지붕부:** 지붕이 있는 부분이다.
- **기둥부:** 기단에서 지붕 사이로, 사람들이 사는 공간이다. — 축부(軸部)라고 한다.
- **기단부:** 주춧돌 밑부분으로, 마당에서 올라온 부분을 말한다. — 기단부의 높이는 주변의 기후가 중요한 영향을 미친다.

서까래: 지붕의 뼈대를 이루는 나무

대들보: 지붕을 떠받치기 위해 기둥과 기둥 사이를 건너지른 보

용마루: 건물 지붕 중앙의 수평으로 된 부분

추녀: 처마의 네 귀퉁이에 있는 큰 서까래

지붕부

기둥부

기단부

처마: 기둥 밖으로 나와 있는 지붕의 일부

대청: 방과 방 사이의 큰 마루

주춧돌: 건물의 기둥을 받쳐 주는 돌

▲ 한옥의 구조와 명칭

더 들여다보기

✎ 불국사 이외에 그랭이 공법을 이용한 전통 건축물을 찾아보자.

예 합천 해인사 장경판전 담장, 고창 읍성 공북루, 경주 첨성대, 석굴암 등

(2) 한옥의 우수성

① 과학적인 집

- 해가 잘 드는 집: 지붕 처마의 길이를 여름 태양과 겨울 태양의 각도 사이에 위치하게 돌출시키면 여름 햇빛을 막아 주고 겨울 햇빛은 통과시켜 들어오게 한다. 한옥의 처마는 햇빛 자동 조절 장치이다.
- 바람이 잘 통하는 집: 자연의 공기 흐름을 적극적으로 활용하여 통풍, 환기, 순환이 잘 된다.

└── 온돌은 따뜻하게 데운 돌이란 뜻으로, 한국 고유의 난방 방식이다.

- 열을 잘 사용하는 집: 온돌은 전도, 복사, 대류를 이용한 난방 방식이다.
  - 열 보존도가 매우 뛰어나며, 바닥에 깐 돌이 열기를 오래 잡아 두는 역할을 한다.
  - 취사와 난방이 동시에 이루어지기 때문에 에너지 효율성 면에서도 우수하다.

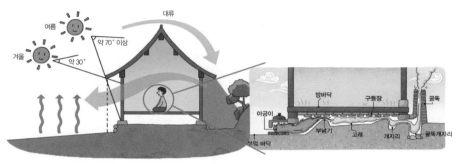

▲ 온돌

② 가족 간의 소통과 존중이 있는 집

- 가족 구성원의 독립성을 인정하는 공간으로, 안채, 사랑채, 행랑채, 곳간채 등으로 나뉜다.
- 마루와 마당은 독립적인 공간을 연결하여 소통과 통합을 이루는 공간이 된다.
- 대청마루는 실내와 외부를 연결해 주는 통로이면서 가족 모임과 손님을 접대하는 공간이다.
- 마당은 독립된 건물인 채와 채를 연결해 주고, 잔치와 노동의 공간이다.

└── 한옥의 독립적인 건축물의 단위로, 용도와 공간의 쓰임새에 따라 단독으로 지어진다.

③ 실용적인 아름다움이 있는 집

- 창호: 가는 살로 만든 세살, 한자를 이용한 문창살, 화려한 꽃살 등이 있다. 이러한 무늬에는 가족의 복을 기원하고 오래 살기를 바라는 마음이 담겨 있다.
- 분합문: 열어서 접어들어 올릴 수 있는 문으로, 공간의 필요에 따라 방과 대청을 하나의 공간으로 만드는 실용적인 창호이다.

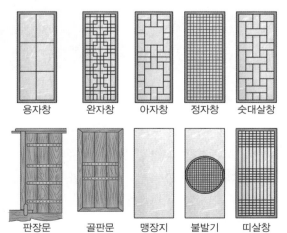

| 용자창 | 완자창 | 아자창 | 정자창 | 숫대살창 |

| 판장문 | 골판문 | 맹장지 | 불발기 | 띠살창 |

▲ 다양한 창호

개념 더하기

+처마의 구조와 기능

한옥의 처마는 계절에 따른 태양의 고도 변화를 이용한 자연 채광 시스템이다. 처마의 각도는 30° 정도이며, 이 때문에 여름에는 햇빛을 최대한 차단하지만, 겨울에는 집 내부로 많은 햇빛을 들일 수 있다.

+위치에 따른 마루의 분류

- 대청마루: 집의 중심이면서 모든 동선이 거쳐 가는 가장 넓은 공간으로, 안방과 건넌방, 사랑방과 누마루, 채와 마당 사이의 매개 공간이자 완충 공간이다.
- 누마루: 방보다 높이 올려진 마루 공간으로, 궁궐이나 사찰에서 여름에 습기를 피하면서 조망, 휴식을 위한 공간이다.
- 툇마루: 목조 건축물의 툇간에 놓인 마루로, 통로 역할과 간단한 집 안일을 처리할 수 있는 공간이다.
- 쪽마루: 툇마루와 함께 방과 뒷마당, 옆마당의 출입을 원활하게 하는 동시에 물건들을 올려놓는 수납 공간으로 활용되기도 했다.

+한옥의 미를 더하는 창호

문창살을 용(用), 아(亞), 만(卍), 정(井) 자를 이용해 여러 가지 무늬로 만들었다.

- 한지: 아름다울 뿐만 아니라 질기고 수명이 오래 가며, 보온성, 통풍성, 채광성이 아주 우수하다.

(3) 다른 나라의 주생활 문화의 이해

① **자연환경의 영향** 외부의 자연환경을 조절하여 쾌적한 주거 생활을 추구한다.

- 갓쇼 주택: 눈이 많이 내리는 일본 산간 지대에서 볼 수 있는 가옥으로, 지붕을 크게 하고 경사를 급하게 하여 눈이 쌓이는 것을 방지한다.
- 흙집: 고온 건조한 중동이나 아프리카 지역에서는 통풍을 돕는 장치를 설치하거나 최대한 자연적으로 습도를 조절할 수 있도록 흙집을 짓기도 한다.
- 동굴 주택: 황토 고원 지역은 비가 거의 내리지 않는 기후 조건 때문에 동굴 주택이 활성화되었다.
- 이글루: 1년 대부분이 눈과 얼음으로 덮인 지역에서 만들 수 있는 집이다.

▲ 갓쇼 가옥 　　　 ▲ 흙집 　　　 ▲ 동굴 주택 　　　 ▲ 이글루

② **사회·문화적 환경의 영향** 사회·문화적 제도나 생활 방식 등이 주거 형태에 영향을 준다.

- 토루: 중국 여러 민족 가운데 혈족 중심의 단결력이 강한 객가(客家)족의 전통 가옥이다.
- 수상 가옥: 수상 가옥은 경제적으로 주거 구매가 어려운 사람들이 물 위에 지은 가옥 형태이다.
- 천막 주거: 유목 생활을 하는 몽골 유목민들은 이동 생활을 하므로 재료가 가볍고, 신속하게 조립과 해체를 할 수 있는 천막 주거(게르)를 만들어 생활한다.

▲ 토루 　　　 ▲ 수상 가옥 　　　 ▲ 천막 주거

2 한옥의 친환경 주생활을 실천해 보자

(1) 한옥의 환경친화적인 주생활

① 자연과 인간이 공생하는 삶을 기반으로 돌, 흙, 나무 등의 자연 친화적 재료를 사용하고, 온돌과 마루를 이용하여 에너지의 효율성을 높였다.
② 기후적 특성과 주변의 자연환경을 고려하여 공간을 구성함으로써 환경친화적인 주생활 문화를 실천하였다.

+중국의 토루

친족들이 모여 사는 3~4층의 거대한 집합 주택으로, 외부에 흙벽을 쌓고, 내부는 목구조 형태를 띠고 있다.

+태국의 수상 주거

물 위에 집을 지어 시원할 뿐만 아니라 가옥의 벽은 수피를 사용하여 통풍이 잘되게 만들었다. 지붕은 비가 잘 흘러내리도록 경사지게 하였으며, 지붕의 재료로는 나무 또는 나무 껍질을 사용하였다.

(2) 친환경 주거생활을 실천할 수 있는 방법

① **천연 소재 활용** 나무와 돌, 흙 등은 우리의 신체를 건강하게 순환시킨다.

- 황토벽·황토 바닥재: 습기와 열을 조절해 주고, 기단은 땅에서 올라오는 습기를 막아 쾌적한 공기를 유지해 준다.
- 한지와 콩기름 등으로 만든 벽지: 습기 조절과 공기 정화의 효과가 있다.

② **온돌 활용** 단독 주택뿐만 아니라 아파트의 난방으로 활용하고 있다.

- 열원이 아래쪽에 있기 때문에 발 주위에는 더운 공기가 머물고 머리 쪽은 시원하여 건강에도 좋다.
- 공기를 직접 데우는 방식이 아니라 공기의 흐름을 이용하기 때문에 방 안 공기가 건조해지지 않아 쾌적하고 따뜻한 공간을 만든다.

③ **자연 친화적인 공간**

- 외부의 자연 경관과 자연적인 빛과 공기의 흐름을 활용하여 개방적인 공간을 만든다.
- 아파트의 난간을 한옥의 툇마루의 형태로 변경하여 가족 공간으로 만들 수 있다.

④ **한지를 덧댄 이중창**

- 바깥 창은 비바람을 막아 주는 유리창으로, 실내 창은 한지 바른 창을 설치함으로써 단열 효과를 높인다.
- 한지 창을 통해 실내로 들어오는 빛은 부드러워 편안함과 안락함을 준다.

함께 해 보기

우리 주변에 한옥의 친환경적 요소를 활용한 공간이나 주택이 있으면 소개해 보자.

예 문과 창에 한지를 바르는 것이다. 미적으로 아름다울 뿐만 아니라 보온성과 채광성이 우수하다. 특히 미세한 구멍으로 공기를 순환하여 환기에 도움이 되며, 온도와 습도를 일정하게 유지하는 장점이 있다. 또 자연에서 얻은 재료로 만들어져 폐기 과정에서도 환경 오염이 없는 친환경적인 소재이다.

+ **한지의 우수성**

- 자연 현상과 친화되는 성질이 있어서 바람이 잘 통하고 습기를 빨아드리고 내뿜는 성질이 있다.
- 한지는 물감을 들이면 색상이 튀지 않고 부드럽다.

주제 활동 자연 친화적 한옥을 주생활에 적용하기

1. 모둠별로 한옥의 우수성과 불편한 점을 찾아 자세히 써 보자.

- 부엌: 방, 거실과 분리된 바깥쪽에 있어 환기를 따로 시키지 않아도 된다.
- 온돌방: 따뜻한 기운이 아래쪽으로만 흘러 겨울에 웃풍이 세서 추울 수도 있다.
- 대청마루: 주로 각 채의 중심부에 배치되어 있어서 공간적인 측면에서 다른 방을 지배하는 중심적 생활 기능이 가능하다.
- 창호: 1년에 한 번씩 창호지를 교체해야 하고, 칼바람에 찢어질 확률이 높다.

2. 1을 활용하여, 한옥을 현대의 주생활에서 적용할 수 있는 방안을 제안해 보자.

부엌을 복층이나 지하에 위치하게 하여 생활 공간과 완전히 분리되도록 집을 짓는다. 방과 방 사이를 모두 연결할 수 있는 거실을 만들어 가족 중심의 생활이 되게 한다.

1 │ 한옥의 이해

(1) 한옥의 이해

① **한옥의 이해**   한국의 전통적인 건축 양식으로 지어진 건물로, 우리 조상의 얼이 담겨 있는 주거

② **종류**   초가집, 너와집, 기와집 등의 주택과 궁궐, 사찰, 향교 등의 건축물이 있음.

③ **한옥의 구조**   지붕부, 기둥부, 기단부

④ **한옥의 명칭**
  • 서까래: 지붕의 뼈대를 이루는 나무
  • 대들보: 지붕을 떠받치기 위해 기둥과 기둥 사이를 건너지른 보
  • 처마: 기둥 밖으로 나와 있는 지붕의 일부
  • 용마루: 건물 지붕 중앙의 수평으로 된 부분
  • 대청: 방과 방 사이의 큰 마루
  • 추녀: 처마의 네 귀퉁이에 있는 큰 서까래
  • 주춧돌: 건물의 기둥을 받쳐 주는 돌

(2) 한옥의 우수성

① **과학적인 집**
  • 해가 잘 드는 집: 지붕 처마를 여름 태양과 겨울 태양의 각도 사이에 위치하게 돌출시키면 여름 햇빛을 막아 주고 겨울 햇빛을 통과시켜 들어오게 함.
  • 바람이 잘 통하는 집: 자연의 공기 흐름을 적극적으로 활용하여 통풍, 환기, 순환이 잘 됨.
  • 열을 잘 사용하는 집: 온돌은 전도, 복사, 대류를 이용한 난방 방식임.

② **가족 간의 소통과 존중이 있는 집**
  • 가족 구성원의 독립성을 인정하는 공간, 안채, 사랑채, 행랑채, 곳간채 등으로 나뉨.
  • 마루와 마당: 독립적인 공간을 연결하여 소통과 통합을 이루는 공간
  • 대청마루: 가족 모임과 손님을 접대하는 공간
  • 마당: 독립된 건물인 채와 채를 연결해 주고, 잔치와 노동의 공간

③ **실용적인 아름다움이 있는 집**
  • 창호: 세살, 문창살, 화려한 꽃살 등이 있음.
  • 분합문: 열어서 접어들어 올릴 수 있는 문
  • 한지: 아름다울 뿐만 아니라 질기고 수명이 오래 가며, 보온성, 통풍성, 채광성이 아주 우수

2 │ 다른 나라의 주생활 문화

(1) 자연환경의 영향

① **갓쇼 주택**   눈이 많이 내리는 일본 산간 지대의 가옥

② **흙집**   고온 건조한 중동이나 아프리카 지역에서는 통풍과 습도를 조절할 수 있는 집

③ **동굴 주택**   황토 고원 지역은 비가 거의 내리지 않는 기후 조건 때문에 활성화된 주택

④ **이글루**   1년 대부분이 눈과 얼음으로 덮인 지역에서 지은 집

(2) 사회·문화적 환경의 영향

① **토루**   혈족 중심의 단결력이 강한 객가(客家)족의 전통 가옥

② **수상 가옥**   경제적으로 어려운 사람들이 물 위에 지은 가옥

③ **천막 주거**   유목 생활을 하는 몽골 유목민들이 이동 생활을 하기 쉽게 만든 주거

3 │ 한옥의 친환경 주생활 실천

(1) 한옥의 환경친화적인 주생활

  자연 친화적 재료, 에너지 효율성이 높은 온돌과 마루 이용, 기후적 특성과 주변의 자연환경을 고려한 공간 구성

(2) 친환경 주거 생활을 실천할 수 있는 방법

① **천연 소재 활용**
  • 나무와 돌, 흙 등은 우리의 신체를 건강하게 순환시킴.
  • 황토벽·황토 바닥재는 습기와 열을 조절해 주고, 기단은 땅에서 올라오는 습기를 막아 쾌적한 공기를 유지해 줌.
  • 한지와 콩기름 등으로 만든 벽지는 습기 조절과 공기 정화의 효과가 있음.

② **온돌의 활용**
  • 열원이 아래쪽에 있기 때문에 발 주위에는 더운 공기가 머물고 머리 쪽은 시원하여 건강에 좋음.
  • 방 안 공기가 건조해지지 않아 쾌적하고 따뜻한 공간을 만듦.

③ **자연 친화적인 공간**
  • 외부의 자연 경관과 자연적인 빛과 공기의 흐름을 활용하여 개방적인 공간을 만듦.
  • 아파트의 난간을 한옥의 툇마루의 형태로 변경하여 가족 공간으로 만들 수 있음.

④ **한지를 덧댄 이중창**
  • 바깥 창은 유리로, 실내 창은 한지 창으로 하여 단열 효과를 높임.
  • 한지 창을 통해 들어오는 빛은 부드러워 편안함과 안락함을 줌.

개념 꽉꽉 다지기

1. 사람의 육체적 건강뿐만 아니라 정서적 건강까지 함께 배려하는 자연을 닮은 집을 (   )(이)라고 한다.

📢 Helper

1. 종류로 초가집, 기와집, 너와집, 굴피집, 돌기와집 등이 있다.

2. 갈대나 억새, 볏짚 등으로 지붕을 이은 집으로 옳은 것은?

① 기와집   ② 초가집

③ 너와집   ④ 굴피집

⑤ 돌기와집

2. 볏짚은 속이 비어 있고, 그 안에 공기가 있어 단열과 보온성이 뛰어난 재료이다.

3. 한옥의 구조 중 서까래에 대한 설명으로 옳은 것은?

① 지붕의 뼈대를 이루는 나무

② 건물의 기둥을 받쳐 주는 돌

③ 건물 지붕 중앙의 수평으로 된 부분

④ 기둥 밖으로 나와 있는 지붕의 일부

⑤ 지붕을 떠받치기 위해 기둥과 기둥 사이를 건너지른 보

3. 처마의 네 귀퉁이에 있는 큰 서까래를 추녀라고 한다.

4. (   )은/는 전도, 대류, 복사를 이용한 난방 방식이다. 열 보존도가 매우 뛰어나며, 바닥에 깐 돌이 열기를 오래 잡아 주는 역할을 한다.

4. 취사와 난방이 동시에 이루어지기 때문에 에너지 효율성 면에서도 우수하다.

5. 한옥에서 가족 구성원의 독립성을 인정하는 공간으로 옳지 <u>않은</u> 것은?

① 안채   ② 마당

③ 사랑채   ④ 곳간채

⑤ 행랑채

5. 마루와 마당은 독립적인 공간을 연결하여 소통과 통합을 이루는 공간이다.

01 다음 그림의 재료로 옳은 것은?

① 갈대　　　　　② 억새
③ 볏집　　　　　④ 기와
⑤ 너와

02 너와집에 대한 설명으로 옳은 것은?

① 기와로 만든 집이다.
② 참나무, 상수리나무가 주재료이다.
③ 억새, 볏짚 등으로 지붕을 이은 집이다.
④ 납작하게 쪼개지는 돌을 지붕에 얹은 집이다.
⑤ 나무를 쪼개어 널빤지를 이어 지붕을 만든 집이다.

03 참나무, 상수리나무 등의 속껍질을 벗겨 지붕을 이은 집의 명칭으로 옳은 것은?

① 기와집　　　　② 초가집
③ 굴피집　　　　④ 황토집
⑤ 돌기와집

04 한옥의 구조에 대한 설명으로 옳지 않은 것은?

① 기둥부는 축부라고도 한다.
② 지붕부는 지붕이 있는 부분이다.
③ 기단부는 사람들이 사는 공간을 말한다.
④ 한옥의 구조는 지붕부, 기둥부, 기단부로 나뉜다.
⑤ 기단부의 높이는 주변의 기후가 중요한 영향으르 미친다.

05 용마루에 대한 설명으로 옳은 것은?

① 지붕의 뼈대를 이루는 나무이다.
② 방과 방 사이의 큰 마루를 말한다.
③ 건물의 기둥을 받쳐 주는 돌을 말한다.
④ 건물 지붕 중앙의 수평으로 된 부분을 말한다.
⑤ 지붕을 떠받치기 위해 기둥과 기둥 사이를 건너 지른 보를 말한다.

06 과학적인 측면에서 한옥의 우수성에 대한 설명한 것으로 옳지 않은 것은?

① 온돌은 열의 보존도가 매우 뛰어나다.
② 안채는 북향으로 문을 내어 통풍이 잘 되도록 하였다.
③ 온돌은 취사와 난방이 동시에 이루어져 에너지 효율성이 높다.
④ 자연의 공기 흐름을 적극적으로 활용하여 통풍, 순환이 잘 된다.
⑤ 한옥의 처마는 계절에 따른 태양의 고도 변화를 이용한 자연 채광 시스템이다.

07 온돌의 난방 방식에 해당되는 것을 〈보기〉에서 있는 대로 고른 것은?

┤ 보기 ├
ㄱ. 전도   ㄴ. 복사   ㄷ. 대류

① ㄱ   ② ㄴ
③ ㄱ, ㄴ   ④ ㄴ, ㄷ
⑤ ㄱ, ㄴ, ㄷ

08 독립적인 공간을 연결하여 소통과 통합을 이루는 공간을 〈보기〉에서 있는 대로 고른 것은?

┤ 보기 ├
ㄱ. 마당   ㄴ. 안채   ㄷ. 대청
ㄹ. 사랑채   ㅁ. 곳간채   ㅂ. 행랑채

① ㄱ, ㄴ   ② ㄱ, ㄷ
③ ㄴ, ㄹ   ④ ㄹ, ㅁ
⑤ ㅁ, ㅂ

09 외부의 자연환경에 영향을 받아 발전해 온 주거로 옳지 않은 것은?

① 토루   ② 흙집
③ 이글루   ④ 갓쇼 가옥
⑤ 동굴 주택

10 친환경 주거 생활을 실천할 수 있는 방법으로 옳지 않은 것은?

① 온돌을 활용한다.
② 한지를 바른 창을 설치한다.
③ 나무, 흙, 돌 등 천연 소재를 활용한다.
④ 아파트의 난간을 한옥의 툇마루의 형태로 변경한다.
⑤ 황토벽은 습도 조절과 공기 정화의 효과가 없으므로 활용하지 않는다.

핵심을 되짚는 O·X 문제

11 한옥은 사람의 육체적 건강뿐만 아니라 정서적 건강까지 함께 배려하는 자연을 닮은 집이다.   (O, X)

12 한옥의 구조는 지붕부, 기둥부로 나뉜다.   (O, X)

13 진흙을 불에 구운 도기로, 값이 비싸 주로 양반가에서 사용한 한옥의 재료는 기와이다.   (O, X)

14 너와집은 나무를 쪼개서 널빤지를 만든 너와를 이어 지붕을 만든 집이다.   (O, X)

15 대청마루는 실내와 외부를 연결해 주는 통로이면서 가족 모임과 손님을 접대하는 공간으로 활용한다.   (O, X)

16 토루는 눈이 많이 내리는 일본 산간 지대에서 볼 수 있는 가옥이다.   (O, X)

17 온돌은 공기의 흐름을 이용하여 쾌적하고 따뜻한 공간을 만들 수 있다.   (O, X)

18 한옥의 나무, 흙, 돌 등의 천연 소재는 우리의 신체를 건강하게 순환시키는 힘이 없다.   (O, X)

대단원 마무리하기

01 다음에서 설명하는 한식의 우수성으로 옳은 것은?

> 강원도는 옥수수, 감자, 메밀, 해산물이 풍부하여 이를 이용한 음식이 많다. 감자밥, 황태구이, 오징어구이, 오징어순대, 산나물, 더덕생채, 감자송편, 메밀묵, 메밀 막국수, 창란젓 깍두기, 오징어 무말랭이김치 등이 있다.

① 음식의 미적 감각을 중시한다.
② 약식동원의 원리를 실천한다.
③ 발효를 활용한 과학적인 음식이다.
④ 지역 산물 위주의 자급자족적 식생활이다.
⑤ 물과 수증기를 이용한 습열 조리법을 활용한다.

출제 예감
02 다음과 같이 김치가 숙성되는 과정에서 향상되는 발효의 기능으로 옳은 것은?

> • 비타민 C와 비타민 B_{12}가 합성된다.
> • 다량의 섬유소와 젖산균은 체내에서 장을 깨끗하게 해 준다.

① 맛　　　　② 향
③ 저장성　　④ 소화성
⑤ 건강 기능성

03 유네스코 무형 문화유산으로 지정된 지중해식에서 섭취량이 많은 식품으로 나열된 것은?

① 어패류, 육류
② 어패류, 가금류
③ 식물성 기름, 육류
④ 식물성 기름, 어패류
⑤ 식물성 기름, 가금류

중요
04 식생활 문화의 형성 요인이 <u>다른</u> 것은?

① 중국은 국토가 넓어 지역마다 다양한 음식이 발달하였다.
② 프랑스는 천혜의 자연에서 얻은 식재료를 다양하게 사용한다.
③ 이슬람인은 할랄이라는 정해진 절차를 밟은 고기만 먹을 수 있다.
④ 일본은 국토가 모두 바다로 둘러싸여 신선한 해산물이 풍부하다.
⑤ 멕시코는 다양한 기후대와 대자연 속에서 자란 풍부한 식재료를 사용한다.

05 이슬람교의 경전이 코란에서 이슬람인에게 금지된 음식을 〈보기〉에서 있는 대로 고른 것은?

보기	
ㄱ. 닭고기	ㄴ. 양고기
ㄷ. 개구리	ㄹ. 돼지고기

① ㄱ, ㄴ　　② ㄴ, ㄷ
③ ㄴ, ㄹ　　④ ㄷ, ㄹ
⑤ ㄷ, ㅁ

06 이란의 대표 음식을 〈보기〉에서 있는 대로 고른 것은?

보기	
ㄱ. 케밥	ㄴ. 부리토
ㄷ. 케사디야	ㄹ. 솔레 자르드

① ㄱ, ㄴ　　② ㄱ, ㄹ
③ ㄴ, ㄷ　　④ ㄴ, ㄹ
⑤ ㄷ, ㄹ

07 한식을 응용한 퓨전 음식을 개발하기 위해 식품 선택의 폭을 확장한 방법으로 옳지 <u>않은</u> 것은?

① 고명을 놓을 때는 세 가지 색만을 활용한다.

② 서양 재료인 치즈나 훈제나 생선 등을 이용한다.

③ 브로콜리, 콜리플라워 등을 나물로 무치거나 볶는다.

④ 간장, 된장, 고추장 등을 활용하여 다양한 양념을 만든다.

⑤ 파슬리의 좋은 향과 맛을 우리 고유의 식품과 조화시킨다.

08 마고자와 배자의 공통점으로 옳은 것은?

① 소매가 없다.

② 깃과 고름이 없다.

③ 저고리 위에 입는다.

④ 고름으로 여며 입는다.

⑤ 좌우에 같은 모양의 깃이 있다.

09 우리나라의 전통 혼례복에 대한 설명으로 옳은 것을 〈보기〉에서 있는 대로 고른 것은?

┤ 보기 ├

ㄱ. 화려하고 격식을 갖춘 옷을 입는다.

ㄴ. 여자는 단령포를 입고 족두리를 착용한다.

ㄷ. 남자는 자수가 놓인 활옷이나 원삼을 입는다.

ㄹ. 신랑과 신부에게 건강과 행복 등을 기원하는 의미가 있다.

① ㄱ, ㄴ　　　　② ㄱ, ㄹ

③ ㄴ, ㄷ　　　　④ ㄴ, ㄹ

⑤ ㄷ, ㄹ

10 한복의 우수성에 대한 설명으로 옳은 것은?

① 풍성한 주름과 여유가 있어 활동하기 좋다.

② 긴 저고리와 긴 바지는 몸의 비율을 조화롭게 보이도록 한다.

③ 시접을 적게 두어 고쳐 입기 쉽고, 버려지는 옷감이 거의 없다.

④ 깃, 도련, 배래 등 직선이 많아 입은 사람의 아름다움을 살려 준다.

⑤ 대님은 외부의 찬 기운을 들이고, 몸의 기운을 빼 주어 건강에 이롭다.

11 우리나라 사람의 체형을 보완하는 착시 효과를 주는 한복의 요소로 옳은 것을 〈보기〉에서 있는 대로 고른 것은?

┤ 보기 ├

ㄱ. 넓은 깃 사이

ㄴ. 두루마기의 착용

ㄷ. 여자 한복의 저고리와 치마의 비율

ㄹ. 한복과 몸 사이의 충분한 공기층 형성

① ㄱ　　　　　　② ㄷ

③ ㄴ, ㄷ　　　　④ ㄱ, ㄴ, ㄹ

⑤ ㄴ, ㄷ, ㄹ

12 다음에서 설명하는 의생활 문화를 형성한 국가는?

소맷부리가 넓고 몸에 둘러 입는 전통 의상으로, 오비라는 긴 장식용 천을 상의에 둘러 맨다. 신발인 조리는 가죽 제품으로 의례적인 장소에 갈 때 신고, 게타는 평상복에 맞춰 신는다.

① 일본　　　　　② 중국

③ 인도　　　　　④ 멕시코

⑤ 베트남

13 사회·문화적 요인에 의해 의생활 문화가 형성된 사례로 옳은 것을 〈보기〉에서 있는 대로 고른 것은?

┌─ 보기 ┐
ㄱ. 중국인들은 대체로 붉은 계통의 옷이 많다.
ㄴ. 인도는 바느질하지 않은 긴 천을 몸에 둘러 입는다.
ㄷ. 멕시코의 솔브레로는 창이 넓고 끝이 말려서 올라갔다.
ㄹ. 베트남의 바지는 품을 넉넉하게 하고, 상의는 길게 만든다.
└─────────┘

① ㄱ, ㄴ   ② ㄱ, ㄷ
③ ㄴ, ㄷ   ④ ㄴ, ㄹ
⑤ ㄷ, ㄹ

출제 예감

14 세계 명품 디자이너들의 공통점으로 옳은 것은?

• 일본의 이세이 미야케(Issey Miyake): 전통적인 기모노를 서양 복식에 접목하여 빅 룩 스타일을 유행시켰다.
• 중국의 상하이 탕(Shanghai Tang): 중국 전통 의상인 치파오에 영감을 받은 기성복이나 차이나 칼라와 비단 소재, 중국 문양을 이용한 작품들을 선보이고 있다.
• 이란의 쉬린 길드(Shrin Guild): 자신의 문화적 전통이 담긴 의상을 단순성의 미학으로 재해석해서 문화를 초월하는 현대적이고 기능적인 의상을 만들었다.

① 전통 문양 및 색상을 활용하였다.
② 전통 의복의 현대화에 성공하였다.
③ 전통 의복에 대한 의식을 전환시켰다.
④ 전통 소재를 실용적인 소재로 개발하였다.
⑤ 전통 복식을 실용적 디자인으로 재탄생시켰다.

15 한옥의 구조 중 대들보에 대한 설명으로 옳은 것은?

① 방과 방 사이의 큰 마루
② 지붕의 뼈대를 이루는 나무
③ 건물 지붕 중앙의 수평으로 된 부분
④ 기둥 밖으로 나와 있는 지붕의 일부
⑤ 지붕을 떠받치기 위해 기둥과 기둥 사이를 건너 지른 보

16 한옥의 범위에 들어가지 <u>않는</u> 것은?

① 궁궐   ② 사찰
③ 초가집   ④ 아파트
⑤ 기와집

중요

17 한옥의 우수성 중 가족 간의 소통과 존중의 기능에 대한 설명으로 옳은 것은?

① 자연환경에 순응하고 자연을 활용하는 지혜가 담겨 있는 과학적인 주거이다.
② 한옥은 자연의 공기 흐름을 적극적으로 활용하여 통풍, 환기, 순환이 잘 이루어진다.
③ 온돌은 열 보존도가 매우 뛰어나며, 바닥에 깐 돌이 열기를 오래 잡아 두는 역할을 한다.
④ 한옥은 가족 구성원의 독립성을 인정하는 공간으로, 안채, 사랑채, 행랑채, 곳간채 등으로 나뉜다.
⑤ 여름 햇빛은 막아 주고 겨울 햇빛은 통과시키기 위해 지붕 처마의 길이를 여름 태양과 겨울 태양의 각도 사이에 위치하게 돌출시켰다.

18 다음 설명에 해당하는 주거의 명칭은?

> - 눈이 많이 내리는 일본 산간 지대에서 볼 수 있는 가옥으로, 지붕을 크게 하고 경사를 급하게 하여 눈이 쌓이는 것을 방지한다.
> - 1층 출입문이 눈 때문에 막히면 사다리를 이용하여 2층으로 출입하는 구조이다.

① 흙집   ② 이글루
③ 갓쇼 가옥   ④ 동굴 주택
⑤ 천막 주거

출제 예감

19 친환경 주거 생활을 실천할 수 있는 방법으로 옳지 <u>않은</u> 것은?

① 천연 소재를 활용한다.
② 아파트의 난방으로 온돌을 활용한다.
③ 한 겹의 창에 한지를 발라 단열 효과를 높인다.
④ 황토를 활용하여 습도 조절과 공기 정화의 효과를 높인다.
⑤ 아파트의 난간을 한옥의 툇마루의 형태로 변경하여 활용한다.

20 ( ) 안에 공통으로 들어갈 알맞은 말을 쓰시오.

> ( )은/는 목재를 사용하여 집안 살림에 쓰는 물건을 만드는 기능 보유자로, 건물의 문, 창문, 장롱, 궤, 문갑 등 목가구를 제작하는 기술과 그 기능을 가진 목수를 말한다. ( )이/가 되려면 10년 이상의 숙련 기간이 필요하고, 정부 관련 기관의 심사를 통해 대한민국 명장이 되면 ( )(이)라는 칭호를 얻는다.

( )

서술형 평가

21 한식을 응용한 식생활을 생활화하기 위한 방안을 세 가지 이상 서술하시오.

22 한복을 만드는 방법을 서양 의복과 비교하고, 그 우수성을 서술하시오.

23 한옥의 과학적 우수성을 세 가지 서술하시오.

01 종교별 음식 문화에 대한 설명으로 옳지 않은 것은?

> 힌두교를 믿는 사람들은 절대 쇠고기를 먹지 않으므로 ①인도 사람에게 쇠고기구이나 갈비, 찜 등을 권하지 않아야 한다. ②대신에 닭고기나 채식 요리를 소개해야 할 것이다.
> ③이슬람교를 믿는 사람들에게는 돼지고기가 들어가는 음식을 권하지 말고, ④양고기나 닭고기 등을 이용하여 그들이 혐오하는 식품을 먹지 않도록 주의한다. 또한 ⑤조미료로 술 종류를 사용해 고기 특유의 잡내를 없애야 한다.

( )

02 오색 고명의 예로 옳은 것은?

① 녹색 고명: 잣

② 붉은색 고명: 대추

③ 노란색 고명: 오이

④ 흰색 고명: 미나리

⑤ 검은색 고명: 애호박

중요

03 다음의 옷과 관련된 속담이 의미하는 한복의 우수성으로 옳은 것은?

> 옷이 몸에 붙으면 복 들어갈 틈이 없다.

① 만들 때부터 시접을 적게 둔다.

② 방한용으로 두루마기를 착용한다.

③ 여자 한복의 저고리는 짧고, 치마는 길다.

④ 원색을 사용해도 잘 어울리는 배색의 조화미가 있다.

⑤ 옷과 몸 사이에 충분한 공기층이 만들어져 단열 효과가 생긴다.

중요

04 다음 글에 이어질 한복의 현대화 방안으로 가장 적절한 것은?

> 우리나라는 결혼식에 한복을 입기는 하지만 신랑, 신부, 양가 부모님, 가까운 친척 등만 입는다. 한복을 입고 결혼식장에 가면 가까운 친·인척으로 바라보고, 심한 경우 '친척도 아니면서' 과장되게 남의 결혼식에 한복을 입고 온 사람으로 오해받기도 한다. 졸지에 실례를 저지른 사람이 되어 버린다. 따라서 한복을 현대화하기 위해서는
> ( ).

① 전통 소재들을 관리에 편리한 실용적 소재로 개발한다.

② 저고리의 고름과 깃을 현대적으로 재해석하여 변형한다.

③ 삼국 시대 유, 고, 상, 포의 형태를 적극적으로 활용한다.

④ 한국의 아름다운 전통 문양 및 색상을 적극적으로 활용한다.

⑤ 한복에 대한 의식 전환으로 실생활에서 친밀하게 접할 수 있게 한다.

05 다른 나라의 여러 거주지 중 사회·문화적 제도에 따라 형성된 주거 유형은?

① 흙집   ② 이글루

③ 갓쇼 가옥   ④ 수상 가옥

⑤ 동굴 주택

06 다음과 같은 대표 음식을 가진 나라의 음식 문화는?

> 부리토, 케사디아, 타코 등

① 맛은 물론 식사 시간도 매우 중요하게 여긴다.
② 음식이 대체로 화려하고 매콤하면서 풍성하다.
③ 국토가 모두 바다로 둘러싸여 있어 신선한 해산물이 풍부하다.
④ 그릇의 모양과 색상까지도 고려한 '눈으로 먹는' 음식 문화로 유명하다.
⑤ 자연으로부터 얻은 식품의 고유한 맛과 멋을 최대한 살리는 조리법이 발달하였다.

출제 예감

07 다음 제시된 한식의 공통점에 대한 설명으로 옳은 것만을 〈보기〉에서 있는 대로 고른 것은?

> 비빔밥, 구절판, 잡채

┤ 보기 ├
ㄱ. 식재료의 다양한 색이 조화를 이룬다.
ㄴ. 젖산균, 효모 등 미생물의 발효 작용을 이용한다.
ㄷ. 동물성 식품과 식물성 식품의 비율이 대략 2 : 8이다.

① ㄱ   ② ㄴ
③ ㄷ   ④ ㄱ, ㄷ
⑤ ㄱ, ㄴ, ㄷ

중요

08 다음과 같은 음식을 통해 알 수 있는 한식의 우수성으로 옳은 것은?

> • 여러 가지 재료를 섞어 영양가 있게 밥을 지은 약식(藥食)
> • 같은 고추장이라도 몸에 좋은 꿀과 다진 소고기를 넣고 볶은 약고추장

① 약식동원 사상으로 약을 짓듯이 음식을 만든다.
② 주식과 부식의 섭취를 통해 영양의 균형을 이룬다.
③ 음식의 미적 감각을 중시하여 색의 조화를 고려한다.
④ 저열량 조리법으로 불필요한 지방의 섭취를 줄일 수 있다.
⑤ 자연의 순리에 맞춘 자연 친화적인 식생활을 실천하였다.

출제 예감

09 다음은 일본의 일상적인 아침 식사를 설명한 것이다. 한국과 일본의 음식 문화의 공통점에 대한 설명으로 옳은 것을 〈보기〉에서 있는 대로 고른 것은?

> 전통적으로 가정에서 먹는 아침 밥상에는 흰밥에 된장국, 그리고 반찬으로 구운 생선, 츠케모노(침채류), 맛김 등 아주 간단하다. 이 외에 달걀말이, 날달걀, 낫토(일본 청국장) 등을 더 먹는 경우도 있다.

┤ 보기 ├
ㄱ. 주식으로 밥을 먹는다.
ㄴ. 고온에서 단시간 조리한다.
ㄷ. 주식과 부식이 나누어져 있다.
ㄹ. 채소, 해산물, 콩 발효 식품을 사용한다.

① ㄱ, ㄷ   ② ㄱ, ㄹ
③ ㄱ, ㄴ, ㄷ   ④ ㄱ, ㄷ, ㄹ
⑤ ㄱ, ㄴ, ㄷ, ㄹ

중요

10 다음은 현대 소설의 일부이다. 밑줄 친 단어를 통해 알 수 있는 한복의 색상 배색에 대한 설명으로 옳은 것을 〈보기〉에서 있는 대로 고른 것은?

> "녹의홍상으로 큰머리를 틀고 금봉채를 꽂은 신부가 연지곤지를 찍고⋯⋯"
>
> 이기영의 「봄」 중에서

┤ 보기 ├
ㄱ. 원색을 사용해도 잘 어울리는 배색의 조화미가 있다.
ㄴ. 액운을 피하고 무병장수를 기원하는 의미를 담고 있다.
ㄷ. 상하의 경계를 명확하게 구분지어, 얼굴과 두상을 강조한다.
ㄹ. 저고리와 치마에 각각 다른 색을 사용하여 대비되는 효과를 준다.

① ㄱ, ㄷ
② ㄱ, ㄹ
③ ㄱ, ㄴ, ㄷ
④ ㄱ, ㄷ, ㄹ
⑤ ㄱ, ㄴ, ㄷ, ㄹ

11 다음 표는 다문화 가족의 출신국별 현황이다. (가)와 (나) 국가의 전통 의복을 바르게 나열한 것은?

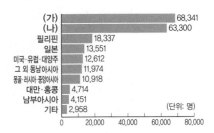

	(단위: 명)
(가)	68,341
(나)	63,300
필리핀	18,337
일본	13,551
미국·유럽·대양주	12,612
그 외 동남아시아	11,974
몽골·러시아·중앙아시아	10,918
대만·홍콩	4,714
남부아시아	4,151
기타	2,958

① 치파오, 사리
② 치파오, 기모노
③ 치파오, 아오자이
④ 아오자이, 기모노
⑤ 아오자이, 치파오

12 다음과 같이 중동 지역의 의생활 문화가 형성된 이유로 옳은 것은?

> 여성들은 온몸을 감싸는 검정색 아바야를 입고 안이 보이지 않는 베일을 씀으로써 자신의 얼굴과 몸을 완전히 감춘다. 남성들은 머리에 터번을 두르고 원피스식으로 된 옷을 입는다.

① 남을 의식하는 경향이 강하다.
② 물가가 비싸서 옷을 직접 만들어 입는다.
③ 겨울에도 10 ℃ 이하로 내려가는 경우가 극히 드물다.
④ 햇볕이 강하고 모래 바람이 심하며, 이슬람 문화권이다.
⑤ 자신들만의 특색 있는 의복 문화와 전통 의상이 존재하지 않는다.

출제 예감

13 전통 한복의 현대화, 세계화의 사례로 옳지 <u>않은</u> 것은?

① 전통 소재, 색상, 문양 및 장식 등을 적절히 잘 조화시킨다.
② 디자인에 한글을 전통 문양으로 승화시켜 한국적 이미지를 전달한다.
③ 영국의 전통 체크 문양을 현대적인 색채로 변형하여 한복 디자인에 활용한다.
④ 오방색을 바탕으로 한 전통 염색 기법을 응용한 전통 색상을 주로 활용한다.
⑤ 상체는 몸에 붙고 하체는 풍성한 느낌을 주는 전통적 실루엣의 특징을 응용한다.

14 여름 햇빛은 막아 주고 겨울 햇빛은 통과시키도록 조절하는 한옥의 구조의 명칭은?

① 기와
② 창호
③ 처마
④ 추녀
⑤ 주춧돌

15 한옥의 과학적 우수성을 〈보기〉에서 있는 대로 고른 것은?

┤ 보기 ├

㉠ 온돌 – 전도, 복사, 대류의 이용한 난방 방식이다.

㉡ 마당 – 대류 원리를 이용하여 통풍을 가능하게 한다.

㉢ 기단 – 지면과 떨어지도록 돌로 쌓아 습기를 줄인다.

㉣ 대청마루 – 실내와 외부를 연결해 주는 통로의 역할을 한다.

㉤ 처마 – 겨울철에 햇빛을 가려 주고, 지붕과 함께 공기를 가두는 단열 효과가 있다.

① ㉠, ㉡, ㉢
② ㉢, ㉣, ㉤
③ ㉠, ㉣, ㉤
④ ㉡, ㉢, ㉣, ㉤
⑤ ㉠, ㉡, ㉢, ㉣, ㉤

16 한자를 이용하여 만든 창호의 이름은?

① 세살
② 꽃살
③ 분합문
④ 문창살
⑤ 서까래

17 다음 그림의 주거의 형태에서 유추할 수 있는 거주자의 생활 방식은?

① 강을 중심으로 생계를 유지하면 살아간다.
② 땅을 깊게 파서 적의 침입을 대비하기도 한다.
③ 고온 건조하여 최대한 자연적인 습도 조절이 필요하다.
④ 이동이 잦아 주거 공간을 신속하게 조립하고 해체한다.
⑤ 찬 공기가 집안으로 들어오는 것을 막기 위해 입구를 터널 모양으로 만든다.

18 온돌에 대한 설명으로 바른 것을 〈보기〉에서 있는 대로 고른 것은?

┤ 보기 ├

㉠ 남방 민족의 난방 방식이다.

㉡ 구들은 열 보존이 우수하다.

㉢ 전도, 복사, 대류의 원리를 이용한다.

㉣ 현대의 아파트에서는 취사와 난방을 동시에 사용한다.

① ㉠, ㉡
② ㉡, ㉢
③ ㉠, ㉣
④ ㉠, ㉢
⑤ ㉢, ㉣

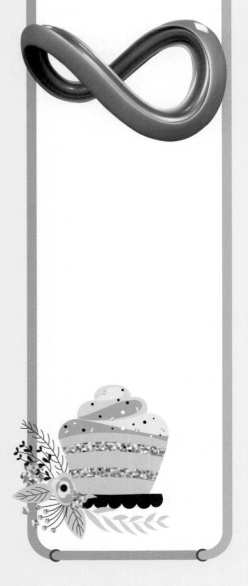

한복 바지 속에는 뫼비우스 띠가 무려 2개!

한복 바지에 있는 뫼비우스 띠

뫼비우스 띠는 긴 직사각형을 한 번 비틀어 꼬아 붙인 띠를 말한다. 그 면 위에 손을 대고 따라가다 보면, 앞뒤 구별이 없는 특별한 띠이다.

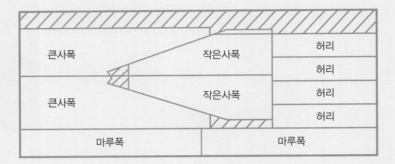

한복 바지를 만들 때 필요한 옷 조각은 모두 10조각이다. 그런데 놀랍게도 큰 직사각형 안에 바지를 만들기 위해 필요한 모든 조각이 오밀조밀하게 들어간다. 큰 직사각형 옷감에 직사각형과 삼각형 모양 옷 조각이 알뜰하게 배치돼, 버리는 옷감이 거의 없다. 게다가 한복 재단은 둥근 곡선이 아닌 직선으로 하기 때문에 더욱 더 옷감을 알뜰하게 사용할 수 있다.

한복 바지를 만들 때 필요한 옷 조각 중에서 사다리꼴 모양으로 생긴 큰사폭과 삼각형 모양의 작은사폭을 연결할 때 뫼비우스 띠가 생긴다.

한복 옷감 대신에 색종이를 이용해 재단해 보면, 아래 그림과 같은 순서로 한복 바지 속 뫼비우스 띠를 직접 만들어 볼 수 있다.

한복 바지에는 이렇게 큰사폭과 작은사폭을 연결한 'ㅅ' 모양의 옷감이 앞뒤로 2개 존재하므로, 뫼비우스 띠도 2개가 있는 것이다.

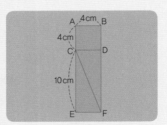

① 앞뒤의 색깔이 다른 색종이를 준비한 뒤, 가로 4 cm, 세로 14 cm 직사각형을 자른다.

② 선분 EF의 뒷면이 선분 AC의 앞과 닿도록 한 뒤 테이프로 붙인다.

③ 점 C와 F를 이은 대각선을 가위로 자른다.

④ 선분 CF를 가로로 자르면 큰사폭과 작은사폭을 붙인 모양이 나온다.

자원 관리와 자립

01 안전하고 행복한 가족 만들기

개념 더하기

주제 열기

≫ 행복한 가족 생활을 위해 사례별로 어떤 노력과 도움이 필요한지 써 보자.

사례 번호	개인적 노력	가족의 노력	사회적 노력
2	재취업 교육과 적극적인 일자리 찾기	가사와 육아의 분담, 가족의 심리적·정서적 지지	경력 단절 여성을 위한 재취업 기회 확대
5	태교와 건강 관리	심신 안정을 위한 격려와 지지, 배려	임신부를 위한 의료 혜택 확대, 편의 시설 확충
12	사용 시간 제안을 위한 자기 선언하기	가족이 함께 시간을 보낼 수 있도록 가족 행사 마련	스마트폰 중독 예방 및 치료 지원 프로그램 확대

+발달 과업
개인은 영·유아기, 아동기, 청소년기, 성년기, 중년기, 노년기의 일정한 생애 주기를 거치게 되는데, 이때 시기마다 수행해야 하는 중요한 과제 또는 중요한 일이다.

+가족 복지 서비스의 실천 유형
가족 복지 서비스는 가족 보호, 가족계획 사업, 가족 치료, 가족 보존 서비스, 가족 생활 교육 등 다양한 유형이 있다.

+안전사고
안전사고는 인적 요인(연령, 성별, 태도 및 심리적 상태, 행동 특성), 물적 요인(기계의 결함, 설비 부족), 환경적 요인(날씨, 도로 환경, 작업장 환경) 등 다양한 원인이 복합적으로 작용하여 발생한다.

1. 안전하고 행복한 가족 생활을 영위하기 위해서는 여러 가지 준비가 필요하다

가족 생활 주기에 따라 안전하고 행복한 가족 생활을 영위하기 위해서는 가족 생활 설계의 필요성을 인식하고, 가족이 가진 자원뿐만 아니라 사회와 국가가 마련한 정책 및 서비스를 잘 활용해야 한다.

(1) 가족 생활 설계

① 가족 생활의 변화에 안정적으로 대처하고 적응하면서 개인과 가족의 삶이 조화를 이루기 위해서는 가족 생활의 장기적인 계획이 필요하고, 이를 위해 가족은 가족 생활 설계를 수립해야 한다. ┌ 가족 형성기 → 자녀 출산 및 양육기 → └ 자녀 교육기 → 자녀 독립기 → 노년기

② 가족은 적절한 가족 생활 설계를 통해 <u>가족 생활 주기에 따른 새로운 삶의 형태</u>에 더욱 잘 적응하고, 단계별 발달 과업을 효과적으로 수행할 수 있을 뿐만 아니라, 행복한 가족 생활을 영위할 수 있다.

(2) 가정 생활 복지 서비스

① **가족 복지 정책** 행복한 가정생활과 삶의 질적 향상을 위해 개인과 가족을 대상으로 행하는 제도적, 법적인 활동과 계획을 정부 차원에서 수립한 것을 말한다.

② **가족 생활 복지 서비스** 국가의 가족 복지 정책 방향에 따라 각 가족의 실제적인 문제 해결과 다양한 요구를 충족시키기 위해 가족에게 직접적으로 제공하는 프로그램이나 사업을 말한다.

(3) <u>가족 안전</u> ┈ 개인과 가족의 신체적·심리적 안전은 삶의 질 향상과 관련이 있다.

① 가족의 안전은 삶의 질을 결정하는 중요한 요소이다.

② 가족의 안전사고 예방을 위해서는 안전한 환경 조성과 체계적인 안전 지식의 습득, 올바른 안전 행동 습관 및 안전한 가치관을 길러야 한다.

가족 생활 주기	가족 형성기	자녀 출산 및 양육기	자녀 교육기	자녀 독립기	노년기
개인 생애 주기	• 부모의 성년기	• 자녀의 영아기, 유아기 • 부모의 성년기	• 자녀의 아동기, 청소년기 • 부모의 성년기	• 자녀의 성년기 • 부모의 중년기	• 자녀의 중년기 • 부모의 노년기

▲ 가족 생활 주기에 따른 개인 생애 주기

🔒 스스로 해 보기

우리 가족에게 생길 수 있는 안전사고에는 무엇이 있으며, 어떻게 예방할 수 있는지 써 보자.

예 심킴으로 인한 질식: 소아의 경우 주변에 위험한 물건들을 정리하고, 노인의 경우 먹는 음식물 중 질식을 유발할 수 있는 식품을 섭취할 때의 주의할 점을 상기한다.

2/ 가족 생활 주기에 따른 설계, 복지 서비스, 안전사고를 알아보자

(1) 가족 형성기

① 설계 ┗ 결혼 후 첫 자녀 출산 전까지의 시기를 말한다.
- 남편, 아내라는 새로운 역할에 적응하고, 부부간에 친밀감을 형성한다.
- 가족 공동의 목표 설정하고, 이를 바탕으로 자녀 출산 및 교육, 주택 마련, 경제 생활, 노후 생활 등의 장기적인 계획을 수립한다.

② 복지 서비스
- 전세 자금 및 주택 구매 자금 대출: 주택 도시 기금에서 주택 마련에 목돈이 필요한 무주택 가구주에게 전세 자금 또는 주택 구매 자금을 낮은 금리로 대출해 준다.
- 임대 주택: 정부와 한국 토지 주택 공사에서 무주택 신혼부부에게 공급하는 주택 유형으로, 주택 수요별 다양한 임대 주택이 있다.

③ 안전사고 조리, 다림질 등의 집안일을 하다 입는 화상 사고에 주의하도록 한다.
- 예방 방법
  - 온수가 나오는 출구에 이중 안전장치를 꼭 설치한다.
  - 전열 매트를 사용할 때는 가장 낮은 온도로 사용하고, 담요 등을 깔아 피부에 직접 닿지 않도록 한다.
  - 다리미를 사용한 후에는 열이 완전히 식었는지 확인하고 보관한다.
- 대처 방법
  - 상처 난 부위를 흐르는 찬물로 15~30분 정도 식힌다.
  - 상처 난 부위가 가볍고 작은 1도 화상이면 곧바로 화상 연고를 바른다.
  - 2도 화상 이상이면 깨끗한 거즈를 덮고 병원에서 치료한다.
  - 상처 난 부위가 옷에 달라붙었을 때는 무리하게 떼지 말고 가위로 자른다.
  - 물집이 생겼을 때는 임의로 터뜨리지 않는다.

개념 더하기

+ 건강 가정 기본법
건강한 가정생활의 영위와 가족의 유지 및 발전을 위한 국민의 권리·의무와 국가 및 지방 자치 단체 등의 책임을 명백히 하고, 가정 문제의 적절한 해결 방안을 강구하며 가족 구성원의 복지 증진에 이바지할 수 있는 지원 정책을 강화함으로써 건강 가정 구현에 기여하는 것을 목적으로 한다.

+ 국민 기초 생활 보장법
생활이 어려운 사람에게 필요한 급여를 실시하여 이들의 최저 생활을 보장하고 자활을 돕는 것을 목적으로 한다.

+ 모자 보건법
모성(母性) 및 영·유아의 생명과 건강을 보호하고 건전한 자녀의 출산과 양육을 도모함으로써 국민 보건 향상에 이바지함을 목적으로 한다.

+ 영·유아 보육법
영·유아의 심신을 보호하고 건전하게 교육하여 건강한 사회 구성원으로 육성함과 아울러 보호자의 경제적·사회적 활동이 원활하게 이루어지도록 함으로써 영·유아 및 가정의 복지 증진에 이바지함을 목적으로 한다.

+ 한 부모 가족 지원법
한 부모 가족이 건강하고 문화적인 생활을 영위할 수 있도록 함으로써 한 부모 가족의 생활 안정과 복지 증진에 이바지함을 목적으로 한다.

+영·유아기 안전사고 예방을 위한 실천 사항

- 타일 바닥재에는 미끄럼 방지 장치, 석재 바닥재에는 충격 방지 매트를 깔아 둔다.
- 모서리가 둥글게 처리된 제품을 구입한다.
- 뾰족한 탁자는 모서리 보호대를 끼운다.
- 온수가 나오는 출구에 꼭 이중 안전장치 설치한다.
- 다리미를 사용할 때는 어린이의 접근을 막고, 사용 후 열이 완전히 식었는지 확인하고 보관한다.
- 칼이나 가위, 길고 가는 물건은 어린이 손이 닿지 않는 곳에 보관한다.
- 가정용 조리 도구는 별도로 보관하고 잠금장치를 사용한다.
- 안전장치가 있는 문구류를 사용한다.
- 단추형 전지는 어린이의 손에 닿지 않는 곳에 보관하고 영·유아가 있는 집에서는 다른 형태의 전지를 사용한다.
- 완구를 구입할 때는 사용 가능한 연령을 확인하고, 작은 부품이 쉽게 빠지지 않는지 확인한다.
- 콩류나 옥수수류는 영·유아 섭취 시 코로 들어가지 않도록 하고, 보관에도 각별히 유의한다.
- 보호자가 매일 복용하는 의약품을 어린이 손에 닿지 않는 곳에 보관한다.
- 바르는 살충제 등이 외부에 노출되어 있지 않은지 점검하고 붙이는 살충제도 어린이 손에 닿지 않도록 한다.

(2) 자녀 출산 및 양육기

① 설계
└─ 첫 자녀 출산 후 자녀가 초등학교 입학하기 전까지의 시기를 말한다.

- 부부는 자녀 출산과 부모 됨에 적응하고, 자녀 양육 및 교육에 필요한 경제적 준비를 한다.
- 자녀 양육의 가사 노동 부담이 급격하게 증가하므로 부부간의 역할 분담 재조정하도록 한다.

② 복지 서비스

- 임신·출산 진료비: 임신부에게 건강한 태아의 분만과 산모의 건강 관리를 위하여 임신과 출산에 관련된 진료비 일부를 국민 행복 카드 또는 고운맘 카드로 지원해 준다.
- 자녀 양육 지원
  - 보육료 지원: 소득 수준에 상관 없이 어린이집, 유치원을 이용하는 만 0~5세의 아동에게 보육료를 지원하는 제도이다.
  - 가정 양육 수당 지원: 자녀 양육의 경제적 부담을 줄이기 위해 취학 전 만 84개월 미만의 자녀를 양육하는 가정에게 양육 수당을 지원하는 제도이다.
- 어린이 국가 예방 접종 지원 사업: 만 12세 이하 어린이의 전염병 예방을 위해 반드시 맞아야 할 예방 접종 비용을 국가가 지원하는 사업이다. 예방 접종은 가까운 지정 의료 기관이나 보건소에서 주소에 관계없이 접종받을 수 있다.

③ 안전사고

- 신생아기
  - 질식사: 신생아를 재울 때 엎어서 재우지 말고, 6개월까지는 반드시 눕혀서 재워야 한다. 침구도 너무 푹신한 것을 깔거나 덮이지 말아야 한다.
  - 뇌 손상: 신생아를 안을 때 심하게 흔들 경우 뇌가 손상될 수 있으므로, 아기를 안을 때는 반드시 머리를 받쳐 주어야 한다.
- 영·유아기
  - 문 끼임, 충돌, 추락에 따른 사고: 문 끼임 방지 보호 장치를 설치하고, 미끄럼 및 추락 방지를 위하여 미끄럼 방지 장치, 충격 방지 매트를 설치한다. 그리고 충돌 사고 방지를 위하여 모서리가 둥근 제품을 구매하거나 뾰족한 탁자는 모서리 보호대를 씌운다.
  - 찔림 사고: 칼이나 가위, 길고 가는 물건, 가정용 조리 도구는 별도로 보관하고 잠금장치를 사용한다. 또한, 안전장치가 있는 문구류를 사용한다.
  - 생활용품 사용 부주의 사고: 줄이 달린 블라인드가 있는 곳에서는 영·유아를 혼자 두지 않는다. 운동 기구 작동 중에는 영·유아가 가까이 오지 못하도록 하고, 사용 후에는 전원을 뽑아 두어 영·유아에 의해 작동되지 않도록 관리한다.
  - 삼킴, 중독 사고: 무엇이든지 입으로 가져가는 영·유아의 행동 특성과 사용 방법의 미숙함, 부주의한 생활 습관 등이 주요 원인이라고 할 수 있다. 삼킴 사고의 경우 기도 폐쇄로 갑작스러운 질식사가 발생할 수 있으므로 각별한 주의가 필요하다.

들여다보기

🖱 이 밖에도 내가 알고 있는 응급 처치가 있다면 친구들과 공유하여 보자.

예 가정용 소화기 사용법

1. 손잡이 부분의 안전핀을 뽑는다. → 2. 바람을 등지고 서서 호스를 불쪽으로 향하게 잡는다. → 3. 손잡이를 움켜쥐고 불을 행해 분사한다.

(3) 자녀 교육기

① 설계 —— 첫 자녀의 초등학교 입학 후부터 첫 자녀가 독립하기 전까지의 시기를 말한다.

- 자녀 발달 특성에 맞는 교육 방법을 선택, 부모와 자녀의 원만한 관계를 위해 친밀한 유대 관계 형성한다.
- 자녀 교육비와 자녀의 공간을 위한 주택 자금 마련, 노부모 부양 준비, 부부의 노후 생활을 위한 자금 준비 등 경제적 기반을 마련한다.
  - 초등 교육기: 자녀가 학교생활에 잘 적응하고 또래와 원만한 관계를 형성할 수 있도록 돕는다.
  - 중등 교육기: 사춘기에 접어든 자녀와 좋은 관계를 유지하고, 진로 설계를 할 수 있도록 돕는다.
  - 대학 교육기: 자녀가 성인이 된 부부의 경우, 자녀가 독립적인 생활을 할 수 있도록 돕는다.

② 복지 서비스

- 급식비 지원: 교육 복지 실현을 위하여 초·중·고등학교에 재학 중인 저소득층 학생들에게 급식비를 지원하는 제도이다.
- 국가 장학금 서비스: 정해진 소득 수준에서, 최소한의 성적 및 이수 학점 기준을 충족하는 경우, 대학의 교육비 부담을 줄여 주기 위해 저소득층에게 등록금의 일부를 국가 장학금으로 지원하는 제도이다.
- 건강 검진 관련 서비스: 국가적 차원의 암 검진 사업을 시행하여 암을 조기에 발견하고 치료하여 암 사망률을 줄이고, 가정의 행복을 지키고자 하는 제도이다. 위암, 간암, 대장암, 유방암, 자궁경부암 등을 대상으로 정기 검진을 지원한다.

😧 **함께 해 보기**

청소년의 건강한 성장을 도울 수 있는 복지 서비스에는 무엇이 있을지 친구들과 제안해 보자.

예 청소년증을 인터넷이나 모바일(전자 청소년증)로도 발급받을 수 있게 한다.

③ 안전사고

- 인터넷, 스마트폰 중독: 인터넷 및 스마트폰 이용 습관의 진단을 통해 전문 기관에서 상담을 받고, 치유 프로그램에 참여함으로써 회복할 수 있다.
- 학교 내 안전사고: 실습 시간, 쉬는 시간, 청소 시간에 뛰어다니거나 지나친 장난, 부주의, 예상치 못한 기물 파손 등으로 다치는 경우가 많으므로 예방 교육이 필요하다.

개념 더하기

+청소년증

청소년증은 9~18세 이하의 청소년에게 발급되며, 학교에 다니지 않는 청소년은 학생증 대신 청소년증을 통하여 자신의 신분을 증명할 수 있다. 교통수단, 문화 시설 등에서의 할인 혜택을 누리며, 생활의 편의 및 다양한 문화 체험 기회를 보장받을 수 있다.

+스마트폰 중독

스마트폰이 휴대 전화와 인터넷의 기능을 모두 가지고 있다는 점에서 내성, 금단 증상이나 일상생활의 어려움 및 충동 조절 장애 등과 같은 중독의 특성을 내포하고 있어 사회적인 문제가 되고 있다.

소득이 있을 때 보험료를 납부했다가 은퇴나 사고·질병, 사망 등으로 소득 활동을 할 수 없게 될 때 기본적인 생활을 유지할 수 있도록 매월 일정 금액을 지급하는 사회 보장 제도이다.

╋여행 경보 제도

외교부에서 발표한 여행 경보 제도는 안전한 해외 방문을 위해 각국의 치안 정세나 테러 위협, 자연재해 등을 상시 모니터링 분석하여 외교부 재외 공관에서 정한 제도이다. 이러한 제도는 이미 미국, 영국, 캐나다 등 다른 국가에서도 유사한 제도를 운행하고 있다. 여행 경보는 같은 국가지만 도시별로 단계가 다를 수도 있다.

(4) 자녀 독립기
① 설계 ┌── 첫 자녀의 독립 후부터 막내 자녀가 독립하기 전까지의 시기를 말한다.
- 자녀의 직업과 결혼에 관해 올바른 선택을 하도록 도와주고, 자녀의 경제적·정서적 독립을 지원한다.
- 자녀 독립 후 부부의 신체적·심리적·사회적 변화를 받아들이는 노력이 필요하다.

② 복지 서비스
- 긴급 복지 서비스: 갑작스러운 위기 상황으로 생계유지가 곤란한 국민에게 생계·의료·주거·교육·연료비 지원 등 필요한 복지 서비스를 신속하게 지원하여 위기 상황에서 벗어날 수 있도록 돕는 제도이다.
- 근로 서비스: 임신, 출산, 육아 등으로 경력이 단절된 여성에게 직업 상담, 직업 교육 훈련, 취업 연계, 취업 후 사후 관리 등 종합적인 취업 지원 서비스 등을 제공하는 제도이다.
- 노후 설계 서비스: 체계적인 노후 준비와 건강한 노후 생활을 위해 국민연금을 기반으로 노후 생활 6대 영역인 재무, 건강, 일, 주거, 여가, 대인 관계의 종합적인 정보와 서비스를 제공하는 제도이다.

③ 안전사고
- 여행 관련 안전사고: 여권, 현금, 신용 카드, 여행 가방 등의 도난이 발생했을 때 가까운 경찰서에 도난 확인서를 받아 둔다. 여권 분실의 경우 한국 대사관 또는 영사관에서 여권을 재발급받아야 한다. 또 항공권과 수하물을 분실할 경우 해당 항공사에 도움을 요청한다.
- 여행 후 건강 관리: 해외여행을 하고 돌아올 경우, 공항 도착 전 기내 서류인 건강 상태 질문서를 성실하게 작성해야 하고, 귀국하면서 건강 상태를 꼼꼼하게 확인해야 한다.

🔒 스스로 해 보기
해외 안전 여행과 관련한 웹 사이트나 앱을 찾아 위기 상황별 안전 지침을 써 보자.
예 도난 분실을 예방하기 위해 여권이나 귀중품은 호텔 프런트에 맡기고, 가방과 소지품을 항상 몸 앞쪽으로 지니고 다닌다.

(5) 노년기
① 설계 ┌── 막내 자녀의 독립 후부터 부부가 사망에 이르기까지의 시기를 말한다.
- 위축감과 소외감을 느끼기 쉬우므로 부부가 공유할 수 있는 취미 활동, 봉사 활동 등을 하면서 부모 자녀 관계가 중심이 되었던 가족 문화를 부부 중심으로 전환한다.
- 부부간의 유대감을 높이고, 건강 관리에 힘써야 한다.

② 복지 서비스
- 가족 돌봄 서비스
  - 장기 요양 서비스: 고령이나 노인성 질병 등으로 일상생활을 혼자서 수행하기 어려운 노인들에게 돌봄 서비스를 제공한다.

- 노인 돌봄 종합 서비스: 일상생활을 영위하기 어려운 노인들에게 가사 및 활동 지원 서비스를 제공하여 안정된 노후 생활 보장과 가족의 사회·경제적 활동 기반 조성을 돕는다.
- 의료 관련 서비스: 장기 요양 보험(장기 요양 급여 이용 지원), 긴급 복지 의료 지원, 노인 안과 검진 및 개안 수술, 노인 의치 및 보철 의료 급여, 암 환자 의료비 지원, 심·뇌혈관 질환 고위험군 등록 관리, 치매 치료 관리비 지원 사업, 노인성 질환 예방 관리 등의 다양한 의료 관련 제도가 있다.

③ 안전사고
- 미끄럼 사고: 미끄러운 바닥재 사용은 피하고, 싱크대 앞이나 욕실에는 미끄럼 방지 처리가 된 제품을 사용한다.
- 충돌 사고: 모서리 부분에는 보호대를 씌워 다치지 않도록 한다. 전선은 바닥에 나오지 않도록 깔끔하게 정리한다.
- 약물 중독 사고: 혼동하기 쉬운 의약품이나 합성 세제 등은 보기 쉽게 표기하고, 적절한 위치에 별도로 보관한다.

🗨 함께 해 보기

가족 돌봄 서비스와 의료 관련 서비스 이외에 노년기 복지 서비스에는 무엇이 있을지 친구들과 함께 조사해 보자.

예 기초 노령 연금, 경로 우대, 노인 일자리 사업, 경로당 운영 지원 등

개념 더하기

+ 장기 요양 보험

고령화로 인해 사회적으로 비중이 커진 노인 요양을 국가적 차원에서 감당함으로써 가족들의 부양 부담을 줄이고 노인들의 자립을 지원하기 위해 도입되었다. 장기 요양 급여 대상자의 심신 상태와 부양 여건에 따라 장기 요양 급여 제공 혹은 장기 요양 기관 및 재가 기관 입소 등 다양한 형태의 서비스를 제공한다. 또한, 부양가족을 위한 가족 장기 요양비 및 휴식 서비스도 제공된다.

주제 활동 ﹥ 안전하고 행복한 가정 만들기

1. 가족에서 발생하는 가정폭력의 사례를 중심으로, 모든 가족 구성원이 안전하고 행복한 삶을 영위할 수 있도록 방안을 탐색하고 실천해 보자.

1-1. 그림에서 공통으로 직면하고 있는 문제는 무엇인가?

배우자 폭력, 노인 학대, 학대 행위자의 유형을 분석해 보면 가정 폭력의 문제를 나타낸다.

1-2. 가해자가 이와 같은 행동을 하게 되는 원인은 무엇일지 이야기를 나누어 보자.

경제적 문제, 개인별 스트레스, 가족 갈등 심화, 인간에 대한 연민과 사랑의 부재 등

1-3. 문제의 바람직한 대안을 제시해 보자.

- 개인 측면에서의 대안: 가족에 대한 사랑과 지지, 가족 돌봄에 대한 책임감 인식, 배우자에 대한 이해를 위한 노력과 적극적인 상담과 치료 등
- 가족 측면에서의 대안: 가족 상담, 가족 행사의 날 정하여 가족이 함께 시간 보내기 등
- 사회 측면에서의 대안: 가족 상담 지원, 가족 관계 안전 대처를 위한 도움 시스템 강화 등

2. 선택한 대안을 실천했을 경우 어떠한 결과가 나오게 될지 예측해보자.

제시된 대안의 실천은 가정 폭력의 문제를 해결하는 것뿐만 아니라 가족에게 발생할 수 있는 여러 문제 상황을 이상적인 행동으로 이끌 수 있는 연습의 과정이 될 것이다. 뉴스나 기사를 통해 빈번하게 발생하는 사례와 적극적으로 문제 해결을 위한 방안에 대해 생각해 보도록 한다.

내용 정리

1. 안전하고 행복한 가족 생활

(1) 가족 생활 설계

① 가족 생활 설계를 통해 가족 생활 주기에 따른 새로운 삶의 형태에 잘 적응할 수 있음.

② 단계별 발달 과업을 효과적으로 수행할 수 있고, 행복한 가족 생활을 영위할 수 있음.

③ **가족 생활 주기** 가족 형성기 → 자녀 출산 및 양육기 → 자녀 교육기 → 자녀 독립기 → 노년기

(2) 가정 생활 복지 서비스

① **가족 복지 정책** 행복한 가정 생활과 삶의 질적 향상을 위해 개인과 가족을 대상으로 행하는 제도적, 법적인 활동과 계획을 정부 차원에서 수립

② **가족 생활 복지 서비스** 국가의 가족 복지 정책 방향에 따라 각 가족의 실제적인 문제 해결과 다양한 요구를 충족시키기 위해 가족에게 직접적으로 제공하는 프로그램이나 사업

(3) 가족 안전

① 가족의 안전은 삶의 질을 결정하는 중요한 요소

② 가족의 안전사고 예방을 위해서는 안전한 환경 조성과 체계적인 안전 지식의 습득, 올바른 안전 행동 습관 및 안전한 가치관을 길러야 함.

2. 가족 생활 주기에 따른 설계, 복지 서비스, 안전사고

(1) 가족 형성기

① **설계** 남편, 아내라는 새로운 역할에 적응, 부부간에 친밀감 형성, 가족 공동의 목표 설정

② **복지 서비스** 신혼부부를 대상으로 다양한 주택 관련 서비스를 제공하여 신혼부부의 주택 마련을 지원하고 있음(전세 자금 및 주택 구매 자금 대출, 임대 주택).

③ **안전사고** 조리, 다림질 등의 집안일을 하다 입는 사고에 주의 (화상은 상처 부위를 찬물로 15~30분 정도 식힌 후 화상 연고를 바름.)

(2) 자녀 출산 및 양육기

① **설계** 부부는 자녀 출산과 부모 됨에 적응, 자녀 양육 및 교육에 필요한 경제적 준비, 부부간의 역할 분담 재조정

② **복지 서비스** 임신, 출산 진료비 지원(국민 행복 카드, 고운맘 카드), 자녀 양육 지원(보육료 지원, 가정 양육 수당 지원), 어린이 국가 예방 접종 지원 사업

③ **안전사고**
• 신생아기: 질식사, 뇌 손상에 주의
• 영·유아기: 문 끼임, 충돌, 추락에 따른 사고, 찔림 사고, 생활 용품 사용 부주의 사고, 삼킴, 중독 사고에 주의

(3) 자녀 교육기

① **설계** 자녀 발달 특성에 맞는 교육 방법 선택, 부모와 자녀의 원만한 관계를 위해 친밀한 유대 관계 형성, 자녀 교육비와 자녀의 공간을 위한 주택 자금 마련, 노부모 부양 준비, 부부의 노후 생활을 위한 자금 준비 등

② **복지 서비스** 급식비 지원, 국가 장학금 서비스, 건강 검진 관련 서비스

③ **안전사고** 인터넷, 스마트폰 중독, 학교 내 안전 사고에 대한 예방 교육이 필요

(4) 자녀 독립기

① **설계** 자녀의 직업과 결혼에 관해 올바른 선택을 하도록 도움, 자녀의 경제적, 정서적 독립 지원, 자녀 독립 후 부부의 신체적·심리적·사회적 변화를 받아들이는 노력 필요

② **복지 서비스** 긴급 복지 서비스(갑작스러운 위기 상황으로 생계유지가 곤란한 국민에게 생계, 의료, 주거, 교육, 연료비 등을 지원), 근로 서비스, 노후 설계 서비스

③ **안전사고** 여행 관련 안전사고 예방, 여행 후 건강 관리

(5) 노년기

① **설계** 부부가 공유할 수 있는 취미 활동, 봉사 활동 등을 하면서 부모 자녀 관계가 중심이 되었던 가족 문화를 부부 중심으로 전환, 부부간의 유대감 높이기, 건강 관리하기

② **복지 서비스** 가족 돌봄 서비스(장기 요양 서비스, 노인 돌봄 종합 서비스), 의료 관련 서비스

③ **안전사고** 미끄럼 사고, 충돌 사고, 약물 중독 사고 등에 주의

개념 꽉꽉 다지기

1. 남녀가 결혼하여 형성된 가족이 자녀 출산과 양육을 통해 확대되다가 자녀의 독립으로 축소되고, 부부의 사망으로 소멸하는 변화의 과정을 (   )(이)라고 한다.

2. 개인은 영·유아기, 아동기, 청소년기, 성년기, 중년기, 노년기의 일정한 생애 주기를 거치게 되는데, 이때 시기마다 수행해야 하는 중요한 과제 또는 중요한 일을 (   )(이)라고 한다.

3. 가족 형성기에 신혼부부를 대상으로 이용할 수 있는 복지 서비스로 옳은 것은?

① 급식비 지원

② 국가 장학금

③ 아이 돌봄 서비스

④ 노후 설계 서비스

⑤ 전세 자금 및 주택 구매 자금 대출

4. 자녀 출산 및 양육기에 도움을 받을 수 있는 복지 서비스로 옳지 <u>않은</u> 것은?

① 근로 서비스

② 보육료 지원

③ 가정 양육 수당 지원

④ 임신, 출산 진료비 지원

⑤ 어린이 국가 예방 접종 지원 사업

5. 갑작스러운 위기 상황으로 생계유지가 곤란한 국민에게 생계, 의료, 주거, 교육, 연료비 지원 등 필요한 복지 서비스를 신속하게 지원하여 위기 상황에서 벗어날 수 있도록 돕는 제도를 (   )(이)라고 한다.

📣 Helper

1. 가족 형성기 → 자녀 출산 및 양육기 → 자녀 교육기 → 자녀 독립기 → 노년기

2. 가족 생활 설계를 통해 단계별 발달 과업을 효과적으로 수행할 수 있다.

3. 결혼 후 첫 자녀 출산 전까지의 시기를 가족 형성기라고 한다.

4. 첫 자녀 출산 후 첫 자녀가 초등학교 입학하기 전까지의 시기를 자녀 출산 및 양육기라고 한다.

차곡차곡 실력 쌓기

01 가족 생활 주기를 순서대로 바르게 나열한 것은?

① 가족 형성기 → 자녀 교육기 → 자녀 출산 및 양육기 → 자녀 독립기 → 노년기

② 가족 형성기 → 자녀 출산 및 양육기 → 자녀 교육기 → 자녀 독립기 → 노년기

③ 자녀 출산 및 양육기 → 자녀 교육기 → 자녀 독립기 → 노년기 → 가족 형성기

④ 자녀 교육기 → 자녀 독립기 → 가족 형성기 → 자녀 출산 및 양육기 → 노년기

⑤ 자녀 독립기 → 노년기 → 가족 형성기 → 자녀 교육기 → 자녀 독립기

02 각 가족의 실제적인 문제 해결과 다양한 요구를 충족시키기 위해 가족에게 직접적으로 제공하는 프로그램이나 사업을 무엇이라 하는가?

① 발달 과업
② 가족 안전
③ 가족 생활 주기
④ 가족 생활 설계
⑤ 가정 생활 복지 서비스

03 가족 형성기에 해당하는 발달 과업으로 옳지 않은 것은?

① 부부간의 친밀감 형성
② 가족의 공동 목표 형성
③ 가족의 장기적인 계획 수립
④ 부부간의 역할 분담 재조정
⑤ 남편, 아내라는 새로운 역할에 적응

04 자녀 출산 및 양육기에 도움받을 수 있는 복지 서비스로 옳지 않은 것은?

① 보육료 지원
② 고운맘 카드
③ 초등 돌봄 교실
④ 국민 행복 카드
⑤ 가정 양육 수당 지원

05 자녀 교육기에 해당되는 가족 생활 설계로 옳지 않은 것은?

① 자녀 교육비 마련
② 자녀의 경제적·정서적 독립 지원
③ 부부의 노후 생활을 위한 자금 마련
④ 자녀 발달 특성에 맞는 교육 방법 선택
⑤ 부모와 자녀의 원만한 관계를 위해 친밀한 유대 관계 형성

06 〈보기〉의 가족 복지 서비스를 제공받을 수 있는 가족 생활 주기로 옳은 것은?

┤ 보기 ├
- 긴급 복지 서비스
- 근로 서비스
- 노후 설계 서비스

① 노후기
② 자녀 독립기
③ 자녀 교육기
④ 가족 형성기
⑤ 자녀 출산 및 양육기

07 〈보기〉에서 설명하는 가족 복지 서비스로 옳은 것은?

┤ 보기 ├
　　임신, 출산, 육아 등으로 경력이 단절된 여성에게 직업 상담, 직업 교육 훈련, 취업 연계, 취업 후 사후 관리 등 종합적인 취업 지원 서비스 등을 제공하는 제도이다.

① 근로 서비스
② 국가 장학금
③ 유연 근무 제도
④ 가족 돌봄 서비스
⑤ 모성 보호 육아 지원소

08 노년기의 가족 생활 설계로 옳지 <u>않은</u> 것은?

① 남편과 아내라는 새로운 역할에 적응하며, 부부 간에 친밀감을 형성한다.
② 양육자로서 정서적 성숙을 이루며, 자녀 양육 및 교육에 필요한 경제적 준비를 해야 한다.
③ 자녀가 직업과 결혼에 관하여 올바른 선택을 하도록 도와주고, 자녀의 경제적·정서적 독립을 지원한다.
④ 자녀 발달 특성에 맞는 교육 방법을 선택하고, 부모와 자녀의 원만한 관계를 위해 친밀한 유대 관계를 형성해야 한다.
⑤ 부부가 공유할 수 있는 취미 활동, 봉사 활동 등을 하면서 부부가 중심이 되었던 가족 문화를 부모 자녀 관계 중심으로 전환한다.

핵심을 되짚는 O·X 문제

09 가족 생활 주기는 가족 형성기 → 자녀 교육기 → 자녀 출산 및 양육기 → 자녀 독립기 → 노년기의 순서로 변화한다. (O, ×)

10 가족 생활의 변화에 안정적으로 대처하고 적응하면서 개인과 가족의 삶이 조화를 이루기 위해서 가족 생활의 장기적인 계획이 필요하고, 이를 위해 가족은 가족 생활 복지 서비스를 수립해야 한다. (O, ×)

11 개인은 영·유아기, 아동기, 청소년기, 성년기, 중년기, 노년기의 일정한 생애 주기를 거치게 되는데, 이때 시기마다 수행해야 하는 중요한 과제를 발달 과업이라고 한다. (O, ×)

12 결혼 후 첫 자녀 출산 전까지의 시기를 가족 형성기라고 한다. (O, ×)

13 신혼부부를 대상으로 전세 자금 및 주택 구매 자금 대출을 해주는 복지 서비스가 마련되어 있다. (O, ×)

14 화상을 입은 부위에 치약을 바르는 것이 도움이 된다. (O, ×)

15 임신부에게 건강한 태아의 분만과 산모의 건강 관리를 위하여 임신과 출산에 관련된 진료비 일부를 고운맘 카드로 지원해 준다. (O, ×)

16 영·유아기 안전사고에는 문 끼임, 충돌, 추락에 따른 사고, 찔림 사고, 생활용품 사용 부주의 사고 등이 있다. (O, ×)

17 갑작스러운 위기 상황으로 생계유지가 곤란한 국민에게 생계, 의료, 주거, 교육, 연료비 지원 등 필요한 복지 서비스를 신속하게 지원하여 위기 상황에서 벗어날 수 있도록 돕는 제도를 가정 생활 복지 서비스라고 한다. (O, ×)

02 내가 만들어 가는 행복한 노후

주제 열기

» '노인' 하면 떠오르는 이미지를 찾아 다음 항목에 표시해 보자.

외롭다, 가난하다, 힘들다, 보수적이다. 등

» 내가 생각하는 노인의 모습을 선택한 항목의 단어를 넣어서 짧은 문장으로 만들어 보자.

우리 할아버지는 얼마 전에 폐렴에 걸리셔서 건강이 안 좋으시다.

» 나의 주변에서 행복한 노후를 보내고 계신 할머니와 할아버지를 소개하여 보자.

도시에 사시던 우리 할머니와 할아버지는 두 분 모두 은퇴하신 후 거주지를 한적한 농촌 마을로 옮기신 후 텃밭에서 오이, 방울토마토를 기르시는 등 소일거리를 하시고, 시를 쓰시면서 여유롭게 지내신다.

+노인에 대한 정의

• 사회적 역할 상실: 주요한 사회적 지위와 역할이 상실된 상태에 있는 사람을 노인으로 규정한다.
• 기능적 연령: 개인의 특수한 신체적 및 심리적 영역에 있어서, 기능의 정도에 의해서 노인을 규정한다.
• 역연령: 달력의 시간에 의해 일정한 연령에 도달한 사람으로 정의한다.
• 가족 내에서의 정의: 손자, 손녀를 얻음으로써 할아버지, 할머니의 역할이 새롭게 생길 때 본인뿐만 아니라, 가족 내에서 노인으로 대접한다.

1. 노년기의 의미와 특성을 이해하자

점차 길어지는 노년기에 건강하고 행복한 삶을 영위하기 위해서는 노년기에 나타나는 여러 가지 변화를 이해하고 받아들여야 한다.

(1) 노년기의 의미

① **노년기** 한 사람의 생애 주기의 마지막 단계로, 중년기 이후 죽음에 이르는 시기이다.

② **노인** 우리나라 노인 복지법에서는 대체로 65세 이상을 노인으로 규정하고 있다.

③ **노화** 심신 활동 감소로 인한 사회적 변화가 나타나는데, 개인차가 있다.

(2) 노년기의 특성

① 신체적 변화

외적인 신체 변화	• 흰머리가 생기고 모발의 숱이 줄어든다. • 주름이 생기고 탄력이 감소한다. • 허리가 굽어져 키가 작아지고, 몸무게도 감소한다.
내적인 신체 변화	• 골밀도가 감소하여 골다공증, 관절 질환의 위험이 커진다. • 소화기 기능이 저하되어 음식물 소화 및 흡수 능력이 떨어진다. • 혈관 벽이 두꺼워지고 혈액 순환이 감퇴된다. • 신경계가 퇴화하여 치매에 걸릴 가능성이 커진다. • 수면 장애가 생길 수 있다. 치매 예방에 좋은 식품: 등 푸른 생선, 양배추, 녹색 채소, 우유, 연어, 견과류, 토마토 등 • 면역력이 떨어져 질병에 걸리기 쉽다.
감각 기능의 변화	• 노안으로 시력이 나빠지고, 어두운 곳에서 잘 보지 못한다. • 냄새를 맡는 기능이 약화된다. • 청력이 감퇴하여 노인성 난청이 나타난다. • 맛을 잘 구별하지 못하며, 맛의 감각이 둔화된다.

👤 스스로 **해 보기**

노년기의 신체적 변화 중 가장 불편한 변화는 무엇일지 생각해 보고, 그 까닭을 써 보자.

예 골밀도 감소, 소화 기능의 저하, 청력의 감퇴, 심폐 및 호흡 기관 변화 등이 나타나고, 원인은 신체적 노화가 진행되기 때문이다.

② 인지적 · 심리적 변화

인지적 변화	• 기억력이 감퇴하고, 주의 집중 능력이 감소하여 새로운 내용을 학습하는 데 오랜 시간이 걸리며, 사고 능력이 떨어진다. • 풍부한 경험을 통한 삶의 지혜가 축적되어 일상생활이나 사회적 갈등으로 발생한 문제 등을 통합적으로 보고 유연하게 판단한다. 
심리적 변화	• 일상적인 문제에도 신중하게 반응하며, 변화를 시도하기보다는 과거의 안전한 방법을 고집한다. • 친숙한 사람이나 사물에 애착심을 보이며, 가족이나 가까운 사람에게 심리적인 의존성이 나타난다. • 여성과 남성으로서의 규정된 성 역할에서 벗어나 양성화되는 경향을 보인다.  • 신체 기능의 약화, 가정과 사회에서의 역할 상실로 소외감과 우울감을 많이 느낄 수 있다. • 살아온 삶에서 의미를 찾고, 죽음을 초연히 준비하고 수용할 경우 자아 통합감도 느낄 수 있다.

👤 스스로 **생각해 보기**

노년기의 기억력 감퇴, 주의 집중 능력 감소 등을 극복할 수 있는 방법에는 무엇이 있을지 생각해 보자.

예 • 기억해야 할 내용을 잘 보이는 곳에 메모하여 붙여 둔다.
• TV 시청 등 수동적인 두뇌 활동은 가급적 피하고, 외국어나 악기 배우기 등 취미 활동을 한다.
• 스포츠 클럽, 종교 활동 등 사회 활동을 즐긴다.

③ 사회적 변화

생활 환경의 축소		• 노년기에는 신체 기능의 약화, 직장에서의 은퇴, 자녀 독립의 영향으로 빈 둥지 증후군이 생길 수 있다. • 가까운 사람들의 죽음 등을 경험하면서 사회 관계망이 축소 또는 소멸하기도 하며, 사회적 관계가 주로 가족에게 집중된다.
인간 관계의 변화	부부 관계	가족 생활이 부부 중심으로 변화한다
	성인 자녀와의 관계	성인 자녀에게 도움을 받고 의존한다.
	손자녀와의 관계	조부모는 손자녀에게 길잡이 또는 훌륭한 놀이 친구가 되어 준다.
	형제자매와의 관계	형제자매가 사회적 지지망으로서 중요한 역할을 한다.
	친구와의 관계	취미 활동을 공유하면서 배우자와는 다른 관계가 형성된다.

개념 더하기

+ 의존성
• 경제 능력 약화에 따른 경제적 의존성
• 신체적 기능 약화로 인한 신체적 의존성
• 중추 신경 조직의 퇴화로 인한 정신적 의존성
• 생활에서 의미 있는 중요한 사람을 잃음으로써 생기는 사회적 의존성과 심리·정서적인 의존성

+ 빈둥지 증후군
• 빈 둥지 증후군은 마지막 자녀가 대학에 입학하거나 취직을 하는 등, 자녀들이 모두 독립하여 집을 떠나는 시기에 부모가 느끼는 상실감과 슬픔을 의미한다.
• 빈 둥지 증후군은 퇴직이나 정리해고, 사별, 폐경 등과 같은 다른 어려운 생활 사건 또는 삶의 중요한 변화와 함께 나타난다.

2. 자립적인 노후 생활을 위한 준비와 관리가 중요하다

(1) 건강

일상생활에 어려움이 없도록 운동과 식생활 관리 등을 미리 하고, 생활 습관을 개선해야 한다.

신체 건강 관리	• 소화 기능이 약화되어 영양 상태가 나빠지기 쉬우므로 영양소가 풍부하고, 소화가 잘되는 식품을 골고루 섭취한다. • 음주와 흡연을 절제하고, 콜레스테롤과 지방 섭취를 줄이는 식생활을 한다. • 활동량이 감소하므로 일상생활에서 적절히 신체 활동을 하고, 관절에 무리를 주지 않는 선에서 유산소와 근력 강화 운동 등을 한다.
정신 건강 관리	• 노년기의 여러 변화로 무력감과 절망감, 우울감에 빠지기 쉬우므로 취미 생활을 통해 기분 전환을 하며 스트레스를 관리한다. • 종교 생활이나 명상을 통한 마음 수양은 정신 건강뿐만 아니라 신체 건강에도 도움이 된다.

(2) 경제 활동

안정적인 자산 관리를 통해 경제적 안정을 유지해야만 풍요로운 노년기를 맞이할 수 있다.

노후 자금 산정	• 은퇴 시점을 예상하여 노후 자금을 준비할 수 있는 시간과 은퇴 이후의 기간을 예측한다. • 은퇴 후 필요한 생활비를 계산하고, 은퇴 후 예상되는 연금 등의 소득과 비교하여 자금 부족분이 어느 정도인지 산정한다. 이때 물가 상승도 고려하여 계산하면 좋다.
노후 자금 계산	• 은퇴 후 예상 생활비 = 현재 월평균 생활비×0.7 • 은퇴 후 필요 자금 = (은퇴 후 예상 생활비 − 예상 은퇴 소득)×12개월×은퇴 후 기대 수명 • 준비해야 할 노후 자금 = 은퇴 후 필요 자금 − 이미 모아 둔 자산
노후 자금 마련	• 연금 가입과 재테크, 투자, 저축, 직업 유지 등 노후 자금 마련을 위한 다양한 계획을 수립한다. • 수익성과 안전성, 환금성 등을 고려하되, 장기간 운용할 수 있고 수수료가 적으며, 되도록 매달 소득이 들어오는 것을 선택한다.

> **스스로 생각해 보기**
>
> 나는 미래의 노후 자금을 어떻게 마련할 것인지 생각해 보자.
>
> 예 연금과 저축을 적극적으로 활용하여 노후 생활을 준비할 것이다. 연금의 경우, 기대 수익률이 높으면서 장기간 운용할 수 있는 형태를 선택하고, 저축은 사회생활을 시작할 때부터 습관화할 것이다.

(3) 주거 생활

① 주거 지역은 친밀한 사람들과 자주 왕래할 수 있는 곳이면서 의료 시설 이용과 대중교통 이용이 편리한 곳이 좋다.

② 주거 공간 규모를 줄여 유지와 관리에 필요한 비용과 노동력을 줄인다.

③ 낙상 방지를 위하여 화장실이나 침실 등에 안전장치를 설치한다.

④ 바닥은 단 차이를 없애고 미끄럽지 않게 하며, 벽면이나 가구 등에 돌출 부분이 없도록 한다.

(4) 여가 생활

① 노년기의 변화를 긍정적으로 받아들이면서 스포츠 활동, 취미 활동, 문화 · 예술 관람 및 감상, 친목 활동 등으로 건강을 유지하고 활력을 증진한다.

② 자원봉사, 사교 활동 등의 사회적 여가 활동은 생활의 만족을 얻고 보람을 느끼는 데 도움이 된다.

③ 부부가 함께하는 여가 활동을 통해 부부간의 친밀감을 도모할 수 있다.

(5) 노년기의 일

① 은퇴 후에도 지속적인 근로 활동을 하기 위해서는 새로운 지식과 기술을 습득하는 등 개인적인 노력이 필요하다.

② 국가에서도 은퇴 후 근로 활동을 위해 다양한 제도적인 지원을 마련하고 있으므로, 이를 활용한다.

더 들여다보기

🔆 정부와 지방 자치 단체, 민간 기업 등에서 노인을 위한 여가 관련 서비스로 무엇을 만들면 좋을지 생각해 보자.

📗 지방 자치 단체와 지역 내 대학이 협력하여 노인 대학을 운영하고 소정의 과정을 수료한 노인들에게는 명예 졸업장을 수여한다. 노인들의 휴양형 여가 활동 참여를 독려하기 위해 기업에서는 캠핑이나 낚시, 야유회, 각종 관광 및 여행과 같은 노인 맞춤형 휴양, 여행 상품을 개발하여 진행할 수 있다.

주제 활동 · 고령 친화 사업 아이디어 계획하기

1. 노년기의 발달 특성을 고려하여 미래 사회의 고령 친화 사업 아이디어를 구상해 보자.

- 발달 특성: 노년기에는 질병에 걸릴 확률이 높아지며, 질병이 없더라도 전반적인 신체 기능이 떨어져 일상적인 활동을 하는 데 어려움을 경험할 가능성이 증가한다.
- 사업 아이디어: 지역 내 위치한 병원이나 공공 기관, 관광지, 역 등의 각각의 장소가 신체가 불편한 노인에게 얼마나 접근성이 좋은지(휠체어 접근 가능 여부, 계단 대신 이용할 수 있는 엘리베이터 또는 에스컬레이터 설치 유무 등)를 나타낸 오프라인 지도와 온라인 애플리케이션을 개발하고 운영하기

2. 친구들과 사업 아이디어를 공유해 보자. 그중에서 가장 기발한 사업 아이디어는 무엇인지 선택해 보고, 선택한 까닭을 써 보자.

신체가 불편한 노인을 위한 접근성 지도 및 애플리케이션 운영이 기억에 남는 아이디어이다. 가 보지 않고는 알 수 없는 각 장소에 대한 접근성을 미리 알 수 있도록 도와주어 노인과 노인을 돌보는 가족이 보다 쉽게 장소를 선택할 수 있도록 도와주기 때문이다.

내용 정리

1. 노년기의 의미와 특성

(1) 노년기의 의미
① 한 사람의 생애 주기의 마지막 단계로, 중년기 이후부터 죽음에 이르기까지의 시기
② 노인 복지법에서는 65세 이상을 노인으로 규정
③ 심신 활동이 감소하고 사회적인 변화가 나타남.

(2) 노년기의 특성
① 신체적 변화
- 외적인 변화: 흰머리, 모발 숱이 줌, 피부 주름 증가, 탄력 감소, 허리가 굽고 키가 작아짐, 몸무게 감소
- 내적인 신체 변화: 골밀도 감소로 인한 골다공증, 관절 질환 위험 증가, 소화 기능 저하, 소화 흡수 능력 저하, 혈관벽 두께 증가, 혈액 순환 감퇴, 신경계 퇴화로 치매 위험 증가, 수면 장애, 면역력 약화로 질병 위험 증가
- 감각 기능의 변화: 노안으로 시력 감소, 어두운 곳에서 잘 보지 못함. 후각 기능 감퇴, 청력 감퇴와 난청, 미각 둔화로 맛 구별 능력 저하

② 인지적·심리적 변화
- 인지적 변화: 기억력 감퇴, 주의 집중 능력 감소, 사고 능력 저하, 경험을 통한 지혜 축적, 문제를 통합적으로 바라봄.
- 심리적 변화: 일상생활에서 신중한 태도, 안전한 방법 고집, 친근한 사람과 사물에 대한 애착, 심리적 의존성, 심리적 양성화 경향, 소외감, 우울감, 자아 통합감을 느끼기도 함.

③ 사회적 변화
- 생활 환경의 축소: 신체 기능 약화, 직장에서의 은퇴, 빈 둥지 증후군 발생, 가까운 사람들의 죽음을 경험하며 사회 관계망 축소 및 소멸, 사회적 관계가 가족에게 집중
- 인간관계의 변화: 부부 관계 중심, 성인 자녀와의 긴밀한 관계 유지, 손자녀에게 길잡이와 놀이 친구 역할, 형제자매는 사회적 지지망으로 중요한 역할, 친구와 취미 활동을 공유하며 배우자와 다른 관계 형성

2. 자립적인 노후 생활을 위한 준비와 관리

(1) 건강
① 신체 건강 관리 영양소가 풍부하고 소화가 잘되는 식품 섭취, 음주와 흡연 절제, 콜레스테롤과 지방 섭취 줄이기, 적절한 신체 활동과 관절에 무리를 주지 않는 유산소와 근력 강화 운동
② 정신 건강 관리 취미 생활을 통해 기분 전환, 스트레스 관리, 종교 생활이나 명상은 정신 건강과 신체 건강을 도움.

(2) 경제활동
① 노후 자금 산정
- 은퇴 시점을 예상하여 노후 자금 준비 시간과 은퇴 이후의 기간 예측
- 은퇴 후 생활비 계산, 예상되는 연금 등의 소득과 비교 후 부족분 산정, 물가 상승률 고려

② 노후 자금 계산
- 은퇴 후 예상 생활비 = 현재 월평균 생활비×0.7
- 은퇴 후 필요 자금 = (은퇴 후 예상 생활비−예상 은퇴 소득)×12개월×은퇴 후 기대 수명
- 준비해야 할 노후 자금 = 은퇴 후 필요 자금−이미 모아 둔 자산

③ 노후 자금 마련
연금 가입, 재테크, 투자, 저축, 직업 유지 등 다양한 계획 수립, 수익성, 안전성, 환금성 등 고려하여 장기간 운용, 수수료가 적고, 매달 소득이 들어오는 것 선택

(3) 주거 생활
① 친밀한 사람들과 왕래할 수 있는 곳, 의료 시설, 대중교통 이용이 편리한 곳
② 주거 공간의 규모를 축소하여 유지 관리 비용, 노동력을 줄임.
③ 낙상 방지를 위한 화장실, 침실의 안전장치 설치
④ 바닥 단 차를 없애고 미끄럼 방지, 벽면이나 가구 돌출 부분이 없도록 함.

(4) 여가 생활
① 노년기 변화를 긍정적으로 수용, 스포츠 활동, 취미 활동, 문화·예술 관람 및 감상, 친목 활동 등으로 건강 유지, 활력 증진
② 자원봉사, 사교 활동 등의 사회적 여가 활동을 통해 생활의 만족과 보람을 느낌.
③ 부부가 함께 여가 활동을 통해 부부간 친밀감 도모

(5) 노년기의 일
① 경제적인 도움, 사회 참여, 자아실현의 기회 제공, 신체 및 정신 건강의 질 향상
② 새로운 지식과 기술 습득을 하는 개인적인 노력 필요
③ 국가의 제도적인 지원 활용

개념 꽉꽉 다지기

1. (　　　　　　)은/는 한 사람의 생애 주기의 마지막 단계로, 중년기 이후부터 죽음에 이르기까지의 시기이다.

📢 Helper

1. 노화의 영향으로 심신 활동이 감소하고 사회적인 변화가 나타나는 시기이다.

2. 노년기 신체적 변화로 옳지 <u>않은</u> 것은?

   ① 냄새를 맡는 기능이 약화된다.
   ② 주름이 생기고 탄력이 감소한다.
   ③ 흰머리가 생기고 모발의 숱이 많아진다.
   ④ 신경계가 퇴화하여 치매에 걸릴 가능성이 커진다.
   ⑤ 소화의 기능이 저하되어 음식물 소화 및 흡수 능력이 떨어진다.

2. 노년기에는 나이가 증가함에 따라 외적인 신체 변화, 내적인 신체 변화, 감각 기능의 변화 등 여러 가지 신체 변화를 경험하게 된다.

3. 노년기 인간관계의 변화로 옳지 <u>않은</u> 것은?

   ① 가족 생활의 대부분이 부부 중심으로 변화한다.
   ② 성인 자녀와의 도움을 주고받으며 긴밀한 관계를 유지한다.
   ③ 형제자매와의 관계는 인간관계에서 중요한 역할을 하지 않는다.
   ④ 조부모는 손자녀에게 길잡이 또는 훌륭한 놀이 친구가 되어 준다.
   ⑤ 친구와 취미 활동을 공유하면서 배우자와는 다른 관계가 형성된다.

3. 노년기에는 사회적 관계망이 축소 또는 소멸하기도 하며, 사회적 관계가 주로 가족에게 집중된다.

4. (　　　　　　)은/는 자신이 살아온 인생을 수용하고 두려움 없이 죽음에 직면할 수 있는 능력으로, 인생과 자아의 완성감, 일체감, 만족감 등을 말한다.

5. 자립적인 노후 생활을 위한 준비와 관리에 대한 설명으로 옳지 <u>않은</u> 것은?

   ① 적당한 운동과 식생활 관리를 미리 한다.
   ② 안정적인 자산 관리를 통해 경제적 안정을 유지해야 한다.
   ③ 삶의 질을 향상하기 위해서는 여가를 잘 보내는 것이 중요하다.
   ④ 노년기에는 많은 시간을 주거 공간과 그 인근에서 보내므로 주거 환경이 매우 중요하다.
   ⑤ 노년기의 일은 사회 참여와 자아실현의 기회를 제공하여 신체 및 정신 건강에 좋지 않다.

5. 자립적이고 성공적인 노후 생활을 위해서는 경제적 측면과 건강, 여가 생활, 주거 생활, 일자리 등 전반적인 생활의 체계적인 준비와 관리가 필요하다.

01 노년기에 대한 설명으로 옳지 <u>않은</u> 것은?

① 노년기 변화에는 개인차가 있다.

② 노인 복지법에서 65세 이상을 노인으로 규정하고 있다.

③ 자립적인 노후 생활을 위한 준비와 관리가 필요하다.

④ 평균 수명이 증가하여 고령 인구가 점차 늘어나고 있다.

⑤ 노년기 변화에 대한 이해는 자신을 위해서는 필요하지 않다.

02 노년기 심리적 변화에 대한 설명으로 옳지 <u>않은</u> 것은?

① 일상적인 문제에도 신중하게 반응한다.

② 친숙한 사람이나 사물에 애착심을 보인다.

③ 변화를 시도하기보다는 과거의 안전한 방법을 고집한다.

④ 살아온 삶에서 의미를 찾고, 죽음을 초연히 준비하고 수용할 경우 절망감을 느낄 수 있다.

⑤ 신체 기능의 약화, 가정과 사회에서의 역할 상실로 소외감과 우울감을 많이 느낄 수 있다.

03 노인 부부 관계에 대한 설명으로 옳은 것은?

① 가족 생활의 중심이 된다.

② 사회적 지지망으로서 중요한 역할을 한다.

③ 길잡이 또는 훌륭한 놀이 친구가 되어 준다.

④ 도움을 주고받으며 긴밀한 관계를 유지한다.

⑤ 취미 활동을 공유하면서 배우자와는 다른 관계를 형성한다.

04 다음에서 설명하는 노년기 인간관계로 옳은 것은?

> 길잡이 또는 놀이 친구가 되어 준다.

① 부부   ② 친구

③ 손자녀   ④ 형제자매

⑤ 성인 자녀

05 ( ) 안에 들어갈 알맞은 말로 옳은 것은?

> 노년기에는 자녀의 취업, 결혼 등으로 자녀가 집을 떠나고 노부부만 남게 되어 고독감을 이기지 못하고 우울증에 빠지게 되는 ( )이/가 생길 수 있다.

① 가족 확대기   ② 가족 소멸기

③ 가족 형성기   ④ 빈둥지 시기

⑤ 빈 둥지 증후군

06 자립적인 노후를 위한 건강 관리 방법으로 옳지 <u>않은</u> 것은?

① 음주와 흡연을 절제한다.

② 영양소가 풍부하고, 소화가 잘되는 식품을 섭취한다.

③ 활동량이 감소하므로 격렬한 운동으로 신체 활동을 한다.

④ 취미 생활을 통해 기분 전환을 하며 스트레스를 관리한다.

⑤ 종교 생활이나 명상을 통해 정신 건강과 신체 건강을 관리한다.

07 노년기 안정적인 자산 관리 활동으로 옳은 것은?

① 은퇴 시점과 은퇴 이후의 기간은 고려하지 않는다.

② 은퇴 후 생활비와 물가 상승률은 고려하지 않는다.

③ 장기간 운용할 수 있고 매년 소득이 들어오는 것을 선택한다.

④ 은퇴 후 예상 생활비는 현재 월평균 생활비에 0.8을 곱한 값이다.

⑤ 준비해야 할 노후 자금은 이미 모아 둔 자산에서 은퇴 후 필요 자금을 뺀 값이다.

08 노년기 주거 공간과 주거 환경 관리 방안에 대한 설명으로 옳지 않은 것은?

① 바닥은 단 차이를 없애고 미끄러운 소재로 한다.

② 의료 시설과 대중교통 이용이 편리한 곳이 좋다.

③ 주거 공간의 규모를 줄여 유지와 관리 비용을 줄인다.

④ 주거 지역은 친밀한 사람들과 자주 왕래할 수 있는 곳이 좋다.

⑤ 낙상 방지를 위하여 화장실이나 침실 등에 안전 장치를 설치한다.

09 노년기의 바람직한 여가 생활에 대한 설명으로 옳지 않은 것은?

① 노년기 여가 시간은 줄어든다.

② 스포츠 활동, 취미 활동, 친목 활동 등을 한다.

③ 삶의 질을 향상하기 위해서는 여가를 잘 보내는 것이 중요하다.

④ 부부가 함께하는 여가 활동을 통해 부부간의 친목을 도모할 수 있다.

⑤ 자원봉사, 사교 활동 등 사회적 여가 활동은 생활의 만족감을 느낄 수 있다.

10 노년기의 근로 활동에 대한 설명으로 옳은 것은?

① 노년기 근로 활동은 경제적인 도움이 안 된다.

② 국가의 도움과 개인적 노력이 병행되어야 한다.

③ 은퇴 후 새로운 지식과 기술은 습득할 필요가 없다.

④ 국가에서 노년기 근로 활동에 관해서는 지원을 하고 있지 않다.

⑤ 은퇴 후 지속적인 근로 활동은 노인들에게 의미가 없는 활동이다.

핵심을 되짚는 O·X 문제

11 노년기는 모두가 동일하게 신체적·인지적·심리적·사회적 변화를 경험하게 된다. (O , ×)

12 면역력이 떨어져 질병에 걸리기 쉽다. (O , ×)

13 여성과 남성으로서의 규정된 성 역할에서 벗어나 양성화되는 경향을 보인다. (O , ×)

14 노년기에는 신체 기능의 약화, 직장에서의 은퇴, 자녀 독립의 영향 등으로 빈 둥지 증후군이 생길 수 있다. (O , ×)

15 조부모들은 손자녀와의 세대 차이로 인해 좋은 관계를 형성하지 못한다. (O , ×)

16 음주와 흡연을 절제하고, 콜레스테롤과 지방 섭취를 늘린다. (O , ×)

17 경제적 안정을 위해 재테크, 투자, 저축, 직업 유지 등 노후 자금 마련을 위한 다양한 계획을 수립한다. (O , ×)

18 커뮤니티 키친은 노인들의 사회적 고립을 예방하는 역할을 한다. (O , ×)

+ 회복 탄력성

신체의 면역력이 강하면 크고 작은 질환을 이겨낼 수 있는 것처럼 회복 탄력성은 심리적인 면역력이라고 볼 수 있다.

+ 자연재해

태풍이나 지진 등의 자연재해나 대형 사고의 경우 한 가족의 문제를 넘어 사회 집단의 문제로 인식될 수 있다.

주제 열기

≫ 신데렐라는 왜 재투성이의 삶을 선택하였는지 생각해 보자.
착하게 자라기 바란다는 어머니의 유언을 지키기 위해서이다.

≫ 상황별로 신데렐라에게 닥친 어려움을 보고, 신데렐라는 개인적·사회적으로 어떤 도움을 받을 수 있을지 써 보자.
\# 1 개인적: 아버지와 다른 친척들의 도움을 받는다.
　　사회적: 어머니의 부재로 겪을 수 있는 정서적 위기를 상담하면서 치유한다.
\# 2 개인적: 새어머니, 언니와 수평적이며 인격적인 관계를 맺는다.
　　사회적: 가정 폭력이 있다면 도움을 받는다.
\# 3 개인적: 착하게 살아야 한다고 무조건적으로 참는 것에 대한 각성이 필요하다.
　　사회적: 아동 학대에 대해 신고하고 신변 보호를 받는다.

1, 가족의 문제는 언제, 어디서든 만날 수 있다

(1) 가족 문제

① **가족 문제가 주목받는 이유**　산업 사회로 발전함에 따라 사회적 구조와 기능이 바뀌면서, 가족 구성원의 생각과 행동도 다양해지고 복잡해졌기 때문이다.

② **가족 문제의 특징**
- 사랑하는 사람을 잃는 것과 같은 큰 변화가 발생한다면 예상치 못한 가족의 위기를 겪을 수 있고, 이러한 위기는 가족 구성원에게 여러 측면으로 영향을 미친다.
- 위기 상황에 대처하는 긍정적인 태도는 가족 구조의 변화나 가족을 둘러싼 상황 변화에 유연하게 대처하여 가족이 안정감 있게 생활할 수 있도록 도와준다.

③ **가족 문제의 유형**
- 예견 가능한 가족 문제: 자녀 출산, 자녀의 진학과 결혼, 취직, 은퇴 등의 가족 발달 과정 중에 일어나는 사건을 말한다.
- 예기치 못한 가족 문제: 갑작스러운 가족의 신체적·정신적 질병, 사고, 사망, 실직, 이혼, 외상 후 장애, 자연재해 등이 있다.

스스로 해 보기

나에게 부족한 능력을 개선하기 위하여 어떠한 노력이 필요한지 생각해 보자.

예 대인 관계 능력이 부족하다면 상대방의 입장을 고려하는 훈련, 타인을 존중하고 배려하는 마음, 발표 불안 줄이기 등으로 노력한다. 자기 조절 능력이 부족한 경우는 자율적인 학업 계획 세우기와 긍정적 정서 향상 훈련을 통해 끈기와 집념을 길러야 한다.

(2) 가족 문제의 종류

가족 문제는 가족 내적·외적 원인과 이 원인들의 상호 작용으로 발생한다. 원인을 명확히 나누기가 어렵고, 서로 관련되어 있으며, 또한 중복되어 있다.

① 가족의 해체와 결합
- 부모의 별거와 이혼, 재혼으로 계부모와 형제자매, 조부모의 합가 등 주로 가족 내적인 원인으로 발생하는 가족 문제이다.
- 새로운 가족 형태와 가족 구성원에 적응하면서 혼란스러움이 생길 수 있고, 가족 구성원 간의 관계 및 가치관 충돌로 갈등과 스트레스가 발생할 수 있다.

② 질병과 사고
- 가족 구성원의 치매, 우울증, 여러 사고 영향으로 신체적, 정신적 장애, 외상 후 장애 등은 예기치 않게 발생한다.
- 이를 치료하기 위해서는 많은 시간과 비용이 필요하고, 때로는 완전한 치료가 어려운 경우도 있다.

③ 자연재해 및 재난
- 지진, 태풍, 홍수, 화재, 대형 사고 등의 재앙은 경고 없이 발생한다.
- 가정, 직장, 학교 등을 포함한 지역 사회가 피해를 당하거나 파괴될 수도 있고, 이러한 영향으로 심각한 신체적·정신적 장애나 외상 후 장애를 겪을 수 있다.

④ 죽음
- 질병과 사고, 자살 등으로 사랑하는 사람의 죽음을 겪은 사람들은 참담하고 비통함을 느낀다.
- 가족의 죽음은 남아 있는 가족에게 가장 큰 스트레스의 요인이 된다.
- 자살은 정신적인 요인뿐만 아니라 경제적·심리적·사회·문화적 요인 등으로 발생할 수 있다.

2 건강한 가족으로 회복하기 위한 치유 방안을 알아보자

건강한 가족으로 회복하기 위해서는 개인적인 노력뿐만 아니라 적극적으로 사회 지원 체계의 도움을 받아 위기를 극복해야 한다.

(1) 개인적인 치유와 회복

긴장 상황에 놓여 있더라도 개인적인 치유를 통해 문제를 극복하기 위해 노력하고, 문제를 긍정적으로 바라본다면 회복 탄력성을 높아지게 되고, 일상생활이 좀 더 편안해질 수 있다.

① 가족 및 친척으로 부터의 치유
가족은 충분한 대화를 통하여 소통하고 배려하는 마음으로 치유에 도움을 줄 수 있다.

② 가족 외의 믿을 만한 조력자로부터의 치유
같은 상황에 놓여 있지 않은 가족 외의 누군가와 이야기하는 것이 도움이 될 수 있다.

③ McCubbin의 가족 탄력성 모델
- 조정 단계: 가족은 스트레스 요인이 발생했을 때 조정을 시도하고 일상생활을 영위하기 위해 형성해 온 상호 작용 패턴, 역할, 규칙 등을 유지하고자 한다.

+트라우마를 외상 후 성장으로 바꾸는 방법
- 자신을 도와줄 수 있는 사람들과 마음의 고통을 함께 나눌 것
- 두려운 기억을 피하지 말 것
- 일상적인 생활을 계속해 나가려고 노력할 것
- 술, 담배로 잊으려고 하지 말 것
- 규칙적으로 운동할 것
- 뒤집어 생각해 볼 것
- 마음의 고통이 심하다면 전문가 도움을 받을 것

+건강한 가족
건강한 가족은 문제가 없는 가족이 아니라 위기 상황을 함께 견뎌 내고 함께 대처하며, 문제 해결 능력이 있는 가족들을 의미한다.

+스키마

과거의 경험이나 지식들을 토대로 새로운 경험을 친숙하게 받아들이는 것이다. 스키마는 어떤 유형의 정보를 선택적으로 수용하고 보게 하는 통제적 기제로서, 이미 수립된 이해 방식이나 경험이 새로운 정보를 이해하는 데 영향을 미치는 것을 말한다.

+청소년 쉼터

9~24세 청소년의 청소년이 이용 가능한 청소년 쉼터에서는 보호 서비스, 교육 문화 서비스, 상담 서비스 등의 프로그램으로 청소년들이 도움을 받을 수 있다.

• 가족 위기: 인지된 가족 스트레스는 가족의 요구와 가족 능력의 불균형에 의해 초래되는 긴장 상태가 된다.

• 적응 단계: 가족 위기를 해소하기 위해 가족의 기능 유형에 따라 다양한 방식으로 상호 작용하며, 가족 스키마, 응집력, 가족 내구력 등의 요소가 상황에 대한 평가를 하고 문제 해결과 대처를 한다.

④ 슬픔을 긍정적으로 분출하는 아홉 가지 방어 기제   승화, 웃음, 눈물, 수용, 말하기, 예술 활동, 글쓰기, 이타주의, 예측하기 등 └── 고통이나 시련이 왔을 때 스포츠, 취미 생활, 봉사 활동 등을 통해 심리적 에너지를 분출하는 방법

스스로 해 보기

힘들어 하는 누군가를 위해 내가 들려주고 싶은 시나 노래, 보여 주고 싶은 그림이나 영화가 있다면 소개해 보자.

예 • 영화 『우리들의 행복한 시간』: 사형수와 대학 교수의 진심 어린 교감으로 서로의 상처를 치유하고 삶의 깊이를 깨닫는 과정에서 힘들어 하는 주변 사람의 마음도 함께 치유할 수 있을 것 같다.

• 옥상 달빛의 노래, '수고했어 오늘도': 지칠 때 힘이 나는 노래이다.

더 들여다보기

내 주변에 부모의 이혼을 겪은 친구가 있다고 가정해 보고, 그 친구에게 도움을 줄 수 있는 말과 행동은 무엇이 있을지 생각해 보자.

예 어깨 내어 주기 / 그냥 들어 주기 / '괜찮아 나아질 거야.', '언제든지 연락해.' 등의 위로와 힘이 되는 말하기

(2) 사회적(지역) 지원 체계를 통한 치유와 회복

① **상담원 서비스**   인터넷 상담을 하거나 직접 통화를 해서 도움을 요청하거나 지원받을 수 있는 서비스이다. 서비스의 대부분은 무료로 제공된다.

② **전문가 상담**   대부분 지역에는 건강 지원 센터가 있어 신체적·정신적·정서적·경제적 문제 등의 치유를 위해 지원한다.

③ **쉼터**

• 쉼터는 가족의 위기 상황과 사회적 위기 상황으로 정상적인 숙소가 없는 경우 일시적인 거주나 보호를 제공하는 시설을 말한다.

• 대체로 쉼터는 구타 또는 학대받는 여성과 무주택자, 유기 또는 학대받는 아동, 그리고 범죄, 자연재해의 피해자 등을 위해 대부분 지역 사회에 설치되어 있다.

④ **긴급 전화(Hot-line)**

• 위기 상담 및 긴급 보호를 위한 조기 지원 체제이다.

• 긴급 전화로 도움을 요청할 경우, 신변 안전뿐만 아니라, 수사 기관, 상담소, 보호 시설, 의료 기관, 법률 기관, 사회 복지 기관과 연계하여 언제든지 상담과 보호를 받을 수 있다.

• 여성 긴급 전화 1366, 희망의 전화 129, 자살 예방 핫라인 1577-0199 등이 있다.

모든 지역 사회에는 사람들의 건강과 안전한 삶을 지원하는 자원들이 있다. 이러한 자원들 중 위기의 가족에게 필요한 사회 지원 체계 자원을 찾아 도움 연락망을 만들어 보자.

위기 상황	전화번호	기관의 주소와 위치
아동 폭력을 힘들어 하는 초등학생	112	읍·면·동 복지 창구, 온라인 아동 학대 신고 센터
우울증을 앓고 있는 가족	1577–0199	지역의 정신 건강 증진 센터

+건강 가정 지원 센터에서 도움을 받을 수 있는 프로그램(www.familynet.or.kr)

가족 상담, 긴급 위기 가족 지원 서비스, 취약 위기 가족 지원 서비스, 교통사고 피해 가족 지원 등이 있다.

교과서 뛰어 넘기　**슬픔을 긍정적으로 분출하는 방법**

- **수용:** 무의식적으로 감정을 억압하는 대신 자신의 문제를 자각하고 그것을 인내하기로 선택하는 방법이다.
- **말하기:** 모든 말하기가 치료적 효과가 있는 것은 아니다. 고함을 지르며 공격하거나 멸시하는 말과 같은 것은 일시적으로 시원함을 느낄 수 있지만 관계를 해치기 때문에 역효과를 초래할 수 있다. 그보다 좋은 말하기는 '너는 어떻다'가 아니라 '나는 이렇다'의 방식으로 말하는 '나 전달법'을 사용해 상황을 묘사하고, 자신의 느낌이나 원하는 바를 진솔하게 이야기하는 것이다.
- **예술 활동:** 승화와 유사한 방식으로, 자신의 심리적 에너지를 미술이나 음악, 연극, 무용, 놀이, 기타 예술적인 매체를 통해서 나타내는 방식이다.
- **글쓰기:** 글을 통해 자신의 진솔한 감정을 솔직하게 표현하는 것이다. 나에게 상처를 준 상황, 그때 느꼈던 감정, 지금 그 사건이 미치는 긍정적 영향과 부정적 영향, 부정적 영향을 줄이기 위한 방법 등을 자유롭게 써 본다.
- **이타주의:** 나의 욕구보다는 타인의 욕구를 신경 쓰는 것을 말한다. 봉사 활동을 하면서 다른 사람을 돕는 활동을 통해 자신에 대한 만족감을 얻는다.
- **예측하기:** 미래에 다가올 고통이나 위험에 대해 예측하고 대비를 위한 계획을 세운다.

주제 활동　**가상 위기 탈출 시나리오 만들기**

잠재적 위기에 처한 가족의 대처 방안을 다음 단계별로 토의해 보자.

상황 제시	모둠별 활동(브레인스토밍)	흐름도 작성	가상 상황 예측하기
위기에 직면한 가상 가족 상황 제시하기 예 가족 해체, 신체적·정신적 장애, 가족 구성원의 우울증, 치매, 외상 후 장애 등의 상황	모둠별로 제시된 가상 가족 사례를 중심으로 위기 상황에 따른 가족의 대처 방안을 브레인스토밍하기	위기의 상황에 따라 가족들이 대처하고 있는 방법을 긍정적·부정적 대처 방법으로 나누어 흐름도 작성하기	두 흐름의 가상 상황 예측 시나리오를 작성하고, 왜 이러한 시나리오가 나오게 되었는지 토의하기

- 상황 제시: 3년째 치매로 고생하고 있는 어머니를 돌보고 있는 가족
- 브레인스토밍: 회복되지 않는다. 장기적이다. 24시간 돌봄이 필요하다. 가족의 생활에 어려움이 생긴다. 등
- 긍정적 대처 방법: 가능한 사회적 지원 체계의 도움을 받는다.
- 가상 상황 예측 시나리오: 치매 돌봄 가족의 일과 돌봄을 양립할 수 있다.
- 부정적 대처 방법: 가족 구성원과 시간을 나누어 24시간 돌본다.
- 가상 상황 예측 시나리오: 가족 간의 갈등을 유발하고, 다른 갈등으로 이어진다.

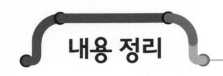

1, 가족 문제

(1) 가족 문제

① 현대에 와서 가족 문제가 더 주목받는 것은 산업 발전으로 사회적 구조와 기능이 바뀌면서, 가족 구성원의 생각과 행동도 다양해지고 복잡해졌기 때문임.

② 사람이 살다 보면 가족 문제나 가족 위기를 겪을 수 있고, 이러한 위기는 가족 구성원에게 여러 측면으로 영향을 미침.

③ 위기 상황에 대처하는 긍정적인 태도는 가족 구조의 변화나 가족을 둘러싼 상황 변화에 유연하게 대처하여 가족이 안정감 있게 생활할 수 있도록 도와줌.

④ **예견 가능한 가족 문제** 자녀 출산, 자녀의 진학과 결혼, 취직, 은퇴 등의 가족 발달 과정 중에 일어나는 사건

⑤ **예기치 못한 가족 문제** 갑작스러운 가족의 신체적·정신적 질병, 사고, 사망, 실직, 이혼, 외상 후 장애, 자연재해 등

(2) 가족 문제의 종류

① **가족의 해체와 결합**
- 부모의 별거와 이혼, 재혼으로 계부모와 형제자매, 조부모의 합가 등 주로 가족 내적인 원인으로 발생
- 새로운 가족 형태와 가족 구성원 적응 과정에서 혼란스러움과 가족 구성원 간의 관계 및 가치관 충돌로 갈등과 스트레스가 발생

② **질병과 사고**
- 가족 구성원의 치매, 우울증, 여러 사고 영향으로 신체적·정신적 장애, 외상 후 장애 등은 예기치 않게 발생
- 외상 후 스트레스 장애(트라우마): 공포, 두려움, 무력감으로 경험되는 매우 고통스러운 생활 사건 후에 불안 증상이 생기는 불안 장애

③ **자연재해 및 재난**
- 지진, 태풍, 홍수, 화재, 대형 사고 등의 재앙은 경고 없이 발생
- 지역 사회가 파괴될 수도 있고, 심각한 신체적·정신적 장애나 외상 후 장애를 겪을 수 있음.

④ **죽음**
- 질병과 사고, 자살 등으로 사랑하는 사람의 죽음을 겪은 사람들은 참담하고 비통함을 느낌.
- 자살은 정신적인 요인뿐만 아니라 경제적·심리적·사회·문화적 요인 등으로 발생함.

2, 건강한 가족으로 회복하기 위한 치유 방안

(1) 개인적인 치유와 회복

① 긴장 상황에 놓여 있더라도 개인적인 치유를 통해 문제를 극복하기 위해 노력하고, 문제를 긍정적으로 바라본다면 회복 탄력성이 높아지게 되고, 일상생활이 좀 더 편안해질 수 있음.

② **가족 및 친척으로부터의 치유** 가족은 충분한 대화를 통하여 소통하고 배려하는 마음으로 치유에 도움을 줄 수 있음.

③ **가족 외의 믿을 만한 조력자로부터의 치유** 같은 상황에 놓여 있지 않는 가족 외의 누군가와 이야기하는 것이 도움이 될 수 있음.

④ **McCubbin의 가족 탄력성 모델**
- 조정 단계: 가족은 스트레스 요인이 발생했을 때 조정을 시도하고 일상생활을 영위하기 위해 형성해 온 상호 작용 패턴, 역할, 규칙을 유지하고자 함.
- 가족 위기: 인지된 가족 스트레스는 가족의 요구와 가족 능력의 불균형에 의해 초래되는 긴장 상태가 됨.
- 적응 단계: 가족 위기를 해소하기 위해 가족의 기능 유형에 따라 다양한 방식으로 상호 작용하며, 가족 스키마, 응집력, 가족 내구력 등의 요소가 상황에 대한 평가를 하고 문제 해결과 대처를 함.

⑤ **슬픔을 긍정적으로 분출하는 9가지 방어 기제** 승화, 웃음, 눈물, 수용, 말하기, 예술 활동, 글쓰기, 이타주의, 예측하기

(2) 사회적(지역) 지원 체계를 통한 치유와 회복

① **상담원 서비스** 인터넷 상담을 하거나 직접 통화를 해서 도움을 요청하거나 지원받을 수 있는 서비스

② **전문가 상담** 대부분 지역에는 건강 지원 센터가 있어 신체적·정신적·정서적·경제적 문제 등의 치유를 위해 지원

③ **쉼터** 쉼터는 가족의 위기 상황과 사회적 위기 상황으로 정상적인 숙소가 없는 경우 일시적인 거주나 보호를 제공하는 시설

④ **긴급 전화(Hot-line)**
- 위기 상담 및 긴급 보호를 위한 조기 지원 체계
- 여성 긴급 전화(1366)
- 희망의 전화(129)
- 자살 예방 핫라인(1577-0199)

개념 꼭꼭 다지기

1. 원래 제자리로 되돌아오는 힘을 일컫는 말로, 심리학에서는 주로 시련이나 고난을 이겨 내는 긍정적인 힘을 의미하는 말을 (   )(이)라고 한다.

🔊 Helper

1. 스트레스를 받았다 해도 금방 털어 낼 수 있는 회복 탄력성이 있다면 일 상을 좀 더 긍정적으로 살아갈 수 있을 것이다.

2. 예기치 못한 가족 문제에 해당하는 경우로 옳은 것은?
   ① 취직
   ② 이혼
   ③ 은퇴
   ④ 자녀 출산
   ⑤ 자녀의 진학과 결혼

2. 가족 문제는 자녀 출산, 자녀의 진학과 결혼, 취직, 은퇴 등의 가족 발달 과정 중에 일어나는 예견 가능한 가족 문제와 예기치 못한 가족 문제로 나뉜다.

3. 가족 문제에 대한 설명으로 옳은 것은?
   ① 가족 내적인 원인에 의해 발생한다.
   ② 가족 외적인 원인에 의해 발생한다.
   ③ 가족 문제는 원인을 명확히 나누기 쉽다.
   ④ 가족 내적·외적인 원인에 의해 발생한다.
   ⑤ 가족 문제는 하나의 문제에 의해서 발생한다.

3. 가족 문제는 하나의 원인이 하나의 문제를 발생시킨다기보다는 원인을 명확히 나누기가 어렵고, 서로 관련되어 있으며, 또한 중복되어 있다.

4. 공포, 두려움, 무력감으로 경험되는 매우 고통스러운 생활 사건 후에 불안 증상이 생기는 불안 장애를 (   )(이)라고 한다.

5. 가족의 위기 상황과 사회적 위기 상황으로 정상적인 숙소가 없는 경우 일시적인 거주나 보호를 제공하는 시설을 (   )(이)라고 한다.

5. 보호, 상담, 연계 서비스가 이루어진다.

01 ( ) 안에 들어갈 알맞은 말로 옳은 것은?

> 현대에 와서 ( )이/가 더 주목받는 것은 산업 사회로 발전함에 따라 사회적 구조와 기능이 바뀌면서, 가족 구성원의 생각과 행동도 다양해지고 복잡해졌기 때문이다.

① 관성
② 트라우마
③ 방어 기제
④ 가족 문제
⑤ 회복 탄력성

02 가족 문제의 유형이 <u>다른</u> 것은?

① 취직
② 은퇴
③ 사고
④ 자녀 출산
⑤ 자녀의 진학과 결혼

03 가족 문제의 종류에 대한 설명으로 옳지 <u>않은</u> 것은?

① 지진, 태풍, 홍수, 화재, 대형 사고 등의 재앙은 경고 없이 발생한다.
② 질병과 사고, 자살 등으로 사랑하는 사람의 죽음을 겪은 사람들은 참담하고 비통함을 느낀다.
③ 이혼은 정신적인 요인뿐만 아니라 경제적·심리적·사회·문화적 요인 등으로 발생할 수 있다.
④ 가족 구성원의 치매 및 우울증, 여러 사고의 영향으로 신체적·정신적 장애, 외상 후 장애 등은 예기치 않게 발생한다.
⑤ 부모의 별거와 이혼, 재혼으로 계부모와 형제자매, 조부모의 합가 등 주로 가족 내적인 원인으로 발생하는 가족 문제이다.

04 가족 내적인 원인으로 발생하는 가족 문제로 옳지 <u>않은</u> 것은?

① 부모의 이혼
② 부모의 별거
③ 홍수와 화재
④ 조부모의 합가
⑤ 재혼으로 인한 계부모와 형제자매의 갈등

05 고통이나 시련이 왔을 때 스포츠, 취미 생활, 봉사 활동 등을 통해 심리적 에너지를 분출하는 방법으로 옳은 것은?

① 승화
② 웃음
③ 수용
④ 이타주의
⑤ 예술 활동

06 다음 설명은 McCubbin의 가족 탄력성 모델에서 어떤 단계에 해당되는 설명인가?

> 가족 위기를 해소하기 위해 가족 기능 유형에 따라 다양한 방식으로 상호 작용하며, 가족 스키마, 응집력, 가족 내구력 등의 요소가 상황에 대한 평가를 하고 문제 해결과 대처를 한다.

① 조정 단계
② 적응 단계
③ 협력 단계
④ 대처 단계
⑤ 가족 위기 단계

07 건강 가정 지원 센터에서 도움받을 수 있는 프로그램으로 옳지 <u>않은</u> 것은?

① 가족 상담

② 교통사고 피해 가족 지원

③ 숙식, 의료, 복지 후생 지원

④ 긴급 위기 가족 지원 서비스

⑤ 취약 위기 가족 지원 서비스

08 (   )은/는 위기 상담 및 긴급 보호를 위한 조기 지원 체제이다. 신변 안전뿐만 아니라, 수사 기관, 상담소, 보호 시설, 의료 기관, 법률 기관, 사회 복지 기관과 연계하여 언제든지 상담과 보호를 받을 수 있다.

09 건강한 가족으로 회복하기 위한 치유 방안 중 사회적 지원 체계를 통한 치유와 회복으로 옳지 <u>않은</u> 것은?

① 긴급 전화에는 여성 긴급 전화, 희망의 전화, 자살 예방 핫라인 등이 있다.

② 가까운 친구는 정서적 지원과 문제를 명확하게 파악하여 도움을 줄 수 있다.

③ 건강 가정 지원 센터는 신체적·정신적·정서적·경제적 문제 등의 치유를 위해 지원한다.

④ 상담원 서비스는 인터넷 상담을 하거나 직접 통화를 해서 도움을 요청하거나 지원받을 수 있다.

⑤ 쉼터는 가족의 위기 상황과 사회적 위기 상황으로 정상적인 숙소가 없는 경우 일시적인 거주나 보호를 제공하는 시설이다.

핵심을 되짚는 O·X 문제

10 원래 제자리로 되돌아오는 힘을 일컫는 말이다. 심리학에서는 주로 시련이나 고난을 이겨 내는 긍정적인 힘을 의미하는 말을 회복 탄력성이라고 한다. (O, ×)

11 사고, 사망, 실직 등은 예견 가능한 가족 문제이다. (O, ×)

12 자녀 출산, 자녀의 진학과 결혼, 취직, 은퇴 등의 가족 발달 과정 중에 일어나는 사건은 예기치 못한 가족 문제이다.(O, ×)

13 부모의 별거와 이혼, 재혼으로 계부모와 형제자매, 조부모의 합가 등은 주로 가족 내적인 원인으로 발생하는 가족 문제이다. (O, ×)

14 가족 구성원의 치매 및 우울증, 외상 후 장애 등은 완전한 치료가 가능하다. (O, ×)

15 자살은 정신적인 요인뿐만 아니라 경제적·심리적·사회·문화적 요인 등으로 발생할 수 있다. (O, ×)

16 여성 긴급 전화는 1577 - 0199이다. (O, ×)

17 가족의 위기 상황과 사회적 위기 상황으로 정상적인 숙소가 없는 경우 일시적인 거주나 보호를 제공하는 시설을 건강 가정 지원 센터라고 한다. (O, ×)

04 할 수 있어요! 경제적 자립

주제 열기

>> 제시된 항목 중에서 가장 고민되거나 반성해야 하는 나의 씀씀이는 무엇인지 생각해 보자.

④번 항목에 답하면서, 무조건적인 절약이 미덕이 아니라 기부 또는 소중한 사람에게 간단한 선물을 하는 것은 올바른 씀씀이가 아닐까 하는 생각을 했다.

1, 청소년기에 경제적 자립을 준비해야 한다

(1) 경제적 자립 인식

① **경제적 자립** 주변 환경의 영향을 받지 않고, 자기 자신이 돈의 역할을 결정한다는 뜻이다.

② **경제관** 경제를 보는 태도나 입장을 말하며, 어릴 때부터 올바른 경제관 확립은 경제적 자립을 수월하게 해 준다.

③ 경제적 자립을 이루기 위해서는 청소년 시기부터 경제적 자립의 중요성을 인식하여 바람직한 경제관을 가지고, 그에 관한 경험을 얻는 것이 매우 중요하다.

(2) 경제적 자립을 이루기 위한 노력

① 경제적 자립을 이루려면 기본적으로 수입에 맞게 지출하여 예측이 가능한 생활을 영위해야 한다.

② 청소년기 경제적 자립

• 용돈이나 부업 수입의 범위 내에서 생활할 수 있는지 생각해야 한다.

• 용돈 기입장을 통해 돈의 흐름을 관찰하고, 어디에 돈을 사용하고 있는지를 알아야 한다. └ 인터넷 사이트의 무료 가계부 프로그램이나 모바일 가계부 애플리케이션을 사용하면 화폐 자원의 관리를 쉽게 할 수 있다.

(3) 경제적 자립을 위한 돈의 사용법

① 수입과 지출의 균형에 두루 신경 써야 한다.

② 돈 버는 방법뿐만 아니라 사용법도 잘 알아야 한다.

③ 돈에 휘둘리지 않는 생활력을 갖추어야 한다.

더 들여다보기

👆 평소 부업에 관하여 어떠한 생각을 하고 있는지 친구들과 이야기 나누어 보자.

예 사정이 있어서 부모님께 용돈을 받지 못했거나 본인이 필요해서 부업을 하는 경우도 있는데, 우리나라에서는 부업을 하는 청소년에 대한 생각이 부정적이라는 생각이 든다. 부업을 하는 것이 기특한 일일 수도 있는데 '저 학생은 가난한가보다.' 아니면 '부업을 시키는 저 학생의 부모는 뭐하는 사람이야.'라고 생각하는 게 대부분이다. 우리나라도 부업을 하는 학생들에게 '성실하다'와 같은 애정 어린 시선이 필요하다.

+ 캥거루족
취업을 하지 못해 부모에 의지해 살거나, 취직을 했지만 임금이 적어 부모로부터 독립하지 못하는 부류의 사람

+ 돈의 시간 가치
돈은 시간의 흐름에 따라 다른 가치를 가지게 된다. 투자하거나 저축했을 때는 시간이 지남에 따라 이자 등의 이익으로 인하여 돈의 가치가 올라갈 수 있으며, 투자하지 않고 보관하기만 하는 경우 인플레이션으로 인해 돈의 가치가 감소하게 될 수 있다. 가계 자산을 효과적으로 운영하기 위해서는 돈의 시간 가치를 이해하여 관리해야 한다.

2/ 가계 경제를 위협하는 요인은 다양하다

무분별한 충동소비, 과소비, 재해, 질병, 실직 등으로 가정의 재무 상태가 나빠지는 상황이 발생한다. 가계 경제를 위협하는 요인은 다음과 같다.

① **인플레이션** 인플레이션이 발생하면 소득 격차가 심해져 빈익빈 부익부 현상을 초래하고, 화폐 가치가 떨어진다. 화폐 가치가 떨어지면 물가는 오르고 가정 경제가 불안해진다.

② **실업** 실업은 소득의 상실로 개인 생활이 불안정해지고, 사회적으로는 사회 기여 인력의 낭비를 가져 온다. 이러한 실업 상태가 계속되면 소득이 없어 생존권을 위협받고 가정생활이 힘들어진다.

③ **예상하지 못한 사고** 재산의 손실과 관계있는 사고로는 화재, 자연재해, 도난 등이 있다. 근로자 가계에 타격을 미치는 사고로는 갑작스러운 질병과 사망 등을 들 수 있다. 이러한 사고로 소득이 중단되거나 영구히 소득을 상실할 수 있다.

④ **소득과 지출의 불균형** 가계 소득은 어느 정도 일정하지만, 가계의 지출은 가족 생활 주기의 단계에 따라서 변동이 크다. 지출보다 소득이 많은 경우에는 별 문제가 없으나 소득보다 지출이 많은 경우에는 미리 준비하지 않는다면 가계가 불안해진다.

> 🔊 **스스로 해 보기**
>
> 가계 경제를 위협하는 사례를 살펴본 후 이를 관리하기 위한 방법에는 무엇이 있을지 적어 보자.
>
> 예 모아 둔 돈도 없이 60세에 은퇴를 해야 하는 위험 – 정기적으로 저축할 수 있는 금융 상품으로 준비를 한다.

3/ 가계 재무 설계를 통하여 가정 경제를 관리하자

(1) 가계 재무 설계

① **의미** 현재 소유하고 있거나 미래에 소유할 것으로 예상되는 재무 자원을 효율적으로 획득·사용·보존할 수 있도록 목표를 설정하고 계획을 세워 전 생애에 걸쳐 달성해 나가는 과정을 말한다.

② **가계 재무 설계의 장점**
- 자신의 목표와 원하는 생활 양식을 이룰 수 있다.
- 효율적인 소비를 실천할 수 있다.
- 미래의 불확실성에 대비할 수 있다.
- 안정된 노후 생활을 준비할 수 있다.

③ **가계 재무 설계를 통한 가정 경제 관리**
- 가계 재무 설계는 가정의 재정 상태가 어려운 시기에만 하는 것이 아니라 일생 동안 지속해야 한다.
- 가족 구성원은 가계 재무 설계의 필요성을 인식하고, 현재 가계의 재무 상태를 파악하여 효율적인 가계 재무 관리를 통해 경제적 욕구와 목표를 달성하는 것이 중요하다.

④ **생애 주기별 가계 재무 목표** 가족의 구성, 결혼 여부, 자녀 유무 등에 따라 달라질 수 있다.

- 20대(사회 초년기): 결혼 자금 준비
- 30대(가족 형성기): 자녀 양육 및 주택 구매
- 40대(자녀 교육기): 자녀 교육 및 주거 확대 준비
- 50대(자녀 독립기): 자녀 대학 교육 및 노후 준비
- 60대(노년기): 여유로운 은퇴 생활 시작 및 건강 유지 준비

더 들여다보기

🔎 생애 주기를 고려하여 재무 설계를 할 때 저축이 가능한 기간을 설정해 보자.

예 그래프에 따르면 30세부터 55세경이 소득이 소비보다 많은 시기이므로 저축이 가능한 기간이지만, 개인이 처한 생애 주기별 상황에 따라 저축 가능 기간이 달라질 수 있다.

(2) 가계 재무 설계 과정

현재 재무 상태의 평가	현재 가계의 자산과 부채 상태, 수입과 지출 상태를 파악하는 가계 재무제표를 작성하여 재무 상태를 평가한다.
재무 목표의 설정	개인과 가족의 생애 주기에 맞춰 재무 상태, 가치관 등을 고려하여 구체적이고 현실적인 재무 목표를 설정한다.
계획의 수립과 실행	행동 계획은 어떤 방법으로 목표 금액을 달성할 것인지, 어떤 금융 상품을 이용할 것인지를 고려하여 구체적으로 작성하여 실행한다.
정기적인 검토와 수정	실행 과정에서 정기적인 검토를 통하여 재무 계획과 비교하고 문제점을 수정·보완한다.

(3) 가계 재무 설계의 실제

① **예산과 결산** 가계의 소득과 지출의 균형을 맞추고 통제하려면 가족의 상황에 맞게 예산을 세우고 실행한 후 단계를 거쳐야 한다.

예산 세우기	• 기간을 정하고 총소득 확인 • 가족이 처한 상황에 맞추어 가계의 소득을 배분하고 지출을 계획
예산 실행하기	가계의 수입과 지출 상태 등을 정확하게 알 수 있도록 가계부 작성
결산하기	소득과 지출 간의 불균형을 찾아내고, 재정적 불균형을 해결하도록 노력

+가계 재무 상태를 평가하는 질문

- 한 종류의 자산에 편중되어 있지는 않은가?
- 부채의 목적은 무엇인가? 자산 마련을 위한 것인가, 아니면 일상적인 생활비를 충당하기 위해서인가?
- 우선적으로 갚아야 할 부채는 어떤 것인가?
- 반드시 필요한 곳에 돈을 소비하고 있는가?
- 고정 지출이 너무 많아서 융통성 있게 지출하지 못하는 것은 아닌가?
- 특별히 과다 지출된 비목은 없는가?
- 가능한 다른 소득원은 없는가?
- 저축과 투자를 위한 금액은 얼마인가?
- 얼마의 돈이 더 필요한가?

+재무 목표 설정 시 주의할 점

- 가족 구성원 모두에게 이해 가능해야 한다. 목표가 무엇인지 잘 알지 못하면 재무 관리는 성공하기 어렵다.
- 목표의 시간적 범위를 정하고, 목표 달성에 필요한 액수를 정한다.
- 장기 목표는 변화를 수용할 수 있을 정도로 융통성이 있어야 하고, 단기 목표는 장기 목표의 방향과 일치해야 한다.

② **절세 방안** 현금 영수증 챙기기, 납부 기한 내 세금 납부하기, 절세용 금융 상품 활용하기 등으로 세금을 절약할 수 있다.

- 금융 상품의 종류
  - 예금: 일정한 계약으로 은행, 우체국 등의 금융 기관에 돈을 맡기고, 이자를 받는 상품이다.
  - 투자: 예금보다 적극적인 경제 활동으로, 이익을 보다 많이 얻을 목적으로 운용하지만, 원금 손실의 가능성이 있는 상품이다. 주식 투자, 부동산 투자, 채권 투자, 펀드 투자 등이 있다.
  - 보험: 예측 불가능한 사고나 위험에 대비하여 미리 일정 금액을 적립해 두는 금융 상품이다.
  - 연금: 노후 대비를 위하여 저축하는 금융 상품으로, 노후에 장기간에 걸쳐 지속해서 일정 금액을 받을 수 있는 금융 상품이다.
- 금융 상품의 선택 기준
  - 안정성: 원금과 이자가 보전될 수 있는 정도
  - 환금성: 자산의 완전한 가치를 현금화할 수 있는 정도
  - 수익성: 가격 상승이나 이자 수익을 기대할 수 있는 정도

개념 더하기

+금융 상품의 안정성
금융 기관의 경영 부실로 예금이나 투자 자금에 문제가 생길 수 있으므로, 예금자 보호 장치 여부를 확인한다.

+금융 상품의 수익성
금리가 고정 금리인지, 변동 금리인지 또는 이자율 지급 방식이 단리인지, 복리인지 확인한다. 만약 복리 상품이라면 이자 적립 시기는 몇 개월 단위인지, 중도 해지 시 불이익은 없는지 등을 따져 본다.

교과서 뛰어 넘기 | 투자 금융 상품 알아보기

① **주식** 기업이 자금을 조달하기 위해 발행하는 증서인 주식에 투자하는 금융 상품이다.
- 장점: 예금이나 채권 투자보다 더 높은 수익을 얻을 수 있다.
- 단점: 주가 하락 시 투자 원금을 잃을 수 있으며, 관리가 어렵다.

② **채권** 정부나 공공 기관, 기업이 발행하는 금융 상품이다.
- 장점: 예금보다 이자율이 높으며, 주식 투자보다 위험이 적고 관리가 쉽다.
- 단점: 주식 투자에 비해 수익성이 낮다.

③ **부동산 투자** 집이나 토지 등의 부동산에 가계 자산을 투자하는 금융 상품이다.

- 장점: 자본을 빌려 투자할 수 있고, 세금 혜택도 받을 수 있다.
- 단점: 큰 자본이 필요하고, 분산 투자가 어렵다. 많은 시간과 노력이 필요하며, 유동성이 한정된다.

④ **펀드 투자** 전문 기관이 주식이나 채권 등에 투자하여 그 결과물을 투자자에게 돌려 주는 간접 투자 금융 상품이다.
- 장점 :적은 돈으로도 투자할 수 있으며, 전문가가 투자를 대신한다.
- 단점: 투자 원금을 잃을 수 있고, 투자 기간이 불확실하다.

주제 활동 청소년기 경제적 자립 실천하기

1. 청소년기 부업을 통해 얻는 장단점을 생각해 보자.
- 장점: 돈의 가치 및 노동의 의미에 대한 이해, 사회생활에 대한 이해, 환경 및 인간관계에 대한 적응력 향상, 행동에 대한 책임감 향상 등
- 단점: 부업의 근로 강도가 일상생활에 영향을 미칠 수 있고, 학업 및 친구 관계에 지장을 줄 수 있다.

2. 근로 권익 보호를 위하여 연소자 근로 계약서 작성이 왜 필요한지 생각해 보고 작성해 보자.
최저 임금 규정이나 유해 업종 채용 금지 등을 포함하는 청소년 근로 권익 보호를 위해서 연소자 근로 계약서 작성이 필요하다.

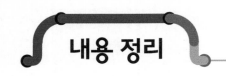

내용 정리

1, 청소년기 경제적 자립

(1) 경제적 자립 인식

① **경제적 자립** 주변 환경의 영향을 받지 않고 자기 자신이 돈의 역할을 결정하는 것
② 경제적 자립을 하지 못한 캥거루족이 사회 문제로 나타남.
③ 청소년 시기부터 경제적 자립의 중요성을 인식하고, 다양한 경험이 중요함.

(2) 경제적 자립을 이루기 위한 노력

① 수입에 맞게 지출하여 예측이 가능한 생활을 해야 함.
② **청소년기 경제적 자립**
  • 용돈이나 부업 범위 내에서 생활은 가능한지 고려해야 함.
  • 용돈 기입장을 통해 돈의 흐름과 사용처를 파악함.
  • 경험을 통해 지출의 균형을 생각하고, 계획적으로 돈을 사용하는 힘을 체득함.
③ **경제적 자립을 위한 돈의 사용법**
  • 수입과 지출의 균형을 신경 써야 함.
  • 돈 버는 방법과 사용법도 알아야 함.
  • 돈에 휘둘리지 않는 생활력을 갖추어야 함.

2, 가계 경제를 위협하는 요인

① **인플레이션** 소득 격차가 심해져 빈익빈 부익부 현상을 초래, 화폐 가치가 떨어져 물가가 오르고 가정 경제가 불안해짐.
② **실업** 개인 생활이 불안정, 사회적으로 사회 기여 인력의 낭비를 가져옴, 생존권 위협과 가정생활이 힘들어짐.
③ **예상치 못한 사고** 재산상 사고(화재, 자연재해, 도난 등), 가계 타격(갑작스러운 질병과 사망 등)
④ **소득과 지출의 불균형** 소득보다 지출이 많은 경우에는 미리 준비하지 않으면 가계가 불안해짐.

3, 가계 재무 설계를 통한 가정 경제 관리

(1) 가계 재무 설계

① **의미** 현재 소유하고 있거나 미래에 소유할 것으로 예상되는 재무 자원을 효율적으로 획득·사용·보존할 수 있도록 목표를 설정, 계획을 세워 전 생애에 걸쳐 달성해 나가는 과정
② **가계 재무 설계의 장점**
  • 자신의 목표와 원하는 생활 양식을 이룰 수 있음.
  • 효율적인 소비 실천
  • 미래의 불확실성에 대비
  • 안정된 노후 생활 준비
③ **가계 재무 설계를 통한 가정 경제 관리**
  • 가계 재무 설계는 가정의 재정 상태가 어려운 시기에만 하는 것이 아니라 일생 동안 지속해야 함.
  • 가계 재무 설계의 필요성을 인식하고, 현재 가계의 재무 상태를 파악하여 효율적인 가계 재무 관리를 통해 경제적 욕구와 목표를 달성하는 것이 중요함.
④ **생애 주기별 가계 재무 목표** 가족의 구성, 결혼 여부, 자녀 유무 등에 따라 달라질 수 있음.

(2) 가계 재무 설계 과정

① **가계 재무 설계 과정** 가족 구성원의 욕구와 가계의 목표를 수립하여 실행하는 과정
② 현재 재무 상태의 평가 → 재무 목표의 설정 → 계획의 수립과 실행 → 정기적인 검토와 수정의 순서로 이루어짐.

(3) 가계 재무 설계의 실제

① **예산과 결산** 예산 세우기 → 예산 실행하기 → 결산하기
② **절세 방안** 현금 영수증 챙기기, 납부 기한 내 납부하기, 절세용 금융 상품 활용하기 등
  • 금융 상품의 종류
    - 예금: 일정한 계약으로 은행, 우체국 등의 금융 기관에 돈을 맡기고, 이자를 받는 상품
    - 투자: 예금보다 적극적인 경제 활동으로, 이익을 보다 많이 얻을 목적으로 운용하지만, 원금 손실의 가능성이 있는 상품
    - 보험: 예측 불가능한 사고나 위험에 대비하여 미리 일정 금액을 적립해 두는 금융 상품
    - 연금: 노후 대비를 위하여 저축하는 금융 상품
  • 금융 상품의 선택 기준
    - 안정성
    - 환금성
    - 수익성

개념 꽉꽉 다지기

1. (　　　　　)(이)란 주변 환경의 영향을 받지 않고, 자기 자신이 돈의 역할을 결정한다는 뜻이다.

Helper

1. 어릴 때부터 올바른 경제관 확립이 중요하다.

2. 가계 경제를 위협하는 요인으로 옳지 <u>않은</u> 것은?

　① 실업　　　　　　　　　② 소비자 신용

　③ 물가 오름세　　　　　　④ 예상치 못한 사고

　⑤ 소득과 지출의 불균형

2. 효율적인 가계 재무 관리는 불확실한 미래를 대비하는 데 필수적이다.

3. (　　　　　) 설계란 현재 소유하고 있거나 미래에 소유할 것으로 예상되는 재무 자원을 효율적으로 획득·사용·보존할 수 있도록 목표를 설정하고 계획을 세워 전 생애에 걸쳐 달성해 나가는 과정을 말한다.

3. 개인과 가족 구성원의 다양한 욕구를 충족하기 위해서는 한정된 자원을 효율적으로 관리하는 것이 중요하다.

4. 생애 주기별 가계 재무 목표로 옳은 것은?

　① 20대: 결혼 자금 준비

　② 30대: 여유로운 은퇴 생활 시작

　③ 40대: 자녀 독립 및 주택 구매

　④ 50대: 자녀 양육 및 주거 확대 준비

　⑤ 60대: 자녀 대학 교육 및 노후 준비

4. 가계 재무 설계를 하면 자신의 목표와 원하는 생활 양식을 이룰 수 있고, 효율적인 소비를 실천할 수 있다.

5. 가계의 소득과 지출의 균형을 맞추고 통제하려면 가족의 상황에 맞게 예산을 세우고 실행한 후 결산의 단계를 거쳐야 한다.

5. 예산과 결산의 과정은 (　　　　　) → 예산 실행하기 → 결산하기 과정을 거친다.

차곡차곡 실력 쌓기

01 경제적 자립을 이루기 위한 돈의 사용법으로 옳지 <u>않은</u> 것은?

① 올바른 경제관을 확립한다.
② 돈에 휘둘리지 않아야 한다.
③ 돈의 사용법도 알아야 한다.
④ 수입과 지출의 균형에 신경을 써야 한다.
⑤ 돈의 사용법보다 돈 버는 방법이 중요하다.

02 청소년기 경제적 자립을 이루기 위한 노력으로 옳은 것은?

① 용돈 기록장을 작성하는 것은 무의미하다.
② 용돈 범위 내에서 생활할 수 있는지 생각해야 한다.
③ 수입과 지출의 예측이 불가능하다는 것을 인정한다.
④ 청소년기 경제적 자립을 위해 할 수 있는 일은 없다.
⑤ 자신이 무엇에 어느 정도의 돈을 사용하는지 알 필요가 없다.

03 다음 설명에 해당하는 알맞은 말로 옳은 것은?

> 소비자가 신용을 토대로 대금 후지급 형식으로 물건을 사는 일(외상 매입, 월부, 소비 금융 등)

① 부업
② 경제관
③ 소비자 신용
④ 물가 오름세
⑤ 경제적 자립

04 가계 경제를 위협하는 요인으로 옳지 <u>않은</u> 것은?

① 실업
② 질병과 사망
③ 자연재해, 도난
④ 소득과 지출의 균형
⑤ 무분별한 과소비와 충동 소비

05 소비자 신용을 잃게 되면 발생하는 문제로 옳은 것은?

① 금융 거래에 이익을 얻는다.
② 취업에 불이익이 생길 수 있다.
③ 재산상의 법적 권리를 행사할 수 있다.
④ 소비자 신용은 단기간에 관리가 가능하다.
⑤ 외상 매입, 할부를 원활하게 이용할 수 있다.

06 가계 재무 설계를 해야 하는 이유로 옳지 <u>않은</u> 것은?

① 자신의 목표를 이룰 수 있다.
② 효율적인 소비를 실천할 수 있다.
③ 미래의 확실성에 대비할 수 있다.
④ 원하는 생활 양식을 이룰 수 있다.
⑤ 안정된 노후 생활을 준비할 수 있다.

07 가계 재무의 설계 과정에 대한 설명으로 옳은 것은?

① 가계 재무 상태의 평가를 제일 마지막 단계에 한다.

② 정기적인 검토를 통하여 계획과 비교할 필요가 없다.

③ 어떤 방법으로 목표를 달성할 것인지 계획보다는 실행을 먼저 한다.

④ 개인과 가족의 생애 주기는 별개의 것으로 생각하고 목표를 설정한다.

⑤ 어떤 방법으로 목표 금액을 달성할 것인지 구체적으로 계획을 작성한다.

08 자산의 완전한 가치를 현금화할 수 있는 정도를 의미하는 용어로 알맞은 것은?

① 안정성　　　　② 환금성

③ 수금성　　　　④ 수익성

⑤ 위험성

09 세금을 줄일 수 있는 방안으로 옳은 것은?

① 현금 영수증 하지 않기

② 예산 세우기 및 결산하기

③ 절세용 금융 상품 활용하기

④ 납부 기한 후 세금 납부하기

⑤ 자동 이체 서비스 이용하지 않기

10 예측 불가능한 사고나 위험에 대비하여 일정한 금액을 적립해 두는 금융 상품으로 옳은 것은?

① 예금　　　　② 적금

③ 투자　　　　④ 보험

⑤ 연금

핵심을 되짚는 O·X 문제

11 경제적 자립의 중요성을 인식하기 위해 청소년 시기부터 다양한 경험이 중요하다. (O, ✕)

12 최근에는 경제적 자립을 이루지 못한 캥거루족이 늘어나 사회 문제가 되기도 한다. (O, ✕)

13 청소년기에 용돈이나 부업 수입의 범위 내에서 생활하는 것은 중요하지 않다. (O, ✕)

14 인플레이션이 발생하면 화폐 가치가 올라가고 물가는 내리는 등 가정 경제가 불안해진다. (O, ✕)

15 소비자 신용을 잃게 되면 금융 거래를 할 때 불이익을 받을 수 있고, 취업에는 문제가 없다. (O, ✕)

16 가계 재무 설계를 하면 미래의 불확실성에 대비하고 안정된 노후 생활을 준비할 수 있다. (O, ✕)

17 60대에는 자녀 양육 및 주택 구매를 한다. (O, ✕)

18 연금은 예측 불가능한 사고나 위험에 대비하여 미리 일정 금액을 적립해 두는 금융 상품이다. (O, ✕)

19 예금은 노후에 장기간에 걸쳐 지속해서 일정 금액을 받을 수 있는 금융 상품이다. (O, ✕)

20 가계 재무 설계 과정은 가계의 재무 상태를 평가하고, 재무 목표를 설정한 후, 구체적으로 계획을 세워 실행하며, 실행 결과의 정기적인 검토와 수정을 포함한다. (O, ✕)

05 세상을 바꾸는 지속 가능한 소비

개념 더하기

+소비가 지구 온난화에 미치는 영향

대부분의 제품은 생산과 유통의 모든 단계에서 지구 온난화를 일으킨다. 먼저 기계로 원자재를 추출하면서 에너지를 사용하고, 원자재를 차량에 실어 공장에 수송하면서 화석 연료를 사용한다. 공장에서 제품을 만들고 포장하는 데에도 에너지를 사용하며, 선박이나 트럭이 완제품을 창고나 가게로 실어 갈 때도 디젤 연료를 사용한다. 또한 소비자들이 자동차를 타고 가게나 쇼핑몰에 오갈 때도 휘발유를 사용한다. 이렇게 사용된 에너지가 이산화 탄소를 배출하여 지구 온난화를 일으키는 것이다.

주제 열기

≫ 미래의 자녀 세대에서도 지금의 소비를 지속할 수 있을지 생각해 보고, 그렇게 생각한 까닭은 무엇인지 써 보자.

현대 사회의 소비 의식과 행동이 변화되지 않는다면 심각한 자원 고갈과 환경 오염으로 미래 세대는 지금과 같은 소비 수준을 가질 수 없을 것이다.

≫ 우리가 일상생활에서 사용량을 줄일 수 있는 종이는 무엇이 있는지 찾아보자.

종이 수건 대신에 면 수건 사용하기, 종이 기차표 대신에 전자 기차표 발행하기 등

1, 사회와 환경을 생각하는 소비가 필요하다

(1) **소비가 미치는 영향** ┌─ 단순히 상품이나 서비스를 구매하고 사용하는 것뿐만 아니라 계획, 구매, 사용, 처분 등의 모든 과정

① **사회 문제** 생산국 노동자의 인권 문제, 자연환경 파괴로 인한 지역 주민들의 위기, 멸종 위기에 처한 동물의 복지 문제 등이 있다.

② **환경 문제** 자원 고갈과 환경 오염, 지구 온난화 가속 등이 있다.

(2) **새로운 소비 가치관의 등장**

① **지속 가능한 소비의 필요성** 개인과 가족의 소비 행동이 사회와 환경에 어떠한 영향을 미칠 것인가를 생각하는 새로운 소비 가치관이 필요하게 되었다.

② **지속 가능한 소비란** 나와 가족의 욕구를 충족하면서 이웃과 사회에 도움이 되고 환경을 지키며, 미래 세대의 소비 생활에 긍정적인 영향을 주는 소비를 말한다.

더 들여다보기

✎ 만약 내가 인간의 소비를 위한 동물이라면 인간의 행동을 어떻게 받아들일지 생각해 보자.

例 신체적 고통뿐만 아니라 스트레스, 무력감 등 정신적 고통으로 인해 인간에 대한 적대감이 커질 것이다.

2, 지속 가능한 소비 생활의 방향을 알아보자

(1) **소비 절제와 간소한 삶** ┌─ 무조건 절약하라는 의미는 아니다.

① 자연을 생각하고 공동체 의식을 가진다.

② 생활의 편리함이나 개인적, 이기적 욕구를 조절하고 자신에게 진정으로 필요한 것과 필요하지 않은 것을 구분하여 검소하게 소비하는 것을 말한다.

(2) 기부와 나눔

① 다른 사람을 돕기 위해 내가 가진 것을 대가 없이 기꺼이 주거나 함께 공유하는 것을 의미한다.

② 기부와 나눔은 주로 돈이나 물건 등과 같은 유형의 자산이 많지만, 내가 가진 시간이나 생각, 재능 등과 같은 무형의 자산도 함께 나누는 문화로 변화하고 있다.

(3) 녹색 소비

친환경 상품 구매나 반환경적 생산 업체를 도태시키는 소비 행동, 재활용과 재사용, 소비 절제 등을 통해 자원과 에너지의 사용을 줄이고, 환경에 부정적 영향을 줄일 수 있는 소비를 하는 것이다.

① 환경 오염과 기후 변화 등 환경 문제의 심각성을 인식하여 시작된 소비 행동이다.

② 재화와 용역의 구매, 사용, 처분의 전 단계에서 지속 가능한 소비를 실천하는 것을 말한다.

③ 녹색 소비의 핵심은 자연을 개발하는 것이 아니고 자연과 조화롭게 살아가는 것이라 할 수 있다.

(4) 로컬 소비

① 세계화에 의한 자유 시장의 영향으로 나타나는 다양한 문제를 극복하고자 하는 운동이다.

② 지역에서 생산된 제품을 그 지역의 주민이 소비하는 것을 말한다.

③ 로컬 소비는 지구 온난화를 줄이고 지역 경제와 기본적인 산업인 농업을 살린다.

④ 사회적 일자리를 창출하는 등 세계화를 통해 나타나는 문제를 극복할 수 있다.

(5) 공정 무역

① 세계화와 자유 무역 거래에서 발생한 제3세계의 빈곤과 노동력 착취, 열악한 노동 문제, 환경 문제 등을 해결하기 위한 것이다.

② 거래에 있어 불평등을 해소하고 생산 과정에서 환경을 파괴하지 않는 새로운 형태의 대안 무역이다.

③ 공정 무역 제품으로는 커피, 초콜릿, 축구공, 마스코바도(설탕), 올리브유, 의류 및 패션 소품 등이 있다.

🔒 스스로 해 보기

내가 주변에서 실천할 수 있는 지속 가능한 소비 생활에는 무엇이 있을지 찾아보자.

예 국내산 농산물을 구입하거나 텃밭에서 길러 먹기, 공정 무역 제품 구입하기, 일회용품 사용하지 않기, 재활용하기 등

---

3. 지속 가능한 소비 생활은 실천이 중요하다

유형의 제품만이 아닌 에너지와 같은 무형의 자원과 서비스 등의 소비까지 모두 포함한다. 즉 일상생활 전반에 걸친 모든 것이 지속 가능한 소비 생활의 대상이다.

+식품 이동 거리(푸드 마일리지)

- 식품이 생산·운송·유통 단계를 거쳐 소비자의 식탁에 오르는 과정에서 소요된 거리를 말한다.
- 이동 거리(km)에 식품 수송량(t)을 곱해 계산한다.
- 예를 들어 2t의 식품을 50 km 떨어진 위치로 수송했을 경우, 푸드 마일리지는 2 t×50 km, 따라서 100 t·km이다.
- 푸드 마일리지 값이 클수록 식품의 신선도가 떨어진다.
- 식품을 운반하는 선박과 비행기의 탄소 배출량이 많아 지구 온난화를 가속화시킨다. 이에 푸드 마일리지를 줄이기 위해 소비지로부터 가까운 곳에서 농작물을 생산하는 도시 농업과 가까운 곳에서 생산한 식품을 사 먹자는 로컬 푸드 구매 운동이 활성화되고 있다.

+디지털 기기와 동물 복지

디지털 기기의 사용은 간접적으로 동물 복지와도 관련이 있다. 휴대 전화를 비롯한 첨단 디지털 제품의 핵심 부품 소재 중 하나가 탄탈인데, 원재료가 아프리카에서 생산되는 콜탄이라고 한다. 이 콜탄이 매장된 지역은 지구상에 남아 있는 고릴라의 마지막 서식지이기도 하다. 1996년 280여 마리의 고릴라가 살고 있었는데, 콜탄 채취를 위해 몰려든 사람들 때문에 2001년에는 절반으로 줄어들었다고 한다.

(1) 음식 소비의 실천

① 소비자가 식품과 음식 선택이 미치는 영향

- 소비자의 건강뿐만 아니라, 재료를 심고 기르고 수확하는 방법을 좌우한다.
- 식품 공급 체계가 어느 정도 적합한가, 지속 가능성을 가질 수 있는가 결정한다.

② 지속 가능한 음식 소비의 실천

음식 소비의 영향	• 식품의 생산과 폐기 과정에서 발생하는 환경 오염 • 식품 이동 거리(푸드 마일리지)가 높은 식품 소비로 지구 온난화 가속 및 인체 안전성의 문제
실천 방안	• 꼭 필요한 것만 구매하고 장바구니 사용을 생활화하기 • 직거래 장터를 이용하고 우리 농산물 구매하기 • 농약과 화학 비료를 적게 사용한 식품 구매하기 • 일회용 및 과대 포장된 식품 구매 줄이기 • 음식 재료와 음식물 남기지 않기

(2) 디지털 소비의 실천

① 현대인들은 개인용 컴퓨터와 휴대 전화 등의 디지털 기기를 쉽게 사서 쓰고 버리는 행동을 반복하고 있고, 교체 주기는 점점 빨라지고 있다.

② 지속 가능한 디지털 소비의 실천

디지털 기기 소비의 영향	• 대량 생산과 폐기 과정에서 심각한 지구 온난화와 화학 물질 오염 유발 • IT 기기를 생산하는 하청 국가 노동자들의 저임금과 열악한 근로 환경 • 콜탄 채굴로 동물(고릴라)의 서식지 파괴
실천 방안	• 사용하지 않는 기기를 재활용하거나 기증하기 • 구매 시 가격이나 제품 성능뿐만 아니라 친환경적인 요소가 얼마나 포함되어 있는지 고려하기 • 사용 기간을 최대한 늘리기

(3) 의복 소비의 실천

① 의복을 소비하는 것은 사적인 행동처럼 보이지만 의복은 생산에서 폐기까지의 전 과정에서 사회와 환경에 미치는 영향이 매우 크다.

② 윤리적이고 지속 가능한 의복 소비의 실천

	의복의 생산	의복의 구입, 사용	의복의 폐기
의복 소비의 영향	• 섬유 생산 과정에서 사용하는 농약과 비료, 그리고 가공 과정에서 사용하는 화학 약품, 염료, 표백제 등으로 수질 및 토양 오염 발생 • 가죽과 모피 생산 과정에서 일어나는 동물의 희생 • 인건비가 저렴한 제3세계 국가 노동자 인권 문제	• 유행과 과소비 현상, 의복 과다 구매에 따른 자원 낭비 • 세제, 섬유 유연제, 드라이클리닝 유기 용제 등의 사용으로 환경 오염 발생 • 의복의 관리 과정에서 물과 전기 등 에너지 과다 사용	• 폐기되는 의복량의 증가에 따른 자원 낭비 • 폐기 섬유의 매립과 연소로 환경 오염 발생
실천 방안	• 패스트 패션보다 슬로 패션 추구하기 • 환경과 인권 그리고 동물의 복지를 고려한 윤리적 패션 실천하기		

스스로 생각해 보기

의복 폐기 원인을 알아보고, 환경을 지킬 수 있는 의복 재활용 방법을 생각해 보자.

> 예 경제적인 생활 수준 향상, 소비 가치관의 변화, 빠른 유행의 변화에 따라 의복을 구매하는 횟수가 늘어나게 되면서 의복의 착용 수명은 점차 짧아지게 되고, 심지어 착용하지 않은 채 방치되고 폐기되는 의복이 매년 증가하고 있다. 이런 의복을 재활용하기 위해서 물려 주기, 고쳐 입기, 기증하기 등의 방법을 활용한다.

(4) 여행 소비의 실천

① 여행은 개인적인 차원의 취미 활동으로 여기나, 여행지에서의 다양한 활동과 경험은 현지의 주민들은 물론, 여행지의 자연과 문화, 경제와 사회 등 거의 모든 영역에 영향을 미친다.

② 지속 가능한 여행 소비의 실천

여행 소비의 영향	• 관광 산업에서 발생하는 경제적 이익 배분의 불공정성 • 관광 인프라 건설에 따른 환경 파괴 • 숙박 시설, 운송 수단 등에서 발생하는 이산화 탄소 배출로 지구 온난화 가속
실천 방안	• 현지인이 운영하는 숙소, 음식점, 교통 등 이용하기 • 비행기 이용 줄이기, 일회용품 사용하지 않기, 물 낭비하지 않기

③ 공정 여행

• 의미: 관광객들이 쓴 돈이 현지인들의 삶과 그 지역에 돌아가도록 하며, 현지인들의 삶과 문화를 존중하고 배우며 자연을 훼손하지 않는 여행이다.

• 공정 여행의 방향: 자연에는 최소의 영향, 여행자에게는 최고의 기회, 지역에는 최선의 기여를 할 수 있어야 한다.

주제 활동 작은 소비가 환경에 미치는 영향 분석하기

다음 글을 읽고 개인과 가족의 소비가 사회와 환경(지구)에 미치는 영향을 분석하여 원인과 결과, 그리고 우리의 실천 방안으로 나누어 작성해 보자.

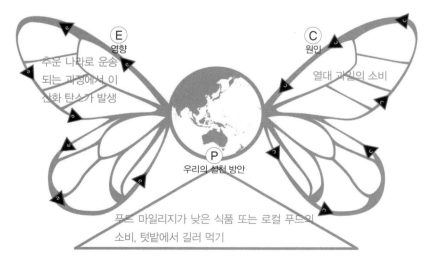

내용 정리

1. 사회와 환경을 생각하는 소비

(1) 소비가 미치는 영향

① **사회 문제** 생산국 노동자의 인권 문제, 자연환경 파괴로 인한 지역 주민들의 위기, 멸종 위기에 처한 동물들의 복지 문제 등
② **환경 문제** 자원 고갈과 환경 오염, 지구 온난화 가속 등

(2) 새로운 소비 가치관의 등장

① **지속 가능한 소비의 필요성** 개인과 가족의 소비 행동이 사회와 환경에 어떠한 영향을 미칠 것인가를 생각하는 새로운 소비 가치관이 필요하게 됨.
② **지속 가능한 소비** 나와 가족의 욕구를 충족하면서 이웃과 사회에 도움이 되고 환경을 지키며, 미래 세대의 소비 생활에 긍정적인 영향을 주는 소비

2. 지속 가능한 소비 생활의 방향

(1) 소비 절제와 간소한 삶

① 소비를 절제한다는 것은 무조건 절약하는 것이 아님.
② 자연을 생각하고 공동체 의식을 가져야 함.
③ 생활의 편리함이나 개인적, 이기적 욕구를 조절하고 자신에게 진정으로 필요한 것과 필요하지 않은 것을 구분하여 검소하게 소비하는 것

(2) 기부와 나눔

① 다른 사람을 돕기 위해 내가 가진 것을 대가 없이 기꺼이 주거나 함께 공유하는 것
② 주로 돈이나 물건 등과 같은 유형의 자산이 많지만, 내가 가진 시간이나 생각, 재능 등과 같은 무형의 자산도 함께 나누는 문화로 변화하고 있음.

(3) 녹색 소비

① 환경 오염과 기후 변화 등 환경 문제의 심각성을 인식하여 시작된 소비 행동
② 재화와 용역의 구매, 사용, 처분의 전 단계에서 지속 가능한 소비를 실천하는 것
③ 녹색 소비의 핵심은 자연을 개발하는 것이 아니고 자연과 조화롭게 살아가는 것

(4) 로컬 소비

① 세계화에 의한 자유 시장의 영향으로 나타나는 다양한 문제를 극복하고자 하는 운동
② 지역에서 생산된 제품을 그 지역의 주민이 소비하는 것
③ 지구 온난화를 줄이고 지역 경제와 기본적인 산업인 농업을 살림.
④ 사회적 일자리를 창출하는 등 세계화를 통해 나타나는 문제를 극복할 수 있음.

(5) 공정 무역

① 세계화와 자유 무역 거래에서 발생한 제3세계의 빈곤과 노동력 착취, 열악한 노동 문제, 환경 문제 등을 해결하기 위함.
② 거래에 있어 불평등을 해소하고 생산 과정에서 환경을 파괴하지 않는 새로운 형태의 대안 무역
③ 공정 무역 제품으로는 커피, 초콜릿, 축구공, 마스코바도(설탕), 올리브유, 의류 및 패션 소품 등이 있음.

3. 지속 가능한 소비 생활의 실천

지속 가능한 소비 생활은 유형의 제품만이 아닌 에너지와 같은 무형의 자원과 서비스 등의 소비까지 모두 포함

(1) 음식 소비의 실천

① 꼭 필요한 것만 구매하고 장바구니 사용을 생활화하기
② 직거래 장터를 이용하고 우리 농산물 구매하기
③ 농약과 화학 비료를 적게 사용한 식품 구매하기
④ 일회용 및 과대 포장된 식품 구매 줄이기
⑤ 음식 재료와 음식물 남기지 않기

(2) 디지털 소비의 실천

① 사용하지 않는 기기를 재활용하거나 기증하기
② 구매 시 가격, 제품, 성능뿐만 아니라 친환경적인 요소가 얼마나 포함되어 있는지 고려하기
③ 사용 기간을 최대한 늘리기

(3) 의복 소비의 실천

① 패스트 패션보다 슬로 패션 추구하기
② 환경과 인권 그리고 동물의 복지를 고려한 윤리적 패션 실천하기

(4) 여행 소비의 실천

① 현지인이 운영하는 숙소, 음식점, 교통 등 이용하기
② 비행기 이용 줄이기, 일회용품 사용하지 않기, 물 낭비하지 않기

개념 꽉꽉 다지기

1. (　　　　　　　)(이)란 단순히 상품이나 서비스를 구매하고 사용하는 것뿐만 아니라, 계획, 구매, 사용, 처분 등의 모든 과정을 포함한다.

2. (　　　　　　　)(이)란 나와 가족의 욕구를 충족하면서 이웃과 사회에 도움이 되고 환경을 지키며, 미래 세대의 소비 생활에 긍정적인 영향을 주는 소비를 말한다.

3. 소비 절제를 실천하는 방법으로 옳은 것은?

① 무조건 절약한다.
② 자연을 생각하고 개인주의 정신을 가진다.
③ 생활의 편리함을 최우선으로 생각하여 물건을 구매한다.
④ 다른 사람을 돕기 위해 내가 가진 것을 대가 없이 공유한다.
⑤ 자신에게 진정으로 필요한 것과 필요하지 않은 것을 구분한다.

4. 지속 가능한 음식 소비를 실천하는 방법으로 옳지 <u>않은</u> 것은?

① 음식 재료와 음식물은 남기지 않는다.
② 식품 이동 거리가 높은 식품을 소비한다.
③ 직거래 장터를 이용하고 우리 농산물을 구매한다.
④ 일회용 포장과 과대 포장된 식품의 구매를 줄인다.
⑤ 꼭 필요한 것만 구매하고 장바구니 사용을 생활화한다.

5. (　　　　　　　)은/는 환경과 건강에 나쁜 영향을 미치지 않으면서 윤리적으로 생산된 의복을 구매하거나 재활용, 개량 등을 적극적으로 활용하는 친환경적인 의생활 행동이다.

📢 Helper

1. 지역, 국가를 넘어서 전 세계적으로 이루어지고 있다.

2. 개인과 가족의 소비 행동이 사회와 환경에 어떠한 영향을 미칠 것인가를 생각하는 새로운 소비 가치관이 필요하게 되었다.

4. 개인과 가족의 현명한 식품 선택과 소비의 중요성을 인식하고, 지속 가능한 음식 소비를 실천해야 한다.

5. 의복을 소비하는 것은 사적인 행동처럼 보이지만 의복은 생산에서 폐기까지의 전 과정에서 사회와 환경에 미치는 영향이 매우 크다. 단순히 옷을 입는다는 의미를 넘어 윤리적이고 지속 가능한 의복 소비를 실천해야 한다.

01 소비가 미치는 영향으로 옳지 <u>않은</u> 것은?

① 자원 고갈과 환경 오염

② 지구 온난화 속도의 저하

③ 생산국 노동자의 인권 문제

④ 멸종 위기에 처한 동물의 복지 문제

⑤ 자연환경 파괴로 인한 지역 주민들의 위기

02 기부와 나눔에 대한 설명으로 옳은 것은?

① 자연을 생각하고 공동체 의식을 가진다.

② 자연과 조화롭게 살아가는 것이 핵심이다.

③ 내가 가진 것을 대가없이 주거나 함께 공유한다.

④ 돈이나 물건 등과 같은 유형의 자산으로만 가능하다.

⑤ 시간이나 생각, 재능과 같은 무형의 것은 불가능하다.

03 공정 무역에 대한 설명으로 옳지 <u>않은</u> 것은?

① 거래에 있어 불평등을 해소하려 한다.

② 빈곤, 노동력 착취, 열악한 노동 문제 등이 있다.

③ 커피, 초콜릿, 축구공, 올리브유 등의 제품이 있다.

④ 생산 과정에서 환경보다는 인간을 생각하는 새로운 형태의 대안 무역이다.

⑤ 세계화와 자유 무역 거래에서 발생한 제3세계의 문제를 해결하기 위한 것이다.

04 로컬 소비의 장점으로 옳지 <u>않은</u> 것은?

① 푸드 마일리지가 감소한다.

② 지구 온난화를 감소시킨다.

③ 지역 경제 활성화에 도움을 준다.

④ 신선한 자연식품을 섭취할 수 있다.

⑤ 제품 생산과 소비에 드는 에너지가 증가한다.

05 식품과 음식을 선택하는 소비자의 행동이 미치는 영향으로 옳지 <u>않은</u> 것은?

① 소비자의 건강과 무관하다.

② 재료를 심고 기르며, 수확하는 방법을 결정한다.

③ 식품 공급 체계가 어느 정도 적합한지 결정한다.

④ 식품 공급 체계가 지속 가능성을 가질 수 있는가 결정한다.

⑤ 식품 이동 거리가 낮은 식품 소비로 환경 오염에 영향을 끼친다.

06 디지털 소비에 대한 설명으로 옳지 <u>않은</u> 것은?

① 동물들의 서식지를 파괴하기도 한다.

② 생산 과정에서 지구 온난화를 일으킨다.

③ 디지털 기기를 사서 오래 쓰고 버리게 되었다.

④ 폐기 과정에서 화학 물질로 인한 오염이 생긴다.

⑤ 하청 노동자들의 저임금과 열악한 근로 환경 문제가 발생하고 있다.

07 다음에서 설명하는 용어로 옳은 것은?

> 유행에 맞춰 바로 만들어 내는 옷으로, 소재보다는 디자인을 우선시하고 가격이 저렴한 것이 특징이다. 다품종 소량 생산하는 '자가 상표 부착제 유통 방식'(SPA)을 의미한다.

① T.P.O
② 슬로 패션
③ 패스트 패션
④ 사회적 기업
⑤ 깨끗한 옷 입기

08 의복 소비의 실천 방향으로 옳은 것은?

① 무조건 저렴한 옷을 구매한다.
② 재활용, 개량 등을 적극적으로 활용한다.
③ 환경을 위해 물세탁보다 드라이클리닝을 한다.
④ 가죽과 모피 생산으로 동물들의 희생이 금지되었다.
⑤ 제3세계 국가 노동자의 인권 문제로 패스트 패션을 추구한다.

09 여행 소비의 영향으로 옳지 <u>않은</u> 것은?

① 경제적 이익 배분의 불공정성이 문제가 된다.
② 관광 인프라 건설로 환경 파괴가 일어나고 있다.
③ 비행기 이용으로 이산화 탄소 배출량이 줄어든다.
④ 숙박 시설 운영으로 지구 온난화가 빨라지고 있다.
⑤ 자연, 문화, 경제, 사회 등 거의 모든 영역에 영향을 미친다.

10 공정 여행을 실천하기 위한 방안으로 옳은 것을 〈보기〉에서 있는 대로 고른 것은?

> ┤ 보기 ├
> ㄱ. 물 낭비하지 않기
> ㄴ. 일회용품 사용하기
> ㄷ. 현지인이 운영하는 숙소 이용하기
> ㄹ. 현지인들의 음식점 이용하지 않기
> ㅁ. 관광객들이 쓴 돈이 현지인들에게 돌아가게 하기

① ㄱ, ㄴ, ㄷ
② ㄱ, ㄷ, ㅁ
③ ㄴ, ㄷ, ㅁ
④ ㄴ, ㄷ, ㄹ
⑤ ㄷ, ㄹ, ㅁ

핵심을 되짚는 O·X 문제

11 소비는 기술의 발달로 삶이 풍부해지면서 지역, 국가를 넘어서 전 세계적으로 이루어지고 있다. (O, X)

12 자신의 만족만을 추구하는 소비 생활을 해야 한다. (O, X)

13 소비 절제는 무조건 절약하는 것이다. (O, X)

14 공정 무역은 재화와 용역의 구매, 사용, 처분, 전 단계에서 지속 가능한 소비를 실천하는 것을 말한다. (O, X)

15 로컬 소비는 자유 무역 거래에서 발생한 제3세계의 빈곤과 노동력 착취, 열악한 노동 문제, 환경 문제 등을 해결하기 위한 것이다. (O, X)

16 지속 가능한 음식 소비를 실천하기 위해서 꼭 필요한 것만 구매하고, 장바구니 사용을 생활화한다. (O, X)

17 디지털 소비의 실천 방안으로는 구매 시 가격이나 제품 성능뿐만 아니라 친환경적인 요소가 얼마나 포함되어 있는지 고려해야 한다. (O, X)

18 섬유 생산 과정에서 사용하는 농약과 비료 등으로 수질 및 토양 오염이 발생한다. (O, X)

19 여행지에서의 다양한 활동과 경험은 현지의 주민들은 물론, 여행지의 자연과 문화, 경제와 사회 등 거의 모든 영역에 영향을 미친다. (O, X)

01 가족 형성기의 가족 생활 설계에 대한 설명으로 옳은 것은?

① 자녀 출산과 부모 됨의 적응

② 자녀의 경제적·정서적 독립 지원

③ 자녀 특성에 맞는 교육 방법 선택

④ 남편, 아내라는 새로운 역할에 적응

⑤ 자녀 양육 및 교육에 필요한 경제적 준비

중요

02 다음 설명에 해당하는 복지 서비스로 옳은 것은?

> 소득 수준에 상관 없이 어린이집, 유치원을 이용하는 만 0~5세의 아동에게 보육료를 지원하는 제도이다.

① 고운맘 카드　　　② 보육료 지원

③ 국민 행복 카드　　④ 초등 돌봄 교실

⑤ 가정 양육 수당 지원

03 다음 복지 서비스에 해당하는 가족 생활 주기로 옳은 것은?

> • 급식비 지원
> • 국가 장학금 서비스
> • 건강 검진 관련 서비스

① 가족 형성기

② 자녀 출산 및 양육기

③ 자녀 교육기

④ 자녀 독립기

⑤ 노년기

04 다음은 무엇에 대한 설명인가?

> 체계적인 노후 준비와 건강한 노후 생활을 위해 국민연금을 기반으로 노후 생활 6대 영역인 재무, 건강, 일, 주거, 여가, 대인 관계의 종합적인 정보와 서비스를 제공하는 제도이다.

① 근로 서비스

② 국가 장학금

③ 유연 근무 제도

④ 노후 설계 서비스

⑤ 모성 보호 육아 지원소

05 (　　　) 안에 들어갈 알맞은 말로 옳은 것은?

> 우리나라 노인 복지법에서는 대체로 (　　　) 세 이상을 노인으로 규정하고 있다.

① 60　　　　　　　② 65

③ 70　　　　　　　④ 75

⑤ 80

출제 예감

06 노년기 특성에 대한 설명으로 옳은 것은?

① 신경계가 퇴화되어 골밀도가 감소한다.

② 혈관벽이 얇아져 혈액 순환이 감퇴한다.

③ 시력이 나빠지지만 가까운 것은 잘보인다.

④ 키가 작아지고 몸무게는 꾸준히 증가한다.

⑤ 맛을 잘 구별하지 못하며, 맛의 감각이 둔화된다.

07 노년기의 심리적 변화에 대한 설명으로 옳은 것은?

① 사회 관계망이 확대된다.

② 삶의 변화에 적극적으로 대응한다.

③ 사회적 관계가 지역 사회로 확대된다.

④ 여성과 남성으로서 성 역할이 명확해진다.

⑤ 심리적으로 위축되면서 의존성이 증가한다.

08 자립적인 노후를 위해 필요한 건강 관리 방법으로 옳지 않은 것은?

① 음주와 흡연을 절제한다.

② 콜레스테롤과 지방 섭취를 줄인다.

③ 취미 생활을 통해 스트레스를 관리한다.

④ 칼로리가 높고 소화가 잘되는 식품을 섭취한다.

⑤ 관절에 무리를 주지 않는 정도에서 근력 운동을 한다.

중요

09 (　　) 안에 들어갈 알맞은 말로 옳은 것은?

> (　　)은/는 가족 내적·외적 원인과 이 원인들의 상호 작용으로 발생한다. 하나의 원인이 하나의 문제를 발생시킨다기보다는 원인을 명확히 나누기가 어렵고, 서로 관련되어 있으며, 또한 중복되어 있다.

① 관성

② 트라우마

③ 가족 문제

④ 작용 반작용

⑤ 회복 탄력성

10 다음 중 가족 문제의 유형이 다른 것은?

① 사고　　　　② 사망

③ 취직　　　　④ 실직

⑤ 자연재해

11 다음과 같은 도움을 받을 수 있는 사회적 지원 체계로 옳은 것은?

> • 가족 상담
> • 긴급 위기 가족 지원 서비스
> • 취약 위기 가족 지원 서비스
> • 교통사고 피해 가족 지원

① 쉼터

② 희망의 전화

③ 상담원 서비스

④ 여성 긴급 전화

⑤ 건강 가정 지원 센터

출제 예감

12 가정 재무 설계의 필요성에 대한 설명으로 옳지 않은 것은?

① 안정된 노후를 위해

② 불의의 사고에 대비하기 위해

③ 불확실한 미래에 대비하기 위해

④ 자신의 목표와 원하는 생활 양식을 이루기 위해

⑤ 가정의 재정 상태가 어려운 시기에 시작하기 위해

13 사회 초년기 시기에 준비해야 하는 가계 재무 목표는?

① 결혼 자금 준비

② 자녀 양육 및 주택 구매

③ 자녀 대학 교육 및 노후 준비

④ 자녀 교육 및 주거 확대 준비

⑤ 여유로운 은퇴 생활 시작 및 건강 유지 준비

중요
14 금융 상품의 선택 기준으로 옳은 것을 〈보기〉에서 있는 대로 고른 것은?

┤ 보기 ├
ㄱ 수익성 　　　　ㄴ 안정성
ㄷ 절세성 　　　　ㄹ 환금성
ㅁ 호환성

① ㄱ, ㄴ, ㄷ　　　　② ㄱ, ㄴ, ㄹ

③ ㄱ, ㄴ, ㅁ　　　　④ ㄴ, ㄷ, ㄹ

⑤ ㄷ, ㄹ, ㅁ

15 다음 설명에 해당하는 금융 상품으로 옳은 것은?

> 노후 대비를 위하여 저축하는 금융 상품으로, 노후에 장기간에 걸쳐 지속해서 일정 금액을 받을 수 있는 금융 상품

① 보험　　　　② 예금

③ 연금　　　　④ 투자

⑤ 부동산

16 취업을 하지 못해 부모에 의지해 살거나, 취직을 했지만 임금이 적어 부모로부터 독립하지 못하는 부류의 사람을 (　　　　　　)(이)라고 한다.

17 다음 설명에 해당하는 지속 가능한 소비로 옳은 것은?

> 지역에서 생산된 제품을 그 지역의 주민이 소비하는 것을 말하며, 지구 온난화를 줄이고 지역 경제와 기본 산업인 농업을 살리는 소비 운동

① 공정 무역　　　　② 녹색 소비

③ 로컬 소비　　　　④ 소비 절제

⑤ 기부와 나눔

출제 예감
18 다음과 같은 문제점을 해결하기 위한 실천 방안으로 옳은 것은?

> • 관광 산업에서 발생하는 경제적 이익 배분의 불공정성
> • 관광 인프라 건설에 따른 환경 파괴
> • 숙박 시설, 운송 수단 등에서 발생하는 이산화 탄소 배출로 지구 온난화 가속

① 현지인이 운영하는 숙소 이용하기

② 패스트 패션보다 슬로 패션 추구하기

③ 상품의 사용 기간을 최대한 늘려 사용하기

④ 꼭 필요한 것만 구매하고 장바구니 사용하기

⑤ 직거래 장터를 이용하고 우리 농산물 구매하기

19 지속 가능한 소비 생활의 실천으로 옳지 <u>않은</u> 것은?

① 직거래 장터를 이용하고 우리 농산물을 구매한다.

② 꼭 필요한 것만 구매하고 장바구니 사용을 생활화한다.

③ 현지인이 운영하는 숙소, 음식점, 교통 등을 이용한다.

④ 환경과 인권 그리고 동물의 복지를 고려하지 않는 윤리적 패션을 실천한다.

⑤ 구매 시 가격, 제품 성능뿐만 아니라 친환경적인 요소가 얼마나 포함되어 있는지 고려한다.

20 다음은 '궁극의 미니멀 라이프' 라는 책의 서평이다. 글을 읽고 저자는 무엇을 실천하기 위해 노력하고 있는가?

> 이 책은 간소한 삶을 어떻게 꾸려 가야 하는지에 대한 본격 실천편이다. 저자는 아이 셋이 있는 5인 가족도 미니멀한 삶을 충분히 즐길 수 있다고 말한다. 아이들도 오히려 물건이 적은 환경을 편안해 하고, 부부간 소유에 대한 관점이 달라도 얼마든지 조율이 가능하다는 것을 경험으로 보여 준다.

① 내가 가진 시간이나 생각, 재능을 기부한다.

② 현지인들의 삶과 문화를 존중하고 배우고자 한다.

③ 일상생활을 소비 절제와 간소한 삶을 살면서 소비 의존성을 줄인다.

④ 친환경 제품을 생산하는 기업에 대해 세금 혜택을 주는 정책을 실시한다.

⑤ 공정 무역 초콜릿과 제품 등을 구매하여 현지인의 삶에 도움을 주고자 한다.

21 이혼 가정의 아이의 적응을 돕는 심리적 방법을 세 가지 서술하시오.

22 다음은 생애 주기별 소득과 소비 곡선을 나타낸 그래프이다. B 영역의 특징을 서술하시오.

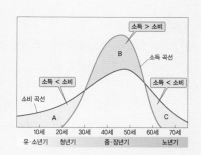

23 소비가 사회와 환경에 미치는 영향에 대해 세 가지 서술하시오.

01 가족 공동의 목표를 설정하는 가족 생활 주기는?

① 가족 형성기

② 자녀 출산 및 양육기

③ 자녀 교육기

④ 자녀 독립기

⑤ 노년기

중요

02 자녀 교육기에 지원받을 수 있는 복지 서비스를 〈보기〉에서 있는 대로 고른 것은?

┤보기├

㉠ 보육료 지원   ㉡ 가정 양육 수당 지원

㉢ 급식비 지원   ㉣ 국가 장학금 서비스

㉤ 장기 요양 서비스

① ㉠, ㉡   ② ㉢, ㉣

③ ㉡, ㉢, ㉣   ④ ㉠, ㉡, ㉣

⑤ ㉢, ㉣, ㉤

03 노년기의 인간 관계의 변화로 옳지 않은 것은?

① 부부 관계 – 가족 생활이 가족 중심으로 변화한다.

② 형제자매와의 관계 – 사회적 지지망의 역할을 한다.

③ 손자녀와의 관계 – 손자녀에게 길잡이의 역할을 한다.

④ 성인 자녀와의 관계 – 성인 자녀와 도움을 주고받으며 의지하게 된다.

⑤ 친구와의 관계 – 취미 활동을 공유하면서 배우자와는 다른 관계가 형성된다.

04 가족의 위기 상황을 개인적으로 해결하는 방법으로 옳은 것은?

① 지역 사회의 쉼터 시설을 이용한다.

② 인터넷으로 상담 서비스를 신청한다.

③ 믿을 만한 친구에게 도움을 요청한다.

④ 건강 지원 센터의 전문가에게 상담을 받는다.

⑤ 긴급 전화를 걸어 위기 상담과 신변 보호를 요청한다.

중요

05 가정 경제를 위협하는 요인으로 옳지 않은 것은?

① 실업

② 물가 오름세

③ 이자 소득의 상승

④ 예상하지 못한 사고

⑤ 소득과 지출의 불균형

출제 예감

06 가계 재무 설계 과정을 바르게 나열한 것은?

① 현재 재무 상태의 평가 → 재무 목표의 설정 → 계획의 수립과 실행 → 정기적인 검토와 수정

② 재무 목표의 설정 → 현재 재무 상태의 평가 → 정기적인 검토와 수정 → 계획의 수립과 실행

③ 현재 재무 상태의 평가 → 정기적인 검토와 수정 → 재무 목표의 설정 → 계획의 수립과 실행

④ 정기적인 검토와 수정 → 계획의 수립과 실행 → 재무 목표의 설정 → 현재 재무 상태의 평가

⑤ 재무 목표의 설정 → 계획의 수립과 실행 → 정기적인 검토와 수정 → 현재 재무 상태의 평가

07 다음의 가족 복지 서비스를 제공받을 수 있는 가족 생활 주기는?

> • 긴급 복지 서비스
> • 근로 서비스
> • 노후 설계 서비스

① 가족 형성기
② 자녀 출산 및 양육기
③ 자녀 교육기
④ 자녀 독립기
⑤ 노후기

08 (　　　) 안에 들어갈 알맞은 말을 쓰시오.

> 행복한 가정생활과 삶의 질적 향상을 위해 개인과 가족을 대상으로 행하는 제도적·법적인 활동과 계획을 수립하였는데, 이를 (　　　　)(이)라고 한다.

(　　　　　　)

출제 예감

09 영·유아기에 특히 주의해야 하는 안전사고로 옳은 것은?

① 학교에서 청소 시간에 뛰어다니지 않도록 한다.
② 아기를 안을 때는 반드시 머리를 받쳐주어야 한다.
③ 줄이 달린 블라인드가 있는 곳에 혼자 두지 않는다.
④ 홀몸 노인은 비상 시 대응이 쉬운 안심벨을 설치한다.
⑤ 재울 때 엎어서 재우지 말고 푹신한 침구를 주로 사용한다.

10 화상에 대처하는 방법으로 옳은 것은?

① 가벼운 화상에는 자연스럽게 치유되도록 둔다.
② 1도 화상의 경우 물집이 생기므로 되도록 터뜨린다.
③ 2도 화상의 경우 화상 연고를 바르고 자가 치료한다.
④ 상처 난 부위가 옷에 달라붙었을 때는 그냥 그대로 두어도 된다.
⑤ 피부에 물집이 생긴 정도의 화상은 깨끗한 거즈를 덮고 병원에서 치료한다.

중요

11 노년기의 신체적 변화에 대한 설명으로 옳은 것을 〈보기〉에서 있는 대로 고른 것은?

> 보기
> ㄱ. 소화 효소 분비량이 감소한다.
> ㄴ. 척추 디스크의 변화로 신장이 감소한다.
> ㄷ. 근육량이 증가하고 위장 근육이 약화된다.
> ㄹ. 낮은 음과 작은 소리의 감지력이 향상된다.

① ㄱ, ㄴ
② ㄴ, ㄷ
③ ㄴ, ㄹ
④ ㄱ, ㄷ, ㄹ
⑤ ㄱ, ㄴ, ㄷ, ㄹ

12 노년기의 인지·심리적 변화로 옳지 않은 것은?

① 오랫동안 사용해 온 물건을 아낀다.
② 가족, 친지와 유대 관계 맺기를 원한다.
③ 역할 상실로 소외감과 우울감을 느낀다.
④ 낯선 삶을 경계하고 지나온 과거를 회상한다.
⑤ 변화를 두려워하고 과거 안전한 방법을 원한다.

13 노년기에 경험하게 되는 사회적 변화로 옳지 <u>않은</u> 것은?

① 여가 활동이 줄어든다.

② 직장 동료 간의 사회적 관계가 축소된다.

③ 자녀 독립으로 인해 부부 중심의 생활이 된다.

④ 기존의 사회적 관계가 축소됨에 따라 친구의 수가 줄어든다.

⑤ 퇴직으로 인하여 직업인으로서의 지위와 역할을 상실하게 된다.

중요

14 노년기의 올바른 주거 생활 관리에 대한 설명으로 옳은 것을 〈보기〉에서 있는 대로 고른 것은?

┤ 보기 ├
ㄱ. 침실은 채광과 환기가 잘 되도록 한다.
ㄴ. 벽면은 돌출 부분이 없도록 한다.
ㄷ. 바닥은 미끄럽지 않은 재료로 하고, 바닥에 단 차이를 둔다.
ㄹ. 대중교통 이용이 편리한 곳으로 한다.

① ㄴ, ㄹ   ② ㄱ, ㄷ, ㄹ

③ ㄴ, ㄷ, ㄹ   ④ ㄱ, ㄴ, ㄹ

⑤ ㄱ, ㄴ, ㄷ, ㄹ

15 노년기의 경제 생활 관리에 대한 설명으로 옳지 <u>않은</u> 것은?

① 소득이 있는 동안 미리 노후 자금을 마련해야 한다.

② 필요한 예상 자금과 확보된 노후 자금을 비교하여 조정한다.

③ 부족한 노후 자금은 자녀를 통해 재원 마련 계획을 수립한다.

④ 기본적인 일상 생활비와 가계 운영 자금을 포함해서 계획한다.

⑤ 노후 자금은 은퇴 후 기대하는 생활 수준, 부부의 건강 상태 등과 밀접한 관련이 있다.

16 가족 내적인 원인으로 발생하는 가족 문제로 옳지 <u>않은</u> 것은?

① 외상 후 장애

② 가족 구성원의 치매

③ 부모의 별거와 이혼

④ 갑작스런 가족의 실업

⑤ 지진이나 태풍으로 인한 피해

17 가족의 위기 상황과 사회적 위기 상황으로 정상적인 숙소가 없는 경우 일시적인 거주나 보호를 제공하는 시설은 무엇인지 쓰시오.

(   )

18 다음 설명에 해당하는 가계 재무 설계 단계로 옳은 것은?

개인과 가족의 생애 주기에 맞춰 재무 상태, 가치관 등을 고려하여 구체적이고 현실적인 목표를 설정한다.

① 전문가 검토 의뢰

② 재무 목표의 설정

③ 계획의 수립과 실행

④ 정기적인 검토와 수정

⑤ 현재 재무 상태의 평가

중요

19 예산과 결산 과정 중 다음에 해당하는 단계로 옳은 것은?

소득과 지출 간의 불균형을 찾아내고, 재정적 불균형을 해결하기 위해 노력한다.

① 결산하기   ② 예산 세우기

③ 예산 실행하기   ④ 절세 방안 찾기

⑤ 여유 자금 투자하기

중요

20 패스트 패션이 가지고 있는 문제점으로 옳지 <u>않은</u> 것은?

① 공정 무역 증가

② 과소비와 쇼핑 중독 조장

③ 개발 도상국 생산자의 노동력 착취

④ 섬유 소비량의 증가에 따른 자원 고갈

⑤ 의복 폐기물의 증가로 인한 환경 오염

21 다음 설명에 해당하는 지속 가능한 소비 생활 방향으로 옳은 것은?

> 거래에 있어 국가 간 동등한 위치에서 제대로 된 가격을 지불하는 무역으로, 제3세계 생산자가 만든 상품을 공정한 가격으로 구입함으로써 가난 극복에 도움을 주고자 하는 데 목적이 있다.

① 기부   ② 공정 여행

③ 로컬 소비   ④ 공정 무역

⑤ 녹색 소비

중요

22 다음 설명에 해당하는 지속 가능한 소비 생활 실천으로 옳은 것은?

> • 현지의 환경을 해치지 않으면서도 현지인에게 혜택이 돌아가게 하는 소비
> • 우리나라의 경우 2009년 초 중국 원난성 소수 민족을 만나는 상품이 나왔다.

① 로컬 소비   ② 공정 무역

③ 공정 여행   ④ 소비 절제

⑤ 기부와 나눔

출제 예감

23 지속 가능한 소비를 실천하는 방안으로 옳은 것을 〈보기〉에서 있는 대로 고른 것은?

┤ 보기 ├

> ㉠ 외국에서 수입된 저렴한 농산물을 이용한다.
> ㉡ 다음 세대를 위한 자원 회복과 보존에 힘쓴다.
> ㉢ 주변에 친환경 제품 사용을 촉구하는 활동에 동참한다.
> ㉣ 많은 개수를 묶어서 저렴하게 판매하는 상품을 구매한다.

① ㉡, ㉢   ② ㉢, ㉣

③ ㉠, ㉡, ㉢   ④ ㉠, ㉢, ㉣

⑤ ㉡, ㉢, ㉣

24 다음은 '100마일 다이어트' 라는 책의 서평이다. 주인공의 도전 과제는 무엇을 실천하기 위한 노력인가?

> 이 책은 캐나다 밴쿠버에 사는 두 프리랜서 기자가 산업화된 식품 유통 체제에 반기를 들면서 1년 동안 거주지 반경 100마일 이내에서 자라고 생산된 음식만 먹는 실험에 자발적으로 뛰어들면서 겪은 좌충우돌 감동 에세이다.

① 다른 사람을 돕기 위해 내가 가진 시간과 재능을 기부한다.

② 친환경 제품을 생산하는 기업에 대해 세금 혜택을 주는 정책을 편다.

③ 로컬 푸드 운동, 재래시장 활성화 운동으로 지역 경제 활성화에 도움을 준다.

④ 공정 무역 초콜릿과 제품 등을 구매하여 현지인의 삶에 도움을 주고자 한다.

⑤ 현지인들의 삶과 문화를 존중하고 배우고자 현지인이 운영하는 숙박업소를 이용한다.

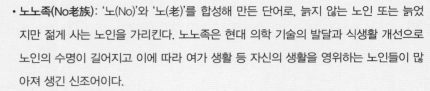

노년층을 일컫는 신조어

- **노노족(No老族)**: '노(No)'와 '노(老)'를 합성해 만든 단어로, 늙지 않는 노인 또는 늙었지만 젊게 사는 노인을 가리킨다. 노노족은 현대 의학 기술의 발달과 식생활 개선으로 노인의 수명이 길어지고 이에 따라 여가 생활 등 자신의 생활을 영위하는 노인들이 많아져 생긴 신조어이다.

  노노족은 외모가 실제 나이보다 훨씬 젊어 보이는 것은 물론 젊은이 못지 않은 왕성한 활동력을 자랑하며, 젊은 층의 문화를 수용하기 위해 노력한다. 또한, 건강 챙기기에 남다른 관심을 보이고 여행과 취미 활동에도 적극적인 편이다.

- **우피족(Woopies)**: 사회에서 은퇴한 이후 자식들에게 기대지 않고 자신의 경제력으로 안락한 노후를 보내는 노인 세대로, 부모의 재산 상속이나 자신의 돈으로 남은 여생을 풍족하게 영위할 수 있는 50대 이상의 노인 세대이다.

- **통크족(tonk族)**: 'two only no kids'의 약칭으로, 자녀에게 부양받기를 거부하고 부부끼리 독립적으로 생활하며, 자신들만의 오붓한 삶을 즐기려는 노인 세대이다.

- **오팔족(OPAL族)**: 'Old People with Active Life'의 약칭으로, '활동적인 삶을 살고 있는 노인들'이란 뜻으로, 고령화 사회의 새로운 주축으로 떠오르고 있다.

- **애플족(APPLE族)**: 'Active, Pride, Peace, Luxury, Economy'의 첫자를 따서 만들어진 용어이다. 활동적이며 자신의 삶에 자부심을 갖고, 안정적으로 고급 문화를 즐길 수 있는 경제력을 갖춘 노인을 일컫는 말이다.

- **웹버족(Weber族)**: 인터넷을 뜻하는 웹(Web)과 노인 세대를 지칭하는 실버족(silver族)을 합친 말로, 인터넷을 적극적으로 활용하고 즐기는 노년층을 가리키는 말이다.

- **식스 포켓 세대(Six Pockets Generation)**: 저출산과 고령화로 인하여 아이들이 줄고, 아이의 부모와 조부모 세대가 늘어나 아이는 큰 관심을 받을 수 있다. 부모, 조부모, 외조부모 등이 아이를 챙기며 아이들이 받는 용돈 주머니는 6개가 되는데, 이것이 식스 포켓이다(6개의 용돈 주머니).

IV

기술 혁신과 개발

01 기술 혁신을 여는 창의 공학 설계

주제 열기

≫ **휠체어를 타고 버스에 올라탈 수 있게 해 주는 장치를 알아보자.**

휠체어를 타고 버스에 오르려면 휠체어 바퀴가 구를 수 있어야 하고, 버스 탑승구의 높이와 휠체어 바퀴가 만나는 지점의 높낮이가 같아야 한다. 따라서 기존의 계단을 경사로로 바꾸는 방법과 탑승구 자체를 바닥까지 낮추거나 휠체어를 버스 탑승구 위치로 높일 수 있는 장치를 생각해야 한다.

≫ **휠체어를 타고 버스에 쉽게 올라탈 수 있게 해 주는 장치를 구상해 보자.**

휠체어 리프트 사용 시간이 오래 걸린다는 단점, 다른 노약자는 사용하기 어렵다는 단점 등을 보완한다.

+혁신

- 묵은 풍속, 관습, 조직, 방법 따위를 완전히 바꾸어서 새롭게 한다.
- 기술의 발전과 그것이 경제적인 생산성에 맞음으로써 경제에 도입되어 일어나는 경제 구조의 개편이다.
- 일반적으로 기술 혁신은 3가지 결과를 동반하게 된다.
  - 기술을 구체화하기 위한 설비 투자가 수반되어 호황을 야기시킨다.
  - 노동 생산성을 향상시킨다.
  - 성능이 좋고 값이 싼 제품을 생산하게 하여 기존 산업에 변화와 혁신을 일으킨다.

+창의적 사고 기법

- 확산적 사고 기법: 마인드맵, 스캠퍼, 브레인스토밍
- 수렴적 사고 기법: PMI 기법, ALU 기법, TRIZ 기법

1, 창의 공학 설계를 통해 기술 혁신을 이룬다

(1) 창의 공학 설계

① **기술 혁신** 기존의 기술이나 물건을 개선하거나 <u>시스템</u>을 더 나은 방향으로 바꾸는 것이다.　　체계, 조직, 제도 등 요소의 집합이나 요소와 요소 간의 집합

② **기술 혁신의 필요성** 인간의 필요와 욕구를 충족하고 불편을 개선하기 위함이다.

③ **설계** 새로운 제품을 만들기 위해서 제품의 구조나 재료, 가공 방법 등을 고려하여 계획을 세우고, 도면을 작성하는 것이다.

④ **공학 설계** 자연을 모방한 제품을 만들어 사용하면서 축적된 경험과 지식으로 과학과 기술이 발달하였는데, 이러한 과학적 지식과 기술을 활용한 설계를 공학 설계라고 한다.

⑤ **창의 공학 설계**

- 새로운 상황과 요구에 맞춰 기존의 제품과 다른 창의적인 제품을 설계한다.
- 공학 설계에 창의적인 사고 기법을 적용해 새로운 아이디어를 창출해야 하는데, 이를 창의 공학 설계라고 한다.

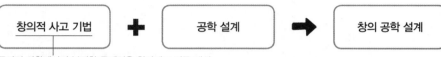

주어진 상황에서의 불편한 문제점을 찾아내고 이를 개선할 수 있는 아이디어를 생각하는 데 도움을 줄 수 있는 기법으로, 확산적 사고 기법과 수렴적 사고 기법이 있다.

스스로 해 보기

인간이 이룬 기술 혁신에는 무엇이 있는지 생각하여 써 보자.

예 스마트폰 개발, 고속 열차의 개발로 인한 생활권 확대 등

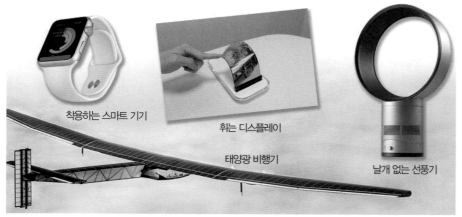

착용하는 스마트 기기

휘는 디스플레이

태양광 비행기

날개 없는 선풍기

▲ 창의 공학 설계로 만들어진 혁신적인 제품

개념 더하기

+유니버설 디자인의 기본 원칙
• 경제성
• 수용성
• 안전성
• 접근 가능성
• 기능적 지원성

+창의 공학 설계의 요소
• 편리성
• 기능성
• 심미성
• 경제성
• 독창성

+제작 계획서
제작할 제품에 대한 목표와 계획을 기록한 문서이다.

(2) 창의 공학 설계에서의 고려 사항

창의적인 공학 설계가 이루어지기 위해서는 만들고자 하는 제품의 용도, 형태, 재료와 가공 기술, 기능과 구조 등을 종합적으로 고려해야 한다.

① **용도** 제품을 설계할 때는 용도가 명확해야 한다.

② **형태** 아름다운 형태를 갖추어야 한다.

③ **재료와 가공 기술** 적합한 재료와 그에 맞는 가공 기술이 필요하다.

④ **기능과 구조** 목적에 맞는 기능과 튼튼한 구조를 가져야 한다. 또한, 사용 방법이 명확해야 한다.

(3) 창의 공학 설계의 과정

① **문제 확인하기** 주어진 문제의 핵심이 무엇인지 구체적으로 파악한다.

② **새로운 생각 떠올리기** 정보를 수집하고 이를 통해 다양한 아이디어를 창출한다.

③ **최적의 안 선정하기** 창출된 아이디어 중 최적의 아이디어를 선정한다.

④ **구체적 계획하기** 아이디어를 도면으로 나타내고, 제작 계획을 세운다.

⑤ **시제품 만들기** 실제 상황에서 발생할 수 있는 문제를 찾기 위해 시제품을 제작한다.

⑥ **평가 및 보완하기** 시제품을 통해 문제점을 찾고, 이를 개선하여 최적의 제품을 완성한다.

💬 **함께 해 보기**

생활 속에서 사용하고 있는 제품 중 한 가지를 선택해 용도, 형태, 재료와 가공 기술, 기능과 구조가 잘 고려되었는지 평가해 써 보자.

예 전기 믹서기

• 용도: 식자재를 분쇄하는 데 사용할 수 있다.
• 형태: 분쇄 상태를 가늠할 수 있도록 내부가 보이고, 손으로 잡기 편리한 형태로 만들어졌다.
• 재료와 가공 기술: 기능에 따라 플라스틱과 금속이 사용되었고, 각각에 맞는 가공 기술이 사용되었다.
• 기능과 구조: 음식물이 닿으므로 위생적으로 사용할 수 있도록 녹이 생기지 않고, 안전을 위한 장치가 포함되어 있다.

2. 아이디어는 스케치와 구상도를 통해 시각적으로 나타낸다

확산적 사고 기법을 이용해 창출한 아이디어는 스케치와 구상도를 통해 시각적으로 나타낼 수 있다.

(1) 아이디어 스케치

① **스케치란** 머릿속의 아이디어를 빠르고 간단하게 표현하는 가장 쉬운 방법으로, 프리핸드 스케치를 주로 이용한다.

② **프리핸드 스케치** 자나 컴퍼스 등과 같은 제도 용구 없이 손으로 빠르고 간단하게 그려서 아이디어를 표현하는 방법이다.

(2) 구상도

① **구상도란** 스케치를 바탕으로 정확한 크기나 구조를 고려하여 실물 모양대로 그린 설계도이다.

② 구상도를 바탕으로 제작도와 설명도를 작성하며 제작도는 내용에 따라 조립도, 부품도, 상세도 등으로 나뉘게 된다.

③ 제품을 도면에 나타낼 때는 주로 정투상법을 사용하며, 그 외에도 등각 투상법, 사투상법, 투시 투상법 등이 있다.

스케치

스케치는 머릿속에 떠오른 아이디어를 종이에 표현할 수 있는 가장 쉬운 방법으로, 프리핸드 스케치를 주로 이용하다. 프리핸드 스케치는 자나 컴퍼스 등과 같은 제도 용구 없이 손으로 빠르고 간단하게 그려서 아이디어를 표현하는 방법이다.

구상도

등각 투상법

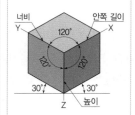

- 물체의 각 면을 모두 경사지게 그리는 방법을 말한다.
- 서로 120°를 이루는 세 개의 기본 축에 길이, 높이, 너비를 나타낸다.
- 물체의 모양을 한눈에 파악할 수 있다.
- 등각 투상용 모눈 종이를 사용하면 편리하다.

사투상법

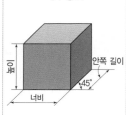

- 물체의 앞면은 실물과 같이 하고, 옆면을 수평선과 일정한 각을 이루게 하여 그리는 방법을 말한다.
- 옆면 모서리의 경사선은 보통 45°로 한다.
- 너비는 실제와 같게 하거나, $\frac{1}{2}$로 줄여서 나타낸다.
- 물체의 정면을 가장 잘 나타낼 수 있는 방법이다.

투시 투상법

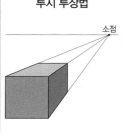

- 물체의 모양을 원근감이 나타나도록 그리는 방법을 말한다.
- 주로 완성될 건축물의 모양이나 교량, 도로 등을 그릴 때 사용한다.
- 소점: 평행한 면도 거리가 멀어지면 만나는 것처럼 보이는데, 이러한 만나는 점을 말한다.

▲ 스케치와 구상도

주방 용품 중 한 가지를 골라 안전하고 편리하게 사용하기 위한 아이디어를 프리핸드 스케치로 나타내 보자.

예 자유롭게 표현하되 전체적인 모양이 드러나도록 표현한다.

3/ 아이디어를 도면으로 나타내는 계획을 구체적으로 표현한다

(1) 제도와 도면

① **제도** 만들고자 하는 제품의 모양, 크기, 구조, 제작 방법 등을 정해진 규칙에 따라 선, 문자, 기호 등을 사용하여 나타내는 작업을 말한다.

② **도면** 제도 과정을 통해 제도 용지나 컴퓨터 화면에 제품을 나타낸 것을 말한다.

③ **정투상법** 제품을 도면에 나타낼 때 주로 이용한다.

• 정투상법은 물체의 정면, 측면, 평면의 모습을 나타내는 방법으로, 물체의 모양 이나 크기를 정확히 나타낼 수 있기 때문에 제작도 등에 활용한다.

• 한국 산업 규격(KS)에서는 물체를 정면도와 우측면도, 평면도로 나타내는 제 3각법으로 도면을 그리는 것을 원칙으로 하고 있다.

• 정투상법의 제3각법은 물체를 제3면각 공간에 놓고 투상한 다음, 평화면과 측 화면을 입화면과 일치하도록 펼쳐서 나타내는 것이다.

• 정투상법을 그릴 때에는 물체의 특징이 가장 잘 나타나고, 숨은선이 가장 적게 생기는 면을 정면으로 선택한다.

+한국 산업 규격(KS)

• 국내 산업 전 분야의 제품 및 시험 제작 방법 등에 대하여 규정하는 국가 표준이다.

• 한국 산업 규격의 제도 통칙(KS A 0005)에서 공업의 각 분야에서 사용하는 도면을 작성할 때의 요구 사항에 대하여 통괄적으로 규정하고 있다.

▲ 정투상법 그리는 방법

스스로 해 보기

정투상도로 나타낸 물체를 등각 투상도로 그려 보자.

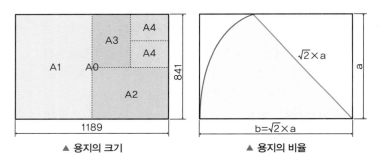

(2) 도면 그리는 순서

① 용지의 크기와 척도 결정하기

• 물체의 크기, 모양, 복잡한 정도 등을 고려해 용지 크기 및 척도를 결정해야 한다.

• 척도란 도면에 나타낸 물체의 크기와 실제 크기의 비를 말한다.
└─ 한 도면에서는 같은 척도를 사용하는 것이 원칙이다.

+척도의 구분

구분	적용
축척 (1:n)	건물, 가구 등 큰 물체
현척 (1:1)	용지보다 작은 크기의 물체
배척 (n:1)	부품과 같은 작은 물체

▲ 용지의 크기

A4
A3
A4
A1
A0
A2
841
1189

▲ 용지의 비율

$\sqrt{2} \times a$
a
$b = \sqrt{2} \times a$

② 선의 종류를 구분하여 물체 나타내기

도면에 물체의 윤곽선을 대략적으로 그린 후 선의 종류를 달리해 물체의 정확한 모양을 그린다.

선의 종류와 용도

종류		모양	명칭	용도
실선	굵은 실선	——	외형선	물체의 보이는 부분을 나타내는 선
	가는 실선	——	치수선 치수 보조선 지시선	치수, 기호, 참고 사항 등을 나타내는 선
		∿∿ -↓-	파단선	부분 생략 또는 단면의 경계를 표시한 선
		▨	해칭선	물체의 절단면을 나타내는 선
파선		------	숨은선	물체의 보이지 않는 부분을 나타내는 선
1점 쇄선		-·-·-	중심선	물체 및 도형의 중심을 나타내는 선
2점 쇄선		-··-··	가상선	물체가 움직인 상태를 가상으로 나타내는 선

+선의 종류와 사용 예

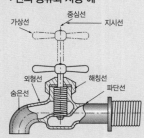

중심선
가상선
지시선
외형선
숨은선
해칭선
파단선

③ 치수를 기입하여 도면 완성하기

- 도면에 나타낸 물체의 실제 크기나 각도, 두께 등을 치수로 표시한다.
- 치수의 단위는 mm로 통일하여 숫자만 기입한다.

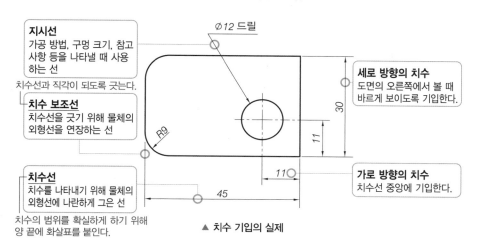

지시선
가공 방법, 구멍 크기, 참고 사항 등을 나타낼 때 사용하는 선
치수선과 직각이 되도록 긋는다.

치수 보조선
치수선을 긋기 위해 물체의 외형선을 연장하는 선

치수선
치수를 나타내기 위해 물체의 외형선에 나란히 그은 선
치수의 범위를 확실하게 하기 위해 양 끝에 화살표를 붙인다.

Ø12 드릴

세로 방향의 치수
도면의 오른쪽에서 볼 때 바르게 보이도록 기입한다.

가로 방향의 치수
치수선 중앙에 기입한다.

▲ 치수 기입의 실제

교과서 뛰어 넘기　CAD(컴퓨터를 활용한 설계)

CAD 소프트웨어는 건축가, 엔지니어, 제도사, 예술가, 그 밖에 정확한 도면이나 기술적인 그림을 그리려는 사람들에 의해 사용되며, 2차원 도면이나 3차원 모델을 만드는 데에도 사용될 수 있다. 가장 정교하고 복잡한 형태의 CAD는 실세계의 특성을 가지는 객체를 3차원 모델링하는 것이다.

CAD 시스템은 CAD 소프트웨어를 사용하는 고성능 워크스테이션이나 데스크탑 컴퓨터로서 그래픽 태블릿과 스캐너 등을 입력 장치로 사용한다. CAD 출력은 설계 도면으로 출력되기도 하지만, CAM 시스템의 입력으로도 사용된다.

CAD는 컴퓨터에 쓰이는 인쇄 회로 기판이나 장치들과 같은 제품을 설계하는 데 많이 사용되는데, 일반적인 설계 외에 건축이나 전기 및 기계 설계 등 특별한 용도에 맞는 전문 CAD 소프트웨어를 사용하는 경우도 있다.

주제 활동　창의적인 골판지 의자 설계하기

창의 공학 설계의 과정을 통해 골판지 의자를 창의적으로 설계하고 만들어 보자.

- 문제 확인하기: 종이 재료의 특수성, 평가 조건 확인
- 새로운 생각 떠올리기: 브레인스토밍으로 구조물의 구조 탐색, 조립 방법 탐색
- 최적의 안 선정하기: ALU 기법을 활용하여 문제 해결이 가능한 아이디어 선정
- 구체적 계획하기: 설계도 작성
- 시제품 만들기: 다양한 재료를 활용하여 시제품 작성
- 평가 및 보완하기: 기능성, 심미성, 경제성, 견고성을 확인하고 보완

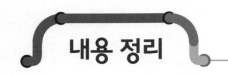

1. 창의 공학 설계를 통한 기술 혁신

(1) 창의 공학 설계

① **기술 혁신** 기존의 기술이나 물건을 개선하거나 시스템을 향상시키는 것

② **공학 설계**
- 설계: 인간이 필요로 하는 기능이나 목적을 달성하기 위하여 계획을 세우고 도면을 작성하는 것
- 공학 설계: 하나의 제품을 설계하기 위해서 다양한 과학적 지식과 기술을 활용한 설계

③ **창의 공학 설계**
- 새로운 상황과 요구에 맞춰 기존의 제품과 다른 창의적인 제품을 설계하는 것
- 공학 설계에 창의적인 사고 기법을 적용해 설계하는 것

(2) 창의 공학 설계에서 고려할 사항

① **용도** 제품을 설계할 때 용도가 명확해야 함.

② **형태** 아름다운 형태를 갖추어야 함.

③ **재료와 가공 기술** 적합한 재료와 그에 맞는 가공 기술이 필요함.

④ **기능과 구조**
- 목적에 맞는 기능과 튼튼한 구조를 가져야 함.
- 사용 방법이 명확해야 함.

(3) 창의 공학 설계의 과정

① **문제 확인하기** 주어진 문제의 핵심 파악

② **새로운 생각 떠올리기** 정보 수집, 수집한 정보로 여러 가지 아이디어 창출

③ **최적의 안 선정하기** 창출한 아이디어 중에서 최적의 아이디어 선정

④ **구체적 계획하기** 선정한 아이디어를 도면으로 구체화하여 계획

⑤ **시제품 만들기** 시제품 제작

⑥ **평가 및 보완하기** 문제점 개선한 최적의 제품 완성

2. 아이디어 스케치 및 구상도 그리기

(1) 스케치

① 머릿속에 떠오른 아이디어를 종이에 표현할 수 있는 가장 쉬운 방법

② 프리핸드 스케치를 주로 이용함.

③ **프리핸드 스케치** 자나 컴퍼스 등과 같은 제도 용구 없이 손으로 빠르고 간단하게 그려서 아이디어를 표현하는 방법

(2) 구상도

① 정확한 크기나 구조를 고려하여 실물로 그린 설계도

② 정투상법, 등각 투상법, 사투상법을 주로 이용
- 등각 투상법: 물체의 각 면을 모두 경사지게 그리는 방법
- 사투상법: 물체의 앞면은 실물과 같이 하고, 옆면을 수평선과 일정한 각을 이루게 하여 그리는 방법
- 투시 투상법: 물체의 모양을 원근감이 나타나도록 그리는 방법

3. 아이디어를 도면으로 나타내기

(1) 제도와 도면

① **제도** 만들고자 하는 제품의 모양, 크기, 구조, 제작 방법 등을 정해진 규칙에 따라 선, 문자, 기호 등을 사용하여 나타내는 작업

② **도면** 제도 과정을 통해 제도 용지나 컴퓨터 화면에 제품을 나타낸 것

③ **정투상법** 제품을 도면에 나타낼 때 주로 이용함.
- 물체의 정면, 측면, 평면의 모습을 나타내는 방법
- 물체의 모양이나 크기를 정확히 나타낼 수 있기 때문에 제작도 등에 활용함.

(2) 도면 그리는 순서

① **용지의 크기 및 척도 결정하기**
- 물체의 크기, 모양, 복잡한 정도 등을 고려해 용지의 크기 및 척도를 결정함.
- 척도: 도면에 나타낸 물체의 크기와 실제 크기의 비를 의미함.

② **선의 종류를 구분하여 물체 나타내기**
- 도면에 물체의 윤곽선을 대략적으로 그린 후 선의 종류를 달리해 물체의 정확한 모양을 그림.
- 선의 종류: 실선(굵은 실선, 가는 실선), 파선, 1점 쇄선, 2점 쇄선

③ **치수를 기입하여 도면 완성하기**
- 도면에 나타낸 물체의 크기나 각도, 두께 등을 치수로 표시
- 치수의 단위는 mm로 통일하여 숫자만 기입함.

개념 꽉꽉 다지기

1. 창의적인 사고 기법을 적용해 기존의 제품과 다른 창의적인 제품을 설계하는 것을 (　　　　　　)(이)라고 한다.

📢 Helper

1. 일반적인 공학 설계의 과정에 창의적인 사고 기법을 더한 것

2. 인간이 필요로 하는 기능이나 목적을 달성하기 위하여 하나의 제품이나 시스템으로 구체화하는 과정은 ?

① 설계　　　　　　　　　　② 도면

③ 디자인　　　　　　　　　④ 창의 공학

⑤ 기술 혁신

2. 만들고자 하는 제품의 구조나 재료, 가공 방법 등을 고려하여 목적을 달성하기 위해 계획을 세우고 설계도를 작성하는 것

3. 창의 공학 설계의 과정에 대한 설명으로 옳지 <u>않은</u> 것은?

① 시제품 만들기: 시제품 제작

② 문제 확인하기: 주어진 문제의 핵심을 구체적으로 파악

③ 최적의 안 선정하기: 정보를 수집하고 다양한 아이디어 창출

④ 평가 및 보완하기: 시제품을 통한 문제점 개선 및 최종 제품 완성

⑤ 구체적 계획하기: 아이디어를 도면으로 나타내고 제작 계획서 작성

3. 창의 공학 설계 과정
• 문제 확인하기
• 새로운 생각 떠올리기
• 최적의 안 선정하기
• 구체적 계획하기
• 시제품 만들기
• 평가 및 보완하기

4. 창의 공학 설계는 기술적 (　　　　　　　　) 과정을 거쳐 이루어진다.

5. 도면의 기능을 바르게 연결하시오.

① 정보의 전달 •　　　• ㉠ 설계자의 아이디어를 구체적으로 표현하는 기능

② 정보의 보존 •　　　• ㉡ 도면으로 설계 정보를 보존하고 다시 이용하는 기능

③ 정보의 창출 •　　　• ㉢ 설계자의 의도를 사용자에게 정확히 전달하는 기능

01 창의 공학 설계에 대한 설명으로 옳은 것은?

① 창의적인 사고 기법을 개발하는 것

② 과학적 지식을 활용하여 설계하는 것

③ 기존의 문제점을 개선하거나 바꾸는 것

④ 목적 달성을 위해 설계도를 작성하는 것

⑤ 공학 설계에 창의적 사고 기법을 적용한 설계

02 다음 설명에 해당하는 것으로 옳은 것은?

> 다양한 분야의 경험과 지식을 토대로 자원을 목표에 부합하도록 시스템, 요소, 프로세스를 고안하는 문제 해결의 과정

① 발명　　　　　　② CAD

③ 디자인　　　　　④ 창의 공학 설계

⑤ 아이디어 발상법

03 창의 공학 설계에서 고려해야 할 사항이 <u>아닌</u> 것은?

① 제품의 용도

② 제품의 가격

③ 제품의 재료

④ 제품의 가공 기술

⑤ 제품의 기능과 구조

04 다음 〈보기〉의 창의 공학 설계의 과정이 순서대로 나열된 것은?

┤ 보기 ├

ㄱ. 문제 확인하기

ㄴ. 시제품 만들기

ㄷ. 구체적 계획하기

ㄹ. 평가 및 보완하기

ㅁ. 최적의 안 선정하기

ㅂ. 새로운 생각 떠올리기

① ㄱ → ㅂ → ㄴ → ㄹ → ㄷ → ㅁ

② ㅂ → ㄱ → ㄹ → ㅁ → ㄴ → ㄷ

③ ㄴ → ㄷ → ㅂ → ㄱ → ㄹ → ㅁ

④ ㅂ → ㄴ → ㄱ → ㄷ → ㅁ → ㄹ

⑤ ㄱ → ㅂ → ㅁ → ㄷ → ㄴ → ㄹ

05 도면의 기능에 대한 설명으로 옳지 <u>않은</u> 것은?

① 설계 정보를 보존하는 기능

② 새로운 정보를 창출하는 기능

③ 설계자의 의도를 정확히 전달하는 기능

④ 설계 정보를 확장하고 수정 보완하는 기능

⑤ 설계의 아이디어를 구체적으로 표현하는 기능

06 스케치를 바탕으로 정확한 크기나 구조 등을 고려하여 실물로 나타낸 그림은?

① 스케치

② 제작도

③ 구상도

④ 사투상도

⑤ 등각 투상도

07 제도 통칙에서 물체의 보이는 가장 바깥 부분을 나타내는 선은?

① 실선

② 외형선

③ 파단선

④ 1점 쇄선

⑤ 치수 보조선

08 다음 중 실물을 확대해서 그린 도면을 나타내는 축적은?

① 2 : 1

② 1 : 30

③ 1 : 100

④ 1 : 500

⑤ 1 : 1000

09 다음 설명에 해당하는 구상도로 옳은 것은?

> 물체의 앞면은 실물과 같이 하고, 옆면을 수평선과 일정한 각을 이루게 하여 그리는 방법을 말한다.

① 사투상법　　　　② 정투상법

③ 투시도법　　　　④ 평면도법

⑤ 등각 투상법

10 그림과 같은 구상도로 옳은 것은?

① 사투상법

② 정투상법

③ 투시도법

④ 평면도법

⑤ 등각 투상법

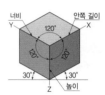

핵심을 되짚는 O·X 문제

11 창의 공학 설계는 기술적 문제 해결 과정으로 볼 수 있다.
(O , X)

12 창의 공학 설계시 고려 사항으로 재료 및 가공 기술은 그렇게 중요한 요소가 아니다. (O , X)

13 창의 공학 설계의 과정 중 평가 및 보완하기 단계에서 발생된 문제점은 수정해서는 안 된다. (O , X)

14 창의 공학 설계는 창의적 사고 기법과 공학 설계를 합친 개념이다. (O , X)

15 심미적 요소는 창의 공학 설계의 요소로 볼 수 없다. (O , X)

16 구상도에는 정투상법, 등각 투상법, 사투상법 등이 있다.
(O , X)

17 제품을 도면에 나타낼 때는 정투상법이 주로 쓰인다.(O , X)

18 도면은 정보 전달, 정보 보존, 새로운 정보 창출 기능을 가진다.
(O , X)

19 도면을 그릴 때 척도는 가장 나중에 결정한다. (O , X)

20 도면에 나타낸 물체의 크기가 실제 크기보다 큰 경우를 현척이라 한다. (O , X)

02 창업의 밑거름이 되는 발명과 특허

개념 더하기

＋기술적 문제 해결
어떠한 일을 해결하는 과정에서 생기는 불편하고 어려운 점을 기술적인 방법으로 해결하는 것이다.

＋발명 문제 해결
발명이란 기술적인 문제를 창의적으로 해결하는 활동이므로 기술적 문제 해결의 과정과 같은 의미로 볼 수 있다.

＋특허 정보 검색 연산자

연산자	연산자 설명	사용 예
*	입력한 키워드 2개를 모두 포함한 검색	우주*우주복
+	입력한 키워드 중 1개라도 포함한 검색	우주+우주복
!	입력한 키워드 2개 중 앞의 1개는 반드시 포함하고, 뒤의 1개는 포함하지 않는 검색	우주!우주복

주제 열기

≫ 소개한 발명품들이 올해의 발명품으로 선정된 이유가 무엇인지 생각하여 써 보자.
주변의 소리를 감지해 스스로 볼륨을 조절하는 이어폰: 변화하는 주변의 소리에 맞춰 볼륨을 조절하는 불편함이 없다.

≫ 발명품을 이용해 창업하기 위해서는 어떤 절차가 필요할지 생각하여 써 보자.
특허 출원이나 창업의 절차를 알아본다.

1, 발명을 통해 문제를 창의적으로 해결한다

(1) 발명

① **발명이란** 문제가 발생했을 때 이를 해결하기 위하여 이전에 없던 물건이나 방법을 새롭게 만들어 내는 것이다.

② **발명의 종류**

• 물건의 발명: 기계, 기구, 장치, 시설 등의 구체적인 형태가 있는 제품의 발명이다.

• 방법의 발명: 제조 방법, 통신 방법, 측정 방법 등 실체가 없으나 목적을 달성하기 위한 기술적 수단이나 과정을 고안하는 발명이다.

(2) 발명의 과정

① 발명은 기술적 지식과 창의적인 사고 방법을 적용하여 창의적으로 문제를 해결하는 활동으로, 발명 문제 해결 과정을 거친다.

② **발명 문제 해결 과정**

• 문제 확인하기: 기존의 물건이나 방법이 가진 문제점을 찾아 발명 문제를 확인한다.

• 아이디어 탐색하기: 문제와 관련된 정보를 수집하고, 이를 바탕으로 다양한 아이디어를 창출한다. 아이디어를 생산하는 단계에서는 확산적 사고 기법이 주로 사용된다.

• 특허 정보 검색하기: 창출한 아이디어가 이미 특허로 등록되어 있는지 특허 정보를 검색한다.
  - 특허 정보넷 키프리스(http://www.kipris.or.kr)에서 검색하고자 하는 내용을 입력한다.
  - 검색 목록에 나타난 요약 정보를 확인하고, 원하는 내용을 선택하여 상세한 정보를 확인한다.

• 아이디어 선정 및 구체화하기: 창출한 아이디어를 평가해 최적의 아이디어를 선정하고 발명 설명서 또는 도면으로 나타내 구체화한다. 수렴적 사고 기법을 이용하여 선정할 수 있다.

2. 특허 출원을 통해 지식 재산에 관한 권리를 인정받을 수 있다

구체화한 발명 아이디어는 지식 재산으로서의 가치를 갖기 때문에 발명자는 특허 출원을 통해 일정 기간 지식 재산에 관한 권리를 인정받게 된다.

(1) 지식 재산의 개념

① **지식 재산** 인간의 창조적 활동 또는 경험 등을 통해 창출하거나 발견한 지식, 정보, 기술 등 재산적 가치가 실현될 수 있는 것이다.

② **지식 재산권** 여러 가지 지식 재산에 관해 창작자에게 주어지는 권리이다.

③ **지식 재산권의 종류**

- 산업 재산: 산업상 이용 가치를 가진 발명이나 디자인 상표 등에 관한 권리로, 특허권, 디자인권, 실용신안권, 상표권 등이 있다.
- 저작권: 인간의 사상 또는 감정을 표현한 창작물인 저작물에 대한 권리로, 문학, 음악, 공연 등 예술적 창작권 등이 있다.
- 신지식 재산권: 급속한 사회 발달로 생겨난 새로운 분야에 대한 지식 재산권이다. 데이터베이스, 식물 신품종, 반도체 배체 설계 등이 있다.

(2) 산업 재산권의 종류

① **특허권**
- 물건이나 방법에 관해 새롭고 수준 높은 발명에 주어지는 권리이다.
- 존속 기간은 출원일로부터 20년간이다.

② **디자인권**
- 물품의 모양, 색채, 형상을 아름답게 하는 것에 관한 권리이다.
- 존속 기간은 디자인권 설정의 등록일로부터 20년간이다.

③ **실용신안권**
- 이미 발명된 것을 개량하여 보다 편리하고 유용하게 하는 발명에 주어지는 권리이다.
- 존속 기간은 출원일로부터 10년간이다.

④ **상표권**
- 타인의 상품과 식별되는 상품의 기호, 문자, 도형 등에 관한 권리이다.
- 존속 기간은 상표권 설정의 등록일로부터 10년간이며, 갱신이 가능해 반영구적인 권리이다.

교과서 뛰어 넘기 저작권

저작자가 자신의 저작물을 독점적으로 이용하거나 이를 남에게 허락할 수 있는 인격적, 재산적 권리이다. 저작권은 문학, 영화 등 예술 작품 등 저작물에 대한 독점적이고 배타적인 이용을 보장하는 권리이며, 복제를 통해 저작권자의 저작물을 출판하거나 저작물을 임의 사용하지 못하게 하는 권리이기도 하다. 저작권은 저작을 한 때부터 자동적으로 발생하며, 등록과 같은 어떤 다른 절차의 이행을 필요로 하지 않는다. 이를 무방식주의라고 한다.

개념 더하기

+ 지식 재산권

인간의 지적 활동으로부터 발생하는 각종 창작물에 대한 권리와 그에 따른 제반 보호를 목적으로 하는 법이다.

+ 저작권
- 저작 인격권: 저작자가 자기의 저작물에 대하여 갖는 정신적, 인격적 이익을 보호하는 권리이다. 저작자의 일신에 전속되어 양도나 상속은 할 수 없고 저작자의 사망과 동시에 소멸된다.
- 저작 재산권: 자기의 저작물에 대하여 갖는 배타적 이용권으로, 그것이 재산권인 이상 양도 및 상속은 물론 채무 담보의 목적이 될 수도 있다.

+특허 등록

출원된 특허의 심사를 거쳐 특허 요건에 적합할 경우 이를 등록하여 대중에게 공개하게 되며 관련 비용을 납부하므로 권리를 보장받게 된다.

+특허권을 얻을 수 있는 발명의 기본 요건

• 창작적인 것이어야 한다.
• 고도성이 인정되는 것이어야 한다.
• 자연의 법칙을 이용한 것이어야 한다.
• 기술적 사상이 반영된 것이어야 한다.

+자연법칙의 이용

자연 현상에서 발견된 것이 아닌 자연법칙을 활용하여 만든 기술적인 고도의 것을 말한다.

+선발명주의

가장 먼저 발명한 사람에게 특허권을 부여하는 제도이다.

(3) 특허 출원 과정

① 특허 출원

• 자신의 발명을 법적으로 인정받기 위해 국가에 특허권을 요구하는 것을 말한다.
• 우리나라에서 특허는 선출원주의를 따르기 때문에 같은 발명이 존재할 경우 먼저 출원한 사람에게 특허권을 준다.

② 특허 출원 과정

• 선행 기술 조사: 같거나 유사한 발명이 이미 등록되어 있는지 확인한다.
• 출원 신청: 출원에 필요한 서류를 작성해 특허청에 직접 제출하거나 온라인으로 제출한다.
  - 특허청(http://www.kipo.go.kr)에서 특허 출원에 필요한 서류의 양식과 작성 예제를 내려받을 수 있다.
  - 특허 출원에 필요한 서류에는 출원서, 명세서, 도면, 요약서 등이 있다.
  - 발명이 속하는 기술 분야에서 보통의 지식을 가진 자가 이해할 수 있는 수준으로 명확하고 상세하게 작성해야 한다.
• 특허 심사: 특허청에서 특허를 받기에 적합한지 정해진 기준에 맞춰 심사한다.
• 특허권 획득: 심사에 통과하면 특허 등록 비용과 유지 관리 비용을 납부하여 특허권을 얻는다. 특허 심사 기준은 다음과 같다.
  - 신규성(기존에 없던 새로운 발명일 것)
  - 진보성(기존의 기술에 비하여 진보된 기술일 것)
  - 자연법칙의 이용(수학 공식, 자연 현상의 발견 등은 발명이 될 수 없음.)
  - 산업상 이용 가능성(산업적으로 이용 가능할 것)

> **함께 해 보기**
>
> 우리나라가 선출원주의를 따르는 이유를 생각하여 써 보자.
>
> 예 새로운 발명에 대해 출원을 빨리 하도록 유인함으로써 발명이 사회에 조속히 공개되어 기술 발전을 촉진할 수 있으며, 선·후출원 관계의 판단이 용이하다. 미국의 경우도 최근 선발명주의에서 선출원주의로 변경하였다.

> **교과서 뛰어 넘기**   특허권 부여 기준
>
> 동일한 발명에 대하여 특허권을 부여하는 기준은 다음과 같다.
> • **선출원주의**: 동일한 발명에 대하여 특허청에 먼저 출원한 사람에게 특허권을 부여한다.
> • **속지주의**: 특허권을 획득하고자 하는 나라에 각각의 특허를 출원해야 권리가 인정된다.
> • **서면주의**: 특허청에서 요구하는 서류 양식에 따라 서면으로 출원해야 권리가 인정된다.

3 특허받은 발명은 판매 및 대여하거나, 창업에 활용할 수 있다

(1) 특허권 판매 및 특허를 활용한 창업

① **특허권 판매 및 대여**   특허권을 얻은 발명은 권리를 다른 사람에게 판매하여 수익화하거나 특허 기술을 다른 사람이 사용할 수 있게 하여 특허 사용료를 받아 수

익을 창출할 수 있다.

② **특허를 활용한 창업** 특허받은 기술을 이용해 창업을 하면 신뢰도가 높고 기술에 대한 독점권을 갖게 되므로 높은 수익을 올릴 수 있다.

(2) **특허를 이용한 창업의 절차**

① **사업 계획 수립** 기업의 활동 범위, 자원의 활용 방법, 경영 전략 등 사업에 관한 제반 사항을 체계적으로 계획해야 한다.

② **창업 자금 확보** 창업 자금은 발명을 구체적으로 상품화하는 데 필요한 자본을 뜻한다.

③ **사업의 인허가** 규정하고 있는 업종의 경우에는 시설 기준 및 자격 요건 등을 규정하고 있어서 해당 업종을 담당하는 인허가 기관에 등록해야 한다.

④ **사업자 등록** 개인 또는 법인 형태로 사업 주체를 결정한 후 필요한 서류를 준비하여 세무서에 방문해 사업자 등록을 한다.

개념 더하기

+특허 활용
특허 기술이 산업적으로 활용되는 것이다.

😮 함께 해 보기

기사를 읽고 모둠을 구성해 지식 재산을 보호하기 위한 홍보 활동을 기획하고 실천해 보자.

제목	지식 재산 보호 홍보를 위한 부스 운영				
기간	20○○. 5. 1	대상	○○고등학교 학생	장소	○○고등학교 운동장
내용	지식 재산 보호를 알리기 위해 퀴즈를 내고 맞추는 체험 부스를 운영한다.				

주제 활동   창업 계획하기

1. **우리 생활 주변의 다양한 문제를 분석하고, 이를 해결하기 위한 발명 아이디어를 창출해 사업 아이템을 구체화해 보자.**

착용감이 좋은 의자 커버 만들기(희망 열거법이나 결점 열거법을 통해 문제 상황을 찾아낼 수 있다.)

2. **발명 아이템에 관한 구체적인 사업 계획서를 아래의 양식에 맞춰 작성해 보자.**

제목	착용감이 좋은 의자 커버 사업
아이템의 핵심 가치	• 나무 의자에 옷이나 스타킹이 걸리지 않도록 한다. • 세탁이 편리하게 한다.
시장 환경	주로 학생을 대상으로 한 한정된 시장
제품의 예상 수요	여학생들이 주로 구매할 것으로 예상됨.
목표 조건	원가 대비 5 %의 이윤 추구
마케팅 전략	의자 커버가 없을 때의 불편함과 그 후의 편리함을 비교하여 강조
자금 조달 계획	클라우드 펀딩이나 동아리 활동 보조금 받기

내용 정리

1. 발명을 통한 문제 해결

(1) 발명의 개념

① **발명** 문제가 발생했을 때 이를 해결하기 위해 이전에 없던 물건이나 방법을 새롭게 만들어 내는 것

② **발명의 종류**
- 물건의 발명: 기계, 기구, 장치, 시설 등
- 방법의 발명: 제조 방법, 통신 방법, 측정 방법 등

(2) 발명의 과정

① 발명은 기술적 지식과 창의적인 사고 방법을 적용하여 창의적으로 문제를 해결하는 활동으로, 발명 문제 해결 과정을 거침.

② **발명 문제 해결 과정**
- 문제 확인하기
- 아이디어 탐색하기
- 특허 정보 검색하기
- 아이디어 선정 및 구체화하기

2. 발명에 관한 권리를 인정받을 수 있는 특허 출원

(1) 지식 재산의 개념

① **지식 재산** 인간이 창출한 지식, 정보, 기술 등 재산적 가치가 실현될 수 있는 것

② **지식 재산권** 여러 가지 지식 재산에 관해 창작자에게 주어지는 권리

③ **지식 재산권의 종류**
- 산업 재산권: 특허권, 디자인권, 실용신안권, 상표권 등
- 저작권: 문학, 예술적 창작권 등
- 신지식 재산권: 반도체 집적 회로, 컴퓨터 프로그램, 데이터베이스 등

(2) 산업 재산권

① **산업 재산권** 산업상 이용 가치를 가진 발명이나 디자인, 상표 등에 관한 권리

② **산업 재산권의 종류**
- 특허권: 물건이나 방법에 관해 새롭고 수준 높은 발명에 주어지는 권리
- 디자인권: 물품의 모양, 색채, 형상을 아름답게 하는 것에 관한 권리
- 실용신안권: 이미 발명된 것을 개량하여 보다 편리하고 유용하게 하는 발명에 주어지는 권리
- 상표권: 타인의 상품과 식별되는 상품의 기호, 문자, 도형 등에 관한 권리

(3) 특허 출원 과정

① **특허 출원**
- 자신의 발명을 법적으로 인정받기 위해 국가에 특허권을 요구하는 것
- 우리나라에서는 선출원주의를 따르기 때문에 같은 발명이 존재할 경우 먼저 출원한 사람에게 특허권을 줌.

② **특허 출원 과정**
- 선행 기술 조사: 이전의 발명과 같거나 유사한 발명이 이미 등록되어 있는지 확인
- 출원 신청: 특허청(http://www.kipo.go.kr)에서 특허 출원에 필요한 서류의 양식과 작성 예제를 내려받을 수 있음.
- 특허 심사: 특허청에서 특허를 받기에 적합한지 정해진 기준에 맞춰 심사
  - 특허 심사 기준: 신규성, 진보성, 자연법칙의 이용, 산업상 이용 가능성
- 특허권 획득: 심사에 통과하면 특허 등록 비용과 유지 관리 비용을 납부하여 특허권을 얻음.

3. 특허받은 발명의 활용

(1) 특허권 판매 및 특허를 활용한 창업

① **특허권 판매 및 대여** 특허권을 얻은 발명은 권리를 판매하거나 대여하여 수익을 창출할 수 있음.

② **특허를 활용한 창업** 특허받은 기술을 이용해 창업을 하면 높은 수익을 얻을 수 있음.

(2) 특허를 이용한 창업의 절차

① **사업 계획 수립** 기업의 활동 범위, 자원의 활용 방법, 경영 전략 등 사업에 관한 제반 사항을 체계적으로 계획함.

② **창업 자금 확보** 창업자는 물론, 개인 투자자, 벤처 자본가, 금융 기관, 창업 투자 회사 등을 통해 창업 자금을 확보함.

③ **사업의 인허가** 해당 업종을 담당하는 인허가 기관에 등록함.

④ **사업자 등록** 개인 또는 법인 형태로 사업 주체를 결정한 후 필요한 서류를 준비하여 세무서에 방문하여 사업자 등록을 함.

개념 꽉꽉 다지기

1. 어떠한 일을 해결하는 과정에서 생기는 불편하고 어려운 점을 기술적인 방법으로 해결하는 것을 (㉠)(이)라고 하며, 이러한 기술적인 문제를 창의적으로 해결하는 활동을 (㉡)(이)라고 한다.

📢 Helper

2. 방법의 발명에 속하는 것은?

① 기계

② 시설

③ 장치

④ 기구

⑤ 제조 방법

2. 발명의 종류
• 물건의 발명: 기계, 기구, 장치, 시설 등의 구체적인 제품
• 방법의 발명: 제조 방법, 통신 방법, 측정 방법 등의 기술적 수단이나 과정

3. 지식 재산의 종류로 그 분류가 다른 하나는?

① 저작권

② 상표권

③ 특허권

④ 디자인권

⑤ 실용신안권

3. 지식 재산의 종류
• 산업 재산권: 특허권, 디자인권, 실용신안권, 상표권
• 저작권: 문학, 예술적 창작권
• 신지식 재산권: 반도체 집적 회로, 식물 신품종, 데이터베이스 등

4. 지식 재산권의 분류와 내용을 바르게 연결하시오.

① 저작권 •　　　　　• ㉠ 특허권

② 산업 재산권 •　　　　• ㉡ 문학 창작권

③ 신지식 재산권 •　　　• ㉢ 데이터베이스

5. 특허의 요건이 <u>아닌</u> 것은?

① 신규성

② 진보성

③ 모방성

④ 자연법칙의 이용

⑤ 산업적 이용 가능성

5. 특허 심사 기준
• 신규성
• 진보성
• 자연법칙의 이용
• 산업적 이용 가능성

01 발명의 문제 해결 과정 중 다음 설명에 해당되는 단계는?

> 창출한 아이디어가 이미 특허로 등록되어 있는지 확인한다.

① 특허 출원하기
② 문제 확인하기
③ 아이디어 탐색하기
④ 특허 정보 검색하기
⑤ 아이디어 구체화하기

02 아이디어 선정 및 구체화하기 단계에서 해야 할 일로 옳은 것은?

① 문제점을 찾는다.
② 아이디어를 창출한다
③ 문제에 대한 정보를 수집한다.
④ 아이디어를 도면으로 구체화한다.
⑤ 창출한 아이디어의 특허를 검색한다.

03 산업 재산권의 종류가 <u>아닌</u> 것은?

① 특허권
② 상표권
③ 디자인권
④ 실용신안권
⑤ 정보 재산권

04 다음 설명에 해당하는 것으로 옳은 것은?

> 인간의 사상 또는 감정을 표현한 창작물인 저작물에 대한 권리로, 표현에 의한 창작성을 권리로 한다.

① 저작권
② 디자인권
③ 실용신안권
④ 산업 재산권
⑤ 신지식 재산권

05 다음 설명에 해당하는 것으로 옳은 것은?

> 인간의 창조적 활동 또는 경험 등으로 창출하거나 발견한 지식, 정보, 기술 등 재산적 가치가 실현될 수 있는 것

① 상표
② 발명
③ 특허
④ 디자인
⑤ 지식 재산

06 지식 재산에 대한 설명으로 옳지 <u>않은</u> 것은?

① 과거의 지식 재산에는 산업 재산이나 저작물만 해당하였다.
② 지식 재산권에는 산업 재산권, 저작권, 신지식 재산권 등이 있다.
③ 현대에는 신품종, 유전자원, 빅 데이터 등 새로운 분야에서 지식 재산이 등장하였다.
④ 지식 재산권이란 산업상 이용 가치를 가진 발명이나 디자인, 상표 등에 관한 권리를 말한다.
⑤ 인간의 활동 또는 경험 등을 통해 창출하거나 발견한 지식, 정보, 기술 등 재산적 가치가 실현될 수 있는 것을 지식 재산이라고 한다.

07 지식 재산권의 권리 보호에 대하여 옳지 <u>않은</u> 것은?

① 상표권은 갱신이 가능해 영구적인 권리이다.

② 특허권의 존속 기간은 출원일로부터 20년간이다.

③ 실용신안권의 존속 기간은 출원일로부터 10년간이다.

④ 상표권의 존속 기간은 상표권 설정의 등록일로부터 10년간이다.

⑤ 디자인권의 존속 기간은 디자인권 설정의 등록일로부터 20년간이다.

08 '발명이 기존에 없던 새로운 것이어야 한다.'는 특허 심사 기준으로 옳은 것은?

① 실용성

② 진보성

③ 신규성

④ 산업적 이용 가능성

⑤ 자연법칙을 이용한 것

09 특허 출원 과정이 바르게 나열된 것은?

① 선행 기술 조사 – 특허 심사 – 출원 신청 – 특허권 획득

② 선행 기술 조사 – 출원 신청 – 특허 심사 – 특허권 획득

③ 특허 심사 – 선행 기술 조사 – 출원 신청 – 특허권 획득

④ 특허 심사 – 출원 신청 – 특허권 획득 – 선행 기술 조사

⑤ 출원 신청 – 선행 기술 조사 – 특허 심사 – 특허권 획득

10 특허를 이용한 창업의 절차에 대한 과정으로 옳지 <u>않은</u> 것은?

① 사업자 등록

② 사업의 인허가

③ 창업 자금 확보

④ 사업 계획 수립

⑤ 특허 정보 검색

핵심을 되짚는 O·X 문제

11 발명은 기술적 문제 해결 과정이다. (O , X)

12 발명은 기술적 지식과 창의적인 사고 방법을 적용하여 문제를 해결하는 활동으로 발명 문제 해결 과정을 거친다. (O , X)

13 기계, 기구, 장치 등과 같은 구체적 형태가 있는 발명은 방법의 발명이다. (O , X)

14 특허권이란 지금까지 없었던 물건이나 방법을 최초로 발명한 경우에 주어지는 권리로, 존속 기간은 출원일로부터 20년간이다. (O , X)

15 특허 정보 사이트에 같은 아이디어가 있다면 사용해도 된다. (O , X)

16 신지식 재산권이란 급속한 사회 발달로 생겨난 새로운 분야에 대한 지식 재산권으로, 문화, 예술에 대한 창착권이 있다. (O , X)

17 물건의 모양, 색채, 형상에 대한 권리는 디자인권이다. (O , X)

18 인간의 사상 또는 감정을 표현한 창작물인 저작물에 대한 권리는 산업 재산권이다. (O , X)

19 특허 심사 기준에는 신규성, 진보성, 자연법칙의 이용, 산업적 이용 가능성이 있다. (O , X)

20 우리나라의 특허는 선출원주의를 따른다. (O , X)

03 글로벌 경쟁력을 키우는 기술 개발과 표준

개념 더하기

+표준

표준이란 관계되는 사람이나 단체, 기업에서 이익 또는 편리가 공정하게 얻어지도록 통일·단순화를 목적으로 제품, 성능, 배치, 상태, 동작, 절차, 방법 등에 대하여 규정한 약속을 말한다.

+표준화

표준을 활용함으로써 편리와 이익을 가져오는 활동을 표준화라고 한다.

주제 열기

≫ 우리 생활 속에서 기술이 표준화된 사례를 찾아 써 보자.

예 스마트폰 충전 단자, 병마개, 건전지, 키보드 자판 등

≫ 우리 생활 속에서 기술의 표준화가 필요한 경우를 생각하여 써 보자.

예 • 건전지 – 제품마다 건전지의 크기가 다를 경우 소비자는 더 불편하고 일일이 제품에 맞는 건전지를 찾기도 힘들다. 또한, 기업의 입장에서도 모든 제품을 각각 제조하는 비용적인 문제가 발생한다.
  • 예전에는 휴대 전화의 기종마다 다른 충전기를 사용하도록 하여 불편하고 서로 바꿔 쓸 수 없어 비효율적이었다.

1, 표준화를 고려한 기술 연구 개발이 이루어져야 한다

기술 연구 개발 과정에서 이미 개발된 기술을 또 개발하는 오류를 줄이며, 표준화된 기술을 이용함으로써 연구 개발의 효율성을 높일 수 있다.

(1) 기술 연구 개발 과정

기술 연구 개발은 기초 연구, 개발, 시제품 제작, 제품화 및 평가, 제품 생산의 과정을 거친다. 이러한 연구 개발의 결과로 핵심 기술이 개발되고, 제품으로 상용화되어 시장 진출을 통해 이윤을 창출하게 된다.

① **기초 연구** 선행되는 기술, 새로운 지식 등의 정보를 수집하며, 소비자 및 사용자 등의 요구를 파악하는 단계이다.

② **개발** 특허를 중심으로 기본 정보를 검색하고, 아이디어를 탐색, 창안, 시각화(도면화), 평가하여 구체적으로 실현하는 단계이다.

③ **시제품 제작** 개발 과정의 결과물을 미리 제작하여 봄으로서 문제점을 파악하고 개선하는 단계이다.

④ **제품화 및 평가** 실제 제품화 과정 이전에 소비가 반응, 성능 실험 등을 통하여 제품의 평가 및 보완이 이루어지도록 하는 단계이다.

⑤ **제품 생산** 연구의 최종적인 산물로서 제품을 생산하는 단계이다.

기초 연구　　개발　　시제품 제작　　제품화 및 평가　　제품 생산

▲ 기술 연구 개발 과정

평소에 자주 사용하는 기술 제품 중 하나를 선택하고, 해당 제품의 연구 개발 과정을 조사하여 써 보자.

　📝 처음 휴대 전화 메시지 자판은 초성 문자와 중성 문자를 같이 사용하는 2벌식 자판이어서 입력할 때 실수률이 높았다. 그 이후 그 점을 보완하고자 많은 연구가 이루어졌다. 그 결과로 한국어 문자판의 배치를 훈민정음 창제 방식인 음양오행으로 구분, 배정하여 문자 입력을 용이하도록 향상시켰다.

(2) 특허와 표준, 표준 특허

① **특허**　개인이나 기업의 연구 개발 결과물에 부여된 독점적이고 배타적인 권리이다.

② **표준**

- 물질, 제품, 기기, 시스템, 서비스 등의 특성, 구성 요소, 성능, 동작, 절차 방법, 양과 질의 계량 또는 안전성 등에 관한 기술적 사항을 규정한 규격이다.
- 편의, 효율, 안전을 위한 서로 간의 약속으로, 기술을 공유하여 첨단 기술을 사회에 확산시킨다.

③ **표준 특허**　특허 기술이 국제 표준 규격으로 채택되면 해당 기술을 사용하기 위하여 표준으로 지정된 특허를 반드시 사용해야 하는데, 이를 표준 특허라고 한다.

+특허와 표준의 조화

발명가의 독점권을 지나치게 강조하면 표준의 활용이 어렵게 되어 공공복지가 도외시되며, 공공복지에 치중하면 기술 개발 촉진이 어렵게 되므로 특허와 표준 간의 적절한 조화가 필요하다.

▲ 표준, 표준 특허, 특허의 개념

+표준화의 기본 원칙

- 합의에 기초
- 공개의 원칙
- 자발성 존중
- 공공의 이익 반영
- 경제적 요인의 반영
- 시장 적합성의 보유
- 통일성과 일관성 유지

2 기술 표준화로 표준 특허를 획득하고, 시장 점유율을 높인다

기술의 연구 개발 과정에서부터 연구 개발과 특허, 표준화의 연계를 통하여 국제 표준을 선점하고 시장 점유율을 높일 수 있다.

(1) 기술 표준화의 중요성

최근에는 표준 기술과 관련된 다수의 특허를 확보하고 이를 이용해 기업들에게 막대한 기술 사용료를 요구하는 특허 괴물이 등장하고 있어 이와 관련된 대비와 노력이 필요하다.

① **상호 운용성 제공**　서로 같은 기종이나 다른 기종끼리의 정보 교환 및 처리가 가능하다.

② **비용 절감**　기술의 중복 투자를 막아 연구 개발 비용이 절감되고, 대량 생산을 통해 제조업체나 사업체 간의 단위 생산 및 거래 비용이 줄어든다.

③ **무역 활성화**　국제 표준을 통해 무역 장벽을 제거하여 국제 무역을 활성화한다.

+표준화가 기업에 주는 이익

과거 정보 통신 표준화는 시스템 간의 상호 호환성 보장, 서비스 간 연동, 소비자 편의 제고 등 기술적인 측면에서 그 역할이 중요시되었으나, 근래에는 표준화가 초기 시장 장악을 통한 국제 시장 선점이라는 전략적 수단으로 강조되고 있다. 아울러 표준화는 특허 기술의 반영을 통해 기업의 이익을 극대화·다양화하는 수단으로 활용되고 있다.

④ **시장 진출 도구** 표준의 제정 과정에서 소비자와 시장의 의견이 반영되어 제품 및 서비스가 시장에 진출 했을 때 성공 가능성이 높아진다.

⑤ **소비자 편의성 제고** 통일되고 검증된 정보를 제공하여 소비자의 탐색과 측정 비용을 줄이고 제품의 이용 편의성을 높인다.

⑥ **제품 및 서비스 제공** 생산 제품의 품질 관리 및 서비스의 성능 측정할 수 있는 기준으로 활용이 가능하다.

⑦ **공공 안전 및 보호** 공공의 안전을 위해 필요한 표준을 제정하여 삶의 질을 향상한다.

(2) 기술 표준화의 절차

개발된 특허 기술을 표준화하기 위하여 국제 표준화 기구 등 관련 기술 표준안 심의 기구에 해당 기술의 심의를 신청하고, 심의 절차에 따라 최종 승인되면 표준 특허로 인정받게 된다.

기술 연구 개발

특허 취득

표준 제정

상용화

세계 시장 선점

▲ 기술 표준화의 절차

3. 성공과 실패 사례를 통해 표준 특허 확보의 중요성을 알 수 있다

기술 개발 과정에서 표준화를 적용하고, 표준 특허를 확보하여 성공을 거둔 사례와 이를 간과하여 막대한 비용을 지불하게 된 사례를 알아보자.

(1) 기술 표준화 성공 사례

① 디지털 저장 매체인 MPEG에 적용된 부호화 기술들 가운데 우리나라의 91개 기술이 국제 표준으로 반영되어 2021년까지 약 1,069억 원의 사용료 수입을 예상하고 있다.

+표준화 기구

표준화 기구(SDO, Standard Development Organization)란 정보 통신 표준에 이해(interest)를 갖는 사람들이 모이는 장(place, 場)으로, ICT 분야에서는 전 세계에서 100여 개가 넘는다. 국제 표준화 기구에는 국가 간 조약 기구인 ITU, 국가 대표 기구가 참여하는 ISO/IEC, JTC1 이 있다(WTO, TBT 협정에서 준수하도록 정한 국제 표준은 보통 이들 기구에서 제정한 표준으로 해석).

+국제 표준화 기구

세계 3대 표준화 기구	대상 분야
국제 표준화 기구 (ISO)	전기, 통신을 제외한 전 분야
국제 전기 기술위원회 (IEC)	전기 기술 분야
국제 전기 통신 연합 (ITU) ITU-R	무선 통신
ITU-T	유선 통신

② 국내의 한 기업은 아직 시장이 형성되지 않았던 디지털 방송 관련 기술 분야의 가치를 인식하고, 해당 표준 특허를 보유한 외국의 기업을 인수하여 2008년에만 약 1억 달러(약 1,200억 원)의 특허료 수익을 거두었다.

(2) 기술 표준화 실패 사례

① 이동 중에도 TV를 볼수 있는 지상파 DMB 기술은 우리나라에서 상업화에는 성공하였으나, 관련 특허권자와의 협의가 제대로 이루어지지 않아 많은 기술 사용료를 지불하고 있다.

② 제한된 주파수 안에서 다수가 통신할 수 있는 다중 접속 기술인 CDMA는 우리나라의 연구소가 세계 최초로 상용화하였으나, 특허를 보유하고 있지 않아 특허권자에게 기술 사용료를 지불하고 있다.

🔊함께 해 보기

그 밖에 기술 표준화의 성공 및 실패 사례를 찾아 써 보자.

예 • 호주의 CSIRO사는 Wi-Fi 특허권으로 미국의 인텔, HP, DELL, MS 등으로부터 2009년에 약 4억 3,000만 달러(약 5,100억 원)의 특허료 수익을 거두었다.
   • IEEE에서 CSIRO의 특허 보유 사실을 알면서도 우수한 기술과 더불어 높은 가격 경쟁력이라는 명분을 통해 표준을 제정하게 된 사례도 있다.

더 들여다보기

🖱 우리나라가 보유한 표준 특허에는 무엇이 있는지 찾아보자.

기업	표준 특허
삼성 전자	3세대(3G) 무선 통신 관련 표준 특허
LG 전자	LTE 표준 특허, 동영상 압축 기술 표준 특허

개념 더하기

+표준 특허를 보유한 기업이 지켜야 하는 프랜드(FRAND) 원칙

국제 표준화 과정에 참여한 특허권자에게 요구되는 것으로서, 한 기업의 특허가 표준으로 채택되면 다른 기업에서 해당 특허를 이용하고자 할 때 특허권자는 공정하고 합리적이며, 비차별적으로 협의해야 하는 의무를 말한다.

주제 활동 〉 기술 표준화 체험하기

우리 생활 주변에서 아직 표준화되지 않아 불편한 문제를 아래 다섯 가지 영역 중에서 골라, 기술적 문제 해결 과정을 통해 해결 방안을 찾아 발표해 보자.

• 건강, 안전 관련: 칫솔의 표준화
• 서비스 관련: 교통 카드 표준화
• 에너지 환경 관련: LED 설치 표준화
• 호환성 확보 관련: 전기 플러그의 세계 표준화
• 고령화, 장애인관련: 장애인 시설 표준화(계단)

내용 정리

1. 표준화를 고려한 기술 연구 개발

기술 연구 개발 과정에서 이미 개발된 기술을 또 개발하는 오류를 줄이며, 표준화된 기술을 이용함으로써 연구 개발의 효율성을 높일 수 있음.

(1) 기술 연구 개발 과정

① **기초 연구** 선행되는 기술, 새로운 지식 등의 정보를 수집하며, 소비자 및 사용자 등의 요구를 파악하는 것

② **개발** 특허를 중심으로 기본 정보를 검색하고, 아이디어를 탐색, 창안, 시각화(도면), 평가하여 구체적으로 실현하는 것

③ **시제품 제작** 개발 과정의 결과물을 미리 제작해 봄으로써 문제점을 파악하고 개선하는 것

④ **제품화 및 평가** 실제 제품화 과정 이전에 소비자 반응, 성능 실험 등을 통하여 제품의 평가 및 보완이 이루어지도록 함.

⑤ **제품 생산** 연구의 최종적인 산물로서 제품을 생산하는 단계

(2) 특허와 표준, 표준 특허

① **특허** 개인이나 기업의 연구 개발 결과물에 부여된 독점적이고 배타적인 권리

② **표준**
  • 편의, 효율, 안전을 위한 서로 간의 약속
  • 물질, 제품, 기기, 시스템, 서비스 등의 특성, 구성 요소, 성능, 동작, 절차 방법, 양과 질의 계량 또는 안전성 등에 관한 기술적 사항을 규정한 규격

③ **표준 특허** 해당 기술을 사용하기 위하여 표준으로 지정된 특허를 사용해야 하는데, 이를 표준 특허라고 함.

2. 기술 표준화

기술 연구 개발 과정에서부터 연구 개발과 특허, 표준화의 연계를 통해 국제 표준을 선점하고 시장 점유율을 높일 수 있음.

(1) 기술 표준화의 중요성

① **상호 운용성 제공** 서로 같은 기종이나 다른 기종끼리 정보 교환 및 처리가 가능함.

② **비용 절감** 연구 개발이 절감되고, 생산 및 거래 비용이 줄어듦.

③ **무역 활성화** 국제 표준을 통해 기술 무역 장벽을 제거하여 국제 무역을 활성화함.

④ **시장 진출 도구** 소비자와 시장의 요구가 반영되어 제품 및 서비스가 시장에 진출했을 때 성공 가능성이 높아짐.

⑤ **소비자 편의성 제고** 소비자의 탐색과 측정 비용을 줄이고, 제품의 이용 편의성을 높임.

⑥ **제품 및 서비스 제공** 생산 제품의 품질을 관리하고 서비스의 성능을 측정할 수 있는 기준으로 활용이 가능함.

⑦ **공공 안전 및 보호** 전기, 가스, 수도 등 공공의 안전을 위해 필요한 표준을 제정하여 삶의 질을 향상함.

(2) 기술 표준화의 절차

① 기업은 특허 기술을 표준화하기 위하여 국제 표준화 기구 등 관련 기술 표준안 심의 기구에 해당 기술의 심의를 신청하고, 심의 절차에 따라 최종 승인되면 제안된 기술이 표준 특허로 인정받게 됨.

② 기술 연구 개발 → 특허 취득 → 표준 제정 → 상용화 → 세계 시장 선점

3. 표준 특허 확보의 중요성

(1) 기술 표준화 성공 사례

① 디지털 저장 매체인 MPEG에 적용된 부호화 기술들의 사용료 수입을 예상함.

② 디지털 방송 관련 기술 분야의 가치를 인식하고, 해당 표준 특허를 보유한 외국의 기업을 인수하여 특허료 수익을 거둠.

(2) 기술 표준화 실패 사례

① 지상파 DMB 기술은 우리나라에서 상업화에는 성공하였으나, 관련 특허권자와의 협의가 제대로 이루어지지 않아 많은 기술 사용료를 지불함.

② CDMA는 우리나라의 연구소가 세계 최초로 상용화하였으나, 특허를 보유하고 있지 않아 특허권자에게 기술 사용료를 지불함.

(3) 프랜드(FRAND) 원칙

국제 표준화 과정에 참여한 특허권자에게 요구되는 것으로서, 한 기업의 특허가 표준으로 채택되면 다른 기업에서 해당 특허를 이용하고자 할 때 특허권자는 공정하고 합리적이며, 비차별적으로 협의해야 하는 의무

개념 꽉꽉 다지기

1. (㉠)(이)란 관계되는 사람이나 단체, 기업에서 이익 또는 편리가 공정하게 얻어지도록 통일·단순화를 목적으로 제품, 성능, 배치, 상태, 동작, 절차, 방법 등에 대하여 규정한 약속을 말한다. 이를 활용함으로써 편리와 이익을 가져오는 활동을 (㉡)(이)라고 한다.

📢 Helper

2. 기술 연구 개발의 과정으로 볼 수 <u>없는</u> 것은?

① 제품화

② 기초 연구

③ 제품 생산

④ 시제품 제작

⑤ 투자 비용 확보

2. 기술 연구 개발 과정
기초 연구 → 개발 → 시제품 제작 → 제품화 및 평가 → 제품 생산

3. 기술 표준화의 중요성으로 바르게 설명된 것은?

① 비용이 증가한다.

② 상호 호환성이 줄어든다.

③ 시장 진출이 느려지게 된다.

④ 소비자의 편의성이 높아진다.

⑤ 제품 및 서비스의 질이 떨어진다.

3. 기술 표준화의 중요성
• 비용 절감
• 무역 활성화
• 시장 진출 도구
• 상호 운용성 제공
• 공공 안전 및 보호
• 소비자 편의성 제고
• 제품 및 서비스 제공

4. 표준, 특허, 표준 특허에 대한 내용을 바르게 연결하시오.

① 표준 •

② 특허 •

③ 표준 특허 •

• ㉠ 연구 결과물에 부여된 독점적이고 배타적인 권리

• ㉡ 해당 기술을 사용하기 위해 표준으로 지정된 특허

• ㉢ 이익 또는 편리가 공정하게 얻어지도록 통일·단순화를 목적으로 규정한 약속

4. 표준 특허란 특허를 표준에 포함한 것이다.

01 기술의 표준화가 필요한 이유로 옳지 <u>않은</u> 것은?

① 신기술이 중복되므로

② 신기술의 규격이 다르므로

③ 기술의 경쟁력을 낮추기 위해

④ 신기술을 바꿔 쓰기 쉽기 때문에

⑤ 신기술 개발에 많은 비용이 들어가므로

02 기술의 연구 개발 과정에서 표준화가 중요한 이유는?

① 신기술을 공유하기 위해

② 기술 유출을 방지하기 위해

③ 제품의 결함을 줄이기 위해

④ 기술의 경쟁력을 확보하기 위해

⑤ 신기술 개발 비용을 늘리기 위해

03 기술 연구 개발 과정을 바르게 나열한 것은?

① 개발 – 시제품 제작 – 기초연구 – 제품화 및 평가 – 제품 생산

② 개발 – 기초연구 – 시제품 제작 – 제품화 및 평가 – 제품 생산

③ 기초연구 – 개발 – 시제품 제작 – 제품화 및 평가 – 제품 생산

④ 기초연구 – 개발 – 제품화 및 평가 – 시제품 제작 – 제품 생산

⑤ 기초연구 – 시제품 제작 – 제품화 및 평가 – 개발 – 제품 생산

04 특허와 표준, 표준 특허에 대한 설명으로 옳은 것을 〈보기〉에서 있는 대로 고른 것은?

┤ 보기 ├

ㄱ. 표준은 기술을 공유하여 첨단 기술을 사회에 확산시킨다.

ㄴ. 표준 특허는 첨단 기술을 사회적으로 확산하기 위해 특허를 표준에 포함한 것이다.

ㄷ. 표준 특허는 개인이나 기업의 연구 개발 결과물에 부여된 독점적·배타적 권리이다.

ㄹ. 기술의 특허 확보와 더불어 표준안으로 채택될 수 있도록 연구 개발 과정에서 표준 특허를 고려한 기술 개발이 이루어져야 한다.

① ㄱ, ㄴ   ② ㄱ, ㄹ

③ ㄱ, ㄴ, ㄷ   ④ ㄱ, ㄴ, ㄹ

⑤ ㄱ, ㄴ, ㄷ, ㄹ

05 기술 표준화의 중요성에 대한 설명으로 옳지 <u>않은</u> 것은?

① 공공의 안전을 위해 필요한 표준을 제정하여 삶의 질을 향상한다.

② 서로 같은 기종이나 다른 기종끼리 정보 교환 및 처리가 불가능하다.

③ 국제 표준을 통해 기술 무역 장벽을 제거하여 국제 무역을 활성화한다.

④ 대량 생산을 통해 제조업체나 사업체 간의 단위 생산 및 거래 비용이 줄어든다.

⑤ 소비자와 시장의 요구가 반영되어 제품 및 서비스가 시장에 진출했을 때 성공 가능성이 높아진다.

06 ( ) 안에 들어갈 알맞은 말을 쓰시오.

> 최근에는 표준 기술과 관련된 다수의 특허를 확보하고 이를 이용해 기업들에게 막대한 기술 사용료를 요구하는 ( )이/가 등장하고 있어 이와 관련된 대비와 노력이 필요하다.

( )

07 다음 설명에 해당하는 것으로 옳은 것은?

> 편의, 효율, 안전을 위한 서로 간의 약속으로 기술을 공유하여 첨단 기술을 사회에 확산시킨다.

① 표준   ② 특허
③ 발명   ④ 표준화
⑤ 표준 특허

08 국제 표준화 기구가 <u>아닌</u> 것은?

① 국제 표준화기구(ISO)
② 국제 전기 전자 협회(IEEE)
③ 국제 전기 기술 위원회(IEC)
④ 전기 통신 연합 무선 통신 분야(ITU - R)
⑤ 전기 통신 연합 유선 통신 분야(ITU - T)

09 국제 표준 특허로 등록되면 좋은 점이 <u>아닌</u> 것은?

① 기술 경쟁력을 확보할 수 있다.
② 경제적인 이익을 얻을 수 있다.
③ 국가 산업 발전에 이바지 할 수 있다.
④ 기술 시장에서 독점력을 강화할 수 있다.
⑤ 막대한 특허 등록 비용을 지불해야 한다.

핵심을 되짚는 O·X 문제

10 기술 경쟁력을 확보하기 위해서는 연구 개발 과정에서부터 표준화가 필요하다.   (O , X)

11 표준 특허란 첨단 기술을 사회적으로 확산하기 위해 특허를 표준에 포함한 것이다.   (O , X)

12 특허란 편의, 효율, 안전을 위한 서로 간의 약속으로, 기술을 공유하여 첨단 기술을 사회에 확산시키는 것을 말한다.
(O , X)

13 특허 괴물이란 특허 침해 소송으로 엄청난 이익을 챙기는 특허 전문 회사를 빗대어 부르는 표현이다.   (O , X)

14 특허 기술을 표준화하기 위해서는 특허청의 심의를 거쳐야 한다.   (O , X)

15 표준화로 서로 같은 기종이나 다른 기종끼리의 정보 교환 및 처리가 가능하다.   (O , X)

16 프랜드(FRAND) 원칙이란 한 기업의 특허가 표준으로 채택되면 다른 기업에서 해당 특허를 이용하고자 할 때 특허권자는 공정하고 합리적으로 협의해야 하는 의무를 말한다. (O , X)

17 표준화의 절차에서 가장 먼저 해야 할 일은 특허 취득이다.
(O , X)

18 표준 특허를 가진 기업을 인수하는 방법은 표준 특허를 보유하는 방법이 될 수 없다.   (O , X)

19 전기, 통신을 제외한 전 분야에 대한 표준화 기구는 ISO이다.
(O , X)

01 기술 혁신이라고 보기 어려운 것은?

① 스마트폰　　　　② 화석 연료
③ 스마트 TV　　　④ 3D 프린터
⑤ 스마트 안경

02 창의 공학 설계의 과정을 순서대로 바르게 나열한 것은?

┌ 보기 ┐
ⓐ 문제 확인하기
ⓑ 시제품 만들기
ⓒ 평가 및 개선하기
ⓓ 최적의 안 선정하기
ⓔ 새로운 생각 떠올리기
└────────┘

① ㉠－㉡－㉢－㉣－㉤
② ㉠－㉤－㉡－㉣－㉢
③ ㉢－㉤－㉠－㉡－㉣
④ ㉠－㉤－㉣－㉡－㉢
⑤ ㉢－㉤－㉠－㉣－㉡

중요

03 창의 공학 설계에서 고려해야 할 사항으로 옳지 <u>않은</u> 것은?

① 제품의 용도
② 제품의 형태
③ 제품의 가격
④ 제품의 재료
⑤ 제품의 기능과 구조

04 도면을 그릴 때 선의 종류와 용도에 대한 설명으로 옳은 것은?

① 치수를 나타내는 선은 치수선이다.
② 물체의 절단면을 나타내는 선은 중심선이다.
③ 물체의 보이는 부분은 가는 실선으로 나타낸다.
④ 물체의 일부를 잘라 낸 경계는 파선으로 나타낸다.
⑤ 물체의 보이지 않는 부분은 지시선으로 나타낸다.

05 (　　　) 안에 들어갈 말로 옳은 것은?

┌─────────────────────┐
│ 우리가 사용하는 대부분의 인공물은 (　　　) │
│ 과정에서 만들어진 발명의 산물이다. │
└─────────────────────┘

① 설계　　　　　② 제작
③ 모형　　　　　④ 스케치
⑤ 문제 해결

출제 예감

06 물건의 발명으로 볼 수 <u>없는</u> 것은?

① 기계　　　　　② 기구
③ 장치　　　　　④ 시설
⑤ 통신 기술

07 목적을 달성하기 위해 계획을 세우고 도면을 작성하는 것은?

① 설계   ② 도면

③ 캐드   ④ 스케치

⑤ 구상도

08 다음 그림에서 나타낸 구상도의 이름은?

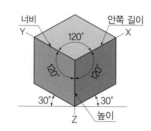

① 스케치   ② 사투상법

③ 정투상법   ④ 등각 투상법

⑤ 투시 투상법

[09~10] 다음 그림을 보고 물음에 답하시오.

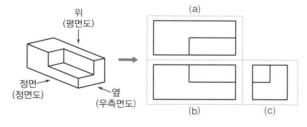

09 정투상법에 대한 설명으로 옳은 것은?

① 평면도는 정면도 아래쪽에 위치한다.

② 정면도의 오른쪽에 좌측면도가 위치한다.

③ 제3각법과 제2각법 그리고 제1각법이 있다.

④ 도면 제작에 가장 많이 이용되는 것은 등각 투상법이다.

⑤ 한국 산업 규격에서는 제3각법으로 그리도록 하고 있다.

10 정투상법으로 나타낸 도면의 이름을 바르게 연결한 것은?

① (a) – 정면도

② (a) – 배면도

③ (b) – 평면도

④ (c) – 우측면도

⑤ (c) – 좌측면도

11 급속한 과학의 발달과 사회 변화로 생겨난 지식 재산 분야로 옳은 것은?

① 저작권   ② 디자인권

③ 실용신안권   ④ 산업 재산권

⑤ 신지식 재산권

12 산업 재산권에 대한 권리 범위가 옳은 것은?

① 상표권은 갱신이 불가능해 반영구적이다.

② 특허권은 출원일로부터 40년간 권리가 유지된다.

③ 실용신안권은 출원일로부터 30년간 권리가 유지된다.

④ 상표권은 상표권 설정의 등록일로부터 10년간 권리가 유지된다.

⑤ 디자인권은 디자인권 설정의 등록일로부터 10년간 권리가 유지된다.

13 다음 중 특허로 인정받기 어려운 것은?

① 자연법칙을 이용한 발명

② 기술적 사상이 반영된 발명

③ 산업상 이용 가능성이 있는 발명

④ 시계에 날짜 기능을 추가한 발명

⑤ 지금까지 알려지지 않은 최초의 발명

14 저작권에 대한 설명으로 옳지 <u>않은</u> 것은?

① 인격권과 재산권으로 나뉜다.

② 저작자는 성명 표시권을 갖는다.

③ 저작자는 저작물을 공표할 권리를 가진다.

④ 자기 저작물에 대해 가지는 배타적인 법적 권리이다.

⑤ 저작물의 일부만 변경하는 것은 저작자의 허락이 없어도 된다.

15 다음 〈보기〉에 해당하는 지식 재산으로 옳은 것은?

┤ 보기 ├

학교 동아리 축제를 맞이하여 방송반에서는 학생들을 대상으로 유료 영화를 상영하였으나 행사 종료 후 불법으로 다운받은 영화를 유료로 상영하였다는 것이 문제가 되어 모든 수익금을 환불 조치 하였다.

① 저작권   ② 디자인권

③ 실용신안권   ④ 산업 재산권

⑤ 신지식 재산

16 표준화의 목적으로 옳지 <u>않은</u> 것은?

① 기업의 독자적인 경제성 추구

② 소비자 및 작업자의 이익 추구

③ 관계자들 간의 원활한 의사소통

④ 안전·건강·환경 및 생명의 보호

⑤ 제품 및 업무 행위의 단순화와 호환성 향상

17 다음 설명에 해당하는 것으로 옳은 것은?

국제 표준화 기구에서 인정하는 특허로, 해당 특허를 침해하지 않고서는 제품의 생산 및 판매 서비스를 제공하기 힘든 특허이다.

① 표준화   ② 표준 특허

③ 특허 기술   ④ 특허 괴물

⑤ 산업 표준

18 표준화의 효과가 바르게 나열되지 <u>않은</u> 것은?

① 품질 향상, 호환성 증가, 원가 상승

② 인력 감소, 균일성 유지, 호환성 증가

③ 호환성 증가, 원가 절감, 균일성 유지

④ 작업 능률 향상, 원가 절감, 품질 향상

⑤ 품질 향상, 원가 절감, 교육 및 훈련 용이

19 다음은 기술 표준화의 절차이다. 해당 과정에 들어갈 알맞은 말을 쓰시오.

기술 연구 개발 → 특허 취득 → (　　　　　　)
→ 상용화 → 세계 시장 선점

(　　　　　　　)

출제 예감

20 다음 설명에 해당하는 것으로 옳은 것은?

국제 표준화 과정에 참여한 특허권자에게 요구되는 것으로서, 한 기업의 특허가 표준으로 채택되면 다른 기업에서 해당 특허를 이용하고자 할 때 특허권자는 공정하고 합리적이며, 비차별적으로 협의해야 하는 의무

① FTA　　　　　　② 표준 특허
③ 미란다 원칙　　　④ 무역 보호 조치
⑤ 프랜드(FRAND) 원칙

중요
21 다음 〈보기〉에 해당하는 것으로 옳은 것은?

보기
디지털 저장 매체인 MPEG에 적용된 부호화 기술들 가운데 우리나라의 91개 기술이 국제 표준으로 반영되어 2021년까지 막대한 수입이 예상되고 있다.

① 특허　　　　　　② 저작권
③ 저장 기술　　　④ 기술 표준화
⑤ 암호화 기술

서술형 평가

22 창의 공학 설계의 개념과 필요성에 대하여 서술하시오.

23 지식 재산의 개념과 종류에 대하여 서술하시오.

24 기술 표준화의 중요성을 세 가지 이상 서술하시오.

내신 UP 프로젝트

01 공학 설계에 대한 설명으로 옳지 <u>않은</u> 것은?

① 창의적 제품을 구상한다.

② 컴퓨터만 잘 다루면 된다.

③ 기술 혁신을 통해 이루어진다.

④ 창의적인 사고 기법을 적용한다.

⑤ 수학, 과학 등 공학적인 지식을 활용한다.

02 발명 해결 과정 중 특허 정보 검색하기에 대한 설명으로 옳은 것은?

① 특허청에서 특허를 받기에 적합한지 정해진 기준에 맞춰 심사한다.

② 기존의 물건이나 방법이 가진 문제점을 찾아 발명 문제를 확인한다.

③ 문제와 관련된 정보를 수집하고 이를 바탕으로 다양한 아이디어를 창출한다.

④ 검색 목록에 나타난 요약 정보를 확인하고, 원하는 내용을 선택하여 상세한 정보를 확인한다.

⑤ 창출한 아이디어를 평가해 최적의 아이디어를 선정하고 발명 설명서 또는 도면으로 나타내 구체화한다.

03 다음에 해당하는 기술 연구 개발 과정 단계는?

> 실제 제품화 과정 이전에 소비자 반응, 성능 실험 등을 통하여 제품의 평가 및 보완이 이루어지도록 한다.

① 개발　　　　　② 기초 연구

③ 제품 생산　　　④ 시제품 제작

⑤ 제품화 및 평가

04 대표적인 창의 공학 설계 기법인 유니버설 디자인의 기본 원칙으로 볼 수 <u>없는</u> 것은?

① 안전성　　　　② 지속성

③ 경제성　　　　④ 접근 가능성

⑤ 기능적 지원성

05 도면을 그릴 때 선의 종류와 용도에 대한 설명으로 옳지 <u>않은</u> 것은?

① 숨은선은 파선으로 나타낸다.

② 중심선은 1점 쇄선으로 나타낸다.

③ 지시선은 굵은 실선으로 나타낸다.

④ 외형선은 굵은 실선으로 나타낸다.

⑤ 치수 보조선은 가는 실선으로 나타낸다.

중요

06 다음 설명에 해당하는 것으로 옳은 것은?

> • 머릿속에 떠오른 아이디어를 종이에 표현할 수 있는 가장 쉬운 방법이다.
> • 프리핸드 스케치를 주로 이용한다.

① 스케치　　　　② 제3각법

③ 정투상법　　　④ 사투상법

⑤ 등각 투상법

[07~08] 다음 그림을 보고 물음에 답하시오.

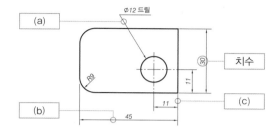

중요

07 a, b, c에 들어갈 말로 바르게 연결된 것은?

① (a) – 지시선
② (a) – 치수선
③ (b) – 치수 보조선
④ (c) – 지시선
⑤ (c) – 치수선

08 그림에서 Ø와 R이 각각 의미하는 것은?

① Ø는 두께를, R은 반지름을 의미한다.
② Ø는 지름을, R은 모따기를 의미한다.
③ Ø는 지름을, R은 반지름을 의미한다.
④ Ø는 두께를, R은 모따기를 의미한다.
⑤ Ø는 치수를, R은 정사각형의 변을 의미한다.

09 발명에 대한 설명으로 옳지 않은 것은?

① 생활에 불편한 점을 개선하는 것
② 기존의 물건을 효과적으로 사용하는 것
③ 창의적인 문제 해결 과정으로 개선하는 것
④ 이전에 없던 물건을 새롭게 만들어 내는 것
⑤ 이전에 없던 방법을 새롭게 만들어 내는 것

10 다음 중 방법의 발명으로 볼 수 없는 것은?

① 제조 기술
② 통신 기술
③ 측정 방법
④ 프로그램
⑤ 스마트폰 기기

11 특허 정보 검색 방법으로 옳지 않은 것은?

① 특허 정보넷 사이트에 접속한다.
② 포털 사이트에서는 검색할 수 없다.
③ + 연산자는 입력한 키워드 중 1개라도 포함한 내용을 검색한다.
④ * 연산자는 입력한 키워드 2개를 모두 포함한 내용을 검색한다.
⑤ 거절된 특허 정보라도 자신의 제품 개발에 무단으로 사용하면 안 된다.

12 지식 재산권 중 과학 기술의 급속한 발달과 사회 변화로 각종 신품종, 유전 자원, 빅 데이터 등 새로운 분야 및 기술에 대한 권리로 옳은 것은?

① 재산권
② 창작권
③ 실용신안권
④ 산업 재산권
⑤ 신지식 재산권

13 선출원주의에 대한 설명으로 옳은 것은?

① 같은 발명일 경우 두 사람 모두에게 특허 권리를 부여한다.

② 다른 발명일 경우 두 사람 모두에게 특허 권리를 부여한다.

③ 같은 발명일 경우 먼저 출원한 사람에게 특허 권리를 부여한다.

④ 다른 발명일 경우 먼저 출원한 사람에게 특허 권리를 부여한다.

⑤ 같은 발명일 경우 아이디어를 먼저 제공한 사람에게 특허 권리를 부여한다.

출제 예감

14 지식 재산권의 종류로 옳지 않은 것은?

① 공표권, 참정권

② 디자인권, 상표권

③ 특허권, 실용신안권

④ 저작권, 저작 인접권

⑤ 데이터베이스권, 소프트웨어권

중요

15 산업 재산권에 속하지 않는 것은?

① 저작권

② 상표권

③ 특허권

④ 디자인권

⑤ 실용신안권

16 창업 준비 시 고려해야 할 사항으로 옳지 않은 것은?

① 시기가 적절할 것

② 제품의 기술성이 좋을 것

③ 성장성과 장래성이 좋을 것

④ 자금 회전율에 여유가 있을 것

⑤ 유동성이 작고 경쟁이 높을 것

17 표준화를 위한 기본 원칙으로 볼 수 없는 것은?

① 시장의 적합성

② 자발성의 존중

③ 비공개의 원칙

④ 공공의 이익에 반영

⑤ 통일성·일관성 유지

출제 예감

18 특허를 이용한 창업의 절차에 대한 설명으로 옳지 않은 것은?

① 수립된 사업 계획을 문서로 작성한 것을 사업 계획서라고 한다.

② 창업 자금은 발명을 구체적으로 상품화하는 데 필요한 자본을 뜻한다.

③ 창업의 절차는 사업 계획 수립 – 사업의 인허가 – 창업 자금 확보 – 사업자 등록의 순이다.

④ 개인 또는 법인 형태로 사업 주체를 결정한 후 필요한 서류를 준비하여 세무서에 방문해 사업자 등록을 한다.

⑤ 규정하고 있는 업종의 경우에는 시설 기준 및 자격 요건 등을 규정하고 있어서 해당 업종을 담당하는 인허가 기관에 등록해야 한다.

19 다음 설명에 해당하는 것으로 옳은 것은?

> 기술 생산력은 없지만 가치가 있고 분쟁의 소지가 될 만한 지식 재산을 낮은 가격으로 사들이고 이를 이용해 특허 침해 소송을 제기하여 엄청나게 이익을 얻으려 하는 것

① 표준
② 발명
③ 특허
④ 특허 괴물
⑤ 표준 특허

20 특허 정보를 검색할 수 있는 인터넷 사이트로 적당하지 <u>않은</u> 것은?

① Daum
② Naver
③ Kipris
④ Goggle
⑤ facebook

21 기술 표준화의 절차를 바르게 나타낸 것은?

① 기술 연구 개발 → 상용화 → 특허 취득 → 표준 제정 → 세계 시장 선점
② 표준 제정 → 기술 연구 개발 → 특허 취득 → 상용화 → 세계 시장 선점
③ 기술 연구 개발 → 표준 제정 → 상용화 → 세계 시장 선점 → 특허 취득
④ 기술 연구 개발 → 표준 제정 → 세계 시장 선점 → 상용화 → 특허 취득
⑤ 기술 연구 개발 → 특허 취득 → 표준 제정 → 상용화 → 세계 시장 선점

22 특허, 표준 특허의 설명으로 옳은 것은?

① 특허는 기술을 공유화해 첨단 기술을 보호한다.
② 특허는 편의, 효율, 안전을 위한 서로 간의 약속이다.
③ 표준은 기술을 공유하지 않고 첨단 기술을 사회에 확산시킨다.
④ 표준 특허는 첨단 기술을 사회적으로 확산하기 위해 특허를 표준에 포함한 것이다.
⑤ 표준 특허로 등록되면 기술 시장에서 독점력을 강화할 수 있고, 기술 사용료를 확보할 수 없다.

23 기술 표준화의 중요성에서 공공 안전 및 보호의 의미로 옳지 <u>않은</u> 것은?

① 공공 제품의 가격을 낮춰 소비자를 보호한다.
② 공공 규칙에 대한 표준을 통해 안전을 확보한다.
③ 공공 시설에 대한 표준을 통해 안전을 확보한다.
④ 공공 시설에 대한 표준으로 삶의 질 향상을 유도한다.
⑤ 공공 시설 사용 규칙에 대한 표준으로 안전을 확보한다.

24 ( ) 안에 들어갈 알맞은 말을 쓰시오.

> 기업은 특허 기술을 표준화하기 위하여 ( ) 등 관련 기술 표준안 심의 기구에 해당 기술의 심의를 신청하고, 심의 절차에 따라 최종 승인되면 제안된 기술이 표준 특허로 인정받게 된다.

( )

고무 손잡이 단 감자 칼로 주방을 혁신하다

주방 용품의 유니버설 디자인

뉴욕의 주방 용품 기업 ○○의 CEO 샘 파버는 주방에서 힘들게 사과를 깎고 있는 아내의 모습을 보았다. 관절염으로 고생하고 있던 아내에게 손잡이 부분이 얇은 금속 재질로 되어 있는 칼은 더없이 불편해 보였다.

▲ 감자 칼

순간 파버의 머리에 한 가지 생각이 스치고 지나갔다. '왜 누구나 쉽게 사용할 수 있는 주방 도구는 없는 걸까?' 손에 장애가 있는 사람들도 편리하게 사용할 수 있는 그런 주방 도구가 시중에 없다는 생각을 한 파버는 곧 주방용품 시장의 틈새를 읽어냈다. 그가 주목한 점은 아내와 같은 관절염 환자뿐만 아니라 힘이 약한 노인들, 혹은 요리 초보자들도 쉽게 사용할 수 있는 주방 도구를 만드는 것이었다.

파버는 손에 장애가 있는 사람들도 편리하게 사용할 수 있는 주방 도구를 생각하다가 자전거 손잡이에서 영감을 얻어 감자 칼을 발명하였다. 이 제품은 손잡이가 고무로 되어 있으며, 덕분에 편안하고 폭신한 그립감을 제공하고 두께가 굵기 때문에 손목 힘이 덜 들어 가며, 손목의 피로감이 적다. 이는 무엇보다도 관절염 환자들에게 이상적인 디자인이다. 뿐만 아니라 손잡이 부분을 머리빗 모양으로 만들어 놓아 이를 통해 마찰력이 증가하고, 제품의 무게가 가벼워져 사용자의 편의에 충실할 수 있는 것이다. 이는 연령, 성별, 장애 유무에 상관없이 가능한 많은 사람들이 편리하고 쉽게 사용할 수 있는 '유니버설 디자인'의 철학을 제품에 그대로 반영한 결과이다.

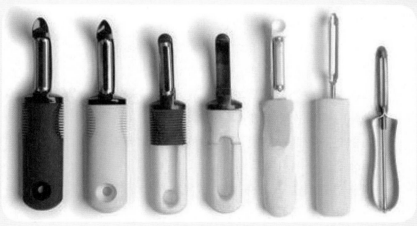

▲ 다양한 디자인의 감자 칼

『비즈 한국』, 2017. 01. 28.

첨단 기술의 세계

01 세상을 풍요롭게 하는 첨단 제조 기술

개념 더하기

> ## 주제 열기
>
> ➤ 4차 산업 혁명 시대를 이끌어 갈 새로운 첨단 기술에는 무엇이 있을지 써 보자.
>
> 메카트로닉스, 3D 프린팅, 나노 기술 등
>
> ➤ 새로운 첨단 기술들이 등장함에 따라 앞으로 우리의 생활과 산업은 어떻게 변할지 상상해 보자.
>
> 로봇이 우리 생활과 산업 현장 곳곳에서 활용되어 세상을 좀 더 풍요롭게 만들어 줄 것이다.

+4차 산업 혁명

1차는 동력, 2차는 자동화, 3차는 디지털로 인해 산업 혁명이 촉발 되었으며, 4차 산업 혁명에서는 여러 분야의 기술이 융합되어 새로운 기술 혁신이 일어날 것으로 기대되고 있다.

1, 메카트로닉스는 4차 산업 혁명의 시대를 이끌 것이다

메카트로닉스는 대표적인 첨단 제조 기술로, 4차 산업 혁명을 주도하며 기존의 제조 기술을 변화시킬 것이다.
└ 제조 기술과 정보 통신 기술 등이 융합된 첨단 기술에 의한 산업의 변화를 뜻함.

(1) 메카트로닉스

① **메카트로닉스(mechatronics)** 기계(mechanics)와 전자(electronics)의 합성어이다.
② 기계, 전자 제어, 정보 처리, 통신 기술 등을 응용하여 제품이나 시스템을 만드는 기술이다.
③ **구성 요소** 컴퓨터부(두뇌), 센서부(오감), 전원부(내장), 액추에이터부(손, 발), 메커니즘부(골격) 등의 5대 요소로 구성된다.

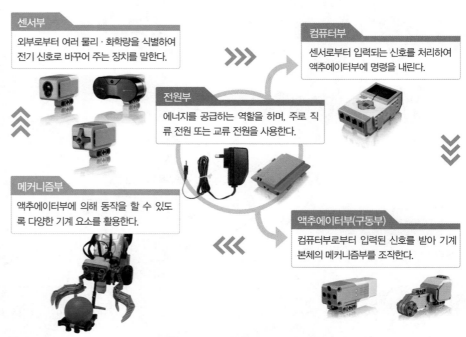

센서부
외부로부터 여러 물리 · 화학량을 식별하여 전기 신호로 바꾸어 주는 장치를 말한다.

컴퓨터부
센서로부터 입력되는 신호를 처리하여 액추에이터부에 명령을 내린다.

전원부
에너지를 공급하는 역할을 하며, 주로 직류 전원 또는 교류 전원을 사용한다.

메커니즘부
액추에이터부에 의해 동작을 할 수 있도록 다양한 기계 요소를 활용한다.

액추에이터부(구동부)
컴퓨터부로부터 입력된 신호를 받아 기계 본체의 메커니즘부를 조작한다.

▲ 메카트로닉스의 구성 요소와 제어 과정

스스로 해 보기

우리 생활 주변에 볼 수 있는 메카트로닉스 제품에는 무엇이 있는지 찾아 써 보자.

예 로봇, 자동차, 냉장고, 비행기, 스마트 폰 등

(2) 메카트로닉스의 활용 분야와 미래 발전 방향

① 메카트로닉스의 활용 분야

- 메카트로닉스는 로봇, 반도체, 각종 자동화 장비의 기반이 되는 기술로 다양한 분야에서 활용되고 있다.
- 최근에는 바이오 메카트로닉스, 나노 메카트로닉스와 같이 타 기술 분야와 융합되고 있으며, 외부 환경을 스스로 인식하여 자율적으로 동작하는 지능형 로봇 분야가 중요해지고 있다.

② 메카트로닉스의 미래 발전 방향
미래에는 기존의 제조 기술과 정보 통신 기술이 융합되어 제품 생산 과정이 디지털화되고, 센서, 소프트웨어 등을 활용한 스마트 공장이 보편화될 것이다.

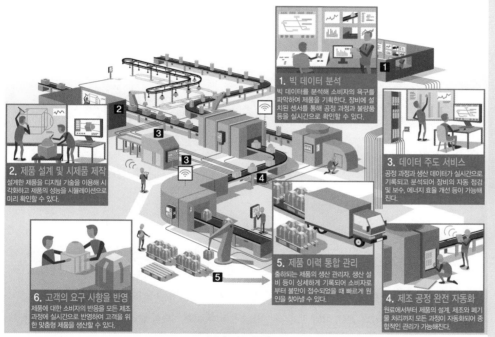

▲ 미래 스마트 공장

2. 기술의 발달로 미지의 나노 세계를 열다

(1) 나노 기술

1nm는 10⁻⁹m(10억분의 1미터)로, 머리카락 두께의 5만분의 1에 해당하는 길이이다.

① **나노 기술** 물질을 <u>나노미터</u> 크기에서 조작하여 새로운 물질이나 제품을 만드는 기술을 말한다.

② 물질을 이루는 고체 분자의 크기가 나노미터 수준으로 작아지면 부피 대비 표면적이 늘어나 반응성이 커지고 효율이 높아진다.

③ 대표적으로 반도체에 나노 기술이 적용되고 있다.

＋지능형 로봇
지능형 로봇은 외부 환경을 인식하고, 스스로 상황을 판단하여, 자율적으로 동작하는 로봇을 말한다.

＋스마트 공장
제품의 기획, 설계, 생산, 유통, 판매 등 전 과정을 IT 기술로 통합, 최소 비용, 시간으로 고객 맞춤형 제품 생산을 지향하는 공장이다. 공정 자동화 및 다품종 생산에 대응하는 유연 생산 체계 등을 통해 생산성 향상, 에너지 절감, 인간 중심의 작업 환경 등을 지향한다.

＋단위 접두어
- 10^{-3}: 밀리(milli)
- 10^{-6}: 마이크로(micro)
- 10^{-9}: 나노(nano)
- 10^{-12}: 피코(pico)

④ 제조 방식　하향식 제조 방식, 상향식 제조 방식이 있다.

하향식 제조 방식	• 물체를 깎고 다듬는 방식이다. • 포토리소그래피는 하향식 제조 방식의 대표 기술로, 반도체 제조의 핵심 공정이다. • 포토리소그래피: 반도체 물질로 이루어진 웨이퍼 표면에 빛을 받으면 고체로 변하는 물질(광경화 물질)을 바르고 원하는 마스크 패턴을 올려 놓는다. 그 위에서 빛을 조사하면 웨이퍼 표면에 나노미터 크기의 반도체 회로를 만들 수 있다.	 포토리소그래피
상향식 제조 방식	• 원자나 분자 단위로 물질을 공급하여 기판 위에 박막 형태로 물질이 쌓이도록 하는 방법으로, 환경 오염을 일으키지 않고 과도한 에너지 소모가 없다. • 물리적·화학적 증착법: 공급되는 것이 순수한 원자이면 물리적 증착법이고, 반응을 통해 특정 원자나 분자가 쌓이면 화학적 증착법이다. 대표 기술에는 STM(주사 터널 현미경), self-assembly(자기 조립) 등이 있다.	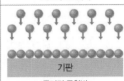 물리적 증착법 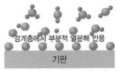 화학적 증착법

스스로 해 보기

나노 세계를 볼 수 있는 방법을 조사해 보자.

예 나노 세계를 보는 방법에는 원자 현미경이 있는데, 원자 현미경의 종류에는 주사 터널 현미경(STM)과 원자 힘 현미경(AFM)이 있다. 주사 터널 현미경은 탐침과 관찰하려는 물질 사이에 전류를 흘리는 방식을 이용하며, 원자 힘 현미경은 탐침과 관찰 대상의 원자 사이에 작용하는 힘을 이용한다.

더 들여다보기

그래핀과 탄소 나노 튜브가 사용되고 있는 분야에 관해 더 알아보자.

예 그래핀은 방열 필름, 코팅 재료, 초박형 스피커, 바닷물 담수화 필터, 이차 전지용 전극, 초고속 충전기 등에 사용되고 있다. 탄소 나노 튜브는 열전도율 및 기계적, 전기적 특성이 매우 특이하여 다양한 구조 물질의 첨가제로 활용되고 있어, 탄소 섬유로 만든 야구 방망이나 골프채, 자동차 부품 등에 탄소 나노 튜브를 소량 첨가하기도 한다.

(2) 나노 기술의 활용 분야와 미래 발전 방향

① 나노 기술의 활용 분야

• 물리, 화학, 생명 과학 등 여러 학문과 연관되어 있으며, 모든 산업 분야에서 활용될 수 있다.
• 자원의 사용과 오염 물질 배출이 적어 친환경적이며, 다양한 기술을 융합한 새로운 산업의 창출이 가능하기 때문에 우리의 삶을 혁신적으로 바꿀 수 있다.

의료	정보 통신	에너지
바이오칩	하드 디스크 드라이브(HDD)	태양 전지
혈액 또는 타액에서 얻은 생체 물질의 반응 및 검출 과정을 빠르고 정확하게 하여, 측정값을 의사에게 전송하여 진단받을 수 있다.	하드 디스크 드라이브에 나노 기술로 개발된 자기 저항 센서 (GMR)를 적용해 컴퓨터의 저장 용량을 극대화할 수 있다.	나노 입자를 적용하면 기존 태양 전지보다 에너지 저장량과 효율이 높아져 비용을 절감할 수 있다.

② **나노 기술의 미래 발전 방향**
- 나노 기술이 적용된 태양 전지와 연료 전지 등을 사용하며 발전소에서 오염 물질이 발생하지 않게 될 것이다.
- 암 세포만 공격하여 치료하는 약물 전달 체계나 나노 로봇이 출현하여 더욱 건강한 삶을 살게 해 줄 것이다.

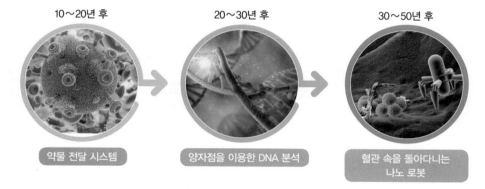

10~20년 후 약물 전달 시스템 → 20~30년 후 양자점을 이용한 DNA 분석 → 30~50년 후 혈관 속을 돌아다니는 나노 로봇

🗨 함께 해 보기

나노 기술과 관련된 신문, 인터넷 기사를 검색한 뒤, 관심 있는 분야의 내용을 선정하여 친구들과 이야기해 보자.

(예) • 신문, 인터넷 기사의 제목: 내 몸 안의 주치의, '나노 로봇'의 미래
- 내용 요약: 의료용 나노 로봇이 인체로 들어가 바이러스와 암 세포를 파괴하고, 손상된 인체 구조를 치료하며, 두뇌에 쌓인 노폐물을 제거함으로써 신체를 더욱 젊고 건강한 상태로 유지해 줄 것이다.

3/ 3D 프린터로 원하는 제품을 언제, 어디서나 만들 수 있다

(1) 3D 프린팅

① **3D 프린팅** 디지털 데이터에 따라 소재를 쌓아 올려 3차원 물체를 제조하는 과정을 말한다.

개념 더하기

+3D 프린팅

3D 프린팅을 하는 소프트웨어에서 레이어의 설정값으로 노즐에서 나오는 재료의 두께를 결정하게 된다. 레이어 값이 크면 두꺼워지며, 프린팅 속도가 비교적 빨라지지만 정교하게 프린팅 되지 않는 단점이 있다.

+액체 기반형 방식

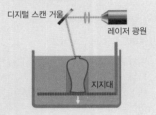

+분말 기반형 방식

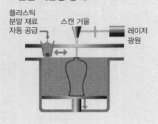

+고체 기반형 방식

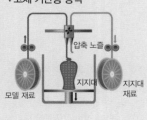

② 3D 프린팅의 장단점

장점	• 다품종 소량 생산에 유리하다. • 1개 장비로 다양한 제품을 생산한다. • 복잡한 구조의 제품 제작에 용이하다. • 시제품의 제작 비용 및 시간이 절감된다. • 생산량과 관계없이 제조 비용이 일정하다. • 디지털 도면과 3D 프린터만 있으면 원하는 장소에서 출력이 가능하다.
단점	• 제품 제조 시간이 오래 걸리고, 표면의 정밀도가 다소 떨어진다.

③ 3D 프린팅의 과정

모델링	3D 설계 소프트웨어로 원하는 물체를 설계하거나, 3D 스캐너를 이용해 기존에 만들어진 물체의 3차원 데이터를 얻는다.

슬라이싱	3D 모델 데이터는 출력에 앞서 슬라이서(slicer) 프로그램을 통해 여러 개의 얇은 층으로 나누어진 데이터로 변환된다. 변환 작업 및 출력에 관련된 설정이 마무리되면 3D 프린터가 읽을 수 있는 G-code 파일로 저장한다.

프린팅	슬라이싱 프로그램을 통해 만들어진 G-code 파일을 3D 프린터에 입력하면 G-code 파일에 저장된 프로그램에 따라 제품을 출력한다. 같은 출력물이라도 단면의 두께나 밀도 등의 설정값에 따라 출력 시간이 달라진다.

후처리	만들어진 제작물을 보완 작업하는 단계로, 색을 칠하거나 표면을 연마하거나 부분 제작물을 조립하는 등의 작업을 진행한다.

④ 재료에 따른 3D 프린팅 방식

• 액체 기반형 방식: 빛에 반응하는 광경화 액체에 레이저를 쏘아 순간적으로 경화시켜 얇은 막을 생성하는 과정을 반복한다.

• 분말 기반형 방식: 분말로 만든 수지, 금속, 세라믹 등의 재료를 겹겹이 쌓아 가면서 레이저나 접착제 등으로 융합한다. 정밀성이 높고 다양한 원료를 쓸 수 있다.

• 고체 기반형 방식: 수지나 금속 등의 원료를 녹여 노즐을 통해 치약처럼 짜내어 쌓는 방식이다. 비용이 가장 저렴해 대부분 개인용 3D 프린터로 사용한다.

> 🔍 **스스로 해 보기**
>
> 3D 프린터의 구조를 조사해 보자.
>
> 예 3D 프린터는 압출기, 베드판, 스탭 모터, 프레임, 전자 제어 하드웨어, 재료 등으로 구성된다.

(2) 3D 프린팅의 활용 분야와 미래 발전 방향

① 3D 프린팅의 활용 분야

• 우리 생활에서 필요한 모든 제품을 만드는 데 사용된다.

- 기존 제조 방식으로는 복잡한 공정이 필요했던 옷과 음식, 건축물 등도 3D 프린터를 이용하면 쉽고 빠르게 만들어 낼 수 있다.

② 3D 프린팅의 미래 발전 방향
- 미래에는 자신의 아이디어를 직접 생산하고 판매하는 개인 제조 및 1인 창업이 보편화되는 메이커 시대가 도래할 것이다.
- 3D 프린팅으로 인한 불법 복제와 3D 디자인 저작권과 같은 새로운 문제가 발생할 수도 있다.

👤 스스로 해 보기

3D 프린팅이 우리 생활과 산업에 활용되고 있는 사례에는 무엇이 있는지 조사해 보자.

예 보청기, 인공 장기, 3차원 입체 교구, 미니어처 제작, 액세서리 제작 등

더 들여다보기

🖱 메이커 운동은 우리 사회에 어떤 변화를 가져올지 이야기해 보자.

예 메이커는 직접 제품을 만드는 경험을 통해 혁신 역량을 축적하여 제조 창업(하드웨어 스타트업)으로 발전 가능성이 높아, 다가오는 4차 산업 혁명 시대에 '프로슈머(소비자 겸 생산자)'로서 제품 개발에 적극 참여하여 맞춤형 생산과 제조업 혁신을 촉진할 것이다.

교과서 뛰어 넘기   3D 프린팅에 주목하는 이유

지금까지 기업들은 소비자가 좋아할 만한 상품을 개발해 대량 생산해서 최대한 많이 판매하는 것을 목표로 삼았다. 그러나 3D 프린팅을 이용하면 다양한 소비자의 욕구를 충족시킬 수 있는 맞춤형 다품종 소량 생산이 가능하다. 이는 기업의 차별화된 무기가 될 가능성이 높기 때문에 제조 업체가 3D 프린터를 주목하고 있는 것이다. 특히 3D 프린팅을 통해 소규모 기업은 물론 소비자가 직접 제품을 생산할 수 있기 때문에 1인 기업이 급증할 가능성도 크다. 또한, 스마트폰을 기반으로 많은 개인과 소기업들이 애플리케이션을 만들고 거래한 것처럼 개인이 디자이너에게 3D 모델링을 의뢰하고, 아이디어나 3D 모델링의 설계도를 사고파는 시장이 형성될 수 있다. 3D 프린터와 3D 프린팅 시스템으로 인해 제조, 유통, 구매, 사용 단계에 이르기까지 근본적인 변화가 시작되고 있다.

개념 더하기

+ 메이커

메이커(Maker)는 '필요한 것을 직접 만들고, 고치고, 수리하거나 개선하는 사람'을 말한다. 세계적인 축제로 운영되고 있는 메이커 페어(Maker Faire)를 기반으로 메이커에 대한 저변이 확대되고 있으며, 소위 메이커 문화가 조성되고 있다. 메이커 문화(Maker Culture)는 전통적인 'D.I.Y' 문화가 진화한 것으로 금속, 가공, 목공, 수공예와 같은 전통적인 활동과 더불어, 전자, 로봇, 3D 프린팅, CNC 머신 등을 활용한 엔지니어링 지향적 활동을 포함한다.

주제 활동   3D 프린터를 이용한 제품 출력하기

1. **138쪽에서 활동했던 3D 모델링 파일을 슬라이서 데이터로 변환해 보자.**

   XYZware 슬라이싱 프로그램을 이용하여 내가 모델링한 파일을 불러와서 '내보내기' 버튼을 눌러 품질은 '양호', 재료는 'PLA', 노즐 직경은 0.4로 설정하여 파일을 변환한다.

2. **변환한 슬라이서 파일을 입력해 3D 프린터로 출력해 보자.**

   슬라이싱 파일을 SD 카드에 옮겨 3D 프린터의 이동식 디스크에 꽂아 출력하고자 하는 슬라이싱 파일을 선택하여 출력을 한다.

2. **3D 모델링 파일 공유 사이트에서 재미있는 모델링 파일을 검색하여 3D 프린팅을 해 보자.**

   3D 모델링 파일 공유 사이트에는 싱기버스(www.thingiverse.com), 메이커스앤(www.makersn.com) 등이 있으며, 여기서 다양한 파일을 검색하여 출력한다.

내용 정리

1, 메카트로닉스

메카트로닉스는 대표적인 첨단 제조 기술로, 4차 산업 혁명을 주도하며, 기존의 제조 기술을 변화시킬 것임.

(1) 메카트로닉스(mechatronics)

① 메카트로닉스 기계(mechanics)와 전자(electronics)의 합성어로, 기계, 전자 제어, 정보 처리, 통신 기술 등을 응용하여 제품이나 시스템을 만드는 기술

② 메카트로닉스의 구성 요소
- 컴퓨터부: 센서로부터 입력되는 신호를 처리하여 액추에이터부에 명령을 내림(두뇌).
- 센서부: 외부로부터 여러 물리·화학량을 식별하여 전기 신호로 바꾸어 주는 장치(오감)
- 메커니즘부: 다양한 운동을 하는 부분으로, 여러 가지 기계 요소를 활용(골격)
- 전원부: 에너지를 공급하는 역할을 하며, 주로 직류 전원 또는 교류 전원을 사용(내장)
- 액추에이터부: 컴퓨터부로부터 입력된 신호를 받아 기계 본체의 메커니즘부를 조작(손발)

(2) 메카트로닉스의 활용 분야와 미래 발전 방향

① 로봇, 반도체, 각종 자동화 장비의 기반이 되는 기술로 다양한 분야에서 활용됨.

② 타 기술과 융합되어 바이오 메카트로닉스, 나노 메카트로닉스, 지능형 로봇 분야로 이용됨.

③ 미래에는 정보 통신 기술 분야와 융합되어 제품 생산 과정이 디지털화되고, 센서, 소프트웨어 등을 활용한 스마트 공장이 보편화될 것임.

2, 나노 기술

(1) 나노 기술

① 물질을 나노미터 크기에서 조작하여 새로운 물질이나 제품을 만드는 기술

② 물질을 이루는 고체 분자의 크기가 작아지면서 부피 대비 표면적이 늘어나 반응이 커지고 효율이 높아짐.

③ 나노 기술의 제조 방식
- 하향식 제조 방식: 인류가 오랜 세월 물건을 제조하던 방식으로 물체를 깎고 다듬는 방식

- 상향식 제조 방식: 원자나 분자를 하나씩 쌓거나 조립하는 방식으로, 환경 오염을 일으키지 않고 과도한 에너지 소모가 없음.

(2) 나노 기술의 활용 분야와 미래 발전 방향

① 자원의 사용과 오염 물질 배출이 적어 친환경적임.

② 다양한 기술을 융합한 새로운 산업의 창출이 가능함.

③ 나노 기술이 적용된 태양 전지와 연료 전지가 개발될 것임.

④ 암 세포만 공격하여 치료하는 약물 전달 시스템이나 나노 로봇이 출현할 것임.

3, 3D 프린터

(1) 3D 프린팅

① 디지털 데이터에 따라 소재를 쌓아 올려 3차원 물체를 제조하는 과정

② 3D 프린팅의 장점
- 다품종 소량 생산에 유리
- 원하는 장소에서 출력이 가능
- 복잡한 형상의 제품 제작에 용이
- 시제품의 제작 비용 및 시간이 절감됨.
- 생산량과 관계없이 제조 비용이 일정함.

③ 3D 프린팅의 단점
- 제품 제조 시간이 오래 걸림.
- 표면의 정밀도가 다소 떨어짐.

④ 3D 프린팅의 과정
- 모델링: 3D 설계 소프트웨어로 설계하거나 3D 스캐너로 3차원 데이터를 얻음.
- 슬라이싱: 슬라이서 프로그램으로 여러 개의 얇은 층으로 나누어진 데이터로 변환, G-code 파일로 저장
- 프린팅: G-code 파일에 저장된 프로그램에 따라 제품을 출력
- 후처리: 제작물에 색을 칠하거나 표면을 연마하여 보완

⑤ 재료에 따른 3D 프린팅 방식 액체 기반형 방식, 분말 기반형 방식, 고체 기반형 방식으로 나눌 수 있음.

(2) 3D 프린팅의 활용 분야와 미래 발전 방향

① 기존에 복잡한 공정이 필요했던 옷과 음식, 건축물 등도 3D 프린터를 이용하면 쉽고 빠르게 만들 수 있음.

② 자신의 아이디어를 직접 생산하고 판매하는 개인 제조 및 1인 창업이 보편화되는 메이커 시대가 도래할 것임.

③ 불법 복제, 3D 디자인 저작권과 같은 문제가 발생할 수도 있음.

개념 꽉꽉 다지기

1. 4차 산업 혁명에 대한 설명으로 옳지 <u>않은</u> 설명은?

① 고기술·고임금, 저기술·저임금 간의 격차가 커질 것이다.

② 속도, 범위, 영향력 측면에서 3차 산업 혁명과 차별화가 된다.

③ 4차 산업 혁명은 각각의 단일 기술의 생산성이 높아지는 것이다.

④ 생산 및 유통 비용이 낮아져 우리의 소득 증가와 삶의 질이 향상될 것이다.

⑤ 4차 산업 혁명의 주요 기술은 3D 프린팅, 사물 인터넷, 빅 데이터, 로봇 공학, 유전 공학 등이 있다.

📢 Helper

1. 4차 산업 혁명에서는 여러 분야의 기술이 융합되어 새로운 기술 혁신이 일어날 것으로 기대되고 있다.

2. 메카트로닉스는 (   )와/과 (   )의 합성어이다.

3. 나노 기술 중 물체를 깎고 다듬는 제조 방식으로, 포토리소그래피 방식을 사용하는 기술은 (   )(이)다.

3. 나노 기술은 상향식 제조 방식과 하향식 제조 방식이 있다.

4. 3D 프린팅에 대한 설명으로 옳은 것은?

① 3D 프린팅은 비교적 작은 제품만 할 수 있다.

② 제품을 다량으로 생산해야 제조 비용이 절감된다.

③ 3D 프린팅은 덩어리 재료를 깎으면서 만드는 방식이다.

④ 복잡한 구조의 제품 생산은 3D 프린팅으로는 곤란하다.

⑤ 3D 프린팅은 공장과 설비 없이 디지털 도면과 3D 프린터만 있으면 원하는 장소에서 출력할 수 있다.

4. 3D 프린팅으로 인하여 복잡한 재료를 적은 비용으로 쉽게 만들 수 있게 되었으며, 재료에 제한이 없어 크기에 상관없이 다양한 모양의 프린팅이 가능하다.

5. 3D 프린팅 과정에서 모델을 여러 개의 얇은 층으로 나누어진 데이터로 변환하며, 3D 프린터가 읽을 수 있는 G-code 파일로 저장하는 단계는 (   ) 단계이다.

5. 3D 프린팅 과정은 모델링 → 슬라이싱 → 프린팅 → 후처리이다.

차곡차곡 실력 쌓기

01 4차 산업 혁명의 특징으로 옳지 <u>않은</u> 것은?

① 자동화와 다품종 생산
② 다양한 기술의 융합과 혁신
③ 제품의 대형화, 중량화, 고급화
④ 3D 프린팅을 통한 1인 1기업 등장
⑤ 사람과 사물, 사물과 사물과의 연결

02 메카트로닉스의 특징에 대한 설명으로 옳은 것은?

① 전통적인 기계 산업을 일컫는 용어이다.
② 다른 분야와 융합이 곤란한 단점이 있다.
③ 4차 산업 혁명을 주도하여 발전하고 있다.
④ 우리 주변에서 메카트로닉스 제품은 아직 보기 어렵다.
⑤ 메카트로닉스는 활용 분야가 공장이나 제조업에 한정되어 있다.

03 메카트로닉스의 구성 요소 중 외부로부터 여러 물리·화학량을 식별하여 전기 신호로 바꾸어 주는 장치로 옳은 것은?

① 전원부
② 센서부
③ 컴퓨터부
④ 메커니즘부
⑤ 액추에이터부

04 나노 기술에 대한 설명으로 옳은 것을 〈보기〉에서 있는 대로 고른 것은?

| 보기 |
ㄱ. 1nm는 10^{-9} m(100만분의 1미터)이다.
ㄴ. 반도체는 나노 기술의 대표적인 제품이다.
ㄷ. 상향식 제조 방법은 에너지 소모가 큰 단점이 있다.
ㄹ. 그래핀과 탄소 나노 튜브는 나노 기술이 적용된 대표적인 사례이다.

① ㄱ, ㄴ
② ㄱ, ㄷ
③ ㄴ, ㄹ
④ ㄱ, ㄴ, ㄷ
⑤ ㄴ, ㄷ, ㄹ

05 그래핀과 탄소 나노 튜브에 대한 설명으로 옳은 것은?

① 탄소 나노 튜브는 얇은 막으로 이루어져 있다.
② 탄소 나노 튜브는 강철이나 금속을 대체할 수 있다.
③ 그래핀은 둥근 관과 같은 입체적인 모양을 하고 있다.
④ 그래핀은 전기 전도성은 뛰어나지만 열전도율은 떨어진다.
⑤ 탄소 나노 튜브는 무겁지만 전기 전도성과 열전도율이 뛰어나다.

06 나노 기술의 장단점에 대한 설명으로 옳지 <u>않은</u> 것은?

① 모든 산업 분야에서 활용될 수 있다.
② 자원의 사용과 오염 물질이 적어 친환경적이다.
③ 나노 기술은 전체적으로 제품의 효율을 높여 준다.
④ 나노 입자가 물질에서 탈락했을 경우 추적이 간단하다.
⑤ 나노 입자의 일부가 예상치 못한 결과로 피해를 줄 수 있다.

07 3D 프린팅의 순서를 바르게 나열하시오.

| 보기 |
ㄱ. 만들어진 제작물에 색을 칠하거나 표면을 연마한다.
ㄴ. 3D 설계 소프트웨어로 설계하여 3차원 데이터를 얻는다.
ㄷ. G-code 파일에 저장된 프로그램에 따라 제품을 출력한다.
ㄹ. 슬라이서(slicer) 프로그램을 통해 여러 개의 얇은 층으로 나누어진 데이터로 저장한다.

(   )

08 3D 프린팅의 장점으로 설명으로 옳지 <u>않은</u> 것은?

① 재료비를 절감할 수 있다.
② 다품종 소량 생산이 가능하다.
③ 시제품 제작 비용을 절감한다.
④ 획일화된 제품을 빠르게 생산한다.
⑤ 제조 공정이 간단하고 이에 따른 인건비가 절약된다.

09 재료에 따른 3D 프린팅 방식에 대한 설명으로 옳은 것은?

① 고체 기반형 방식은 가격이 비싸다.
② 분말 기반형 방식은 재료의 사용이 제한적이다.
③ 고체 기반형 방식은 빛을 받으면 굳는 재료를 사용한다.
④ 분말 기반형 방식은 레이저로 융합하기 때문에 선택적으로 접착이 가능하다.
⑤ 액체 기반형 방식은 수지나 금속 등의 원료를 녹여 치약처럼 짜내는 쌓는 방식이다.

10 메이커 운동에 대한 설명으로 옳지 <u>않은</u> 것은?

① 1인 1창업 시대가 보편화될 것이다.
② 전통적인 D.I.Y 문화를 이르는 말이다.
③ 메이커는 발명가, 공예가, 창작자를 모두 포함한다.
④ 3D 프린터가 보급되면서 메이커 운동이 확산되었다.
⑤ 창의적 만들기를 하면서 자신의 지식과 아이디어를 공유한다.

핵심을 되짚는 O·X 문제

11 4차 산업 혁명은 제조 기술과 정보 통신 기술 등이 융합된 첨단 기술에 의한 산업의 변화를 뜻하는 말이다. (O , ×)

12 메카트로닉스의 구성 요소에서 컴퓨터부는 사람의 두뇌의 역할을 한다. (O , ×)

13 미래 스마트 공장은 기획, 설계, 생산, 유통, 판매 과정에서 설계와 생산 단계에서만 IT 기술을 이용하는 것이다. (O , ×)

14 지능형 로봇은 프로그래밍이 되어 있지 않은 상황이 나타나면 동작을 할 수 없다. (O , ×)

15 나노 기술에서 상향식 제조 방식은 물체를 깎고 다듬는 방식이다. (O , ×)

16 나노 기술은 부피 대비 표면적이 적어져 반응성이 작다. (O , ×)

17 3D 프린터로 인해서 소비자가 직접 제품을 생산할 수 있게 되었다. (O , ×)

18 3D 프린팅과 관련한 디자인 저작권 문제가 새롭게 대두될 것이다. (O , ×)

02 편안한 삶을 디자인하는 첨단 건설 기술

개념 더하기

주제 열기

≫ 위 사진에서 건축 구조물과 토목 구조물을 찾아보자.

- 건축 구조물: 학교, 상가, 주택 등
- 토목 구조물: 도로, 교량 등

≫ 미래의 도시에는 어떤 건설 구조물이 나타날지 상상하여 써 보자.

이동이 가능한 주택, 난방 및 냉방이 자유롭게 되는 빌딩, 불이 붙지 않는 건물, 친환경 빌딩, 에너지 자립형 건축물 등이 나타날 것이다.

+ 초고층 빌딩
- 국내법: 빌딩의 높이가 200 m 이상 또는 50층 이상인 건물
- 세계 초고층 도시 건축학회: 300m를 넘긴 건물

1, 첨단 건설 기술로 초고층 빌딩과 초장대 교량이 건설되고 있다

(1) 초고층 빌딩

① **초고층 빌딩** 높이가 200 m 이상 또는 50층 이상인 건축물을 말한다.

② 초고층 빌딩은 건물의 높이가 높아 지진이나 강풍과 같은 수평 하중에 영향을 많이 받고, 건물의 자체 하중이 매우 커질 수 있으므로 튼튼하고 안전해야 한다.

③ **초고층 빌딩에 적용된 기술**

+ 하중의 종류
- 수직 하중: 사(死)하중, 활(活)하중, 적설 하중
- 수평 하중: 풍(風)하중, 지진 하중

내진, 내풍 설계

고강도 콘크리트

코어월(core wall)

바람의 영향을 덜 받을 수 있는 형태로 설계하거나, 진동을 흡수할 수 있는 장치를 건물 내부에 설치해 지진과 바람에 견딜 수 있게 한다.

일반 콘크리트에 비해 높은 압축 강도를 가진 고강도 콘크리트를 이용해, 구조물의 무게를 낮추고 건물의 강도를 높인다.

코어월은 건물의 중심에 있는 철근 콘크리트로 만든 중심 벽이다. 코어월은 초고층 빌딩이 쓰러지지 않고 중심을 잡을 수 있게 해 준다.

👤 스스로 해 보기

우리나라에 있는 초고층 빌딩을 조사하여 명칭을 써 보자.

예 롯데 월드 타워(서울), 랜드 마크 타워(부산), 동북아시아 무역 타워(인천)

+ 교량의 구조
- 상부 구조: 교량의 주체가 되는 부분으로, 교량을 통과하는 사람이나 차량의 하중을 직접 받아 하부 구조로 전달하는 기능을 한다.
- 하부 구조: 상부 구조에서 전달된 힘을 지반에 분산·전달하는 역할을 한다.

(2) 초장대 교량

┌ 넓은 강이나 바다 위에 시공하는 교량은 경간의 길이가 넓어야 하는데, 이런 교량을 장대 교량이라 한다.

① **초장대 교량** 현재까지 건설된 장대 교량보다 경간의 길이가 매우 길고 경제적이며, 공학적으로 완성도가 높은 교량이다.

② 초장대 교량의 대표적인 구조에는 현수교와 사장교가 있다.

현수교	사장교
주탑 사이에 주 케이블을 걸고 주 케이블에 다시 수직 케이블을 달아 상판을 매단 교량	주탑에서 상판의 여러 지점에 케이블을 연결한 교량

개념 더하기

+현수교와 사장교
현수교와 사장교는 경간을 넓게 하여 물의 흐름이나 선박의 통행을 자유롭게 하며, 주탑을 높게 세워 케이블에 의하여 상판의 무게를 지지하는 교량이다. 바람의 영향을 많이 받는 단점이 있으며, 주탑이 높기 때문에 낙뢰에 의한 피해가 발생할 수 있다.

③ 초장대 교량은 강풍, 강진, 선박 충돌과 같은 극한 상황에 견딜 수 있는 설계가 이루어져야 한다.

④ 초장대 교량은 경간의 길이를 늘이기 위해 주탑을 높게 설계하고, 주탑과 교량 상판의 연결에 고강도 케이블을 사용한다.

⑤ 초장대 교량에 적용된 기술

극한 상황에 견딜 수 있는 설계	고(高) 주탑 설계	고강도 케이블
지진 실험 및 풍동 실험, 선박 충돌 모의 실험 등을 통해 극한 상황에 견딜 수 있는 교량 설계가 이루어진다.	주탑을 높게 설계하기 위해 고강도 콘크리트와 거푸집을 유압으로 상승시켜 자동으로 주탑을 건설하는 방식을 이용한다.	고강도 케이블의 사용으로 케이블의 중량을 감소시켜 공사비를 절감하고 공사 기간을 단축한다.

2. 사회적 요구에 맞춰 새로운 건설 기술이 등장하고 있다

(1) 새로운 건설 기술의 등장 배경

① 현대의 건설은 인력을 필요로 하는 노동 집약적 활동에서 점차 첨단 기술을 필요로 하는 기술 집약적 활동으로 변해 가고 있다.

② 지구 온난화 방지를 위해 국제 기후 변화 협약이 체결된 이후 에너지 사용 및 탄소 배출량을 줄일 수 있는 새로운 주택 개발에 관심이 집중되고 있으며, 이러한 사회적 요구에 맞춰 모듈러 하우스, 패시브 하우스와 같은 새로운 건설 기술이 등장하게 되었다.

(2) 모듈러 하우스

표준화된 하나의 조립 부품의 단위

① **모듈러 하우스** 현장에서 시공하는 기존의 주택과 달리 모듈화된 각종 내장재, 기계 설비, 전기 배선, 통신 등을 미리 공장에서 만들어 이를 현장으로 운반하고 조립해 완성하는 주택이다.

② 기존의 모듈러 하우스는 저층 위주의 소규모 주거 시설에 한정된 용도로 이용되었지만, 최근에는 모듈의 접합 기술, 구조 보강 기술 등이 발전함에 따라 중·고층 건축에도 이용되고 있다.

+모듈러 하우스의 장단점
• 장점: 구조체와 내·외장, 설비 등이 분리 가능하게 구성되어 개·보수가 용이하고, 단위 모듈별 제작으로 증개축이 용이하며, 신속한 주택 공급이 가능하다.
• 단점: 모듈러 주택의 높이 제한과 대량 생산이 어렵다는 문제점이 해결될 필요가 있다.

┌ 열이나 바람을 막는다.

(3) 패시브 하우스

전기나 각종 에너지를 절감할 수 있게 한다. ┐

① **패시브 하우스** 1988년 독일에서 에너지 효율을 극대화한 주택으로, 냉·난방 설비 없이도 쾌적한 실내 환경을 유지하는 것을 목적으로 고단열·고성능 창호, 기밀 시공, 열 회수 환기 등의 설계 공법을 적용한 주택이다. └ 열의 출입을 막는다.

② 패시브 하우스는 기존 건물보다 약 30~70 %의 에너지를 절감할 수 있다.

③ 패시브 하우스의 개념에 첨단 재생 에너지 기술을 추가하여 적극적으로 에너지를 절감하는 액티브 하우스도 새로운 건설 기술로 등장하고 있다.

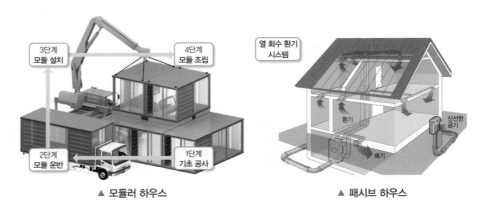

▲ 모듈러 하우스　　　　　　　　　　▲ 패시브 하우스

3. 내진 설계와 첨단 유지 관리 기술로 재난을 예방한다

(1) 내진 설계

① **내진 설계** 재난 예방 기술로서, 지진에 의해 발생하는 지진 하중을 구조물이 견딜 수 있도록 설계한 것을 말한다.

② **내진 설계의 종류** 지진 하중을 견디는 방식에 따라 내진, 면진, 제진으로 나뉜다.

- 내진: 구조물을 튼튼하게 지어서 지진의 지진력이 작용해도 구조물 자체의 내력으로 지진 하중에 견딜 수 있도록 구조물을 강화하는 설계이다.

- 면진: 구조물과 지반 사이에 고무나 볼 베어링 장치 등을 삽입해 지진 하중이 건축물에 닿기 전에 충격을 완화하는 설계로, 지진력이 구조물에 상대적으로 약하게 전달되도록 하는 설계이다.

- 제진: 구조물에 진동을 제어하기 위한 장치나 기구를 설치하여 지진의 영향을 상쇄시키는 설계로, 구조물의 내부나 외부에서 진동을 저감시키거나, 입력 진동의 특성에 따라 구조물을 순간적으로 변화시켜 구조물을 제어하는 설계이다.

롯데월드 타워의 가새(한국)
▲ 내진

마루노우치 역의 면진 받침(일본)
▲ 면진

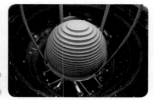

타이베이 101의 제진기(대반)
▲ 제진

(2) 첨단 유지 관리 기술

① 최근에는 구조물의 안전 관리를 위하여 계측 센서를 이용한 감시 시스템을 구조물에 적용하고 있다.

② 계측 센서로 사전에 구조물의 처짐이나 진동 등을 탐지함으로써, 수집된 정보와 감시 시스템을 통해 구조물의 손상을 사전에 파악하여 유지·관리 비용을 최소화하며, 사고를 사전에 방지할 수 있다.

💬 함께 해 보기

재난 예방을 위한 기술이 적용된 사례를 조사하여 써 보자.

예) IoT 기술을 활용한 재난 대응: 사물 인터넷(IoT) 기술이 자연 재난 대비에 중요한 역할을 수행하고 있다. 센서 장치와 통신망을 연계한 서비스가 중요한 역할을 하여 객관적인 계측을 통해 오염 여부나 강수량 등에 대한 정확한 파악이 가능해졌다.

교과서 뛰어 넘기 · 건설 분야 직업

- **건축 공학 기술자:** 건축물의 공사에 대하여 전체적인 관리와 감독을 하고, 구조를 설계하거나 기타 시공에 관련된 기술적 자문을 한다.
- **토목 공학 기술자:** 국가 기반 시설인 도로, 철도, 교량, 터널, 항만, 상하수도, 댐 등을 계획·설계하고 시공한다.
- **캐드원:** 공학 기술자나 설계사가 작성한 스케치와 명세서를 가지고 건축 토목용 시공도나 기계, 전기, 전자 장비 및 제품의 제조와 설치에 필요한 세부 도면을 작성한다.

개념 더하기

+ 건설 분야 진로 안내

- 토목 공학과: 자연재해로부터 사람들을 보호하고, 편리한 생활을 할 수 있도록 도와주는 댐, 도로, 교량 등을 만드는 방법에 대해 배운다.
- 건축 공학과: 인간 생활을 영위하는 공간 창조를 위한 학문으로서, 공간 구축에 직접적인 관련을 가진 기술적인 분야와 인간 생활상에 관련하는 사회적인 분야를 종합하여 배운다.
- 건설 환경 공학과: 사회 기반 시설인 교량, 도로, 공항, 철도, 터널, 댐, 항만, 도시, 교통, 하천, 해양 환경 및 상하수 처리 시설의 계획·설계·시공 및 유지·관리에 필요한 이론과 기술에 대해 배운다.

주제 활동 · 단순교와 사장교 하중 시험하기

1. 단순교를 만든 후 동전을 이용해 하중에 얼마나 견딜 수 있는지 시험해 보자.

❶ 주름 빨대의 주름 부분을 칼로 자른다. 같은 방법으로 총 10개의 긴 빨대 조각과 2개의 짧은 빨대 조각을 만든다.

❷ 짧은 빨대 조각 2개를 모두 3 cm 길이로 자른다. 칼을 사용할 때에는 손을 다치지 않도록 조심한다.

❸ 짧은 빨대 조각의 양옆에 긴 빨대 조각을 놓은 후 상단과 하단을 테이프로 고정해 2개의 주탑을 만든다.

❹ 같은 높이의 책상 양 끝에 주탑을 테이프로 고정한 후 긴 빨대 조각을 주탑 사이에 걸어 단순보를 완성한다.

❺ 단순교의 중앙에 클립을 이용해 종이컵을 걸고 동전을 올려 하중을 시험한다.

2. 단순교와 주탑에 실을 걸어 사장교를 만든 후 동전을 이용해 하중에 얼마나 견디는지 시험해 보자.

❶ 1m로 실을 잘라 양 끝에 클립을 묶는다.

❷ 단순교의 중앙에 실을 감은 후 양 주탑에 걸고, 실의 양 끝에 묶은 클립을 팽팽하게 당겨 테이프로 고정한다.

❸ 교량 상판에 종이컵을 걸고 동전을 올려 하중에 얼마나 견디는지 시험한다.

내용 정리

1, 초고층 빌딩과 초장대 교량

(1) 초고층 빌딩

① 높이가 200 m 이상 또는 50층 이상인 건축물
② 초고층 빌딩은 지진이나 강풍에 영향을 많이 받고, 건물의 자체 하중이 매우 커지므로 튼튼하고 안전해야 함.
③ 초고층 빌딩에 적용된 기술
  • 내진, 내풍 설계: 바람의 영향을 덜 받을 수 있는 형태로 설계하거나, 진동을 흡수할 수 있는 장치를 건물 내부에 설치해 지진과 바람에 견딜 수 있게 함.
  • 고강도 콘크리트: 일반 콘크리트에 비해 높은 압축 강도를 가진 고강도 콘크리트를 이용해, 구조물의 무게를 낮추고 건물의 강도를 높임.
  • 코어월(core wall): 건물의 중심에 있는 철근 콘크리트로 만든 중심 벽, 코어월은 초고층 빌딩이 쓰러지지 않고 중심을 잡을 수 있게 해 줌.
④ **초고층 빌딩의 종류** 롯데 월드 타워, 메카 로열 클록 타워, 상하이 타워, 핑안 IFC, 부르즈 할리파

(2) 초장대 교량

① 현재까지 건설된 장대 교량보다 경간의 길이가 매우 길고 경제적이며, 공학적으로 완성도가 높은 교량
② 현수교와 사장교는 경간을 넓게 하여 물의 흐름이나 선박의 통행을 자유롭게 하며, 주탑을 높게 세워 케이블에 의하여 상판의 무게를 지지함.
③ 초장대 교량의 대표적 구조
  • 현수교: 주탑 사이에 주 케이블을 걸고 주 케이블에 다시 수직 케이블을 달아 상판을 매단 교량
  • 사장교: 주탑에서 상판의 여러 지점에 케이블을 연결한 교량
  • 현수교와 사장교는 바람의 영향을 많이 받는 단점이 있으며, 주탑이 높기 때문에 낙뢰에 의한 피해가 발생할 수 있음.
④ 초장대 교량에 적용된 기술
  • 극한 상황에 견딜 수 있는 설계: 지진 실험 및 풍동 실험, 선박 충돌 모의 실험 등을 통해 극한 상황에 견딜 수 있는 교량 설계가 이루어짐.
  • 고(高)주탑 설계: 주탑을 높게 설계하기 위해 고강도 콘크리트와 거푸집을 유압으로 상승시켜 자동으로 주탑을 건설하는 방식을 이용함.
  • 고강도 케이블: 고강도 케이블의 사용으로 케이블의 중량을 감소시켜 공사비를 절감하고 공사 기간을 단축함.
⑤ **초장대 교량의 종류** 인천 대교, 이순신 대교

2, 새로운 건설 기술

(1) 새로운 건설 기술의 등장 배경

에너지 사용 및 탄소 배출량을 줄일 수 있는 모듈러 하우스, 패시브 하우스와 같은 새로운 건설 기술이 등장하게 됨.

(2) 모듈러 하우스

① 현장에서 시공하는 기존의 주택과 달리 모듈화된 각종 내장재, 기계 설비, 전기 배선, 통신 등을 미리 공장에서 만들어 이를 현장으로 운반하고 조립해 완성하는 주택
② 최근에는 모듈의 접합 기술, 구조 보강 기술 등이 발전함에 따라 중·고층 건축에도 이용됨.

(3) 패시브 하우스

① 냉·난방 설비 없이도 쾌적한 실내 환경을 유지하는 것을 목적으로 고단열·고성능 창호, 기밀 시공, 열 회수 환기 등의 설계 공법을 적용한 주택
② 기존 건물보다 약 30~70 %의 에너지를 절감할 수 있음.

3, 내진 설계와 첨단 관리 기술

(1) 내진 설계

① 재난 예방 기술로서, 지진에 의해 발생하는 지진 하중을 구조물이 견딜 수 있도록 설계한 것
② 내진 설계는 하중을 견디는 방식에 따라 내진, 면진, 제진으로 나뉨.
③ 내진 설계의 종류
  • 내진: 구조물 자체의 내력으로 지진 하중에 견딜 수 있도록 구조물을 강화하는 설계
  • 면진: 구조물과 지반 사이에 고무나 볼 베어링 장치 등을 삽입해 지진 하중이 건축물에 닿기 전에 충격을 완화하는 설계
  • 제진: 구조물에 진동을 제어하기 위한 장치나 기구를 설치하여 지진의 영향을 상쇄시키는 설계

(2) 첨단 유지 관리 기술

① 구조물의 안전 관리를 위하여 계측 센서를 이용한 감시 시스템을 구조물에 적용함.
② 계측 센서로 구조물의 처짐이나 진동을 탐지함.
③ 구조물의 손상을 사전에 파악하여 유지·관리 비용을 최소화하고, 사고를 사전에 방지함.

개념 꽉꽉 다지기

1. 초고층 빌딩이란 높이가 (　　　　)m 이상 또는 (　　　　)층 이상인 건축물을 말한다.

📢 Helper

2. 초장대 교량의 대표적인 구조에는 (　　　　)와/과 (　　　　)이/가 있다.

2. 초장대 교량은 장대 교량보다 경간의 길이가 매우 길고 경제적이다.

3. 패시브 하우스에 대한 설명으로 옳은 것은?

① 고단열·고성능 창호를 사용한다.
② 기존 건물과 에너지 사용량은 별 차이가 없다.
③ 집의 성능보다는 미적인 디자인에 집중하였다.
④ 실내를 쾌적하게 하기 위하여 냉·난방 설비가 잘 되어 있다.
⑤ 각종 내장재, 기계 설비, 전기 배선, 통신 등을 미리 공장에서 만들어 오는 주택이다.

3. 패시브 하우스란 에너지 효율을 극대화한 주택으로, 냉·난방 설비 없이도 쾌적한 실내 환경을 유지하는 것을 목적으로 고단열·고성능 창호, 기밀 시공, 열 회수 환기 등의 설계 공법을 적용한 주택이다.

4. 구조물 자체의 내력으로 지진 하중에 견딜 수 있도록 구조물을 강화하는 설계로 한 내진 설계는 (　　　　) 방식이다.

4. 내진 설계에는 내진, 제진, 면진의 방법으로 구분할 수 있다.

5. 구조물의 첨단 유지 관리 기술에 대한 설명으로 옳은 것은?

① 보안과 감시 체계를 강조한 기술이다.
② 예방 보다는 복구를 목표로 하는 기술이다.
③ 계측 센서는 구조물의 손상 후에 작동하게 된다.
④ 건물의 효과적인 냉·난방 시스템을 유지하기 위한 기술이다.
⑤ 구조물의 손상을 사전에 파악하여 유지·관리 비용을 최소화할 수 있다.

5. 구조물의 첨단 유지 관리 기술은 계측 센서를 이용하여 사전에 구조물의 처짐이나 진동을 감지하여 구조물의 손상을 사전에 예방하는 것이다.

01 건설 기술에 대한 설명으로 옳지 <u>않은</u> 것은?

① 건설 분야에도 첨단 기술과 재난 예방 기술이 적용되고 있다.
② 건축 기술은 쾌적하고 아름다운 공간을 다양하게 만들어 내는 기술이다.
③ 건축 구조물에는 정부·청사, 공동 주택, 학교, 지역 문화 센터가 있다.
④ 토목 구조물에는 교량, 공항 여객 터미널, 항만 지역 지원 센터가 있다.
⑤ 토목 기술은 공공의 이익을 위해 자연환경을 변화시켜 필요한 구조물을 만들어 내는 기술이다.

02 다음 〈보기〉에서 수직 하중을 있는 대로 고른 것은?

┤보기├
ㄱ. 사하중   ㄴ. 활하중   ㄷ. 적설 하중
ㄹ. 풍하중   ㅁ. 지진 하중

① ㄱ, ㄴ, ㄷ   ② ㄱ, ㄴ, ㄹ
③ ㄱ, ㄴ, ㅁ   ④ ㄴ, ㄷ, ㄹ
⑤ ㄷ, ㄹ, ㅁ

03 건축법에 의한 초고층 빌딩에 대한 설명으로 옳은 것은?

① 높이가 200 m 이상 또는 50층 이상인 건축물을 말한다.
② 국가의 상징물 또는 기술력의 상징인 건축물을 말한다.
③ 인구의 증가와 기술의 발달로 고층화된 건축물을 말한다.
④ 현대에 와서 엘리베이터의 발명, 고강도 콘크리트로 등장한 건축물을 말한다.
⑤ 내진·내풍 설계 및 고강도 콘크리트가 적용되고 코어월로 구성된 건축물을 말한다.

04 초고층 빌딩에 적용된 기술로 옳지 <u>않은</u> 것은?

① 바람의 영향을 덜 받는 형태로 설계한다.
② 코어월은 건물의 중심에 있는 철근 콘크리트로 만든 중심벽이다.
③ 코어월로 초고층 빌딩이 쓰러지지 않고 중심을 잡을 수 있게 한다.
④ 고강도 콘크리트를 이용해 구조물의 무게를 늘리고 건물의 강도를 높인다.
⑤ 진동을 흡수할 수 있는 장치를 건물 내부에 설치해 지진과 바람에 견디게 한다.

05 사장교는 주탑에서 상판의 여러 지점에 케이블을 연결한 교량이다. 사장교의 구성 요소로 옳지 <u>않은</u> 것은?

① 교각   ② 주탑
③ 상판   ④ 케이블
⑤ 거푸집

06 초장대 교량에 대한 설명으로 옳은 것을 〈보기〉에서 있는 대로 고른 것은?

┤보기├
ㄱ. 기존 장대 교량보다 공학적 완성도가 높다.
ㄴ. 대표적인 구조에는 현수교와 사장교가 있다.
ㄷ. 극한 상황에 견딜 수 있는 설계가 이루어져야 한다.
ㄹ. 경간의 길이를 늘이기 위해 주탑을 넓게 설계해야 한다.
ㅁ. 기존 장대 교량보다 경간의 길이는 매우 길지만 경제성을 떨어진다.

① ㄱ, ㄴ, ㄷ   ② ㄱ, ㄴ, ㅁ
③ ㄴ, ㄷ, ㄹ   ④ ㄴ, ㄷ, ㅁ
⑤ ㄷ, ㄹ, ㅁ

07 초장대 교량 건설에 관한 설명으로 옳지 <u>않은</u> 것은?

① 고강도 케이블은 케이블의 중량을 감소시킨다.

② 경간의 길이를 늘이기 위해 주탑을 높게 설계한다.

③ 공사 중 지진 실험 및 풍동 실험, 선박 충돌 실험을 실시한다.

④ 고강도 콘크리트와 자동으로 주탑을 건설하는 방식을 사용한다.

⑤ 강풍, 강진과 같은 극한 상황에 견딜 수 있는 설계를 해야 한다.

08 패시브 하우스의 설명으로 옳지 <u>않은</u> 것은?

① 기존 건물보다 약 30~70 %의 에너지를 절감할 수 있다.

② 친환경 냉·난방 설비로 쾌적한 실내 환경을 유지한다.

③ 1988년 독일에서 도입된 에너지 효율을 극대화한 주택이다.

④ 에너지 사용 및 탄소 배출량을 줄일 수 있는 새로운 주택 개발 방법이다.

⑤ 고단열·고성능 창호 기밀 시공, 열 회수 환기 등의 설계 공법을 적용했다.

09 모듈러 하우스 시공 방법이 바르게 나열된 것은?

┤보기├
ㄱ. 기초 공사　　　ㄴ. 모듈 운반
ㄷ. 모듈 설치　　　ㄹ. 모듈 조립

① ㄱ－ㄴ－ㄷ－ㄹ　　② ㄴ－ㄷ－ㄹ－ㄱ
③ ㄷ－ㄹ－ㄴ－ㄱ　　④ ㄹ－ㅁ－ㄷ－ㄱ
⑤ ㄹ－ㄷ－ㄴ－ㄱ

10 (가), (나), (다) 상황에 맞는 재난 예방 기술을 〈보기〉에서 골라 순서대로 쓰시오.

(가) 일본의 마루노우치 역은 구조물과 지반 사이에 (　　　)을/를 삽입해 지진 하중이 건축물에 닿기 전에 충격을 완화하였다.

(나) (　　　)은/는 사전에 구조물의 처짐이나 진동을 탐지하여 사용자가 감시 시스템으로 확인하도록 정보를 수집한다.

(다) 타이베이 101은 구조물의 진동을 제어하기 위한 (　　　)을/를 설치하여 지진의 영향을 상쇄시킨다.

┤보기├
ㄱ. 면진 받침　　　ㄴ. 제진기　　　ㄷ. 계측 센서

(　　　　　　　　　)

핵심을 되짚는 O·X 문제

11 고강도 콘크리트는 일반 콘크리트에 비해 높은 압축 강도를 가졌다.　　　(O, ×)

12 초고층 빌딩은 철강, 엘리베이터, 고강도 콘크리트의 발달로 가능해졌다.　　　(O, ×)

13 초장대 교량은 경간 사이가 좁아 물의 흐름을 방해하거나 선박의 통행이 어려운 단점이 있다.　　　(O, ×)

14 인천대교는 사장교로, 우리나라에서 총 길이가 가장 긴 교량이다.　　　(O, ×)

15 현대의 건설은 많은 인력을 필요로 하는 노동 집약적인 특징이 있다.　　　(O, ×)

16 패시브 하우스는 자연 에너지를 적극적으로 사용한다.　　　(O, ×)

17 내진 설계 중 제진 방식은 지진 하중이 건축물에 닿기 전에 충격을 완화하는 설계이다.　　　(O, ×)

18 내진 설계는 재난 예방보다는 복구 기술에 가깝다.　　　(O, ×)

03 건강한 삶을 약속하는 첨단 생명 기술

개념 더하기

+핵 이식(핵 치환) 기술
- 핵을 제거한 난자에 복제하고자 하는 생물의 체세포 핵을 넣어 발생시키는 기술이다. 핵을 제공한 생물과 유전적 조성이 거의 동일한 개체를 얻을 수 있다.
- 멸종 위기 동물을 보전할 수 있으며, 배아 복제, 우량 동물 번식, 이식용 장기 생산 등에 이용된다.

+아그로박테리아
식물 세포에 자신의 유전자를 집어넣어 자신에게 필요한 물질을 식물 세포가 만들어 내도록 하는 기생 미생물

+세포 융합 기술
- 서로 다른 특징을 가진 두 종류의 세포를 융합시켜 두 세포의 특성을 모두 가진 개체를 만들어 내는 기술이다.
- 포마토(토마토+감자), 무추(무+배추), 가지(가지+감자) 등을 만들 수가 있다.

+유전자 편집 기술의 사례
비타민을 더 많이 함유한 멜론, 알레르기 유발 현상을 없앤 복숭아 등이 있다.

주제 열기

◎ 첨단 생명 기술로 지구촌 식량 문제를 해결하기 위한 방법에는 무엇이 있을지 생각해 보자.
생명 공학 작물, 식물 공장, 배양육, 해수 농업 등

◎ 건강한 삶을 살 수 있도록 도와주는 첨단 생명 의료 기술에는 무엇이 있을지 생각해 보자.
인공 지능 의사, 수술 로봇, 원격 의료 등

1. 첨단 생명 기술로 인류의 식량 자원을 확보할 수 있다

(1) 생명 공학 작물

① **생명 공학 작물** 우리가 재배하는 작물에 유용한 유전자를 도입하여 인간에게 혜택을 줄 수 있도록 개량한 작물이다. ┌ 식물, 동물, 미생물에서 유용한 형질을 나타내는 유전자를 분리하여 이용하고자 하는 식물에 도입시키는 기술

② **유전자 변형 기술** 현재 유전자 변형 기술을 이용해 개발된 생명 공학 작물에는 제초제 저항 작물, 해충 저항 작물, 가뭄 저항 작물, 비타민과 백신 등을 함유한 영양 강화 작물 등이 있다.

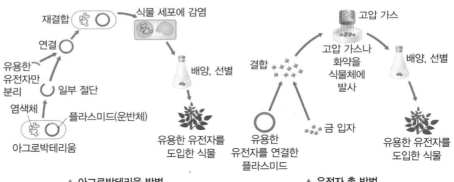

▲ 아그로박테리움 방법　　　　　　▲ 유전자 총 방법

┌ 효소를 가지고 DNA의 일부를 잘라 내어 제거하거나 새로운 DNA로 대체하는 기술

③ **유전자 편집 기술** 외부 유전자를 쓰지 않고, 본래 가지고 있던 유전자를 편집하는 기술로, 최근에 이를 이용한 생명 공학 작물이 많이 개발되고 있어 인류의 식량 자원 확보에 이바지할 전망이다.

기존 작물　　　특정 유전자 제거　　　유전자 결합　　　재배　　　맞춤형 작물

🔎 스스로 해 보기

생명 공학 작물의 안전은 어떻게 관리할지 찾아 써 보자.

예 생명 공학 관련 법률 제정(LMO법), 바이오 안전성 위원회, 생명 공학 작물 표시 제도 등과 같이 다양한 생명 공학 안전성을 위한 협약들이 체결되고 있다.

개념 더하기

(2) 식물 공장

① **식물 공장** 통제된 특정 시설 안에서 빛, 온도, 습도, 이산화 탄소 등 재배 환경을 인공적으로 제어해 계절과 관계없이 안정적으로 식물을 생산할 수 있는 시스템이다.

② **식물 공장의 장단점**

- 장점: 자연환경에 영향을 받지 않기 때문에 농업 생산성을 높일 수 있으며, 농산물의 품질을 균일하게 유지하고, 농약을 사용하지 않아도 되는 장점이 있다.

- 단점: 농장 운영에 소요되는 에너지 비용이 부담되는 단점이 있다.

③ **식물 공장의 기대** 안정적인 식량 자원 확보에 많은 도움을 줄 것이며, 최근에는 도심 속 친환경 수직 농장이 주목받고 있다. └─ 우리나라는 2004년 농촌 진흥청이 시범 운영에 착수했으며, 세계 최초의 상업용 수직 농장은 2012년에 싱가포르에서 첫선을 보였다.

- 수직 농장: 고층 건물에서 농작물을 재배할 수 있도록 설계한 농장이다.

- 친환경 수직 농장: 바다 한가운데에 세워질 초고층 건물에 층별로 토마토, 복숭아, 상추, 사과, 양배추, 시금치밭을 만들어 수확할 수 있도록 계획했다.

(3) 배양육 └─ 처음에는 우주 비행사의 식품으로 개발되었다.

① **배양육** ┌─ 세포 수의 증가, DNA 복제, 세포 분열, 각종 세포 성분의 증가

- 가축을 사용하지 않고, 연구실에서 세포 증식을 통해 얻는 식용 고기를 말한다.

- 소, 돼지, 닭 등 가축에서 떼어 낸 세포를 시험관에서 배양하여 실제 근육 조직처럼 만들어 낸 살코기이다.

② **배양육의 기대** 인류 식량 부족을 해결하며, 기존의 축산업에서 발생하는 환경 오염 문제를 해결할 것으로 기대하고 있다.

① 소의 골격근에서 세포 분리

③ 근육 세포를 근육 섬유로 전환 후, 전기 자극 주입

② 줄기 세포 배양·증식·결합 및 근육 세포로 분화

▲ 배양육 생산 과정

🔎 스스로 해 보기

인류의 식량 자원 확보를 위한 방안에는 그 밖에 무엇이 있을지 써 보자.

예 정밀 농업, 해수 농업 등

+ 배양육의 필요성

인류가 필요로 하는 고기를 충당하기 위해서는 가축의 대량 사육과 도살이 이루어져야 한다. 이 과정에서 막대한 에너지가 발생하게 되는데, 배양육이 이런 문제를 해결할 수 있는 기술이다.

+ 정밀 농업

정보 통신 기술을 농업에 융합하여 씨앗이나 물, 비료, 농약을 정확하게 필요한 만큼만 사용하고 농작물의 수확량을 최대화하는 경작 방식이다. 컴퓨터를 활용하여 농경지의 조건, 즉 토양, 물, 잡초 분포 등에 따라 필요한 용수와 비료의 양을 정확하게 산출하여 사용하기 때문에 최적화된 방식으로 경작이 가능하다. 그러나 정보 통신 기술을 사용하는 데 필요한 설비 투자가 만만치 않고 자동화 농기구의 가격도 부담이 된다.

+의료용 로봇의 필요성

• 각종 진단 정보를 활용하여 의사의 숙련도에 의존하지 않은 안정된 시술이 가능하게 된다.

• 재활 치료에 있어서 환자의 의지를 반영하여 보다 능동적으로 로봇 장치를 구동함으로써 효과적인 치료가 가능하게 된다.

• 부족한 의료진 문제를 해결하고, 시간적·공간적 제약을 극복할 수 있도록 의료진과 환자를 매개할 수 있는 역할을 수행할 수 있다.

2/ 첨단 생명 의료 기술과 원격 의료로 생명 연장을 실현할 수 있다

우리 사회가 고령화 사회로 진입하게 되면서 의료비 급등과 부족한 노동력 문제 해결을 위해 새로운 생명 의료 기술이 필요하게 되었다.

(1) 로봇을 활용한 첨단 생명 의료 기술

① 의료 로봇의 장점

• 인간의 한계로 불가능했던 수술을 가능하게 해 준다.

• 사람의 손보다 정확한 시술이 가능하다.

• 의사가 직접 가기 어려운 장소에서 의사를 대신할 수 있다.

• 재활 치료에 효과적이다.

② 의료 로봇의 종류

• 수술 로봇: 의사의 명령에 따라 수술을 진행하며, 수술의 전 과정 또는 일부를 의사 대신 또는 함께 작업하는 로봇이다.

  예 소규모 절개의 복강경 수술, 심장 수술, 미세 수술 기능을 지원

• 수술 시뮬레이터: 의사가 수술에 대한 숙련도를 높이고, 수술 계획을 세우거나 사전 검증을 하기 위한 용도로, 가상 그래픽, 햅틱 장치 등을 활용하는 수술 연습 로봇이다.

  예 디지털 이미지로 수술 연습을 할 수 있는 가상 인체 해부대

• 재활 로봇: 장애인이나 노약자의 독립적인 생활을 돕는 역할을 하며, 인간의 팔이나 다리의 움직임을 감지하여 움직임을 보조하는 재활 운동용과 인간의 신경 신호를 이용해 팔이나 손을 움직이는 로봇이 있다.

  예 보행 재활 로봇, 손 근육 치료를 위한 착용형 재활 로봇

③ 인공 지능을 활용한 첨단 의료 기술

• 많은 양의 데이터를 수집하고 분석하여 환자의 암을 진단하고 치료한다.

• 방대한 양의 논문을 읽고 환자의 상태와 유전적 정보를 분석해 오진할 가능성이 높은 질병을 짧은 시간 내에 정확하게 진단할 수 있다.

• 딥 러닝 기술을 활용해 CT, MRI, 현미경, 방사선 사진 등을 분석해 악성 종양을 찾아내는 시스템이 개발 중에 있다.

> **스스로 해 보기**
>
> 의료 현장에서 로봇과 인공 지능이 활용되고 있는 사례에는 그 밖에 무엇이 있는지 알아보자.
>
> 예 알약 형태의 대장 내시경 진단 로봇, 수술 훈련 로봇, 복강경 수술 로봇 등

(2) 정보 통신 기술을 이용한 원격 의료

① 원격 의료 병원 방문이 어려운 환자들에게 정보 통신 기술을 이용해 의료 서비스를 제공하는 활동이다.

• 원격 의료의 장점

  – 환자의 의료 접근성을 개선하고 체계적인 환자 관리를 가능하게 한다.

  – 의료 취약 지역의 복지를 개선할 수 있다.

- 의료와 새로운 기술을 융합한 신산업을 창출할 수 있다.
- 웨어러블 장치를 통해 언제, 어디서나 건강 관리 및 의료 서비스를 받을 수 있다.
- 원격 의료 시스템: 측정(질병 정보를 환자가 측정) → 정보 취합 및 전송(통신 기기로 정보 전송) → 정보 분석 및 진료(의사가 정보 수집·분석하여 진료 및 처방)

② 착용형 스마트 기기

- 귀에 꽂는 스마트 기기: 귓속에 넣은 채 통화를 하거나, 체내 압력이나 체온 등을 모니터링한다.
- 스마트 의류: 전자기 물질이 코팅된 나노 섬유를 이용하면 착용형 스마트 기기에 필요한 전류 공급이 가능하다.
- 피부 부착형 바이오 스탬프: 물을 묻혀 피부에 갖다 대어 부착하는 착용형 의료 기기이다. 맥박 수, 체온, 자외선 흡수량, 뇌 활동량 등 바이오 데이터를 실시간으로 모니터링한다.
- 콘텍트 렌즈: 눈의 깜빡임을 원격 조정기로 제어하며, 눈물 속 포도당 수치를 이용해 혈당을 검사한다.
- 목걸이 형태의 스마트 기기: 심장 박동 수, 혈압, 혈당을 검사한다.
- 아기 발목의 건강 관리 센서: 아기의 심장 박동 수와 혈압, 체온, 실내 온도 등에 이상이 생기면 부모의 스마트폰으로 신호를 전송한다.

🔒 스스로 해 보기

우리 주변에서 원격 의료와 관련된 사례는 그 밖에 무엇이 있는지 찾아 써 보자.

예 원양 어선 및 도서 산간 등에서의 의료 행위, 만성 질환자의 의료 행위 등

교과서 뛰어 넘기   줄기 세포 치료

줄기 세포는 생체 조직을 복구하고 재생할 수 있는 능력을 가진 세포로, 배아 줄기 세포와 성체 줄기 세포가 있다. 손상되거나 죽은 세포를 교체하여 뇌졸중, 알츠하이머병과 같은 퇴행성 신경 질환이나 당뇨, 심혈관계 질환 치료에 사용할 수 있으며, 줄기 세포를 이용하여 자신의 장기를 만들어 교체할 수 있는 시대가 열릴 것이다.

개념 더하기

+ 환자용 착용형 기기
- 호흡기나 심장 질환 환자의 상태를 24시간 체크하는 웨어러블 기기이다.
- 목에 두르고 있으면 심박 수와 호흡기의 미세한 소리 등을 체크해 데이터를 전송한다.

+ 구글 콘텍트 렌즈
- 눈을 깜빡이거나 리모컨으로 제어가 가능하다.
- 안경과 달리 다른 사람이 착용 사실을 알아채기 힘든 것이 장점이다.
- 눈물 속 글루코스 수치를 이용해 당뇨병 환자의 혈당 체크가 가능하다.

+ 스마트 헬스 케어
최근 부각되고 있는 스마트 헬스 케어는 의료와 복지, 안전 등이 복합화되고 지능화된 단계를 의미한다. 스마트 기기 보급 확산으로 개인이 스스로 자신의 운동량이나 섭취한 칼로리, 스포츠 활동 기록 등의 관리가 가능한 환경이 되면서 서비스와 제공자, 이용자의 범위도 확대되고 있다.

주제 활동   스마트 혈압기로 혈압 측정해 보기

1. 스마트 혈압기로 나의 혈압을 측정해 보고 스마트폰 앱을 이용해 나의 건강을 관리해 보자.

스마트 혈압기의 밴드를 팔에 정확히 고정한다. → 휴대폰과 혈압계를 연결하고 혈압 관리 앱을 실행한다. → 자신의 혈압을 측정한다.

2. 자신이 체험한 스마트 기기를 통해 느낀 원격 의료의 장단점을 적어 보자.

원격 의료는 병원에 가기 힘든 사람들의 불편을 덜어 주는 장점이 있으나, 해킹과 개인(건강) 정보 보호의 문제가 발생할 수 있다.

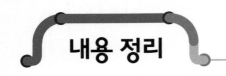

내용 정리

1, 첨단 생명 기술

(1) 생명 공학 작물

① 우리가 재배하는 작물에 유용한 유전자를 도입하여 인간에게 혜택을 줄 수 있도록 개량한 작물

② **유전자 변형 기술을 이용해 개발된 생명 공학 작물** 제초제 저항 작물, 해충 저항 작물, 가뭄 저항 작물, 비타민과 백신 등을 함유한 영양 강화 작물

③ **첨단 생명 기술** 유전자 변형 기술, 세포 융합 기술, 유전자 편집 기술, 핵 이식 기술 등

(2) 식물 공장

① 특정 시설 안에 재배 환경을 인공적으로 제어하여 계절과 관계없이 식물을 생산할 수 있는 시스템

② 농산물의 품질을 균일하게 유지하고, 농약을 사용하지 않아도 됨.

③ 안정적인 식량 자원 확보에 도움을 줄 것으로 기대됨.

• 수직 농장: 고층 건물에서 농작물을 재배할 수 있도록 설계한 농장

• 친환경 수직 농장: 바다 한가운데에 세워질 초고층 건물에 층별로 토마토, 복숭아, 상추, 사과, 양배추, 시금치밭을 만들어 수확할 수 있도록 계획한 농장

(3) 배양육

① 가축을 사용하지 않고, 연구실에서 세포 증식을 통해 얻는 식용 고기

② 인류의 식량 부족과 기존 축산업에서 생기는 환경 오염 문제를 해결할 수 있을 것으로 기대됨.

2, 첨단 생명 의료 기술과 원격 의료

(1) 로봇을 활용한 첨단 생명 의료 기술

① **의료 로봇의 장점**

• 로봇으로 인간의 한계로 불가능했던 수술을 가능하게 해 줌.

• 사람의 손보다 정확한 시술이 가능함.

• 의사가 직접 가기 곤란한 장소를 대신해 줄 수 있음.

• 효과적인 재활 치료가 가능함.

② **의료 로봇의 종류**

• 수술 로봇: 의사의 명령에 따라 수술을 진행하며, 소규모 절개의 복강경 수술, 심장 수술, 미세 수술 기능을 지원함.

• 수술 시뮬레이터: 디지털 이미지로 의사가 수술을 연습할 수 있도록 도와줌.

• 재활 로봇: 장애인이나 노약자의 독립적인 생활을 돕는 역할을 함.

③ **인공 지능을 활용한 사례**

• 딥 러닝 기술을 활용해 악성 종양을 찾아내는 시스템이 개발 중임.

• 인공 지능 로봇으로 방대한 양의 논문을 읽고 환자의 상태와 유전 정보를 분석해 짧은 시간 내에 정확하게 진단함.

(2) 정보 통신 기술을 이용한 원격 의료

① **원격 의료**

• 병원 방문이 어려운 환자들에게 정보 통신 기술을 이용해 의료 서비스를 제공하는 활동

• 원격 의료의 장점

 - 환자의 의료 접근이 쉬움.

 - 체계적인 환자 관리가 가능함.

 - 의료 취약 지역의 복지를 개선할 수 있음.

 - 의료와 새로운 기술을 융합한 신산업 창출

 - 웨어러블 장치를 통해 언제, 어디서나 의료 서비스를 받을 수 있음.

• 원격 의료 시스템

 - 측정: 질병 정보를 환자가 측정

 - 정보 취합 및 전송: 통신 기기를 통해 정보를 전송

 - 정보 분석 및 진료: 의사가 정보를 수집 및 분석하여 진료 및 처방

② **착용형 스마트 기기의 종류**

• 귀에 꽂는 스마트 기기: 귓속에 넣은 채 통화를 하거나, 체내 압력이나 체온 등을 모니터링함.

• 스마트 의류: 전자기 물질이 코팅된 나노 섬유를 이용하면 착용형 스마트 기기에 필요한 전류 공급이 가능함.

• 피부 부착형 바이오 스탬프: 물을 묻혀 피부에 갖다 대어 부착하는 착용형 의료 기기로, 맥박 수, 체온, 자외선 흡수량, 뇌 활동량 등 바이오 데이터를 실시간으로 모니터링함.

• 콘텍트 렌즈: 눈의 깜빡임을 원격 조정기로 제어하며, 눈물 속 포도당 수치를 이용해 혈당 검사를 함.

• 목걸이 형태의 스마트 기기: 심장 박동 수, 혈압, 혈당 검사를 함.

• 아기 발목의 건강 관리 센서: 아기의 심장 박동 수와 혈압, 실내 온도 등에 이상이 생기면 부모의 스마트폰으로 신호를 전송함.

개념 꽉꽉 다지기

1. 유용한 유전자를 연결한 플라스미드와 금 입자를 결합하여 고압 가스나 화약으로 식물 세포에 투입하여 유용한 유전자를 도입한 식물을 얻는 기술은?

① 핵 융합 기술   ② 핵 이식 기술

③ 유전자 총 방법   ④ 조직 배양 기술

⑤ 아그로박테리움 방법

📣 Helper

2. 특정 시설 안에서 빛, 온도, 습도, 이산화 탄소 등 재배 환경을 인공적으로 제어해 계절과 관계없이 식물을 생산할 수 있는 시스템은 (   )(이)다.

3. 배양육 생산의 효과에 대한 설명으로 옳은 것은?

① 온실가스 배출량이 줄어들 것이다.

② 전체적인 에너지 소비량은 증가하게 된다.

③ 인류의 식량 부족은 해결하지 못할 것이다.

④ 배양육을 위한 토지 사용량이 증가할 것이다.

⑤ 배양육을 위한 가축의 사육량이 늘어날 것이다.

3. 배양육은 인간의 고기에 대한 수요로 가축의 사육과 도축 등 여러 에너지를 절감하기 위하여 시도하는 기술이다.

4. 장애인이나 노약자의 독립적인 생활을 돕는 역할을 하는 의료 로봇은 (   )(이)다.

4. 의료 로봇은 크게 수술 로봇, 수술 시뮬레이터, 재활 로봇으로 나뉜다.

5. 첨단 생명 의료 기술에 대한 설명으로 옳지 <u>않은</u> 것은?

① 딥 러닝 기술을 활용하여 악성 종양을 조기에 찾아낼 수 있다.

② 웨어러블 장치를 이용해 원격으로 의료 서비스를 받을 수 있다.

③ 의료 로봇이 활발히 개발 중이지만 사람의 손보다 정교하지는 않다.

④ 수술 시뮬레이터로 수술 전에 연습을 하거나 수술 상황을 예측해 볼 수 있다.

⑤ 인공 지능 로봇이 방대한 양의 데이터를 수집하고 분석하여 질병을 짧은 시간에 정확하게 진단할 수 있다.

5. 로봇은 인간의 한계로 불가능했던 수술을 가능하게 해 주고, 사람의 손보다 정확한 시술이 가능하다.

01 아그로박테리움의 과정을 순서대로 나열한 것은?

> ㄱ. 플라스미드에 분리한 유전자를 연결하여 아그로박테리움과 결합시킨다.
> ㄴ. 생물체에서 유용한 유전자를 분리한다.
> ㄷ. 아그로박테리움에서 플라스미드를 분리한다.
> ㄹ. 식물 세포에 감염시킨 뒤, 배양하여 원하는 식물을 선발한다.

① ㄱ - ㄴ - ㄷ - ㄹ   ② ㄴ - ㄹ - ㄱ - ㄷ
③ ㄷ - ㄴ - ㄱ - ㄹ   ④ ㄷ - ㄱ - ㄴ - ㄹ
⑤ ㄹ - ㄷ - ㄴ - ㄱ

02 다양한 생명 공학 기술에서 이용되는 플라스미드에 대한 설명으로 옳은 것은?

① 선형의 DNA이다.
② 자기 복제가 불가능하다.
③ 유전자 운반체로 많이 이용된다.
④ 세포 속에 들어 있는 주 염색체이다.
⑤ 숙주 세포가 분열할 때 같이 분열하지 못한다.

03 다음 설명에 해당하는 것은?

> 식물 세포에 자신의 유전자를 집어넣어 자신에게 필요한 물질을 식물 세포가 만들어 내도록 하는 기생 미생물

① 염색체   ② 세포 융합
③ 유전자 총   ④ 플라스미드
⑤ 아그로박테리아

04 핵 이식에 대한 설명으로 옳지 <u>않은</u> 것은?

① 체세포의 핵을 사용한다.
② 복제 양 돌리를 만드는 기술이다.
③ 멸종 위기의 생물을 복원할 수 있다.
④ 부모보다 우수한 자손을 만드는 기술이다.
⑤ 똑같은 형질을 가진 개체를 대량 생산할 수 있다.

05 세포 융합 기술에 대한 설명으로 옳은 것은?

① 암술이나 수술의 생식 세포를 사용해야 한다.
② 세포의 구성 요소 중 세포질이 융합되는 과정이다.
③ 같은 유전 정보를 가진 복제 생물을 생산할 수 있다.
④ 잡종 세포는 부모 중 어느 한 쪽과 똑같은 형질을 가진다.
⑤ 두 종류의 세포가 갖는 장점을 모두 지닌 새로운 세포를 얻을 수 있다.

06 유전자 편집 기술에 대한 설명으로 옳지 <u>않은</u> 것은?

① 적용 사례로 토마토와 감자를 합친 포마토가 있다.
② 적용 사례로 알레르기 성분을 없앤 복숭아가 있다.
③ 유전자 편집 기술은 효소를 가지고 DNA의 일부를 잘라 낼 수 있다.
④ 인간 배아의 유전자 연구가 가능하여 윤리 문제에 부딪힐 수 있다.
⑤ 외부 유전자를 쓰지 않고 본래 유전자를 살짝 편집함으로써 유해성을 피할 수 있다.

07 식물 공장에 대한 설명으로 옳지 <u>않은</u> 것은?

① 자연환경의 영향을 받는다.

② 특정 시설 안에서 재배 환경을 조성한다.

③ 농산물의 품질을 균일하게 유지할 수 있다.

④ 농약을 사용하지 않아도 되는 장점이 있다.

⑤ 안정적인 식량 자원 확보에 도움을 줄 수 있다.

08 첨단 의료 기술에 대한 설명으로 옳은 것을 있는 대로 고른 것은?

> ㄱ. 의료 혜택을 받지 못하는 사람이 점점 늘어날 것이다.
>
> ㄴ. 로봇의 도움으로 정교한 수술을 할 수 있게 될 것이다.
>
> ㄷ. 웨어러블 기술로 몸의 상태를 실시간으로 확인할 수 있다.
>
> ㄹ. 의사와 로봇의 딥 러닝 기술이 협력하여 최적의 진단을 내리게 될 것이다.

① ㄱ, ㄷ   ② ㄱ, ㄹ   ③ ㄴ, ㄷ

④ ㄱ, ㄴ, ㄷ   ⑤ ㄴ, ㄷ, ㄹ

09 ( ) 안에 들어갈 알맞은 말을 쓰시오.

> 원격 의료 시스템은 측정 → ( ) → 정보 분석 및 진료의 순서로 이루어진다.

(   )

10 스마트 의류에 대한 설명으로 옳은 것은?

① 눈의 깜박임을 원격 조정기로 제어한다.

② 목걸이로 심장 박동 수, 혈압, 혈당을 검사한다.

③ 물을 묻혀 피부에 갖다 대어 부착하는 착용형 의료 기기이다.

④ 운동선수를 위한 의류로, 전자기 물질이 코팅된 나노 섬유를 이용한다.

⑤ 귓속에 넣은 채 통화를 하거나 체내 압력이나 체온 등을 모니터링한다.

핵심을 되짚는 O·X 문제

11 대부분의 생명 공학 기술은 성공률이 높은 특징이 있다.

(O , X)

12 유전자 편집 기술은 외부 유전자로 본래 유전자를 제거한다.

(O , X)

13 플라스미드란 식물 세포에 자신의 유전자를 집어 넣어 자신에게 필요한 물질을 식물 세포가 만들어 내도록 하는 기생 미생물을 말한다.

(O , X)

14 식물 공장은 농장 운영에 소요 비용이 많이 드는 단점이 있다.

(O , X)

15 식물 공장으로 농업 생산성을 높일 수 있는 장점이 있다.

(O , X)

16 배양육은 가축 사육의 부담을 줄여 주지만, 환경 오염의 문제점이 있다.

(O , X)

17 의료용 로봇은 의사가 직접 가기 어려운 장소를 대신해서 수술할 수 있다.

(O , X)

18 GMO 식품은 병충해에 강하고, 영양을 개선할 수 있는 장점이 있다.

(O , X)

04 꿈을 실현하는 첨단 수송 기술

개념 더하기

주제 열기

» 그림에 제시된 상황 중 한 가지를 선택하여 내 생각을 이야기해 보자.

드론의 발달로 택배나 음식 배달이 손쉽고 안전하게 배달이 될 수 있을 것이다. 하지만 이에 따라 관련된 일자리의 문제, 항공 장치의 활용에 대한 법적인 문제 등이 발생할 수 있다.

» 앞으로 경험하게 될 첨단 수송 기술의 미래를 상상하여 이야기해 보자.

편안하면서도 더욱 빠른 여행, 운전 면허증을 따지 않아도 되는 무인 자동차의 생활, 해외여행을 넘어 다양한 우주 여행 실현 등

+하이브리드 자동차
1990년대 초에 각광받던 전기 자동차의 대안으로 떠올랐다. 우리나라에서는 현대 자동차가 2009년 첫 하이브리드 자동차를 출시했다.

1, 새로운 수송 수단은 생활의 변화를 가져온다

(1) 하이브리드 자동차

① **하이브리드 자동차**　두 개 이상의 동력원에 의해 구동되는 차량이다.

- 일반적으로 내연 기관과 전기 모터를 함께 사용하며, 주행 중에는 내연 기관이나 전기 모터를 선택해서 사용하거나 동시에 사용이 가능하다.
- 감속할 때나 내리막에서는 배터리를 충전하여 에너지 효율이 높고, 유해 가스 배출량이 적어 대기 오염을 줄일 수 있다.

② **하이브리드 자동차의 구동 원리**

시동	가속/오르막	감속/내리막	정속 주행
모터	엔진 + 모터	배터리 충전	엔진

- 시동: 전기 모터를 사용한 시동으로 연료가 절약되고 조용하다.
- 가속/오르막: 엔진의 구동력을 모터가 보조하고, 모터의 사용량만큼 연료가 절약된다.
- 감속/내리막: 모터가 발전기로 작용하여 배터리가 충전된다.
- 정속 주행: 엔진의 효율이 좋은 구간으로, 모터는 작동하지 않고 엔진만으로 주행한다.

③ **하이브리드 자동차의 작동 원리**

- 기존의 화석 연료(가솔린, 디젤 등)을 기관에 투입하면 구동력이 발생하여 이를 뒷바퀴에 전달하여 작동한다.

- 이동 중 바퀴의 회전력이 배터리에 저장되고 이를 통하여 모터를 작동시켜 변속기로 전달하면 필요 시 독립적 또는 추가적으로 바퀴를 구동시킬 수 있다.

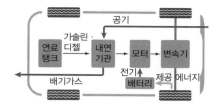

④ 플러그인 하이브리드 자동차
- 외부 전기 공급 장치에 직접 연결하여 충전할 수 있도록 한 자동차이다.
- 대용량 배터리와 고성능 전기 모터를 활용하여 전기 에너지만으로 장거리 주행과 고속 주행이 가능하다.

스스로 해 보기

플러그인 하이브리드 자동차의 장단점을 찾아 써 보자.

예	장점	단점
	· 교통 체증 시 연비가 좋다.	· 가격이 높다
	· 전기를 사용하면서도 엔진이 있기 때문에 주행 거리 제약이 없다.	· 엔진에 모터가 결합된 형태이기 때문에 부품이 무겁다.
	· 저속에서는 전기로만 운전할 수 있어 소음이 적다.	· 정비가 복잡하고 관리 부주의 시 감전 위험이 있다.

(2) 전기 자동차

① 전기 자동차　배터리에 연결된 모터로만 주행하는 자동차이다.
② 전기 자동차의 장단점
- 장점
  - 엔진이 배출하는 배기가스가 없다.
  - 소음과 진동이 적어 조용하다.
  - 감속할 때 에너지를 회수할 수 있고, 정차 중에 모터가 정지하여 에너지 효율이 높다.
- 단점
  - 1회 충전 주행 거리가 짧다.
  - 차량의 가격이 비싸다.
  - 충전을 위한 기반 시설이 부족하다.

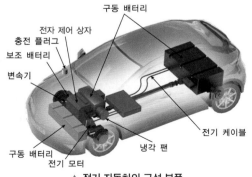

▲ 전기 자동차의 구성 부품

개념 더하기

+플러그인 하이브리드 자동차의 충전

달릴 때에는 엔진에서 나오는 힘으로 충전할 수 있지만, 케이블을 차에 연결하고 콘센트에 꽂아 충전한다. 스마트폰을 충전하는 원리와 비슷하다.

+전기 자동차 충전

전기 자동차는 자동차 개발 회사 및 판매국에 따라 충전 형태가 다양하다. 그중 우리나라의 경우에는 표준 형태를 사용하도록 되어 있다. 차량의 제조사별로 지급되는 충전 케이블을 현재의 콘센트에 연결하면 충전이 되고, 급속 충전이 필요한 경우에는 별도의 장치가 요구된다.

개념 더하기

+자율 주행 자동차

자율 주행 자동차는 운전자가 이동 시간 다른 일을 할 수 있는 여유를 제공하고, 도로 위의 각종 사고를 줄일 수 있다. 또한 연료를 절감하며, 오염 물질 배출을 감소시킨다.

+드론의 비행 운동

• throttle: 수직 운동(상하)
• Yaw: 시계·반시계 방향 회전
• Roll: 좌우 운동
• Pitch: 전진·후진 운동
• Hover: 제자리에 떠 있는 상태

+무인 장치(드론)에 관한 규제

• 비행 금지 시간대: 야간 비행(야간 일몰 후부터 일출 전까지)
• 비행 금지 장소: 비행장으로부터 반경 9.3 km 이내인 곳, 비행 금지 구역(휴전선 인근, 서울 도심 상공 일부), 150 m 이상의 고도, 인구 밀집 지역 또는 사람이 많이 모인 곳의 상공)
• 비행 금지 행위: 비행 중 낙하물 투하 금지, 조종자 음주 상태에서 비행 금지, 조종자가 육안으로 장치를 직접 볼 수 없을 때 비행 금지
• 준수 사항 위반 시: 최대 200만 원 과태료 부과

(3) 자율 주행 자동차(무인 자동차)

• 자동 운전 시스템을 통하여 주행이 이루어진다.
• 운전자가 직접 조작하지 않아도 자동차가 도로의 상황을 파악하여 목적지까지 스스로 움직인다.

자동 운전 시스템과 자율 주행 ▶

더 들여다보기

✎ 수소 연료 전지 자동차와 전기 자동차의 특징을 비교해 보자.

예 • 수소 연료 전지 자동차: 자체적으로 전기를 생산할 연료 전지 및 수소 탱크를 탑재하여 전기를 생산하여 주행한다.
• 전기 자동차: 외부에서 생산된 전기를 배터리에 저장해 주행한다.

(4) 친환경 에너지를 활용하는 첨단 선박

① 선박은 자동차보다 이동 시간이 비교적 길어서 많은 연료를 소비하므로 환경에 부담을 준다.
② **친환경 선박** 선박의 주 동력원으로 태양, 풍력, 연료 전지, 바이오디젤 등의 대체 에너지원을 사용하는 친환경 선박이 등장하고 있다.
③ **미래의 선박** 태양광 선박, 풍력 선박, 태양광＋풍력 선박

(5) 드론

① **드론** 무선 전파로 비행이나 조종을 할 수 있는 무인 항공 장치이다.
② **드론에 작용하는 힘** 4개의 힘(양력, 추력, 항력, 중력)이 상호 작용하여 움직인다.
③ 드론의 비행 원리
• 기본 회전 방향: ①, ④는 시계 방향, ②, ③은 반시계 방향으로 회전
• 비행 원리
  - 전진: ③, ④가 빠르게 회전
  - 후진: ①, ②가 빠르게 회전
  - 왼쪽 이동: ②, ④가 빠르게 회전
  - 오른쪽 이동: ①, ③이 빠르게 회전
  - 상승: ①, ②, ③, ④가 동일한 속도로 빠르게 회전
  - 하강: ①, ②, ③, ④가 동일한 속도로 느리게 회전
  - 제자리 회전(시계 방향): ②, ③이 빠르게 회전
  - 제자리 회전(반시계 방향): ①, ④가 빠르게 회전

2 우주 항공 기술의 발달로 우주여행에 더 가까워진다

(1) 추진 속도와 효율

① 우주 항공 기술 개발의 핵심은 추진 속도와 연료 효율을 높이고, 개발 비용을 절감하는 데 있다.

② **로켓 기관** 산화제와 연료를 모두 탑재한 채로 비행을 하는 점에서 제트 기관과 차이점이 있다.

③ **제트 기관** 모든 제트 기관은 작용·반작용의 원리에 의해 추진된다.

제트 기관의 원리

제트 기관	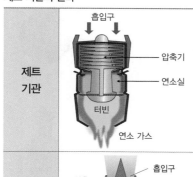	• 주로 항공기에 활용된다. • 기관 내부에서 연소시킨 고온, 고압의 가스를 노즐을 통해 연속적으로 내뿜으면서 작용과 반작용의 원리로 추력을 얻는다. • 제트 기관을 탑재한 대부분의 항공기는 연료의 효율과 안전을 고려하여 음속보다 느린 속도로 운항한다. • 압축기를 이용하여 공기를 압축한다.
램제트 기관	흡입구 / 압축 / 연료 분사 / 화염 고정기 / 연소실 / 노즐 / 배기	• 압축기 없이 자체의 비행 속도를 이용하여 고속으로 유입되는 공기의 압력만으로 압축한다. • 마하 2에서 4 정도까지 효율적으로 운영한다. • 대기권에서는 로켓보다 우수한 성능을 보인다. • 제트 기관에 비해서 구조가 간단하고 중량이 가볍다.
스크램제트 기관	흡입구 / 초음속 압축 / 연소 / 연료 분사 / 노즐 / 초음속 배기	• 램제트 기관을 변형하여 추진 속도를 극대화한다. • 램제트 기관은 공기가 흡입구를 지나면서 아음속으로 감속되지만, 스크램제트 기관은 공기 속도를 초음속으로 유지시켜 추력을 얻는다. • 스크램제트 기관이 작동하려면 마하 2 이상의 속도로 비행하기 때문에, 이와 같은 가속을 위해 로켓 엔진이나 터빈 엔진을 보조 엔진으로 이용한다.

🗨 함께 해 보기

우주 개발을 위해 세계 여러 나라에서 어떤 노력이 이루어지는지 더 살펴보자.

예 • 미국: 우주 산업 활성화를 위한 정부 차원의 노력
• 유럽: 국제 우주 정거장 개발과 유인 우주 탐사에 힘을 기울임.
• 러시아: 지속적인 국제 우주 정 거장 운영 및 유인 우주 비행 인프라 유지, 다양한 새로운 발사 기지 개발
• 중국: 우주백서 발표, 우주 개발을 국가의 전략적 핵심 목표로 설정
• 일본: 로켓 개발, 우주 정거장 운영에 힘을 기울임.

개념 더하기

+ 제트 기관

터보 제트 기관, 터보 프롭 기관, 터보 팬 기관 등이 있다.

• 터보 제트 기관: 항공기의 주류가 되는 기관으로, 음속의 0.7~2.5배 속도이다. 군용기나 여객기 등에 사용된다.
• 터보 프롭 기관: 터보 제트 기관에 프로펠러를 추가한 것으로, 성능은 터보 제트 기관보다 낮다. 중속도 여객기나 수송기 등에 사용된다.
• 터보 팬 기관: 터보 제트 기관보다 산소 공급량이 많아 연비가 좋다. 경제성을 중시하는 여객기에 사용된다.

+ 마하

속도의 단위로, 음속에 대한 운동 물체의 속도비

$$마하 = \frac{비행기\ 속도}{음속}$$

+ 선박에서 로켓을 발사할 때의 장단점

• 장점: 대지 임대료 절감, 발사 화재 보험료 감소, 적도면 궤도 진입의 진로 단축으로 추진 연료비 절감
• 단점: 대용량 전력 공급선, 악천후 대응, 염분으로 인한 기체 부식, 위성 추적 안테나 운용 문제, 지상 관제소 등 지원 부서 간의 실시간망 구축과 같은 비탄력적인 환경

+우주 개발을 위한 기술

- 앨런 머스크의 저비용 로켓 제작, 프로젝트 스페이스 X: 펠컨 9로 불리는 3단 구조의 발사체는 발사 후 공중에서 분리되어 차례로 지구 귀환이 가능한 방식이다.
- 블루 오리진의 뉴셰파드 로켓: 수직 이착륙 로켓으로, 발사체와 캡슐로 구성된다. 캡슐은 낙하산을 통해 회수가 가능하다.
- 버진 갤럭틱: 재사용이 가능한 우주 비행선으로, 높은 고도에까지 로켓으로 올라간 다음 우주 비행선으로 대기권을 탈출하는 방식이다.

+우리별 1호

우리나라 최초의 인공위성이다. 한국과 영국이 공동으로 설계하고 제작해 1992년 중남미 기아나의 쿠루 기지에서 로켓 아리안 V-52에 실려 발사되었다. 각종 실험 및 관측과 음성 방송을 위한 과학 위성으로 우리나라 최초의 국적 위성이다.

(2) 우주 개발을 위한 기술

적도는 자전 속도가 가장 빨라 이 속도를 이용하여 정지 궤도에 투입이 비교적 쉽게 됨.

① 로켓 개발의 시간과 비용을 줄이기 위해 로켓을 재사용하거나, 작은 인공위성이나 발사체를 만들어 비용을 낮추는 방식이 활용되고 있다.

② 비용과 효율성을 높이기 위해 적도 부근이나 선박에서 로켓을 발사하는 방식, 비행기에서 로켓을 발사하는 방식 등이 개발 중에 있다.

③ 대형 발사체의 개발로 우주 정거장과 우주 호텔이 현실화되고 있다.

④ 발사 로켓 회수 과정

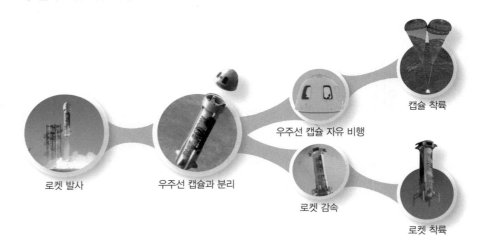

로켓 발사 　 우주선 캡슐과 분리 　 우주선 캡슐 자유 비행 　 캡슐 착륙 　 로켓 감속 　 로켓 착륙

(3) 우리나라의 우주 항공 기술

① 2020년을 목표로 자체 추진을 위한 한국형 발사체의 기술 개발을 하고 있다.

② 우리나라 우주 개발 주요 일정

(4) 첨단 수송 기술

① 개인용 비행 장치, 마틴 제트팩　세계 최초 개인용 비행 장치로, 뉴질랜드 발명가 글렌 마틴(G. Martin)이 개발하였다.

- 조종사 뒤편 양쪽에 한 개씩 달린 프로펠러의 부력으로 날 수 있으며, 200마력을 내는 4기통 가솔린 기관이 장착됐다.
- 최대 약 1 km까지 날아오를 수 있고, 최대 속도는 시속 74 km이다.
- 최대 120 kg까지 싣고 30분간 비행할 수 있다.

② **진공관 속을 달리는 초음속 열차, 하이퍼루프** 진공관을 연결하고 그 속에 자기 부상 형식으로 뜬 열차가 달리는 것이다.

- 진공관 내부는 공기 저항이 없고 일단 가속이 붙으면 관성으로 주행하므로 매우 짧은 시간 안에 먼 거리를 갈 수 있다.
- 현재 기술을 우리나라에 적용하면 서울에서 부산까지 16분이면 갈 수 있다.

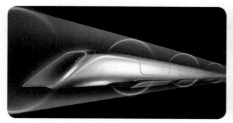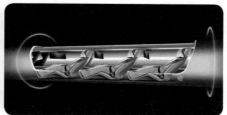

③ **민간 유인 우주선, 스페이십 2** 우주를 경험하고 싶어 하는 민간 여행객을 위한 우주여행용 우주선이다.

- 스페이스십 2는 '화이트 나이트 2'라는 모선에 실려 지상 15 km 위에서 발사된다.
- 모선에서 발사된 스페이스십 2는 엔진을 점화해 음속의 3.5배 속도로 날아가 상공 110 km까지 올라가 약 30분간 우주여행을 하게 된다.
- 우주여행을 마치게 되면 기체는 다시 지구로 재진입하여 항공기처럼 날아 땅 위로 복귀하는 데 약 2시간 정도가 걸린다.

개념 더하기

+ 하이퍼루프

하이퍼루프는 공기압의 압력 차를 이용해 빠른 속도로 움직이는 튜브형 초고속 열차이다. 고속 수송 시스템의 하나로, 2013년 8월 엘론 머스크(Elon Musk)가 구상해 발표한 개념이다. 엘론 머스크는 미국의 사업가로 민간 우주 화물업체 스페이스 X(Space X)와 전기 자동차 업체인 테슬라 모터스(Tesla Motors)를 창립했다.

주제 활동 나도 드론 조종사!

1. 주어진 재료를 활용하여 드론을 원하는 높이와 속도로 작동해 보자.

예 드론을 조립하고, 바닥판에 지지대를 연결한 뒤 조정부를 고정한다. → 드론 연결선을 누름 스위치에 연결하고 완성한다. → 방향 조절 스위치를 눌러, 드론을 상승시킨다. → 방향 조절 스위치를 눌러 드론을 하강시킨다.

2. 드론의 각 동작에 대한 원리를 탐구하고 설명해 보자.

예

구분	원리	설명
상승	초고속 모터의 회전에 의한 상승력이 모터의 중력보다 커서 상승하게 된다.	스위치를 누르면 모터의 프로펠러가 회전하며 지지대를 따라 상승하게 된다.
하강	스위치를 끄거나, 가변 저항기를 통하여 회전 속도를 줄이면 중력이 상승력보다 커져 내려가게 된다.	가변 저항값을 높여서 모터의 회전 속도를 줄이면 서서히 하강하게 된다.
멈춤	상승력과 중력이 같아진 상태가 된다.	일정한 가변 저항값에 도달하게 되면 상승력과 중력이 동일하여 일정한 높이에 떠 있게 된다.

내용 정리

1. 새로운 수송 수단

(1) 하이브리드 자동차

① 두 개 이상의 동력원에 의해 구동되는 차량으로, 일반적으로 내연 기관과 전기 모터를 사용함.

② 하이브리드 자동차의 구동 원리
- 시동: 모터로 엔진 시동
- 가속 또는 오르막: 엔진의 구동력을 모터가 보조
- 감속 또는 내리막: 모터가 발전기로 작용하여 배터리 충전
- 정차: 엔진만으로 주행, 모터는 정지

(2) 전기 자동차

① 배터리에 연결된 모터만으로 주행하는 자동차

② 전기 자동차의 장점
- 배출하는 배기가스가 없고, 소음과 진동이 적어 조용함.
- 감속할 때 에너지를 회수할 수 있음.
- 정차 중에 모터가 정지하여 에너지 효율이 높음.

③ 전기 자동차의 단점
- 1회 충전 주행 거리가 짧고, 차량 가격이 비쌈.
- 충전을 위한 기반 시설이 부족함.

(3) 자율 주행 자동차(무인 자동차)

① 자동 운전 시스템을 통하여 주행이 이루어짐.

② 운전자가 직접 조작하지 않아도 자동차가 도로의 상황을 파악하여 목적지까지 스스로 움직임.

(4) 친환경 에너지를 활용하는 첨단 선박

① 기존 선박은 이동 시간이 길어 많은 연료를 소비하므로 환경에 부담을 줌.

② 태양, 풍력, 연료 전지, 바이오디젤 등의 대체 에너지원을 사용하는 친환경 선박의 개발이 이루어지고 있음.

(5) 드론

① 무선 전파로 비행이나 조종을 할 수 있는 무인 항공 장치

② 드론이 받는 힘   양력, 추력, 항력, 중력

③ 드론의 비행 원리
- 기본 비행: ①, ④는 시계 방향, ②, ③은 반시계 방향으로 회전
- 전진: ③, ④가 빠르게 회전
- 후진: ①, ②가 빠르게 회전
- 왼쪽 이동: ②, ④가 빠르게 회전
- 오른쪽 이동: ①, ③이 빠르게 회전

- 제자리에서 시계 방향 회전: ②, ③이 빠르게 회전
- 제자리에서 반시계 방향 회전: ①, ④가 빠르게 회전
- 상승: ①, ②, ③, ④가 동일한 속도로 빠르게 회전
- 하강: ①, ②, ③, ④가 동일한 속도로 느리게 회전

2. 우주 항공 기술

(1) 추진 속도와 효율

① 로켓 기관   대기권 상층부와 우주 공간에서의 비행을 위해 산화제와 연료를 모두 탑재한다는 점에서 제트 기관과 다름.

② 제트 기관   모든 제트 기관은 작용·반작용의 원리에 의해 추진
- 제트 기관
  - 기관 내부에서 연소시킨 고온, 고압의 가스를 노즐을 통해 연속적으로 내뿜으면서 작용과 반작용의 원리로 추력을 얻음.
  - 제트 기관을 탑재한 대부분의 항공기는 음속보다 느린 속도로 운항함.
- 램제트 기관
  - 공기를 압축기가 아닌 고속 비행을 통해 유입 공기의 압력만으로 압축하는 기관
  - 제트 기관에 비해서 중량이 가볍고 구조가 간단함.
- 스크램제트 기관: 램제트 기관보다 더 빠른 속도로 공기를 흡입함.

(2) 우주 개발을 위한 기술

① 로켓 개발에 대한 비용과 시간 절약
- 로켓의 재사용
- 작은 인공위성이나 발사체 만들기
- 적도 부근이나 선박에서 로켓 발사
- 비행기에서 로켓 발사

② 대형 발사체의 개발로 우주 정거장과 우주 호텔이 현실화됨.

③ 극초음속 비행선과 우주 비행기의 발달로 우주여행이 가능한 시대가 다가옴.

(3) 우리나라의 우주 항공 기술

① 자체 추진을 위한 한국형 발사체 기술은 2020년을 목표로 하고 있음.

② 1992년 우리별 1호를 시작으로 다수의 다목적 실용 위성을 개발하여 활용 중임.

(4) 첨단 수송 기술

마틴 제트팩, 하이퍼루프, 스페이스십 2 등이 있음.

개념 꽉꽉 다지기

1. 하이브리드 자동차가 배터리를 충전할 수 있는 상태로 옳은 것은?

① 가속할 때
② 감속할 때
③ 저속 주행 시
④ 시동을 킬 때
⑤ 오르막을 오를 때

2. 기존의 내연 기관 대신 수소와 공기 중의 산소를 결합해 전기를 자체적으로 생산하여 전기로 구동이 되는 자동차는 (   )(이)다.

3. (   ) 안에 들어갈 알맞은 번호를 쓰시오.

드론이 이륙하기 위한 프로펠러의 기본적인 방향은 ①, ④번 프로펠러가 시계 방향, (,   )번 프로펠러가 반시계 방향으로 회전해야 한다.

4. 산소가 부족한 대기권 상층부와 우주 공간의 비행을 위하여 산화제와 연료를 모두 탑재하는 기관은 (   )(이)다.

5. 우주 항공 기술에 대한 설명으로 옳지 <u>않은</u> 것은?

① 개발 비용을 절감하는 것은 사실상 불가능하다.
② 우주 항공 기술은 다양한 관련 기술이 융합되어 있다.
③ 우주 항공 기술은 국가 경쟁력과 안보와 관련되어 있다.
④ 우주 항공 기술의 추진 속도와 효율을 높이려고 노력해야 한다.
⑤ 민간 유인 우주선이 개발되어 점차 민간 우주여행이 늘어날 것이다.

📢 Helper

1. 하이브리드 자동차는 감속 및 내리막을 갈 때 배터리를 충전할 수 있어 에너지 효율이 높다.

3. 마주 보는 프로펠러는 같은 방향으로 돌아야 한다.

4. 로켓 기관은 산소가 부족한 대기권 상층부와 우주 공간에서의 비행을 위하여 산화제와 연료를 모두 탑재해야 한다.

5. 우주 개발을 위한 비용을 줄이기 위해서는 작은 인공위성이나 발사체를 만들거나, 로켓을 재사용하거나 적도 부근에서 발사하는 방식이 있다.

01 하이브리드 자동차에 대한 설명으로 옳은 것은?

① 차량의 중량이 가볍다.

② 기존 자동차보다 가격이 저렴한 장점이 있다.

③ 외부에서 배터리를 충전하는 방법 외에는 충전이 불가능하다.

④ 플러그인 하이브리드 경우 급속 충전을 하게 되면 배터리의 수명이 짧아지게 된다.

⑤ 플러그인 하이브리드 자동차는 기존 하이브리드 자동차보다 화석 연료 엔진에 의존한다.

02 전기 자동차의 장단점에 대한 설명으로 옳은 것을 있는 대로 고른 것은?

> ㄱ. 소음과 진동이 크다.
> ㄴ. 1회 충전 주행 거리가 길다.
> ㄷ. 화석 연료에 비해 배기가스가 적게 나온다.
> ㄹ. 아직 충전을 위한 시설이 부족한 상황이다.

① ㄱ   ② ㄴ

③ ㄹ   ④ ㄴ, ㄷ

⑤ ㄷ, ㄹ

03 자율 주행 자동차에 대한 설명으로 옳은 것을 있는 대로 고른 것은?

> ㄱ. 운전자가 이동 시간에 여유를 갖게 된다.
> ㄴ. 연료는 절감되지만 오염 물질이 증가할 수 있다.
> ㄷ. 인지, 판단, 제어의 과정이 반복적으로 일어난다.
> ㄹ. 자율 주행 자동차는 다양한 센서들이 탑재되어야 한다.

① ㄱ, ㄷ   ② ㄱ, ㄹ

③ ㄴ, ㄷ   ④ ㄱ, ㄷ, ㄹ

⑤ ㄴ, ㄷ, ㄹ

04 드론을 안전하게 날리기 위한 방법으로 옳지 <u>않은</u> 것은?

① 주변 비행 환경을 미리 파악한다.

② 사람이 많은 곳에서 비행하지 않는다.

③ 비행 구역의 허가를 미리 받아야 한다.

④ 기체와 조종사의 거리를 최대한 가깝게 유지한다.

⑤ 드론 프로펠러에 머리카락이 끼이지 않도록 조심한다.

05 드론이 제자리에서 시계 방향으로 회전하려면 빠르게 돌아야 하는 프로펠러는?

① ㄱ, ㄴ

② ㄱ, ㄹ

③ ㄴ, ㄷ

④ ㄴ, ㄹ

⑤ ㄷ, ㄹ

06 드론 항공 촬영법에 대한 설명으로 옳지 <u>않은</u> 것은?

① 12 kg 초과 드론은 지방 항공청에 신고를 해야 한다.

② 항공 사진 촬영 허가와 비행 허가는 별도로 해야 한다.

③ 비행 금지 구역에서는 지방 항공청장의 허가를 받아야 한다.

④ 준수 사항을 위반할 경우 최대 100만 원의 과태료가 부과된다.

⑤ 150 m 이상의 고도에서는 지방 항공청장의 허가를 받아야 한다.

07 다음 그림과 같이 ①, ③번이나 ②, ④번이 빠르게 회전하였을 때 드론의 비행 운동은?

① Yaw
② Pich
③ Roll
④ hover
⑤ throttle

08 제트 엔진에 대한 설명으로 옳은 것을 있는 대로 고른 것은?

> ㄱ. 제트 기관과 로켓 기관의 구조는 같다.
> ㄴ. 제트 기관은 산화제와 연료통이 필요하다.
> ㄷ. 제트 기관을 탑재한 대부분의 항공기는 음속보다 느린 속도로 운항한다.
> ㄹ. 스크램제트 기관을 변형하여 추진 속도를 극대화 한 것이 램제트 기관이다.

① ㄱ
② ㄷ
③ ㄱ, ㄷ
④ ㄴ, ㄷ
⑤ ㄷ, ㄹ

09 로켓 발사 시 비용과 효율성을 높이는 방법으로 옳지 않은 것은?

① 선박에서 발사한다.
② 적도와 먼 곳에서 발사한다.
③ 로켓을 재사용할 수 있도록 만든다.
④ 비행기에 로켓을 탑재하여 발사한다.
⑤ 인공위성이나 발사체의 크기를 소형화시킨다.

10 우리나라 우주 개발 사업으로 옳은 것을 있는 대로 고른 것은?

> ㄱ. 자국산 인공위성 개발을 목표로 하고 있다.
> ㄴ. 우리나라 최초의 인공위성은 1992년 우리별 1호이다.
> ㄷ. 한국형 발사체를 2020년 목표로 개발하고 있다.
> ㄹ. 2013년 과학기술위성 2호를 올리는 나로호 발사가 성공적으로 이루어졌다.

① ㄱ
② ㄴ, ㄷ
③ ㄱ, ㄴ, ㄷ
④ ㄴ, ㄷ, ㄹ
⑤ ㄱ, ㄴ, ㄷ, ㄹ

핵심을 되짚는 O·X 문제

11 하이브리드 자동차는 전기 에너지를 모두 소모해도 주행할 수 있다. (○, ×)

12 전기 자동차는 연료 탱크가 탑재되어 중량이 무겁다. (○, ×)

13 드론은 비행기에 작용하는 힘(양력, 추력, 항력, 중력) 중 추력은 작용하지 않는 특징이 있다. (○, ×)

14 기존의 선박은 자동차보다 이동 시간이 비교적 길어서 많은 연료를 소비하는 문제점이 있다. (○, ×)

15 마하는 $\dfrac{음속}{비행기\ 속도}$ 이다. (○, ×)

16 제트 기관은 고온, 고압의 가스를 노즐을 통해 연속적으로 내뿜으면서 관성의 원리로 추력을 얻는다. (○, ×)

17 우리나라는 화성 탐사 성공 후 달 탐사를 하려고 계획 중이다. (○, ×)

18 하이퍼루프는 진공관을 연결하고 그 속에 자기 부상 형식으로 뜬 열차가 달리는 것을 말한다. (○, ×)

05 똑똑한 사회, 첨단 정보 통신 기술

개념 더하기

주제 열기

» 데이터를 분석하여 더 가치 있는 정보를 얻을 수 있는 스포츠에는 무엇이 있을지 써 보자.

야구, 농구, 배구, 미식축구, 하키 등

» 내가 알고 있는 첨단 정보 통신 기술이나 제품에는 무엇이 있는지 써 보자.

스마트폰, 사물 인터넷, 빅 데이터 등

＋유비쿼터스

사용자가 컴퓨터나 네트워크를 의식하지 않고 언제, 어디에서나 장소에 구애받지 않고 자유롭게 네트워크에 접속할 수 있는 환경이다.

┌ 정보 통신 기술을 바탕으로 사람, 데이터, 사물이 서로 유기적으로 연결되어 새로운 가치를 창출하는 사회를 뜻한다.

1, 첨단 정보 통신 기술로 초연결 사회를 이루다

초연결 사회를 실현하는 첨단 정보 통신 기술에는 빅 데이터와 사물 인터넷이 있다.

(1) 빅 데이터(big data)

① 빅 데이터 대량의 데이터를 수집·분석하여 이를 가치 있는 정보로 가공하여 활용하는 정보 통신 기술이다.

② 빅 데이터의 특징 빅 데이터 환경은 기존 데이터 환경과 비교했을 때 활용도가 높으며, 그로 인해 다양하고 새로운 가치를 얻을 수 있다.

＋빅 데이터의 특성(4V)

• 데이터의 양(Volume)
• 다양한 형태(Variety)
• 빠른 생성 속도(Velocity)
• 가치(Value)

구분	기존 데이터 관리 방식	빅 데이터 관리 방식
데이터 형식	정형화된 수치(자료 중심)	비정형의 다양한 데이터 (문자, 영상, 위치 등)
하드웨어	고가의 데이터베이스 저장 장치 등	클라우드 컴퓨팅 등 효율적인 장비 활용 가능
소프트웨어	관계형 데이터베이스, 통계 패키지 등	공개된 무료 소프트웨어

③ 빅 데이터의 프로세스

＋소셜 네트워크 분석

빅 데이터 분석법 중 하나로, 각 개인 또는 그룹의 소셜 네트워크 내 영향력, 관심사, 성향 및 행동 패턴을 분석, 추출하는 기술이다. 다양한 분석 기술이 있지만, 감성 분석이 대표적이다. 감성 분석은 소셜 네트워크 애플리케이션에서 생성된 비정형 텍스트 데이터에서 감정을 파악하는 것을 말한다.

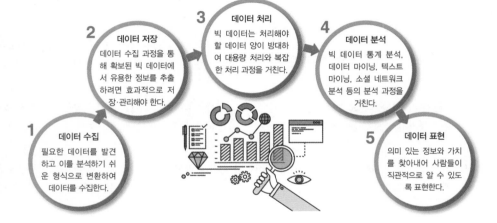

1 데이터 수집
필요한 데이터를 발견하고 이를 분석하기 쉬운 형식으로 변환하여 데이터를 수집한다.

2 데이터 저장
데이터 수집 과정을 통해 확보된 빅 데이터에서 유용한 정보를 추출하려면 효과적으로 저장·관리해야 한다.

3 데이터 처리
빅 데이터는 처리해야 할 데이터 양이 방대하여 대용량 처리와 복잡한 처리 과정을 거친다.

4 데이터 분석
빅 데이터 통계 분석, 데이터 마이닝, 텍스트 마이닝, 소셜 네트워크 분석 등의 분석 과정을 거친다.

5 데이터 표현
의미 있는 정보와 가치를 찾아내어 사람들이 직관적으로 알 수 있도록 표현한다.

④ **빅 데이터의 활용 사례**

• 데이터 수집: 심야 택시의 주요 승하차의 빅 데이터를 이용하여 심야 버스 노선를 마련했다.

• 국가 재난 예방: 도시 내 지능형 운영 센터를 운영하여 자연재해, 교통, 전력 공급 등의 빅 데이터를 수집하고 분석하여 사고 위험에 대한 대응 시간을 감축했다.

• SNS 마케팅 활용: SNS를 통해 사람들의 심리를 파악하여 선거 부동층을 집중적으로 공략하고, 투표 결정을 못 한 사람들에게 개인별 맞춤형 캠페인을 펼쳤다.

• 의료 분야: 한국인의 건강 정보를 담은 빅 데이터를 활용하여 의학 학회 및 연구 기관을 지원한다.

• 기타 온라인 유통 업체 상품 추천 서비스와 범죄 예방 시스템, 독감 예방 모니터링, 유통 분야까지 활용 분야가 무궁무진하다.

⑤ **빅 데이터의 바람직한 활용** 빅 데이터를 산업 발전에 유익하게 사용하려면 개인 정보 침해에 대한 강화된 대책이 필요하며, 이를 위해서는 정보 보안 기술 개발 및 체계적인 정보 보안 전략의 수립이 필요하다.

(2) 사물 인터넷(Internet of thing, IoT)

① 사물 인터넷

• 사물에 센서와 통신 기능을 갖추어 인터넷에 연결하는 기술이다.

• 사물과 사물, 사람과 사람 사이의 연결을 통해 데이터를 수집·분석하고, 이를 활용해 새로운 가치 있는 정보를 제공한다.

② 사물 인터넷 기술

• 센싱(sensing) 기술: 각종 센서를 통해 정보를 얻는다.

• 유·무선 통신 및 네트워크 기술: 사물이 인터넷에 원활하게 연결되도록 한다.

• 서비스 인터페이스 기술: 각종 서비스 분야와 형태에 적합하게 정보를 가공·처리하는 기술이다.

• 보안 기술: 해킹이나 정보 유출을 방지하기 위한 기술이다.

개념 더하기

+사물 인터넷을 가능하게 하는 근접 및 근거리 무선 통신 기술

• NFC: 13.56 MHz 대역의 주파수를 사용하여 약 10 cm 이내의 근거리에서 데이터를 교환할 수 있는 비접촉식 무선 통신 기술

• RFID: 무선 주파수(RF, Radio Frequency)를 이용하여 물건이나 사람 등과 같은 대상을 식별(IDentification)할 수 있도록 해 주는 기술

• Bluetooth: 휴대 전화, 노트북, 이어폰·헤드폰 등의 휴대 기기를 서로 연결해 정보를 교환하는 근거리 무선 기술 표준을 뜻한다. 주로 10 m 안팎의 초단거리에서 저전력 무선 연결이 필요할 때 쓰인다.

+사물 인터넷의 유·무선 네트워크

이동이 많은 기기는 휴대 전화와 같이 3G, LTE 등 무선 통신망을 이용한 네트워크 연결이 유리하다. 반면 스마트 홈에 사용되는 센서들이나 스마트 시티에 사용되는 기기들은 이동할 필요 없이 고정된 장소에서 설치되므로 유선 네트워크로 연결되어도 무리가 없다. 이렇듯 유·무선 네트워크로 연결되었을 때 비로소 사물 인터넷이 제 기능을 할 수 있다.

③ 사물 인터넷의 시스템과 구성 요소

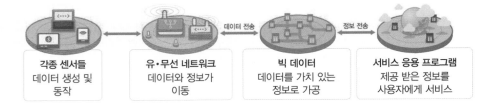

각종 센서들
데이터 생성 및 동작

유·무선 네트워크
데이터와 정보가 이동

데이터 전송

빅 데이터
데이터를 가치 있는 정보로 가공

정보 전송

서비스 응용 프로그램
제공 받은 정보를 사용자에게 서비스

④ 사물 인터넷이 활용된 사례

스마트폰으로 냉장고에 어떤 식품이 들어 있는지 확인할 수 있고, 알람 기능도 갖춘 사물 인터넷 냉장고

바깥에서 스마트폰으로 집 안의 온도를 조절할 수 있고, 가족의 생활 양식에 맞추어 최적의 온도를 스스로 설정하는 온도 조절계

열쇠나 비밀번호 없이 스마트폰으로 잠금 설정을 할 수 있는 자전거 자물쇠

⑤ 미래 사물 인터넷

- 2020년 이후에 인터넷에 연결된 사물 수는 500억 개 이상이 될 것으로 전망되며, 한 사람당 10개에 가까운 사물들이 인터넷에 연결된다.
- 사물 인터넷 기술이 가전제품과 전자 기기뿐 아니라 헬스 케어, 원격 검침, 스마트 홈과 같은 다양한 분야에 적용되어 우리가 사는 도시를 더욱 안전하고 쾌적한 생활을 할 수 있는 스마트 시티로 만들어 줄 것이다.

+스마트 시티

언제, 어디서나 정보 통신 기술을 자유롭게 사용할 수 있는 미래형 첨단 도시이다. 교통, 환경, 주거, 시설 등 일상생활에서 대두되는 문제를 해결하고자 ICT 기술과 친환경 에너지를 도입하여 시민들이 쾌적하고 편리한 삶을 누릴 수 있도록 보장해 주는 미래형 도시를 말한다. 스마트 시티의 핵심은 기존 도시에 스마트 시티 플랫폼을 구축하여 도시 문제를 해결하는 것이다.

사회적 약자(치매 노인, 장애인, 어린이, 유아)의 안전을 위해서 유치원/어린이 방범용 CCTV 회선과 안심 태그를 사물 인터넷 전용망을 기반으로 약자의 위치를 보호자와 운영자에게 전달

LTE 통신 기반의 실시간 영상 송출 장치와 자동 항법 비행 기술이 적용된 무인 항공기(드론)를 이용하여 해수욕장과 인근 해상 안전 관리를 위해 모니터링을 제공

양방향 전력계 및 센서를 설치하여, 에너지 사용량 모니터링과 분석을 통한 효율적 에너지 절감 방안, 에너지 관리 체계를 확립

스마트 빌딩 에너지 절약

스마트 가로등

스마트 해상 안전

사회적 약자 관리

매장에서 사용되는 다양한 전자 기기들의 사용 현황, 매장 환경(온도, 습도, 조도, 화재 감지 등), 방문자 추이에 대한 실시간 모니터링하여 매장을 효과적으로 관리

데이터 통신 비용이 들지 않는 사물 인터넷 전용망 기반으로 어린이의 위치 및 어린이 안전 지역 이탈을 보호자에게 알림

스마트 매장 에너지 관리

스마트 미아 방지

스마트 횡단 보도

스마트 파킹

에너지 절약형 LED 조명, CCTV, 무선 인터넷 중계 기능을 추가한 '스마트 조명'을 구축하여 거리 미관 향상과 시민 안전 방범 기능 강화, 에너지 절감에 기여

횡단보도 부근에서 교통사고를 방지하기 위해 보행자 감지, 자동차 정지 감지 시스템으로 교통사고 사고 건수 및 사고율, 사망률을 낮추어 교통사고로 인한 사회적·경제적 손실을 절감

비어있는 주차 공간을 실시간으로 운전자가 모바일과 웹으로 확인하고 이용하도록 주차에 대한 효율성과 편의성을 향상시켜 도시의 교통 혼잡 감소 및 환경에 기여

▲ 미래의 스마트 도시

스스로 해 보기

사물 인터넷이 활용되고 있는 사례를 더 알아보고, 우리 생활과 산업의 발달에 어떠한 영향을 미칠지 자기 생각을 써 보자.

(예) 사물 인터넷은 자동차, 헬스 케어, 생활 가전, 물류, 농업, 공장, 보안 관제, 환경 감시, 에너지 분야 등 활용되지 않는 분야가 없다. 앞으로 이를 통해 우리 생활의 편리함과 산업의 발전을 이룰 수 있으나 보안과 해킹의 문제에 철저히 대비해야 할 것이다.

2 정보 통신 산업의 발전 방안에는 무엇이 있을까

(1) 5G 이동 통신

① **5G 이동 통신** 4G 이동 통신보다 데이터 전송 속도가 1,000배 더 빠른 차세대 통신 기술이다.

- '5th generation mobile communications'의 약자이며, 2 GHz 이하의 주파수를 사용하는 4G와 달리, 5G는 28 GHz의 초고대역 주파수를 사용한다.
- 800 MB 용량의 영화 한 편을 내려받을 때 4G 이동 통신에서는 40초가 걸리지만 5G 통신망에서는 1초 만에 내려받을 수 있게 될 것이다.

② **5세대 이동 통신을 기반으로 구연 가능한 기술들**

홀로그램 영상 전송

UHD보다 정보량이 많은 3D 영화나 홀로그램 영상 통화 가능

무인 자동차

센서가 달린 차량·운전자·도로·보행자·교통 통제 시스템 등이 모두 연결되어 실시간으로 정보 교환

사물 인터넷

자동차, 냉장고 등 다양한 기기를 무선으로 연결해 다양한 정보 생성

가상 현실 서비스

가상 현실 기기를 이용해 끊김 없는 동영상을 내려받아 현실과 같은 느낌을 주는 서비스

네트워크 로봇

로봇 한 대로 제한된 로봇의 지능을 네트워크로 여러 로봇을 연결해 로봇의 제한된 능력을 극복

(2) 디지털 콘텐츠 사업

① **디지털 콘텐츠 사업** 문화와 디지털 기술이 결합된 고부가 가치 산업인 동시에 타 산업의 부가 가치도 함께 높일 수 있는 <u>전략 산업</u>이다.
└ 국가 경제 성장의 추진력이 되는 산업

개념 더하기

+5G 이동 통신

5G 이동 통신은 '언제, 어디서나 환경의 제약 없이 사람과 사물을 포함한 모든 사용자에게 지연 없이 Gbps급 서비스를 비용, 에너지 면에서 효율적으로 제공하는 통신'으로, 이를 통해 2020년경 초기 상용화가 예상되는 미래형 서비스를 제공하는 기술이다.

+디지털 콘텐츠

디지털 콘텐츠는 디지털과 콘텐츠가 결합한 개념으로, 기존에 아날로그 형태가 존재하던 텍스트, 음성, 화상, 영상 등 각종 정보 형태를 0과 1이라는 비트(Bit) 단위로 디지털화한 콘텐츠를 총칭하는 개념이다. 첨단 IT 기술을 사용하여 디지털 포맷으로 가공, 처리하여 정보 통신망, 디지털 방송망, 디지털 저장 매체 등을 통하여 활용하는 정보를 말한다.

- 최근 콘텐츠 제작에 디지털 기술을 활용하여 실제와 유사한 경험 및 감성을 느낄 수 있게 해 주는 실감형 콘텐츠로 발전하고 있다.

② **디지털 콘텐츠 활용 분야** 3D 홀로그램, 가상 현실, Screen X 등이 주목받고 있다.

빛의 간섭 현상을 이용해 제작한 3차원 입체 영상으로, 대상을 실물과 똑같이 구현해 다양한 각도에서 감상할 수 있다.

▲ 3D 홀로그램

우리가 보는 실제 세계에 비디오, 그래픽, GPS 정보 등이 여러 개의 층으로 표시되어 현실 세계를 보완할 수 있다.

▲ 증강 현실(AR)

1인칭 시점의 360° 영상을 촬영해 만든 100 % 가상 세계로, 현실과 별개로 존재하는 독립적인 세계를 경험할 수 있다.

▲ 가상 현실(VR)

(3) 정보 보호 기술

① **정보 보호 기술** 정보의 수집·가공·저장 등의 활동에서 발생할 수 있는 정보의 훼손, 변조, 유출 등을 방지하는 기술이다.

- 초연결 사회에서는 컴퓨터 및 네트워크 수준의 정보 보안을 넘어 융합 보안이 더욱 중요해질 것이다.

② **지식 정보 보안 산업 기술의 분류**

구분	정의	대표 제품
정보 보안	컴퓨터 및 네트워크상의 정보의 훼손, 변조, 유출 등을 방지하기 위한 보안 기술	디지털 포렌식 툴 디도스(DDoS) 대응 장비
물리 보안	개인의 신변 안전 및 주요 시설물의 안전한 관리 환경 구축을 위한 개인 식별, 영상 감시 및 재난·재해 등의 방지를 위한 보안 기술	영상 감시 솔루션 바이오 인식
융합 보안	IT 기술과 타 산업 간 융·복합 시에 발생되는 보안 위협을 해결하기 위한 보안 기술	차량 운행 기록 장치 u-헬스 케어 보안 장비

🔍 스스로 해 보기

정보 통신 기술과 관련한 전략 산업에는 그 밖에 무엇이 있을지 찾아 써 보자.

📝 우리나라의 정보 통신 산업 발달을 위한 전략에는 K-ICT 전략이 있으며, 여기에는 SW, 정보 보안, IoT, 클라우드, 빅 데이터, 5G, UHD, 디지털 콘텐츠, 스마트 디바이스, 지능 정보의 10대 전략 산업이 있다.

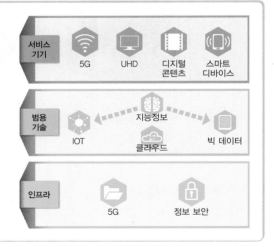

🖱 이외에도 자신이 생각하는 스마트폰 사용 시 유의할 점에는 무엇이 있는지 이야기해 보자.

예 사이트마다 다른 사용자 이름과 비밀 번호 사용, 강력한 비밀 번호 설정, 블루투스는 꼭 필요한 경우를 제외하고는 해제, 불필요한 정보나 과도한 정보를 요구하는 사이트 및 서비스를 경계, 소셜 공유 기능 사용 시 주의, SNS에 위치 정보 공유하지 않기, 개인 정보 보호 정책이 불확실한 앱과 서비스 사용 자제, 앱과 서비스의 개인 정보 보호 정책을 주의 깊게 확인, 앱과 OS의 업데이트 설치, 가능하면 기기의 전용 보안 솔루션 사용 및 기기 전체의 암호화 기능 사용 등

교과서 뛰어 넘기   초연결 사회

초연결 사회의 구현을 위해서는 다양한 객체를 연결하는 사물 인터넷(IoT)과 연결 사이를 흐르는 수많은 데이터 속의 가치를 찾아내는 빅 데이터가 중요하다. 사물 인터넷과 빅 데이터 외에도 초연결 사회를 구현하는 데 도움이 되는 다양한 기술이 있다.

구분	IT 기술	주요 내용
핵심 기술	IoT	모든 사물에까지 네트워크 연결을 공유하는 네트워크
	빅 데이터	형식이 다양하고 순환 속도가 매우 빨라서 기존 방식으로는 관리·분석이 어려운 데이터
유사 및 관련 기술	M2M	기기 간 또는 기기에서 사람으로의 통신
	WOT	웹 기술을 이용해서 자원을 검색하고 접속, 제어하려는 작업 및 기술
	클라우드 컴퓨팅	인터넷을 통해 서버, 스토리지, 소프트웨어 등 IT 자원을 필요 시 인터넷을 통해 서비스 형태로 이용하는 방식
	웨어러블 디바이스	신체에 부착하여 컴퓨팅 행위를 할 수 있는 모든 것을 지칭
	상황 인식 컴퓨팅	사용자의 행위, 생체 신호, 과거 생활 이력 등을 분석하여 상황에 맞게 적절한 기능을 자동 수행하는 기술

+ 정보 보호 기술

- **정보 보호 기술**: 해킹이나 주민 등록 번호 도용 등과 같은 행위로부터 개인 정보를 비롯하여 각종 정보를 보호하는 기술
- **접근 제어**: 컴퓨터 네트워크 간에 이동하는 정보를 확인하여 이에 대한 허락 여부를 결정하는 기술
- **암호화**: 보내려고 하는 문서의 내용을 받을 사람의 공개 키로 암호화하여 전달받고, 받은 사람은 비밀 키로 내용을 확인하는 기술
- **디지털 관리**: 디지털 자료나 하드웨어의 불법 복제를 방지하고 적절한 용도로만 사용하도록 제한하는 모든 기술
- **아이핀**: 인터넷상에서 주민 등록 번호가 유출되는 것을 막기 위해 만들어진 번호로, 주민 등록 번호를 대신하여 본임임을 확인받을 수 있는 번호

주제 활동   빅 데이터 시각화

다음 순서에 따라 빅 데이터를 시각화하는 자신만의 워드 클라우드를 만들어 보자.

예 자신이 분석하고 싶은 웹 사이트를 검색하여 주소를 복사한다. → http://www.tagxedo.com에 접속하여 'Create' 메뉴를 선택한다. → 왼쪽 메뉴의 'Load'에 가서 자신이 분석하고 싶은 웹 사이트 주소를 입력하고 'Summit' 버튼을 누른다. → 'Options' 메뉴의 'Shape'에서 자신이 원하는 모양을 선택한다. → 'Respins' 메뉴를 이용하여 데이터 이미지를 꾸며 준다. → 'Save' 메뉴를 이용하여 데이터 시각화 자료를 저장하여 활용한다.

1, 초연결 사회

정보 통신 기술을 바탕으로 사람, 데이터, 사물이 서로 유기적으로 연결되어 새로운 가치를 창출하는 사회

(1) 빅 데이터

① 대량의 데이터를 수집·분석하여 이를 가치 있는 정보로 가공하여 활용하는 정보 통신 기술

② 빅 데이터의 특징

구분	기존 데이터 관리 방식	빅 데이터 관리 방식
데이터 형식	정형화된 수치 (자료 중심)	비정형의 다양한 데이터 (문자, 영상, 위치 등)
하드웨어	고가의 데이터베이스 저장 장치 등	클라우드 컴퓨팅 등 효율적인 장비 활용 가능
소프트웨어	관계형 데이터베이스, 통계 패키지 등	공개된 무료 소프트웨어

③ 빅 데이터의 프로세스   데이터 수집 → 데이터 저장 → 데이터 처리 → 데이터 분석 → 데이터 표현

④ 빅 데이터의 활용 사례   온라인 유통 업체의 상품 추천 서비스, 범죄 예방 시스템, 독감 예방 모니터링, 기후 변화 및 국가 재난 예방 시스템, 빅 데이터를 활용한 의학 학회 및 연구 기관 지원

⑤ 빅 데이터를 산업 발전에 유익하게 사용할 수 있도록 개인 정보 침해에 대한 강화된 대책이 필요

(2) 사물 인터넷

① 사물에 센서와 통신 기능을 갖추어 인터넷에 연결하는 기술

② 사물 인터넷 기술   센싱(sensing) 기술, 유·무선 통신 및 네트워크 기술, 서비스 인터페이스 기술, 보안 기술

③ 사물 인터넷의 시스템과 구성 요소
• 각종 센서들: 데이터 생성 및 동작
• 유·무선 통신 및 네트워크: 데이터와 정보가 이동
• 빅 데이터: 데이터를 가치 있는 정보로 가공
• 서비스 응용 프로그램: 제공받은 정보를 사용자에게 서비스

④ 사물 인터넷이 활용된 사례
• 스마트폰으로 냉장고에 어떤 반찬이 들어있는지 확인할 수 있으며, 알람 기능도 갖춘 사물 인터넷 냉장고
• 바깥에서 스마트폰으로 집 안의 온도를 조절할 수 있고, 가족의 생활 양식에 맞추어 최적의 온도를 스스로 설정하는 온도 조절계
• 열쇠나 비밀번호 없이 스마트폰으로 잠금 설정을 할 수 있는 자전거 자물쇠

⑤ 미래 사물 인터넷   미래에는 사물 인터넷 기술이 가전제품과

전자 기기뿐 아니라 헬스 케어, 원격 검침, 스마트 홈과 같은 다양한 분야에 적용되어 더욱 안전하고 쾌적한 생활을 할 수 있는 스마트 시티로 만들어 줄 것임.

2, 정보 통신 산업의 발전 방안

(1) 5G 이동 통신

① 5G 이동 통신은 4G 이동 통신보다 데이터 전송 속도가 1,000배 더 빠른 통신 기술

② 5세대 이동 통신을 기반으로 구현 가능한 기술들   홀로그램 영상 전송, 무인 자동차, 사물 인터넷, 가상 현실 서비스, 네트워크 로봇

(2) 디지털 콘텐츠 산업

① 문화와 디지털 기술이 결합된 고부가 가치 산업인 동시에 타 산업의 부가 가치도 함께 높일 수 있는 전략 산업

② 최근 실제와 유사한 경험 및 감성을 느낄 수 있게 해 주는 실감형 콘텐츠로 발전하고 있음.

③ 디지털 콘텐츠의 활용 분야
• 3D 홀로그램: 빛의 간섭 현상을 이용한 3차원 입체 영상
• 증강 현실(AR): 우리가 보는 실제 세계에 여러 정보들이 여러 개의 층으로 표시되어 현실 세계 보완
• 가상 현실(VR): 1인칭 시점의 360° 영상을 활용해 만든 100% 가상 세계

(3) 정보 보호 기술

① 정보의 수집·가공·저장 등의 활동에서 발생할 수 있는 정보의 훼손, 변조, 유출 등을 방지하는 기술

② 초연결 사회에서 컴퓨터 및 네트워크 수준의 정보 보안을 넘어 융합 보안이 더욱 중요해질 것임.

③ 지식 정보 보안 산업 기술의 분류

구분	정의	대표 제품
정보 보안	컴퓨터 및 네트워크상의 정보의 훼손, 변조, 유출 등을 방지하기 위한 보안 기술	디지털 포렌식 툴 디도스(DDoS) 대응 장비
물리 보안	개인의 신변 안전 및 주요 시설물의 안전한 관리 환경 구축을 위한 개인 식별, 영상 감시 및 재난·재해 등의 방지를 위한 보안 기술	영상 감시 솔루션 바이오 인식
융합 보안	IT 기술과 타 산업 간 융·복합 시에 발생되는 보안 위협을 해결하기 위한 보안 기술	차량 운행 기록 장치 u-헬스 케어 보안 장비

개념 꽉꽉 다지기

1. 대량의 데이터를 수집·분석하여 이를 가치 있는 정보로 가공하여 활용하는 정보 통신 기술을 (   )(이)라고 한다.

📢 Helper

2. 사물 인터넷의 구성 요소로 옳지 <u>않은</u> 것은?

① 빅 데이터

② 보안 기술

③ 각종 센서들

④ 유·무선 네트워크

⑤ 서비스 응용 프로그램

2. 사물 인터넷은 사물에 센서와 통신 기능을 갖추어 인터넷에 연결하는 기술이다.

3. 5세대 이동 통신의 개념에 대한 설명으로 옳지 <u>않은</u> 것은?

① 데이터 전송 속도가 4G 이동 통신보다 1,000배 더 빠르다.

② 5G는 '5th generation mobile communications'의 약자이다.

③ 5G 이동 통신은 4G 이동 통신보다 낮은 대역의 주파수를 사용한다.

④ 5G 이동 통신으로 인해 이동 통신망에서 속도와 전송 용량의 제한이 사라질 것이다.

⑤ 5G 이동 통신은 홀로그램 영상 전송, 사물 인터넷, 가상 현실 서비스 같은 통신 기술을 가능하게 해 준다.

3. 5G 이동 통신 기술은 4G 이동 통신보다 데이터 전송 속도가 1,000배 빠르며, 높은 대역의 주파수를 사용한다.

4. (   )(이)란 우리가 보는 실제 세계에 비디오, 그래픽, GPS 정보 등이 여러 개의 층으로 표시되어 현실 세계를 보완하는 기술이다.

5. 개인 정보 유출과 해킹을 방지하기 위해 알아야 할 스마트폰 사용 유의점에 대한 설명으로 옳지 <u>않은</u> 것은?

① 정기적으로 비밀번호를 삭제한다.

② 의심스러운 앱은 내려받지 않는다.

③ 수신된 모든 메시지와 메일을 열어 본다.

④ 와이파이 등 무선 기능은 사용 시에만 켠다.

⑤ 스마트폰 운영 체제(OS) 및 백신 프로그램을 최신 버전으로 갱신한다.

01 빅 데이터의 특징으로 옳지 <u>않은</u> 것은?

① 정형화된 수치로 이루어져 있다.

② 기존 데이터에 비해 활용도가 높다.

③ 대량의 정보를 가치 있게 가공한다.

④ 공개된 무료 소프트웨어를 사용할 수 있다.

⑤ 클라우드 컴퓨팅과 같은 장비 활용이 가능하다.

02 빅 데이터의 프로세스가 바르게 나열된 것은?

```
ㄱ. 데이터 수집      ㄴ. 데이터 처리
ㄷ. 데이터 분석      ㄹ. 데이터 저장
ㅁ. 데이터 표현
```

① ㄱ - ㄴ - ㄷ - ㅁ - ㄹ

② ㄱ - ㄹ - ㄴ - ㄷ - ㅁ

③ ㄷ - ㄴ - ㄹ - ㅁ - ㄱ

④ ㄹ - ㄷ - ㄱ - ㄴ - ㅁ

⑤ ㄱ - ㄴ - ㅁ - ㄷ - ㄹ

03 빅 데이터의 활용 사례로 옳지 <u>않은</u> 것은?

① 국민들의 건강 정보를 활용하여 적극적으로 연구하기

② 관심 분야를 동영상으로 찍어 다른 사람들과 공유하기

③ 버스 이용 횟수 및 이용자 수의 정보를 활용하여 배차 간격 조정하기

④ 소비자의 소비 패턴을 분석하여 자주 구매하는 물건 할인 이벤트하기

⑤ SNS를 통해 사람의 심리를 파악하여 투표 결정을 못한 사람들에게 적극적으로 홍보하기

04 빅 데이터 분석 방법 중 SNS나 블로그와 같은 커뮤니티에서 소통의 결과물로 개인의 영향력, 관심사, 성향이나 행동을 분석하는 것은?

① 통계 분석   ② 평판 분석

③ 데이터 마이닝   ④ 클러스터 분석

⑤ 소셜 네트워크 분석

05 빅 데이터의 중요성에 대한 설명으로 옳지 <u>않은</u> 것은?

① 빅 데이터는 잠재적 가치와 영향력이 높다.

② 빅 데이터는 예측을 하는데 있어서 정확도가 떨어진다.

③ 빅 데이터는 우리 사회에서 새로운 원자재가 될 수 있다.

④ 빅 데이터는 질병을 예방하며, 범죄 해결에 도움을 준다.

⑤ 빅 데이터는 이전까지 다루지 못하고, 시도하지 못했던 데이터를 활용할 수 있다.

06 사물 인터넷의 구성 요소에 대한 설명으로 옳은 것을 있는 대로 고른 것은?

```
ㄱ. 센서: 주위에서 일어나는 현상들을 관찰하고
   측정한다.
ㄴ. 네트워크: 데이터와 정보가 이동하기 위하여
   유선 연결을 한다.
ㄷ. 빅 데이터: 데이터를 가치 있는 정보로 가공
   한다.
ㄹ. 서비스 응용 프로그램: 제공받은 정보를 사용
   자에게 보여 주며, 적절하게 작동한다.
```

① ㄱ, ㄴ   ② ㄱ, ㄷ

③ ㄴ, ㄹ   ④ ㄱ, ㄴ, ㄷ

⑤ ㄱ, ㄷ, ㄹ

07 사물 인터넷 사회의 특징으로 옳은 것은?

① A씨는 잠들기 직전 방 불을 끄기 위해 일어났다.

② B씨는 버스를 코 앞에서 놓쳐 15분 넘게 기다렸다.

③ C씨는 일하던 중 집의 가스 불을 끄지 않은 게 생각이 나 부리나케 집으로 뛰어갔다.

④ D씨는 새로 산 가전제품의 설명서를 잃어버려 회사에 전화하여 우편물로 다시 받았다.

⑤ E씨는 추운 겨울 집에 도착하기 30분 전에 핸드폰 애플리케이션으로 집의 보일러를 틀었다.

08 5G 이동 통신에 대한 설명으로 옳은 것을 있는 대로 고른 것은?

> ㄱ. 홀로그램 영상 전송이 가능할 것이다.
> ㄴ. 2018년 평창 올림픽에서 시범을 보일 예정이다.
> ㄷ. 사물 인터넷은 연결하는 양이 너무 많아 5G로는 실현 불가능하다.
> ㄹ. 800 MB 용량의 영화 한편을 내려 받을 때 약 40초 정도가 걸린다.

① ㄱ   ② ㄹ
③ ㄱ, ㄴ   ④ ㄴ, ㄷ
⑤ ㄷ, ㄹ

09 미래 스마트 도시의 모습으로 옳지 <u>않은</u> 것은?

① 과속으로 인한 교통 사고율이 높아진다.

② 아파트의 주차 공간을 실시간으로 확인할 수 있다.

③ 백화점 방문객 추이에 따라 주차 관리가 효과적으로 이루어진다.

④ 건물의 에너지 사용량 모니터링과 분석으로 효율적으로 관리한다.

⑤ 해수욕장과 인근 해상 안전을 위해 드론을 이용하여 실시간으로 모니터링한다.

10 미래 정보 통신 사회에서 부정적인 영향력을 바르게 예측한 것을 있는 대로 고른 것은?

> ㄱ. 해킹의 위험성이 줄어들게 될 것이다.
> ㄴ. 사람들이 전자 기기에 더 의존하여 중독과 같은 문제가 심각해질 것이다.
> ㄷ. 각종 센서와 카메라와 같은 장비가 곳곳에 설치되어 개인 정보가 유출 될 것이다.

① ㄱ   ② ㄴ
③ ㄱ, ㄷ   ④ ㄴ, ㄷ
⑤ ㄱ, ㄴ, ㄷ

핵심을 되짚는 O·X 문제

11 대량의 데이터를 수집하여 가공하는 것을 빅 데이터 기술이라 한다.   (○, ×)

12 빅 데이터는 비정형의 다양한 데이터를 사용한다.   (○, ×)

13 빅 데이터는 용량이 적어 간편하게 관리할 수 있다. (○, ×)

14 사물 인터넷으로 인하여 우리가 사는 도시를 더욱 안전하게 만들 수 있다.   (○, ×)

15 5G 이동 통신 기술에서 속도와 전송 용량의 제한이 여전히 있을 것이다.   (○, ×)

16 1인칭의 시점의 360° 영상을 촬영해 만든 100 % 가상 세계를 3D 홀로그램이라 한다.   (○, ×)

17 물리 보안이란 컴퓨터 및 네트워크상의 정보의 훼손, 변조, 유출 등을 방지 하기 위한 보안 기술이다.   (○, ×)

18 디도스(DDoS)는 여러 대의 공격자를 분산 배치하여 동시에 서비스 거부 공격을 함으로써 정상적인 서비스를 할 수 없도록 한다.   (○, ×)

01 4차 산업 혁명에 대한 설명으로 옳은 것은?

① 기술의 수준이 높아 발전 속도가 느리다.

② 일자리가 늘어날 것으로 기대할 수 있다.

③ 로봇의 발달로 소품종 대량 생산이 가능해진다.

④ 4차 산업 혁명의 로봇은 스스로 학습하는 능력을 갖고 있다.

⑤ 4차 산업 혁명의 영향력은 소수의 사람들에게만 미칠 것이다.

02 메카트로닉스 구성 요소와 사람의 기관과 연결시킨 것으로 옳은 것은?

① 전원부 – 골격

② 센서부 – 손, 발

③ 컴퓨터부 – 두뇌

④ 메커니즘부 – 내장

⑤ 액추에이터 – 오감

03 주사 터널 현미경(STM)에 대한 설명으로 옳은 것을 있는 대로 고른 것은?

> ㄱ. 원자를 옮기거나 변형시키는 것은 불가능하다.
> ㄴ. 뾰족한 침과 물질의 표면을 비교적 먼 거리로 접근시킨다.
> ㄷ. 바늘 끝과 물체 사이에 전압을 걸어 전류가 흐르는 현상을 이용한다.
> ㄹ. 다양한 물체의 표면 미세 구조, 유전자(DNA) 나선형 구조 등을 관찰하는 데 사용된다.

① ㄱ, ㄴ   ② ㄱ, ㄹ

③ ㄷ, ㄹ   ④ ㄱ, ㄴ, ㄷ

⑤ ㄴ, ㄷ, ㄹ

04 10^{-9}의 접두어는?

① 밀리   ② 나노

③ 피코   ④ 데시

⑤ 마이크로

05 3D 프린팅을 할 때 유의 사항으로 옳은 것을 있는 대로 고른 것은?

> ㄱ. 출력물의 레이어가 얇을수록 제품이 더 정교해진다.
> ㄴ. 출력물의 레이어를 두껍게 설정하면 출력 시간이 길어진다.
> ㄷ. 3D 프린터는 수평을 유지할 수 있으며, 안전한 곳에 설치한다.
> ㄹ. 프린팅을 하기 전 노즐이 예열되었는지 손으로 만져 보며 확인한다.

① ㄱ, ㄴ   ② ㄱ, ㄷ

③ ㄴ, ㄹ   ④ ㄱ, ㄴ, ㄷ

⑤ ㄴ, ㄷ, ㄹ

06 초고층 빌딩에 대한 설명으로 옳은 것을 〈보기〉에서 있는 대로 고른 것은?

> ┤ 보기 ├
> ㄱ. 토지를 효율적으로 이용할 수 있다.
> ㄴ. 높이 올라갈수록 폭이 넓어지며, 무게를 높이는 것이 좋다.
> ㄷ. 초고층 빌딩을 건설하려면 철강, 유리, 강도 높은 콘크리트와 같은 첨단 건축 자재가 함께 발달해야 한다.

① ㄱ   ② ㄴ

③ ㄷ   ④ ㄱ, ㄷ

⑤ ㄱ, ㄴ, ㄷ

중요

07 다음 그림에 대한 설명으로 옳은 것은?

(가)   (나)

① (가)는 사장교, (나)는 현수교이다.
② (가)와 (나)는 바람에 강한 장점이 있다.
③ (가)와 (나)는 낙뢰에 영향을 받지 않는다.
④ (가)와 (나)는 경간의 길이를 길게 할 수 있다.
⑤ 주탑이 튼튼하게 건설되면 케이블의 강도가 약해
　도 비교적 안전하다.

08 난방 비용을 줄이기 위한 노력으로 옳은 것은?

① 건설 비용을 줄이기 위하여 단열 시공을 생략한다.
② 햇빛을 최대한 많이 받기 위해서는 북향으로 집
　을 짓는다.
③ 고단열·고성능 창호, 열 회수 환기 등의 설계 공
　법을 적용한다.
④ 환기를 잘 시키기 위해 창문 틈새로 바람이 들어
　올 수 있도록 한다.
⑤ 따뜻한 공기가 아래에 머물도록 지하나 바닥에
　단열 설계를 꼼꼼히 한다.

09 교량이나 집을 모듈화하여 건설했을 때의 장점으로 옳은
　것을 있는 대로 고른 것은?

　ㄱ. 빠른 시공이 가능하다.
　ㄴ. 모듈의 조립과 분리가 쉬워 보수가 쉽다.
　ㄷ. 모듈러 하우스 같은 경우 고층화하기 쉽다.
　ㄹ. 모듈화를 하면 일정한 품질을 유지할 수 있다.

① ㄱ
② ㄱ, ㄴ
③ ㄴ, ㄷ
④ ㄱ, ㄴ, ㄹ
⑤ ㄴ, ㄷ, ㄹ

10 생명 공학 기술에 대한 설명으로 옳은 것을 있는 대로 고
　른 것은?

　ㄱ. 유전자 총 방법은 병든 식물을 치료하기 위한
　　방법이다.
　ㄴ. 유전자 변형 기술은 효소를 가지고 DNA의 일
　　부를 잘라 낸다.
　ㄷ. 생명 공학 기술로 만들어진 식물은 안정성이
　　철저히 검토되어야 한다.
　ㄹ. 생명 공학 기술 대부분 유전자를 편집하거나
　　변형하는 기술이다.

① ㄱ, ㄴ
② ㄴ, ㄷ
③ ㄷ, ㄹ
④ ㄱ, ㄷ, ㄹ
⑤ ㄴ, ㄷ, ㄹ

출제 예감

11 세포 융합의 순서를 바르게 나열하시오.

　ㄱ. 배양액 속에서 조직을 기른다.
　ㄴ. 토양에 옮겨 심어 자라게 한다.
　ㄷ. 서로 다른 두 세포의 세포벽을 제거한다.
　ㄹ. 세포를 융합하여 핵 융합이 이루어지게 한다.

(　　　　　　　　　)

출제 예감

12 핵 이식에 대한 설명으로 옳은 것을 있는 대로 고른 것은?

　ㄱ. 멸종 위기의 생물을 복원할 수 있다.
　ㄴ. 개체는 대리모의 형질을 닮아 나오게 된다.
　ㄷ. 체세포를 제공한 개체와 동일한 형질을 갖는다.
　ㄹ. 핵 이식을 하기 위해서 개체의 암수 한 쌍이
　　반드시 있어야 한다.

① ㄱ, ㄴ
② ㄱ, ㄷ
③ ㄴ, ㄷ
④ ㄴ, ㄹ
⑤ ㄷ, ㄹ

13 배양육에 대한 설명으로 옳은 것은?

① 온실가스 배출량이 늘어날 것이다.

② 가축의 근육에서 줄기 세포를 이용한다.

③ 사육 및 도축에 대한 에너지가 증가한다.

④ 광우병이나 조류 독감 등에 영향을 받는다.

⑤ 배양육은 안정성이 충분히 검토되어 상용화가 되었다.

출제 예감

14 원격 의료에 대한 다양한 전망으로 옳지 <u>않은</u> 것은?

① 실시간 의료 서비스 제공 가능

② 다양한 웨어러블 의료 기기 발달

③ 사생활 침해 및 개인 정보 유출의 위험성

④ 응급 환자에 대한 지역·장소 불문 대응 가능

⑤ 원격 의료를 통해 의사와 환자를 위한 교통 수단 발달

중요

15 전기 자동차의 장단점으로 옳은 것은?

① 차량의 소음이 크다.

② 주행 거리가 비교적 길다.

③ 급속 충전을 자주 하는 것이 좋다.

④ 주행 중 배기가스 배출이 전혀 없다.

⑤ 연료 전지를 탑재하여 전기를 생산한다.

출제 예감

16 플러그인 하이브리드 자동차의 단점으로 옳지 <u>않은</u> 것은?

① 가격이 높다.

② 부품이 무겁다.

③ 정비가 복잡하다.

④ 주행 거리에 제약이 없다.

⑤ 관리 부주위 시 감전 위험이 있다.

17 제트 기관과 램제트 기관을 비교한 것으로 옳은 것은?

	제트 기관	램제트 기관
①	압축기 있음	압축기 있음
②	구조가 간단	구조가 복잡
③	음속보다 느림	음속보다 빠름
④	중량이 가벼움	중량이 무거움
⑤	작용·반작용의 원리	관성의 원리

18 자율 주행 자동차에 적용되는 기술 및 발전 방향으로 옳지 <u>않은</u> 것은?

① 각종 센서들이 자동차를 통제한다.

② 고령자와 같은 교통 약자들의 이동성이 수월해진다.

③ 운전대와 페달 중 하나만 선택하여 자율 주행을 하게 된다.

④ 대부분의 자율 주행 자동차가 전기차로 출시되어 환경 오염이 줄어들 것이다.

⑤ 자율 주행 자동차는 통신 기술, 전자 제어 기술 등 다양한 분야의 기술이 발전해야 한다.

19 차세대 이동 통신인 5G의 특징으로 옳은 것을 있는 대로 고른 것은?

> ㄱ. 5G를 통해 4차 산업 혁명이 촉진될 것이다.
> ㄴ. 5G가 4G보다 초저대역의 주파수를 사용한다.
> ㄷ. 여러 대역의 LTE 주파수를 결합하는 방식이다.
> ㄹ. 5G가 4G보다 데이터 전송 속도는 빠르지만, 빠른 신호를 받는 기술은 개발 중에 있다.

① ㄱ, ㄷ   ② ㄱ, ㄹ
③ ㄴ, ㄷ   ④ ㄴ, ㄹ
⑤ ㄷ, ㄹ

20 다음 설명에 해당하는 알맞은 말을 쓰시오.

> • 빛의 간섭 현상을 이용해 제작한 3차원 입체 영상이다.
> • 대상을 실물과 똑같이 구현해 다양한 각도에서 감상할 수 있다.

(   )

21 디도스(DDos) 방식에 대한 설명으로 옳은 것을 있는 대로 고른 것은?

> ㄱ. 사용자의 파일을 암호화하여 이를 인질로 금전을 요구한다.
> ㄴ. 임의로 구성된 웹사이트를 통하여 이용자의 정보를 빼낸다.
> ㄷ. 여러 대의 공격자를 분산 배치하여 동시에 서비스를 제공할 수 없도록 공격한다.
> ㄹ. 사용자에게 유용한 프로그램처럼 위장하여 거부감 없이 설치를 유도하여 피해를 준다.

① ㄱ   ② ㄴ
③ ㄷ   ④ ㄹ
⑤ ㄷ, ㄹ

서술형 평가

22 연료 전지 자동차의 특징 두 가지를 서술하시오.

23 로켓 발사 시 비용을 절감하고 효율을 높이기 위해 선박에서 발사할 때 해결해야 할 문제는 무엇이 있는지 서술하시오.

24 빅 데이터의 특성 세 가지를 서술하시오.

내신 UP 프로젝트

STEP 1 | 내신 기본형

01 각 산업 혁명의 특징과 명칭이 바르게 짝지어진 것은?

> ㄱ. 전력 기반의 대량 생산
> ㄴ. 증기 기관 기반의 기계적 혁명
> ㄷ. ICT 융합 기반의 초지능·초연결
> ㄹ. 컴퓨터·인터넷 기반의 정보화와 자동화

> ⓐ 1차 산업 혁명　　ⓑ 2차 산업 혁명
> ⓒ 3차 산업 혁명　　ⓓ 4차 산업 혁명

① ㄱ - ⓑ　　　　② ㄱ - ⓐ
③ ㄴ - ⓒ　　　　④ ㄷ - ⓒ
⑤ ㄹ - ⓓ

02 나노 기술의 하향식 제조 방식을 순서대로 나열하시오.

> ㄱ. 웨이퍼 표면에 광경화 물질을 바른다.
> ㄴ. 오목 렌즈를 통해 빛을 조사한다.
> ㄷ. 웨이퍼 위에 마스크 패턴을 올려놓는다.

(　　　　)

중요

03 나노 기술에 대한 설명으로 옳은 것을 있는 대로 고른 것은?

> ㄱ. 나노 기술은 자원 사용을 줄일 수 있다.
> ㄴ. 나노 기술은 초집적화가 이루어져 효율이 높아지게 된다.
> ㄷ. 미세 입자가 몸속에서 예상치 못한 경로로 움직일 경우 확인이 어렵다.
> ㄹ. 나노 기술의 발달로 특정 세포만 공격하는 약물 전달 체계가 가능해진다.

① ㄱ, ㄴ　　　　② ㄴ, ㄷ
③ ㄷ, ㄹ　　　　④ ㄴ, ㄷ, ㄹ
⑤ ㄱ, ㄴ, ㄷ, ㄹ

STEP 2 | 내신 실전형

04 3D 프린팅의 장단점으로 옳은 것은?

① 가공 후 버리는 재료가 많다.
② 보통 프린팅 속도가 빠른 편이다.
③ 디자인 수정이 어려운 단점이 있다.
④ 저가의 장비는 정밀도가 떨어지는 단점이 있다.
⑤ 기존의 가공 방법에 비하여 제작 및 재료비가 비싸다.

출제 예감

05 초고층 빌딩에 적용된 기술로 옳지 <u>않은</u> 것은?

> • 고강도 콘크리트: 일반 콘크리트에 비해 높은 ㉠ 인장 강도를 가진 고강도 콘크리트로 구조물의 ㉡ 무게를 높이고 건물의 강도를 높인다.
> • 코어월: 건물 중심에 있는 ㉢ 철근 콘크리트로 만든 중심 벽으로, 초고층 빌딩이 쓰러지지 않고 중심을 잡을 수 있게 해 준다.
> • 내진, 내풍 설계: 바람의 영향을 덜 받을 수 있는 형태로 설계하거나 ㉣ 진동을 흡수할 수 있는 장치를 설치한다.

① ㉠, ㉡　　　　② ㉠, ㉢
③ ㉡, ㉢　　　　④ ㉡, ㉣
⑤ ㉢, ㉣

중요

06 하중의 종류 중 작용 방향이 다른 하나는?

① 건물 자체 중량
② 바람에 의해 구조물에 작용하는 하중
③ 사람이나 가구와 같이 움직이는 하중
④ 쌓인 눈에 의해 건축물에 작용하는 하중
⑤ 자동차나 트럭이 다리를 지나며 생기는 하중

07 초장대 교량을 건설하기 위해 사용되는 기술에 대한 설명으로 옳은 것을 있는 대로 고른 것은?

> ㄱ. 고강도 케이블은 공사 기간은 줄일 수 있지만 비용이 증가하게 된다.
> ㄴ. 초장대 교량은 고강도 케이블이 상판을 들어 올리는 방식을 사용한다.
> ㄷ. 주탑은 고강도 콘크리트와 거푸집을 유압으로 상승시켜 자동으로 건설한다.
> ㄹ. 초장대 교량 시공 후 강풍, 강진, 선박 충돌과 같은 극한 상황의 실험이 이루어져야 한다.

① ㄱ, ㄴ   ② ㄱ, ㄹ
③ ㄴ, ㄷ   ④ ㄷ, ㄹ
⑤ ㄴ, ㄷ, ㄹ

중요

08 친환경 주택에 대한 설명으로 옳지 <u>않은</u> 것은?

① 고단열 · 고성능 창호를 이용한다.
② 열 회수 환기 시스템을 설계한다.
③ 열이 세지 않도록 기밀 시공을 한다.
④ 태양열을 이용하여 온수를 얻을 수 있다.
⑤ 액티브 하우스는 친환경 주택으로 보기 어렵다.

출제 예감

09 내진 설계에 해당하지 <u>않는</u> 것을 있는 대로 고른 것은?

> ㄱ. 롯데월드의 가새 설치
> ㄴ. 건물이 높아질수록 비스듬하게 설계
> ㄷ. 타이베이 101의 진동을 제어하기 위한 구 설치
> ㄹ. 고층에 구멍을 내 설계한 상하이 세계 금융 센터
> ㅁ. 마루노우치역의 구조물과 지반 사이에 면진 받침 설치

① ㄱ, ㄴ   ② ㄱ, ㅁ
③ ㄴ, ㄹ   ④ ㄷ, ㄹ
⑤ ㄷ, ㅁ

출제 예감

10 내진 설계에 대한 설명으로 옳은 것은?

① 내진 설계는 지진 피해와 복구에 관련이 있다.
② 제진은 지진 하중이 건축물에 닿기 전에 충격을 완화시킨다.
③ 내진 설계는 주로 수직 하중을 견딜 수 있게 설계되어야 한다.
④ 내진은 구조물 자체의 내력으로 지진 하중에 견디는 방식이다.
⑤ 면진은 진동에 흔들림을 최소화시킬 수 있는 장치나 기구를 설치한다.

출제 예감

11 다음 설명에 해당하는 첨단 생명 기술을 쓰시오.

> • 효소를 가지고 DNA의 일부를 잘라 내어 제거하거나 새로운 DNA로 대체하는 기술이다.
> • 비타민을 더 함유한 멜론, 알레르기 유발 현상을 없앤 복숭아 등이 있다.

(   )

12 인류의 식량 자원 확보를 위한 방안으로 옳은 것을 있는 대로 고른 것은?

> ㄱ. 식물 공장을 통한 일정한 식물 생산
> ㄴ. 대형 농장을 통한 가축 사육
> ㄷ. 정보 통신 기술을 농업에 적용하여 물, 비료, 농약을 정확하게 사용하여 수확량을 극대화시키는 정밀 농업
> ㄹ. 지구의 70 % 이상을 차지하는 해수를 이용한 해수 농업

① ㄱ, ㄴ   ② ㄴ, ㄷ
③ ㄷ, ㄹ   ④ ㄱ, ㄷ, ㄹ
⑤ ㄴ, ㄷ, ㄹ

13 현재 의료 현장에서 의료용 로봇이 활용되고 있지 <u>않은</u> 것은?

① 재활 로봇
② 수술 훈련 로봇
③ 수술 시뮬레이션
④ 복강경 수술 로봇
⑤ 혈관 속을 돌아다니는 나노 로봇

14 다음 설명에 해당하는 의료 로봇으로 옳은 것은?

> 수술에 대한 숙련도를 높이고, 수술 계획을 세우거나 사전에 검증을 하기 위한 용도로 쓰인다.

① 수술 로봇
② 재활 로봇
③ 수술 보조 로봇
④ 수술 시뮬레이터
⑤ 의료용 인공 지능 로봇

출제 예감
15 스마트 헬스 케어 산업에 대한 설명으로 옳은 것을 있는 대로 고른 것은?

> ㄱ. 스마트 헬스 케어 산업은 만성 질병보다는 급성 질병에 더욱 도움이 된다.
> ㄴ. 비만 환자가 자신이 먹은 음식의 칼로리가 모니터링되어 식이 요법을 한다.
> ㄷ. 신생아실 아기들의 심박 수, 체온 등이 모니터에 실시간으로 나타나 의사가 체크한다.
> ㄹ. 전자기 물질이 코팅된 유니폼을 입을 축구 선수의 몸 상태가 전송되어 신속한 선수 교체가 이루어진다.

① ㄱ
② ㄴ
③ ㄷ, ㄹ
④ ㄱ, ㄷ, ㄹ
⑤ ㄴ, ㄷ, ㄹ

출제 예감
16 하이브리드 자동차의 장단점에 대한 설명으로 옳은 것은?

① 전기 자동차보다 배기가스 배출량이 적다.
② 연료 전지를 탑재하여 차량의 중량이 무겁다.
③ 배터리 충전은 외부 공급 장치에서만 의존해야 한다.
④ 배터리의 전기가 모두 소모되면 더 이상의 주행은 곤란하다.
⑤ 화석 연료 기관보다 배터리 수명이나 고장의 문제점이 있다.

17 하이브리드 자동차에서 엔진과 모터가 함께 작동하는 상태를 〈보기〉에서 모두 고른 것은?

> ┤ 보기 ├
> ㄱ. 시동 시   ㄴ. 가속 시
> ㄷ. 정차 중   ㄹ. 오르막길
> ㅁ. 내리막길

① ㄱ, ㄴ
② ㄱ, ㅁ
③ ㄴ, ㄷ
④ ㄴ, ㄹ
⑤ ㄷ, ㄹ

중요
18 연료 전지 자동차에 대한 설명으로 옳은 것은?

① 전기 자동차보다 주행 거리가 짧은 단점이 있다.
② 연료 전지에 공급된 수소는 연소 과정을 거친다.
③ 연료 전지의 생성물로 수소가 배기구로 배출하게 된다.
④ 연료 전지는 전기 자동차처럼 외부에서 전기를 공급받아 배터리에 저장한다.
⑤ 연료 전지 자동차는 에너지 문제와 공해 문제를 한꺼번에 해결할 수 있다.

19 무인 장치(드론)에 관한 규제로 옳은 것을 있는 대로 고른 것은?

> ㄱ. 야간 비행을 허용한다.
> ㄴ. 비행장과 가까운 곳에서는 비행을 할 수 없다.
> ㄷ. 드론이 올라갈 수 있는 높이에 대한 규제는 없다.
> ㄹ. 인구 밀집 지역 또는 사람이 많이 모인 장소는 비행을 할 수 없다.
> ㅁ. 조종사가 육안으로 장치를 직접 볼 수 없을 때 비행을 금지해야 한다.

① ㄱ, ㄴ   ② ㄱ, ㅁ
③ ㄷ, ㄹ   ④ ㄱ, ㄷ, ㄹ
⑤ ㄴ, ㄹ, ㅁ

20 다음 그림을 보고 드론이 후진을 하기 위해서 빠르게 회전해야 하는 프로펠러는?

① ㄱ, ㄴ
② ㄱ, ㄹ
③ ㄴ, ㄷ
④ ㄴ, ㄹ
⑤ ㄷ, ㄹ

21 초연결 사회를 가능하게 해 주는 IT 기술 중 관련성이 먼 것은?

① HTML   ② 빅 데이터
③ 웨어러블 장치   ④ 클라우드 컴퓨팅
⑤ 사물 인터넷(IoT)

22 다음에서 설명하는 빅 데이터의 특성으로 옳은 것을 있는 대로 고른 것은?

> • 매일 생산되고 있는 데이터의 양은 약 2.3조GB 정도이다.
> • 유튜브에 1분마다 올라오는 동영상 분량은 약 300분으로, 하루에 49.3년 분량의 동영상이 생산되고 있다.

> ㄱ. 가치   ㄴ. 데이터의 양
> ㄷ. 다양한 형태   ㄹ. 빠른 생성 속도

① ㄱ, ㄴ   ② ㄴ, ㄹ
③ ㄷ, ㄹ   ④ ㄱ, ㄷ, ㄹ
⑤ ㄴ, ㄷ, ㄹ

23 다음에서 설명하는 디지털 콘텐츠 산업으로 옳은 것은?

> 기존의 영화관의 전면 스크린 이외에 좌우 벽면에도 영상을 투사하여 세 개의 면을 동시에 상영에 활용하는 시스템

① 아이맥스   ② 증강 현실
③ 가상 현실   ④ 3D 홀로그램
⑤ 다면 영상 시스템

24 디지털 콘텐츠 사업에 대한 설명으로 옳지 <u>않은</u> 것은?

① 실감형 콘텐츠가 발전하고 있다.
② 타 산업의 부가 가치도 함께 높일 수 있다.
③ 4G 이동 통신을 기반으로 구현이 수월하다.
④ 문화와 디지털 기술이 결부된 고부가 가치 산업이다.
⑤ 디지털 콘텐츠는 한번 개발하면 다양한 기기에서 활용될 수 있다.

타깃은 고객의 임신 사실을 어떻게 알았을까

부모는 몰라도 빅 데이터는 안다!

몇 년전 미국 유통업체 '타깃(Target)'이 임신부 옷, 신생아용 가구 등 임신부들에게 보낼만한 쿠폰 우편을 한 여고생에게 보내 화제가 된 적이 있다. 당시 그 학생의 아버지는 고등학생에게 이런 우편을 보냈다고 타깃에게 항의를 했지만 며칠 뒤 그 학생은 실제로 임신 중이었던 것으로 확인됐다. 이는 빅 데이터 분석 사례로 가장 많이 언급되는 것 중 하나이다. 타깃이 그 여고생이 임신부라고 예측할 수 있었던 것은 바로 데이터 분석 덕분이었다.

2002년 타깃은 데이터 분석 전문가인 앤드루 폴을 영입해 '임신 예측 모델' 등을 개발했다. 타깃은 매장이나 온라인에서의 구매 상품 데이터, 타깃 등록 회원 데이터, 인터넷상에서 유아 용품이 검색된 데이터, 고객의 나이, 자녀 유무 등의 데이터를 분석했다. 이를 통해 임신 중인 고객이 어떤 상품을 구매했는지, 어떤 구매 패턴을 보이는지를 알아냈다.

이러한 예측 모델은 보통 상관 관계 분석을 활용해 개발된다. 고객들의 특성과 고객들이 구매한 상품의 관계를 분석해 가장 상관성(연관성) 높은 것들을 찾아내는 것이다. 타깃은 이 상관 관계 분석을 통해 '임신부'와 '무향 티슈나 마그네슘 보충제 등 구매'의 상관성이 높았던 사실을 찾아낸 것이다. '임신부=무향 티슈 등 구매'가 100% 성립되는 것이 아니라 그럴 가능성이 높다는 의미이다. 타깃 사례의 경우는 임신부가 무향 티슈나 마그네슘 보충제를 구매할 확률이 87%였다고 한다.

이러한 예측 모델은 마케팅에 주로 활용된다. 예를 들어 '5세 자녀를 가진 고객'과 '장난감 구매'의 상관성이 높다는 사실을 발견을 했다면, 모든 고객에게 장난감 할인 쿠폰을 제공하는 것보다 5세 자녀를 가진 고객에게 제공하는 것이 더 마케팅 효율이 높아지기 때문이다.

기업이 보유하고 있는 데이터가 없다면 이러한 분석을 하기는 어렵다. 따라서 많은 기업들은 회원 가입을 하는 고객에게 할인 쿠폰이나 적립금 등을 제공하면서 회원 가입을 유도한다. 회원 가입을 통해 기업들이 고객의 성별이나 나이, 사는 곳 등의 일반적인 상태를 알게 되고, 구매 활동 데이터를 수집할 수 있게 된다.

최근 고객 정보와 구매 패턴 정보를 기업이 활용하는 것에 대한 부정적인 시각이 높아져서 기업들은 고객 개인이 누군지 알기 위한 정보(개인 식별 정보)를 활용하는 것이 아니라 가령 '20대 여성보다 30대 여성이 화장품 구매 건수가 높다'라는 정도의 정보(비식별 정보)를 활용하고 있다.

하지만 그럼에도, 기업이 내가 무엇을 살지 미리 예측할 수 있다고 생각하면 약간은 찜찜한 기분이 드는 것도 사실이다. 아마도 기업들은 고객들이 찜찜한 기분이 들지 않는 수준에서 데이터 분석을 활용한 마케팅을 하는 것이 기업의 노하우로 자리잡지 않을까 하는 생각이 든다.

VI

안전한 삶과
미래 기술

01 생명을 지키는 자동차 안전

개념 더하기

주제 열기

⟫ 운전자가 졸음 쉼터에서 쉬지 않고 운전을 계속한다면 어떤 일이 일어날지 이야기해 보자.

졸음운전으로 운전자의 주의력이 떨어지게 되어 차선 이탈, 또는 위험한 상황을 감지하는 능력이 떨어져 큰 사고가 발생할 수 있다.

⟫ 우리 주변에서 교통사고를 줄이기 위해 어떤 노력을 하는지 이야기해 보자.

과속 방지 카메라 설치, 어린이 표지판 설치, 반사경 설치를 통한 사각 지대 확인 등

+보행자에 의한 교통 사고

보행자 교통사고 현황
(3년 평균 2,042건)

기타 35.5% 724명
무단 횡단 41.3% 844명
보도 6.4% 130명
차도 갓길 통행 16.8% 344명

▲ 보행자 교통사고 현황
(3년 평균 2,042건)

보행자 사망 사고 현황
(3년 평균 125명)

기타 27.2% 34명
무단 횡단 52.8% 56명
보도 6.4% 130명
차도 갓길 통행 16.8% 21명

▲ 보행자 사망 사고 현황
(3년 평균 125건)

1, 자동차 사고, 원인을 알면 예방할 수 있다

자동차 운행 중에 발생한 충돌 등으로 운전자나 보행자가 다치거나 다른 교통 기관과 충돌하는 사고를 자동차 사고라고 한다.

(1) 인적 요인에 의한 사고

자동차 사고의 가장 큰 원인으로 운전자가 안전 운행을 하지 않는 것과 보행자의 부주의한 행동을 들 수 있다.

① **운전자의 행동과 상황에 의한 원인** 차선 위반, 신호 위반, 속도위반, 안전거리 미확보, 운전 중 통화, 졸음운전, 안전띠 미착용, 음주 운전 등이 있다.

② **보행자에 의한 원인** 신호 위반, 시야 장애 요인, 무단 횡단, 보행 중 스마트폰 이용 등이 있다.

스스로 해 보기

평소 자신의 보행 습관을 떠올려 보고, 고쳐야 할 점이 무엇인지 써 보자.

예 휴대 전화를 보면서 건너기, 신호등이 노란 불일 때 뛰면서 건너기 등

(2) 날씨에 의한 요인

좋지 않은 날씨는 자동차 사고에 많은 영향을 미치므로 주의해야 한다.

날씨	대표적 위험 요인	안전 운전 요령
비 오는 날	시야 확보의 문제, 수막현상	전조등과 안개등 사용, 타이어 마모 정도 확인 및 교환, 안전거리 확보, 감속 운전
눈 오는 날	눈길과 빙판길 미끄러짐	감속 운전과 안전거리 확보
안개 낀 날	시야 확보의 어려움	감속 운전과 서행 운전을 하고, 전조등, 안개등, 차폭 등을 사용
강풍 부는 날	강풍에 의한 차선 이탈	운전대를 놓지 말고 강풍 시 서행

(3) 차량 요인에 의한 사고 원인

① 운행 중 타이어 펑크, 엔진의 정지, 급발진 사고, 사이드 브레이크 파손으로 인한 주차 차량 미끄러짐 등의 사고는 차량의 결함에서 비롯하는 사고이다.

② 고속으로 주행 시 차량의 결함은 큰 사고를 불러일으킬 수 있으므로 운전 전후 뿐만 아니라 운전 중에도 차량 상태를 확인해야 한다.

③ 자율 주행 자동차는 자율 주행 시스템의 결함으로 사고가 발생할 수 있으므로 세심한 연구 개발이 필요하다.

(4) 교통 환경 요인에 의한 사고

① 안전 벽 미설치, 안전 표지판 및 야간 조명 미설치 도로, 급격하게 굽은 도로 등은 자동차 사고의 원인이 된다.

② 도로에 설치된 졸음 쉼터와 회전 교차로는 교통사고 예방 및 개선에 바람직한 사례로 꼽힌다.

③ 교통사고 예방을 위한 시설물

- 졸음 쉼터: 국토 교통부가 대형 사고로 이어지기 쉬운 졸음운전을 방지하고 휴식 공간 등을 제공하기 위하여 2010년부터 휴게소 간 간격이 멀어 운전자의 휴식 공간이 부족한 구간에 교통안전 쉼터를 설치하였다.

- 회전 교차로: 진입 자동차가 일단 멈춘 후 회전 차로에서 주행하는 자동차에 양보하고, 교통 신호 없이 교차로 중앙에 원형 교통섬을 중심으로 시계 반대 방향으로 회전하여 저속으로 교차로를 통과하는 교통 체계이다. 교차로에서 발생하는 사고와 통행 시간을 줄이기 위해 도입하였다

▲ 졸음 쉼터 효과　　　　　▲ 회전 교차로 효과

💬 **함께 해 보기**

졸음 쉼터나 회전 교차로와 같이 교통사고 예방을 위한 정책에는 무엇이 있는지 함께 이야기해 보자.

예 야간의 건널목의 조명등 설치 의무화, 운전자 졸음 상태를 인지하고 알려 주는 자동 알람 장치, 교통 정보 신호를 이용한 장시간 운전 차량의 강제적 정지 법안의 마련 등

더 **들여다보기**

🖱 넛지 효과를 적용한 도로 시설이 있는지 사례를 더 찾아보자.

예 서울 외곽순환고속도로 판교 지점 103.2 km 판교 방향 화물차로(4차선)에 차량이 지나가면 노래가 들리도록 하여 사고를 예방할 수 있다.

개념 더하기

＋급발진 사고

급발진 사고는 운전자의 의지와 무관하게 갑자기 가속되는 현상을 말하며, 시동이 켜져 있으나 움직이지 않는 상태 또는 운행 중의 상태에서도 발생 가능하다.

＋넛지 효과

미국 행동 경제학자인 리처드 탈러 교수와 카스 선스타인 교수가 2009년에 제시한 이론이다. 넛지 효과란 '옆구리를 슬쩍 찌르다.'라는 뜻으로 강요에 의하지 않고 유연하게 개입하여 선택을 유도하는 이론이다.

+정황 증거 확보

사고 현장을 여러 각도에서 사진 촬영(휴대 전화, 카메라 등), 사고 장소 위치 등을 도로상 표시(스프레이, 페인트 등), 목격자 확보(인적 사항, 연락처) 등을 한다.

2. 자동차 사고 응급 대처로 2차 사고를 막는다

(1) 자동차 사고 대처 요령

① 자동차 사고가 발생하면 운전자는 바로 정차 후 사고를 확인한 다음 안전한 곳으로 이동 주차하여 2차 사고를 막아야 한다.

② 안전 삼각대를 설치하여 후속 차량이 사고 상황을 확인할 수 있게 하고, 119 또는 112나 보험 회사에 연락하여 사고 처리를 한다.

③ 자동차 사고를 당한 피해자는 부상이 가볍거나 외상이 없어도 반드시 의사의 진단을 받아야 한다.

④ 자동차 사고 응급 대처법

- 즉각 정차: 사고 발생 즉시 침착하게 교통 상황을 살핀 후, 비상등을 켜고 사고 지점이나 부근의 안전한 곳에 정차한다.
- 응급조치: 탑승자와 보행자가 다쳤는지 확인하여 응급조치를 하고, 119에 신고하여 도움을 받는다.
- 신고: 경찰에 신고하고, 보험에 가입된 사고 차량은 보험 회사에 연락한다.
- 정황 증거 확보: 사고 경위를 확인할 때 활용할 수 있도록 차량의 손상·파손 정도, 형태 등을 사진으로 찍어 두고 안전한 곳으로 이동한다.

| 즉각 정차 | 응급조치 | 신고 | 정황 증거 확보 |

(2) 자동차 사고 목격 시 대처 요령

① 자동차 사고가 발생했을 때 사고 현장에 휘발유나 인화성 물질이 있으면 폭발을 유발할 수 있는 행동은 하지 않아야 한다.

② 자동차 사고 후 뺑소니를 목격하였을 때는 해당 차량의 번호와 차종, 색깔, 특징을 기록하여 경찰에 신고한다.

③ **부상자 발생 시 대처법** 119 신고 → 의식 확인 → 기도 유지 → 호흡 확인 → 순환 상태 확인 → 구조 차량 이송

+블랙박스

사고의 경위를 분석하는 데 사용되는 장비이다. 본래 항공기용으로 개발된 것으로, 해당 항공기의 상태(고도, 항로, 속도, 엔진 상황 등) 및 교신 내용을 기록하는 역할을 한다. 때문에 사고 후 이를 회수하여 분석하면 해당 항공기의 사고 경위를 정확하게 알아내는 데 큰 도움이 된다.

> **🗨 함께 해 보기**
>
> 자동차 사고가 나면 차량에 설치된 블랙박스에 녹화된 영상으로도 정황 증거를 확보할 수 있다. 하지만 개인의 사생활이 침해되는 부정적인 측면이 있다. 차량용 블랙박스의 설치에 관한 자기 생각을 친구들과 자유롭게 토의해 보자.
>
> 예 차량용 블랙박스 설치는 개인의 선택에 따라 설치되어야 한다. 차량에 블랙박스를 설치하는 목적은 교통사고가 났을 때 피해를 최소화하기 위한 것이므로 그 목적으로만 쓰여야 한다. 다만 교통사고나 범죄 수사 등 중요한 사건을 해결하기 위한 것 이외에 블랙박스를 사용하게 되면 개인이 동의하지 않은 사생활에 침해를 주기 때문에 법적 책임을 물어야 할 것이다.

3/ 운전보다 자동차 안전 관리가 중요하다

(1) 자동차 점검

① **일상 점검**   운전자가 매일 차량을 운행 하기에 앞서 하는 점검으로, 외관 점검, 기능 점검, 작동 점검을 실시하여 이상 유무를 확인하는 최소한의 점검을 말한다.
- 주행 전 점검: 타이어 공기압 및 마모도
- 주행 직전 또는 주행 중: 차량 경고등, 계기판 등
- 주차 시: 타이어 공기압, 변속기(주차), 자동차 라이트 ON/OFF 여부 등

② **정기 점검**
- 자동차의 운행 거리나 연식에 따라 정해진 정비 항목을 점검하는 것이다.
- 엔진 오일, 오일 필터, 공기 청정기 교환에서부터 브레이크, 타이어에 이르기까지 정비와 교환 시기가 다르므로 정비 내용을 기록하면서 관리해야 한다.

(2) 기상에 따른 운전 요령

① **빗길 안전 운전**   운전 시야 확보 곤란, 수막현상이 생기므로 충분한 감속운전 및 안전거리 확보 등이 필요하다.

② **눈길 안전 운전**   핸들과 브레이크 기능 저하, 곡선 구간의 제어가 어려우므로 주간에도 전조등을 켜고, 감속 운전을 하는 등의 운전 요령이 필요하다.

③ **안갯길 안전 운전**   교통 표지가 잘 보이지 않고, 앞뒤 차량 확인이 곤란하므로 안개등과 비상등은 켜고, 전조등은 끄는 안전 운전 요령이 필요하다.

개념 더하기

+계절에 따른 자동차 점검 요령
- 여름철 자동차 점검 요령
  - 시야 확보를 위한 와이퍼 고무날 교환, 워셔액 보충
  - 에어컨 필터 교체 및 매트 건조
  - 에어컨 점검 및 가스 보충
  - 자동차 공기압 점검 및 빗길 감속 주행 등
- 겨울철 자동차 점검 요령
  - 냉각수 및 부동액 점검
  - 배터리 및 발전기 충전 점검
  - 겨울용 타이어 사용, 월 1회 이상 점검
  - 시야 확보를 위한 전조등 및 안개등 점검
  - 자동차 하체 부식 방지 세차 및 코팅 등

▲ 빗길 안전 운전

▲ 눈길 안전 운전

주제 활동   자동차 2차 사고 예방을 위한 기술 제품 개선하기

1. 자동차 사고 시 2차 사고를 막기 위한 기술 제품들의 기능과 개선점을 이야기해 보자.
- 예방 기술 제품: 오뚝이 경광봉
- 설명: 경광봉을 움직일 수 있도록 하여 자동차 사고를 알리는 역할을 한다.
- 개선 방안: 크기가 작다는 단점이 있으므로 크기를 크게 한다.

2. 2차 사고를 예방할 수 있는 물품을 자신만의 아이디어로 고안해 보자.
- 예방 물품 아이디어: 스파이더 안전 조끼
- 설명: 조끼 전체에 반사띠를 격자무늬로 부착하여 위험 상황으로부터 보호받을 수 있다. 안전 조끼에 호루라기를 장착한다.

▲ 차량 안전 삼각대

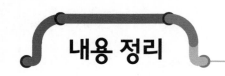

내용 정리

1. 자동차 사고의 원인 및 예방

자동차 사고란 자동차 운행 중에 발생한 충돌 등으로 운전자나 보행자가 다치거나 다른 교통 기관과 충돌하는 사고를 말함.

(1) 인적 요인에 의한 사고

① 운전자의 행동과 상황에 의한 원인
- 차선 위반
- 신호 위반
- 속도위반
- 안전거리 미확보
- 운전 중 통화
- 졸음운전
- 안전띠 미착용
- 음주 운전

② 보행자에 의한 원인
- 신호 위반
- 시야 장애 요인
- 무단 횡단
- 보행 중 스마트폰 이용

(2) 날씨에 의한 요인

좋지 않은 날씨는 자동차 사고에 많은 영향을 미치므로 주의함.
- 비 오는 날: 시야 확보의 문제, 수막현상
- 눈 오는 날: 미끄러운 눈길과 빙판길
- 안개 낀 날: 시야 확보의 어려움
- 강풍 부는 날: 강풍에 의한 차선 이탈

(3) 차량 요인에 의한 사고
- 운행 중 타이어 펑크
- 엔진의 정지
- 급발진 사고
- 사이드 브레이크 파손으로 인한 주차 차량 미끄러짐 등

(4) 교통 환경 요인에 의한 사고
- 안전 벽 미설치 교량
- 안전 표지판 및 야간 조명 미설치
- 심하게 굽은 도로
- 교통사고 예방 시설물: 졸음 쉼터, 회전 교차로 등

2. 자동차 사고 응급 대처

(1) 자동차 사고 대처 요령

① 운전자는 자동차 사고가 발생하면 바로 정차 후 사고를 확인한 다음 안전한 곳으로 이동 주차하여 2차 사고를 막아야 함.

② 안전 삼각대를 설치하여 후속 차량이 사고 상황을 확인할 수 있게 하고, 119 또는 112나 보험 회사에 연락하여 사고 처리를 해야 함.

③ 자동차 사고를 당한 피해자는 부상이 가볍거나 외상이 없어도 반드시 의사의 진단을 받아야 함.

④ **자동차 사고 응급 대처법** 즉각 정차 → 응급조치 → 신고 → 정황 증거 확보

(2) 자동차 사고 목격 시 대처 요령

① 자동차 사고가 발생했을 때 사고 현장에 휘발유나 인화성 물질이 있으면 폭발을 유발할 수 있는 행동은 하지 않아야 함.

② 자동차 사고 후 뺑소니를 목격하였을 때는 해당 차량의 번호와 차종, 색깔, 특징을 기록하여 경찰에 신고

③ **부상자 발생 시 대처법** 119 신고 → 의식 확인 → 기도 유지 → 호흡 확인 → 순환 상태 확인 → 구조 차량 이송

3. 자동차 관리의 중요

(1) 자동차 점검

① **일상 점검** 운전자가 매일 차량을 운행하기에 앞서 하는 점검
- 주행 전 점검
- 주행 직전 또는 주행 중 점검
- 주차 시 점검

② **정기 점검** 자동차의 운행 거리나 연식에 따라 정해진 정비 항목을 점검하는 것을 말하며, 항목마다 정비와 교환 시기가 다르므로 정비 내용을 기록하면서 관리해야 함.

(2) 기상에 따른 운전 요령

① **빗길 안전 운전** 운전 시야 확보 곤란, 수막현상이 생기므로 안전 운전 요령이 필요

② **눈길 안전 운전** 핸들과 브레이크 기능 저하, 곡선 구간의 제어가 어려우므로 안전 운전 요령 필요

③ **안갯길 안전 운전** 교통 표지가 잘 보이지 않고, 앞뒤 차량 확인이 곤란하므로 충분한 감속 운전 및 안전거리 확보 등이 필요

개념 꽉꽉 다지기

1. 자동차 운행 중에 발생한 충돌 등으로 운전자나 보행자가 다치거나 다른 교통 기관과 충돌하는 것을 (   )(이)라고 한다.

🔊 Helper

2. 자동차 사고의 인적 요인은?

　① 지형　　　　　　　　　② 운전자
　③ 차량 관리　　　　　　　④ 자체 결함
　⑤ 빈번한 사고 발생지

2. 인적 요인이란 자동차를 운전하는 사람과 걸어가는 사람을 말한다.

3. 졸음으로 인한 사고를 예방하고 휴식을 제공하기 위해 만들어진 시설물은?

　① 휴게소　　　　　　　　② 졸음 쉼터
　③ 인터체인지　　　　　　④ 회전 교차로
　⑤ 중앙 분리대

3. 졸음을 예방하기 위한 목적으로 고속 도로의 휴게소와 휴게소 사이에 설치한다.

4. (   )(이)란 운전자가 평소 차량 운행 전에 실시하는 점검으로, 외관 점검, 기능 점검, 작동 점검을 실시하여 이상 유무를 확인하는 최소한의 점검을 말한다.

5. 자동차 사고 응급 대처 요령 중 운전자가 가장 먼저 해야 할 일은?

　① 즉시 정차
　② 경찰서 신고
　③ 부상자 구호
　④ 정황 증거 확보
　⑤ 안전한 장소로 차량 이동

5. 자신의 안전을 위하여 가장 먼저 해야 할 일을 생각한다.

01 자동차 사고의 범위에 해당하지 <u>않는</u> 것은?

① 보행자와 보행자가 충돌하는 것

② 운전자가 자동차 운전 중 다치는 것

③ 자동차가 다른 자동차와 충돌하는 것

④ 교통 기관과 교통 기관이 충돌하는 것

⑤ 보행자가 다른 교통 기관과 충돌하는 것

02 자동차 사고의 발생 증가의 원인으로 옳은 것은?

① 보행자 수의 감소

② 교통 신호의 오작동

③ 자동차 이용의 증가

④ 자동차 이용의 급감

⑤ 교통 기관 종류의 증가

03 자동차 사고의 발생 원인으로 옳지 <u>않은</u> 것은?

① 운전자 요인

② 차량 정비 요인

③ 교통 환경 요인

④ 자동차 연료 요인

⑤ 보행자 상태 요인

04 보행자에 의한 교통사고 원인으로 옳은 것은?

① 무단횡단

② 차선 위반

③ 속도 위반

④ 운전 중 통화

⑤ 안전거리 미확보

05 차량 요인에 의한 교통사고 원인으로 옳지 <u>않은</u> 것은?

① 급발진 사고

② 엔진의 정지

③ 타이어의 펑크

④ 운전 중 스마트폰 사용

⑤ 주차 차량의 사이드 브레이크 고장

06 교통 환경 요인의 변화로 교통사고를 줄인 올바른 사례로 옳은 것은?

① 야간 조명의 제거

② 회전각이 큰 도로

③ 회전 교차로의 설치

④ 교량의 안전 벽 철거

⑤ 안전 표지판의 미설치

07 자동차 사고 발생 시 가장 먼저 해야 할 일은?

① 바로 정차한다.

② 보험회사에 연락한다.

③ 119나 112에 신고한다.

④ 안전 삼각대를 설치한다.

⑤ 안전한 곳으로 이동 주차한다.

08 부상자 발생 시 대처 요령에 대한 설명 중 옳지 않은 것은?

① 부상자가 발생했을 경우 직접 치료한다.

② 뺑소니를 목격했을 경우 차량의 정보를 기록한다.

③ 사고 목격 시 부상자를 도와야 할 경우 적극 협력한다.

④ 의식이 없는 환자의 경우 급히 응급 조치를 하고, 119에 신고한다.

⑤ 사고 현장의 인화성 물질이 있을 때 폭발을 유발할 수 있는 행동을 하지 않는다.

09 자동차 점검에 대한 설명으로 옳은 것은?

① 매일 모든 부품을 정비한다.

② 안전 운행과 자동차 점검은 무관하다.

③ 차량을 운행하기 전에는 점검을 삼간다.

④ 기상 조건에 상관없이 항상 같은 점검을 실시한다.

⑤ 차량은 연식과 운행 거리에 따라 정비 항목을 다르게 점검한다.

10 기상 조건에 따른 안전 운전 요령에 대한 설명으로 옳은 것은?

① 안개 낀 날은 주로 1차선을 이용한다.

② 눈길 운전 시에는 기어 변경을 자주 한다.

③ 빗길에는 가속 운전을 통하여 안전거리를 확보한다.

④ 시야 확보가 어려울 때는 창문을 열어 청각 정보를 얻는 것도 중요하다.

⑤ 눈길에는 미끄러짐 현상이 발생하므로 가속 페달과 핸들을 최대한 빠르게 조작한다.

핵심을 되짚는 O·X 문제

11 자동차 사고는 원인을 알면 예방할 수 있다. (O , X)

12 자동차 사고에서 차선 위반, 신호 위반, 속도위반 등은 운전자의 행동에 의한 사고 원인이다. (O , X)

13 보행자가 스마트폰을 사용하는 행위는 자동차 사고를 예방하는 행동이다. (O , X)

14 자동차의 의지와 상관없이 갑자기 가속되는 현상을 급발진이라 한다. (O , X)

15 졸음 쉼터는 대형 사고를 막고 운전자의 휴식 공간을 제공하기 위하여 도입한 제도로, 그 효과가 높은 편이다. (O , X)

16 자동차 사고 발생 시 운전자는 가장 먼저 112에 사고를 접수하는 것이 중요하다. (O , X)

17 자동차 사고를 목격했을 때에는 상황을 파악한 다음 부상자를 돕거나 뺑소니 차량을 신고하는 것이 중요하다. (O , X)

18 자동차의 점검은 일상 점검과 정기 점검으로 이루어지며, 안전 운행을 위해 반드시 해야 하는 일이다. (O , X)

02 산업 재해 위기 탈출 프로젝트

개념 더하기

주제 열기

◈ 그림과 같은 사고가 발생하게 된 원인은 무엇일지 생각해 보자.

(첫 번째 그림) 안전망이 없고, 추락에 대비한 안전 고리도 달지 않았다. (두 번째 그림) 보조 작업자가 없이 무거운 공구를 들고 한 손으로 힘들게 작업하였다. (세 번째 그림) 긴 옷을 입어 장치에 말려 들어가게 되었고, 강제 정지 장치도 없어 보인다.

◈ 그림과 같은 사고가 일어나지 않게 하는 예방법에는 무엇이 있을지 이야기해 보자.

추락 방지용 안전망을 설치해야 한다. 안전 벨트를 착용하고, 공구의 급정지 장치를 설치해야 한다.

1. 산업 재해는 인명 피해와 경제적 손실을 준다

(1) 산업 재해

① **산업 재해란** 노동 과정에서 업무상 원인으로 발생하는 노동자의 신체적·정신적 피해를 말한다.

② **산업 재해의 범위** 부상, 질병, 그에 따른 사망, 쾌적하지 못한 작업 환경에서 오는 직업병 등이 포함된다.

③ 개인의 인명 피해뿐만 아니라 생산 및 공정 지연에 따른 비용 등의 경제적 손실을 준다.

(2) 산업 재해의 원인

산업 재해는 불안전한 행동과 불안전한 상태에서 비롯된다.

① **불안전한 행동** 근로자의 피로나 부주의·실수, 낮은 작업 숙련도 등에 원인이 있다.

② **불안전한 상태** 기업이 안전 대책, 예방 대책을 제대로 갖추지 않아 발생한다.

③ 일반적으로 산업 재해에는 여러 요인이 복합적으로 작용한다.

+산업 재해로 인한 경제적 손실 규모

교통사고로 인한 손실보다 산업 재해로 인한 손실이 더 크다.

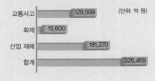

	(단위: 억 원)
교통사고	129,599
화재	15,600
산업 재해	181,270
합계	326,469

+하인리히 법칙

산업 재해는 갑자기 발생하는 것이 아니라 그와 관련된 작은 사고와 징후들이 반드시 존재한다는 법칙이다. 1:29:300 법칙이라고도 한다 (대형 사고 1건이 발생하기 전에 소형 사고가 29회 발생하고, 이 소형 사고 발생 이전에는 같은 원인의 사소한 징후들이 약 300회 나타남.).

안전 관리 결함 → 불안전한 행동 / 불안전한 상태 → 사고 → 재해

▲ 산업 재해 발생 원인

스스로 해 보기

최근에 발생한 산업 재해 사례에는 어떠한 것들이 있는지 찾아보자.

예 서울 구의역 스크린 도어 사망 사고, 거제 S 조선소의 대형 크레인 붕괴 등

2 / 산업 재해의 유형에 따른 예방 대책이 필요하다

산업 재해의 종류에는 기계 재해, 건설 재해, 전기 재해, 화공 재해 등이 있으며, 각각의 재해에는 다양한 사고 유형이 존재한다.

(1) 기계 재해

① **기계 재해** 각종 기계의 작업점이나 동력 전달에 의해 발생하는 재해로, 기계 조작 과정에서 작업자의 부주의로 기계 운동부에 신체가 접촉되는 경우가 많다.

② **기계 재해의 위험 요소** 끼임, 부딪힘, 말림, 튀어나옴 등의 사고 위험이 있다.

③ **예방** 기계의 외관을 안전하게 하고, 안전장치를 설치한다. 구조적으로 신뢰성 있도록 제작한다.

기계를 이용한 소재 가공 중 손가락이 끼임!
기계에서 가공 작업이 이루어지는 부위에 센서나 덮개 등의 방호 장치를 설치하여 작업자의 신체를 보호한다.

회전하는 기계로 재료 가공 중 끼고 있던 장갑이 말림!
회전체를 취급하는 작업의 경우 장갑이 말려들어 사고가 발생할 수 있으므로 정해진 작업복을 착용한다.

(2) 건설 재해

———— 옥외 작업으로 공사 현장의 지형, 지질, 기후, 기상 등의 영향을 많이 받는다.

① **건설 재해** 다른 산업에 비해 규모가 크고, 고층화, 대형화하는 추세로 작업에 참여하는 인원이 많이 사고 발생 빈도가 높고, 경제적 손실도 매우 크다.

② **건설 재해의 위험 요소** 떨어짐, 맞음, 넘어짐, 무너짐 등이 있다.

③ **예방** 안전한 작업 방법으로 대체, 위험한 장소 접근 금지, 위험한 장소의 안전 보호, 위험 요인에 대한 근로자 의식 교육 등이 있다.

지붕 공사 중 발이 미끄러져 떨어짐!
경사 지붕 공사는 매우 위험한 작업이므로 작업 전 지붕 끝에 안전 난간을 설치하고, 작업자는 안전대를 착용한다.

큰 자재를 한꺼번에 옮기다 자재가 넘어짐!
큰 자재는 2인 1조로 작업해야 한다. 함께 작업하기 어려울 때에는 낱개로 작업한다.

개념 더하기

+산업 안전 보건법에 따른 국가, 사업주, 노동자의 의무

• 국가: 산업 안전 및 보건 정책을 수립하고, 집행, 예방 지도 등

• 사업주: 노동자의 안전과 건강 유지에 노력하고, 노동자의 신체적 피로와 정신적 스트레스를 줄일 수 있는 쾌적한 작업 환경과 노동 조건을 개선한다.

• 노동자: 산업 재해 예방에 필요한 사항을 잘 지키고, 국가 및 사업주의 예방 조치에 충실히 따라야 한다.

+산업 재해 발생 시 대처 요령

• 관리자에게 알린다.

• 목격자와 증인을 확보해 둔다.

• 조금이라도 아프면 병원에서 진단을 받아 기록을 남긴다.

• 기계 고장, 안전 장치 미작동, 무거운 물건의 취급, 안전 교육 미실시 등 사고의 원인을 확인해 둔다.

+우수 안전 관리 사례(미국 듀폰 사의 안전 수칙)

• 모든 안전사고나 작업병은 사전에 예방될 수 있다.
• 경영층은 안전에 대해 책무가 있으며 최종적인 책임을 진다.
• 모든 작업상의 위험 요소는 관리가 가능하다.
• 안전하게 일하는 것은 하나의 고용 조건이다.
• 모든 직원은 반드시 안전 교육을 받아야 한다.
• 안전 감사는 필수적이다.
• 위험 요소는 즉시 시정되어야 한다.
• 근무 시간 외의 안전도 중요하다.
• 안전이 건강한 사업장을 만든다.
• 직원은 무엇보다 소중하다.

+산업 안전 수칙

• 정해진 작업복과 개인 보호구 착용하기
• 작업장 바닥이나 통로의 안전 상태 확인하기
• 기계의 청소, 점검, 수리 보수 작업 시 사용 기계 정지하기
• 기계에 부착된 방호 조치는 항상 원상태로 유지하기
• 지게차 등 탑승 안하기
• 작업장 주변 위험 확인과 작업 중 작업에만 전념하기
• 이동식 사다리 이용 시 2인 1조로 작업하기
• 작업 절차, 안전 수칙 숙지 및 준수하기

(3) 전기 재해 및 화공 재해

① **전기 재해 및 화공 재해** 전기는 보이지 않고, 냄새와 소리가 나지 않으며, 빛의 속도와 같이 매우 순식간에 발생한다. 화학 공업은 연속 운전이 많고 화학 에너지의 사용이 많아 폭발의 위험이 자주 존재한다.

② **전기 재해 및 화공 재해의 위험 요소** 전기를 사용하는 작업장에는 화재, 감전 등의 사고 위험이 있다. 또한 화학 공장에서는 화학 물질의 사용으로 화재나 폭발, 중독 및 질식 등의 재해가 발생할 수 있다.

③ **예방** 전기 재해(금속제 외함 접지, 누전 차단기 의무화, 이중 절연 구조), 화공 재해(환기, 위험물의 화기 유의, 유류 취급자 및 화공 약품 안전 취급자만 취급 등)

기계 점검 중 전원을 끄지 않고 작업하여 감전!
누전 발생에 대비하여 사전에 접지를 하고, 작업자는 절연용 보호구를 착용해야 한다. 기계를 점검할 때는 전원을 반드시 끄고 가동 열쇠를 작업자가 보관한다.

맨홀 작업 중 내부에 찬 가스로 질식!
맨홀 작업 전에는 유해 가스 농도를 측정하고 작업 전이나 작업 중 계속해서 환기를 한다. 작업 시에는 방독 마스크를 착용한다.

더 들여다보기

그 밖에 생활 속에서 발생하는 안전사고의 사례를 찾아보고 원인과 예방 대책을 분석해 보자.

예 미끄러짐(물기 제거, 미끄럼 방지 슬리퍼 및 타일 부착 등), 감전 및 과열(문어발식 멀티탭 사용 금지, 허용 전류 내 사용, 전원 차단 후 부품 교체 및 작업 등), 공구에 의한 부상(공구나 기계 사용법 숙지, 주변 정리, 적절한 보호 장구 착용)

3/ 산업 안전을 위해 안전 수칙을 지킨다

(1) 산업 안전

① **산업 안전이란** 위험이나 사고가 날 염려가 없는 상태, 또는 위험이나 사고를 예방하고 근로자의 생명과 재산을 지키기 위한 모든 활동을 말한다.

② **산업 안전을 위해 기업이 해야 할 일**
• 산업 안전 설비를 확충하고 안전 관리 조직을 구성하여야 한다.
• 주기적인 안전 교육 시행을 통해 안전한 근로 환경을 조성한다.

③ **산업 안전을 위해 근로자가 해야 할 일** 반드시 산업 안전 수칙을 준수하여야 한다.

(2) 사고 발생 시 대처 방안

① **침착한 조처** 사고 발생 시 당황하지 말고 심호흡 후 상황에 맞춰 침착하게 필요한 조처를 한다.

② **연락하기** 가능하면 다른 사람에게 신속하게 연락을 취한다.

③ **정보의 정확한 전달** 오해가 없도록 사고 상황을 육하원칙(누가, 언제, 어디서, 무엇을, 왜, 어떻게)에 맞게 전달하고, 부상자가 있으면 숨기지 말고 말한다.

+산업 재해 예방 관련 기구
- 근로 복지 공단: '산업 재해 보상 보험법'에 따라 업무상 재해에 대한 신속하고 공정한 보상과 재해 노동자의 재활 및 사회 복귀 촉진을 위한 활동과 재해 예방 등의 복지 증진을 위해 활동하고 있다.
- 안전 보건 공단: 산업 재해 예방을 위한 제도와 시스템, 기술적 인프라의 구축에 주력하면서 사업장의 안전 보건 개선 계획 지도, 불량 작업 환경 개선, 건설 재해 예방, 노사 안전 보건 교육 확대 등을 통해 산업 재해 예방 사업을 펼치고 있다.

👥 함께 해 보기

그림은 사고 발생 후 부적절한 조치를 한 사례이다. 그림의 각 사례에 적절한 조치는 무엇인지 이야기해 보자.

| 차량에 불이 난 경우 2차 폭발을 고려하여 멀리 떨어져 있어야 한다. | 감전된 사람은 전기가 흐를 수도 있으므로 절연 장갑을 착용 후 구출하여야 한다. | 유독 가스로 인한 호흡 곤란이 생길 수 있으므로 산소 마스크를 착용해야 한다. | 눈이 손상된 경우 비비거나 내버려두지 말고 반드시 전문의에게 치료를 받아야 한다. |

주제 활동 ▷ 내가 만든 안전 표지로 산업 재해 예방하기

1. 그림을 보고 발생할 수 있는 사고와 원인을 찾고, 예방 대책을 제안해 보자.

- **발생 가능한 사고** 공사장 난간에서 떨어지는 사고가 발생할 수 있다.

- **사고 원인** 작업자가 안전대를 착용하지 않았다.

- **예방 대책** 공사하는 곳에 안전 난간을 설치하고, 작업자는 안전대를 착용해야 한다.

- **발생 가능한 사고** 포크레인에 부딪히는 사고가 발생할 수 있다.

- **사고 원인** 작동하는 큰 기계와 너무 밀착되어 있다.

- **예방 대책** 기계 근처로 이동할 때는 사용 기계를 정지하여 안전 수칙을 지킨다.

2. 예시를 보고 산업 재해를 예방하기 위한 표지를 만들어 보자.

전달하고자 하는 메시지를 명확하게 한 다음, 이를 이미지와 색깔을 이용하여 그린다.

내가 만든 안전 표지

1, 산업 재해의 개념과 원인

(1) 산업 재해

① **산업 재해** 노동 과정에서 업무상 원인으로 발생하는 노동자의 신체적, 정신적 피해
② **산업 재해의 범위** 부상, 질병, 사망 및 작업 환경에서 오는 직업병 등이 포함됨.
③ 산업 재해는 개인의 인명 피해뿐만 아니라 생산 및 공정 지연에 따른 비용 등의 경제적 손실을 줌.

(2) 산업 재해의 원인

① **불안전한 행동** 근로자의 피로나 부주의·실수, 낮은 작업 숙련도 등
② **불안전한 상태** 기업이 안전 대책, 예방 대책을 제대로 갖추지 않아 발생
③ **하인리히 법칙** 산업 재해는 갑자기 발생하는 것이 아니라 그와 관련된 작은 사고의 징후들이 반드시 존재함.

2, 산업 재해 유형에 따른 예방 대책

산업 재해에는 기계 재해, 건설 재해, 전기 재해, 화공 재해 등이 있으며, 각각의 재해에 다양한 사고 유형이 존재함.

(1) 기계 재해

기계를 동력으로 이용하는 산업 현장에서는 끼임, 부딪힘, 말림, 튀어나옴 등의 사고 위험이 있음.
① **기계를 이용한 소재 가공 중 손가락이 끼임** 기계에서 가공 작업이 이루어지는 부위에 센서나 덮개 등의 방호 장치를 설치하여 작업자의 신체를 보호
② **회전하는 기계로 재료 가공 중 끼고 있던 장갑이 말림** 회전체를 취급하는 작업의 경우 장갑이 말려들어 사고가 발생할 수 있으므로 정해진 작업복을 착용

(2) 건설 재해

건설 재해에는 떨어짐, 맞음, 넘어짐, 무너짐 등이 있음.
① **지붕 공사 중 발이 미끄러져 떨어짐** 경사 지붕은 작업 전 지붕 끝에 안전 난간을 설치하고, 작업자는 안전대를 착용
② **큰 자재를 한꺼번에 옮기다 자재가 넘어짐** 큰 자재는 2인 1조로 작업, 함께 작업하기 어려울 때는 낱개로 작업

(3) 전기 재해 및 화공 재해

전기를 사용하는 작업장에는 화재, 감전 등의 사고, 화학 공장에서는 화재나 폭발, 중독 및 질식 등의 재해가 발생
① **기계 점검 중 전원을 끄지 않고 작업하여 감전**
   • 누전 발생에 대비하여 사전에 접지를 하고, 작업자는 절연용 보호구를 착용
   • 기계를 점검할 때는 전원을 반드시 끄고 가동 열쇠를 작업자가 보관
② **맨홀 작업 중 내부에 찬 가스로 질식** 맨홀 작업 전에는 유해 가스 농도를 측정하고, 작업 전이나 작업 중 계속해서 환기, 작업 시에는 방독 마스크를 착용

3, 산업 안전

(1) 산업 안전

① **산업 안전이란** 위험이나 사고가 날 염려가 없는 상태, 또는 위험이나 사고를 예방하고, 근로자의 생명과 재산을 지키기 위한 모든 활동을 말함.
② 기업은 산업 안전 설비를 확충하고 안전 관리 조직을 구성해야 하며, 주기적인 안전 교육 시행을 통해 안전한 근로 환경 조성
③ 근로자는 반드시 산업 안전 수칙 준수
④ **산업 안전 수칙**
   • 정해진 작업복과 개인 보호구 착용하기
   • 작업장 바닥이나 통로의 안전 상태 확인하기
   • 기계의 청소, 점검, 수리 보수 작업 시 사용 기계 정지하기
   • 기계에 부착된 방호 조치는 항상 원상태로 유지하기
   • 지게차 등 탑승 안하기
   • 작업장 주변 위험 확인과 작업 중 작업에만 전념하기
   • 이동식 사다리 이용 시 2인 1조 작업하기
   • 작업 절차, 안전 수칙 숙지 및 준수하기

(2) 사고 발생 시 대처 방안

① 상황에 맞춰 침착하고 상황에 맞는 조처
② 타인에게 신속하게 연락
③ 오해가 없도록 사고 상황을 육하원칙에 맞게 정확히 전달, 부상자 숨기지 말고 전달

개념 꽉꽉 다지기

1. 노동의 과정에서 업무상의 원인으로 발생하는 노동자의 신체적, 정신적 피해를 (   )(이)라고 한다.

📢 Helper

2. 산업 재해가 발생하는 원인 두가지는?

① 불안전한 행동   ② 불성실한 행동

③ 불안전한 상태   ④ 정기적인 점검

⑤ 불규칙적인 관리

2. 산업 재해가 일어나는 원인으로 하인리히는 상태와 행동을 제시하였다.

3. 보이지 않고 냄새와 소리가 나지 않는 특성으로 인하여 발생하기 쉬운 재해의 종류는?

① 기계 재해   ② 건설 재해

③ 화공 재해   ④ 전기 재해

⑤ 통신 재해

3. 보이지 않고, 냄새와 소리가 나지 않으며, 빛의 속도와 같이 매우 순식간에 발생하는 것은 전기의 특성이다.

4. (   )(이)란 위험이나 사고가 날 염려가 없는 상태 또는 위험이나 사고를 예방하고, 근로자의 생명과 재산을 지키기 위한 모든 활동을 말한다.

4. 산업 재해가 일어나지 않도록 예방하는 것을 말한다.

5. 산업 재해 발생 시 대처 방안에 대한 설명으로 옳은 것은?

① 바로 112에 신고한다.

② 침착하게 상황을 파악하여 행동한다.

③ 친한 회사 동료에게 사고 소식을 전한다.

④ 사고의 상황을 주관적으로 판단하여 설명한다.

⑤ 부상자의 개인 정보를 고려하여 부상 내용을 숨긴다.

5. 산업 재해 발생 시 침착하게 상황을 판단하고, 관련 소식을 사실대로 정확하게 전달하는 것이 필요하다.

01 산업 재해의 범위에 속하지 <u>않는</u> 것은?

① 업무 과정에서 손가락을 다쳤다.
② 출근 과정에서 교통사고가 났다.
③ 작업 환경으로 인해 폐암에 걸렸다.
④ 지속적인 노동으로 스트레스가 심하다.
⑤ 작업 시설에 부딪쳐 손가락이 부러졌다.

02 하인리히의 법칙에 대한 설명으로 옳은 것은?

① 큰 사고에는 작은 사고가 선행한다.
② 큰 사고 이후에는 작은 사고들이 따른다.
③ 안전 관리의 결함이 바로 재해로 이어진다.
④ 재해의 원인은 단일한 요인에 의해서만 발생한다.
⑤ 불안전한 행동과 불안전한 상태가 동시에 갖춰져야 산업 재해가 발생한다.

03 불안전한 행동으로 인한 사고 원인에 해당하지 <u>않는</u> 것은?

① 실수
② 부주의
③ 근로자의 피로
④ 낮은 작업 숙련도
⑤ 예방 대책의 미흡

[04~06] 산업 재해 발생의 원인에 대한 그림을 보고 물음에 답하시오.

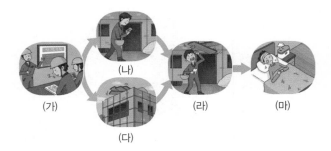

04 불안전한 행동으로 인한 산업 재해 원인에 해당하는 것은?

① (가) ② (나)
③ (다) ④ (라)
⑤ (마)

05 기업의 안전 관리 결함으로 인하여 산업 재해가 발생할 수 있다는 것에 해당하는 것은?

① (가) ② (나)
③ (다) ④ (라)
⑤ (마)

06 산업 재해의 발생 원인으로서 불안전한 행동과 불안전한 상태를 순서대로 나열한 것은?

① (가), (나) ② (나), (다)
③ (다), (라) ④ (라), (마)
⑤ (마), (가)

07 그림에 해당하는 재해 유형은 무엇인가?

① 기계 재해
② 화공 재해
③ 건설 재해
④ 전기 재해
⑤ 통신 재해

08 화공 재해를 예방하기 위한 방법으로 옳지 <u>않은</u> 것은?

① 환기를 시킨다.
② 위험물 화기에 유의한다.
③ 유류 취급자를 지정한다.
④ 화공 약품 안전 취급자만 취급한다.
⑤ 최고 경영자가 직접 화공 약품을 관리하도록 한다.

09 다음 상황에 맞는 재해 예방 방법으로 옳지 <u>않은</u> 것은?

2000년 3월, 맨홀 작업을 하는 인부 A씨는 갑작스러운 매스꺼움과 함께 숨을 쉬지 못하고 사망하게 되었다.

① 방독 마스크를 착용한다.
② 단독으로 작업을 실시한다.
③ 맨홀 작업 전 유해 가스를 측정한다.
④ 환기구를 열고, 환기 장치를 설치한다.
⑤ 유해 가스를 대비하여 작업 중에 지속적으로 환기를 실시한다.

핵심을 되짚는 O·X 문제

11 산업 재해는 노동 과정의 업무상에 발생하는 신체적, 정신적 피해를 말한다. (O , ×)

12 산업 재해는 불안전한 행동에서만 비롯된다. (O , ×)

13 산업 재해의 유형에는 기계 재해, 건설 재해, 화공 재해, 전기 재해 등이 있다. (O , ×)

14 위험이나 사고가 발생할 염려가 없는 상태를 산업 안전이라고 한다. (O , ×)

15 산업 재해는 갑자기 발생하는 것이 아니라 그와 관련된 작은 사고와 징후들이 반드시 존재한다. (O , ×)

16 산업 안전을 위해서 기업은 주기적으로 안전 교육을 실시해야 한다. (O , ×)

17 사고 시 부상자가 발생할 경우 이를 숨기는 것이 좋다. (O , ×)

18 산업 안전을 위해서는 개인의 노력이 가장 우선시된다. (O , ×)

빠르게 변화하는 미래 기술과 직업 전망

개념 더하기

+증기 기관의 발명이 인류 역사에 미친 영향

증기 기관을 이용하면서 기존의 사람의 힘보다 생산성이 200배 증가하였으며, 생산 규모도 엄청나게 확대되었다.

+포드 시스템

적은 비용을 들여 좋은 제품을 개발하고자 한 것은 포드의 경영 이념이었다.
- 생산 표준화
- 제품의 단순화
- 부품과 작업의 표준화
- 기계와 공구의 전문화

+컨베이어 시스템

작업자가 이동하지 않고, 작업의 대상을 컨베이어 벨트로 실어 이동시켜 작업 시간을 줄이는 방법이다.

주제 열기

◉ 인공 지능이 어떤 분야에 적용될 수 있을지 생각해 보자.

버스 주차장에 버스가 도착하면 승객의 장애 여부를 판단하여 스스로 휠체어용 리프트가 내려올 수 있을 것이다.

◉ 기술의 발달은 나의 미래 직업에 어떠한 영향을 미칠지 생각해 보자.

직접 내가 손으로 조립하거나 작동시키는 직업보다는 전체적인 일의 제어나 통제에 관한 일을 하는 직업들이 늘어날 것이다.

1, 기술의 발달은 우리 산업의 모습과 직업 세계를 변화시킨다

기술의 발달은 삶의 양식을 바꾸고 산업 구조와 직업 세계를 변화시킨다.

(1) 산업의 변화

과거에는 필요한 제품을 직접 손으로 만들어 사용하였지만, 오늘날에는 기계가 스스로 제품을 생산하고 제어한다.

가내 수공업/공장제 수공업	손으로 제품을 직접 제작

↓ 증기 기관의 발명(1차 산업 혁명)

공장제 기계 공업	기계를 통한 생산

↓ 전기의 발명과 노동의 분업화(2차 산업 혁명)

대량 생산 체제	작업의 표준화와 분업화로 대량 생산

↓ 컴퓨터와 인터넷의 발명(3차 산업 혁명)

공장 자동화	컴퓨터를 통한 생산의 제어

↓ ICT와 제조업의 융합(4차 산업 혁명)

무인 자동화	기계가 스스로 생산 및 제어

1차 산업 혁명

증기 기관의 발명으로 기계의 힘을 이용하여 제품을 생산하는 공장제 기계 공업이 시작되었다.

2차 산업 혁명

전기의 발명으로 컨베이어 벨트를 이용한 작업의 표준화와 분업화로 대량 생산이 가능해졌다.

3차 산업 혁명

컴퓨터와 인터넷의 발명으로 공장 자동화를 통해 생산을 제어함으로써 생산성이 향상되었다.

▲ 산업의 발달

(2) 직업의 변화

① **직업 변화의 원인** 기술의 발달에 따른 산업 구조의 변화로 기존의 직업이 사라지거나 새로운 형태로 바뀌기도 하며, 새로운 직업이 생겨나기도 한다.

② **사라진 직업**
- 과거에 말을 이용해 마차나 수레를 끌던 마부
- 전화 교환원과 굴뚝 청소원, 버스 안내양
- 극장의 간판을 그리는 사람이나 주산을 가르치는 강사
- 회의나 대화 내용을 손으로 빠르게 받아 적는 수필 속기사

③ **새롭게 등장하는 직업** 녹색 건축 전문가, 무인 항공 촬영 기사, 정보 보안 전문가 등

④ **미래에 등장할 직업** 로봇이나 자동화 기기들이 인간의 일을 대신함으로써 노동 집약적인 직업들은 더욱 줄어들고, 첨단 기술을 운용하고 관리할 수 있는 전문 직종이 새롭게 생겨날 것이다.

👥 **함께 해 보기**

그 밖에 사라진 직업에는 어떠한 것들이 있으며, 그 까닭은 무엇인지 이야기해 보자.

예 · 연탄 배달부, 화석 연료 중 석탄 사용이 줄어들면서 연탄을 사용하는 가정이나 공장이 없어졌으며, 이로 인하여 연탄을 배달하는 직업도 없어지게 되었다.
· 극장 간판 화가, 디지털 프린터가 등장했기 때문이다.
· 버스 안내양, 교통 카드가 생기고, 자동으로 다음 승차지 안내가 되기 때문이다.

교과서 뛰어 넘기 **녹색 건축 전문가**

녹색 건축 전문가는 건축물이 녹색 건축 인증 기준에 적합하거나 그 이상의 수준이 되도록 설계·시공안을 계획하고 검토하며, 적용 가능한 요소들을 제안해 건축물의 물리적 환경 성능을 향상시키기 위한 기술 및 컨설팅을 수행하는 건축가 또는 관련 엔지니어를 말한다.

이를 위해 녹지 등의 생태 공간 조성, 에너지 효율 고려, 친환경 자재 사용 등을 통해 녹색 건축 인증 기준에 적합한 건축물을 설계한다.

---

2 / 새로운 기술이 새로운 직업을 낳는다

(1) 4차 산업 혁명

① **4차 산업 혁명이란** 인공 지능, 로봇 공학, 사물 인터넷, 3D 프린팅, 나노 기술, 바이오 기술 등이 불러올 혁신적인 변화를 말한다.

② 4차 산업 혁명으로 수많은 직업이 사라지거나 변하고, 동시에 새로운 일자리가 생겨날 것으로 예상된다.

③ 미래 기술과 더불어 생겨날 직업을 예측할 수 있어야 하며, 필요한 능력을 갖추어야 한다.

개념 더하기

+ 정보 보안 전문가
- 보안 컨설턴트: 기업의 위험 요소를 줄이기 위해 분석하고 이에 따른 대응 방안을 제시한다.
- 화이트 해커: 컴퓨터와 온라인의 보안 취약점을 연구해 해킹을 방어하고 방안을 제시한다.
- 사이버 수사관: 해킹 등의 침입 흔적에 대해 역추적을 진행한다.
- 보안 관제사: 시스템 운영 체제나 보안 장비 등의 주기적인 모니터링을 진행한다.
- 모의 해킹 전문가: 고객이 의뢰한 서비스에 대해 모의로 해킹해서 취약점이나 이에 따른 대응 방안을 제시한다.
- 악성 코드 분석: 해킹 툴에 대한 분석을 통해 백신을 개발한다.

+ 4차 산업 혁명

정보 통신 기술의 융합으로 이루어지는 차세대 산업 혁명을 일컫는 말로, 1969년 인터넷이 이끈 컴퓨터 정보화 및 자동화 생산 시스템이 주도한 3차 산업 혁명에 이어 로봇이나 인공 지능을 통해 실제와 가상이 통합되어 사물을 자동적, 지능적으로 제어할 수 있는 가상 물리 시스템의 구축이 기대되는 산업상의 변화를 일컫는다.

+유전 상담사

유전 상담사는 환자의 병력과 가족력, 검사 사진 등의 기초 자료를 수집·분석해 질병을 진단한 후, 환자와 그 가족에게 의학적·사회적·심리적 측면에서 병을 쉽게 이해할 수 있도록 돕는다. 그리고 환자가 유전 가능성이 있는 병에 대해 결정을 내릴 때 환자의 신념과 가치를 고려하여 가장 적절한 대응책을 선택할 수 있도록 도와준다.

+인공 지능 전문가

인간의 뇌 구조에 대한 지식을 바탕으로 컴퓨터나 로봇 등이 인간과 같이 사고하고 의사 결정을 내릴 수 있도록 인공 지능 알고리즘과 인공 지능을 프로그램으로 구현하는 기술을 개발한다.

(2) 새로운 기술과 직업

기술 분야	새로운 직업들	하는 일
정보 통신 기술	빅 데이터 전문가	실시간으로 방대한 데이터를 분석하고 관리해 사람들의 행동 유형이나 시장 상황 등을 예측한다.
	디지털 증거 분석관	사이버 공간에서 발생하는 범죄의 증거를 수집하고 분석한다.
	소프트웨어 자산 관리사	기업이 보유한 소프트웨어를 효과적으로 관리, 통제, 보호한다.
항공 우주 기술	인공위성 개발원	인공위성을 연구하고 설계하여 우주 공간으로 발사하고, 인공위성이 보내온 정보를 분석한다.
	항공 우주 공학 기술자	여객기, 전투기, 우주선, 무인 항공기 등의 각종 비행 물체를 설계하고 개발한다.
	무인 항공 촬영 기사	촬영 기술을 기초로 소형 카메라가 장착된 무인 항공기를 조종하여 각종 물체나 대상을 촬영한다.
바이오 기술	바이오 건강 관리 전문가	바이오 건강 관리 서비스를 기획하거나 이를 위한 액세서리나 웨어러블 기기를 개발한다.
	인공 장기 조직 개발자	3D 프린팅 등의 첨단 기술을 이용해 인공 장기 및 인체 조직을 만든다.
	유전 상담사	환자와 가족에게 유전 관련 정보를 제공하고, 적절한 대응 방법을 선택할 수 있게 돕는다.
로봇과 자동화 기술	3D 프린팅 운영 전문가	3D 프린터를 능숙하게 다루어 프린터 활용을 위한 디자인, 모델링, 프린팅, 후처리 등을 진행한다.
	인공 지능 전문가	인공 지능 개발을 위해 지능적 기계, 특히 지능적 컴퓨터 프로그램을 만든다.
	공장 자동화 컨설턴트	기업체의 의뢰를 받아 최적의 방법으로 공장의 생산 설비를 자동화하기 위한 기술을 자문한다.
환경과 건설 기술	건물 에너지 평가사	건축물의 에너지 성능을 진단하고 개선 사항을 검토하여 에너지 효율 등급을 평가한다.
	도시 재생 전문가	도시의 정체성, 문화성, 기존 거주자들의 특성을 이해하고 삶의 질을 높일 수 있는 공간을 창조하고 기획한다.
	녹색 건축 전문가	녹지 등의 생태 공간 조성, 친환경 자재 사용 등을 통해 녹색 건축 인증 기준에 적합한 건축물을 설계한다.

3. 미래의 직업 세계 탐색을 통해 진로를 계획한다

(1) 미래의 직업 세계 탐색

① 자신의 미래를 설계하기 위해 직업의 선택은 매우 중요하다.

② 기술 발달에 따라 변화될 직업 세계의 정보를 얻고, 미래의 직업인으로서 자신의 흥미와 적성에 맞는 진로를 찾기 위해 노력해야 한다.

(2) 직업 탐색과 계획 과정

미래 직업을 탐색하고 계획하기 위해서는 나의 이해, 미래 직업 정보 탐색, 나에게 맞는 직업 선택 및 계획의 과정을 거치는 것이 바람직하다.

나의 이해

개인마다 흥미와 적성 등이 다르므로 자신에게 맞는 직업을 찾기 위해서는 나 자신을 정확히 파악해야 한다. 자신의 흥미와 적성을 파악하기 위해서는 객관적으로 자신을 돌아보아야 한다. 또한 친구나 부모님, 선생님 등 주변 사람들과의 대화를 통해 자신을 파악할 수 있으며, 심리 검사를 통해서도 자신의 흥미, 성격, 가치관 등을 탐색할 수 있다.

미래 직업 정보 탐색

자신이 평소 관심이 있던 분야의 미래 직업을 탐색한다.

나에게 맞는 직업 선택 및 계획

수집한 정보를 바탕으로 나의 특성에 맞는 직업을 선택하고, 해당 직업을 얻기 위해 앞으로 무엇을 준비해야 하는지 계획한다.

스스로 해 보기

워크넷(http://www.work.go.kr) 또는 커리어넷(http://www.careernet.re.kr)을 이용해 직업 적성, 직업 흥미, 직업 가치관 등의 심리 검사를 하여 객관적으로 나를 파악한 후 직업 탐색을 통해 진로를 계획해 보자.

예
- 흥미와 적성: 탐구형, 진취형, 사회형 분석력, 강한 윤리 의식, 창의력, 수리 논리력, 책임감, 리더십 등
- 관심 분야: 경제, 사회, 경영, 회계
- 직업의 종류: 여행 상품 개발원
  - 하는 일: 관광 상품을 기획, 개발하며 고객과의 상담 업무를 수행한다.
  - 자격 요건: 일반적으로 전문대졸 이상의 학력이 필요하며, 관광학, 호텔경영학, 관광통역학 등의 관광 관련 학과나 외국어 관련 학과 등을 졸업하면 유리하다.
  - 준비해야 할 사항: 국내외 여행 경험을 많이 쌓고, 대학의 사회 교육원에서 관련 교육을 받는다. 관련 자격증으로는 관광 통역 안내사 자격증이 있다.
- 선택한 직업: 여행 상품 개발원
- 직업을 위한 계획: 전문대 관광통역학과를 진학하여 국내외 여행 경험을 많이 쌓고, 대학의 사회 교육원에서 관련 교육을 받을 것이다.

개념 더하기

+흥미
어떤 대상, 활동, 경험 등에 대해 계속적으로 그것에 몰두하거나 아니면 그것을 그만두려고 하는 행동 경향을 말한다. 이는 그 강도가 사람마다 제각기 다른 것이 특징이다.

+적성
일정한 훈련에 의해 숙달될 수 있는 개인의 능력, 즉 어떤 특정 활동이나 작업을 수행하는 데 필요한 능력이 어느 정도 있으며, 그러한 능력의 발현 가능성의 정도를 말한다. 지능 또는 일반 능력이 일반적이고 포괄적인 능력의 가능성을 지칭하는 데 반해, 적성은 구체적인 특정 활동이나 작업에 대한 미래의 성공 가능성을 예언하는 데 주안점을 둔다.

주제 활동 새로운 기술 출현에 따른 미래 직업 예측하기

그림과 같이 새로운 기술의 등장으로 직업이 사라지기도 하고, 새롭게 생겨나기도 한다. 미래 기술의 등장으로 사라지는 직업과 생겨나는 직업을 예측해 보자.

사라지는 직업	미래 기술	새롭게 생기는 직업
소형 제조업자	3D 프린터	재료 전문가, 디자인 엔지니어 등
헬리콥터 및 소형 비행기를 이용한 촬영 기사, 배달원, 지질학자	드론	드론 조종사, 드론을 이용한 촬영 기사 등
운전 기사와 파일럿	자율 주행 자동차	소프트웨어 개발자, 앱 개발자 등
단순 사무직, 전문직(의사, 회계사 등)	인공 지능	공감 능력을 요구하는 상담사, 서비스 직종 등

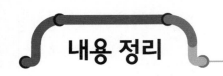

내용 정리

1, 기술 발달에 따른 산업 및 직업의 변화

기술의 발달은 삶의 양식과 산업 구조, 직업 세계를 변화시킴.

(1) 산업의 변화

산업은 가내 수공업 → 공장제 수공업 → 공장제 기계 공업 → 대량 생산 체제 → 공장 자동화 → 무인 자동화 순으로 발달하였음.

① **1차 산업 혁명** 증기 기관의 발명으로 기계의 힘을 이용하여 제품을 생산하는 공장제 기계 공업이 시작

② **2차 산업 혁명** 전기의 발명으로 컨베이어 벨트를 이용한 작업의 표준화와 분업화로 대량 생산이 가능

③ **3차 산업 혁명** 컴퓨터와 인터넷의 발명으로 공장 자동화를 통해 생산을 제어함으로써 생산성 향상

④ **4차 산업 혁명** ICT와 제조업의 융합으로 로봇이나 인공 지능을 통해 기계가 스스로 생산 및 제어

(2) 직업의 변화

① **직업 변화의 원인** 기술의 발달에 따른 산업 구조의 변화

② **사라진 직업들** 마부, 전화 교환원, 굴뚝 청소원, 버스 안내양, 속기사, 주산 강사 등

③ **새롭게 생겨난 직업들** 녹색 건축 전문가, 무인 항공 촬영 기사, 정보 보안 전문가 등

④ 미래에는 로봇이나 자동화 기기들이 인간의 일을 대신함으로써 노동 집약적인 직업들은 더욱 줄어들고, 첨단 기술을 운용하고 관리할 수 있는 전문 직종이 새롭게 생겨날 것임.

2, 새로운 기술에 따른 새로운 직업

(1) 4차 산업 혁명

① **4차 산업 혁명** 인공 지능, 로봇 공학, 사물 인터넷, 나노 기술, 바이오 기술, 3D 프린팅 등이 불러올 혁신적인 변화

② 정보 통신 기술의 융합으로 이루어지는 차세대 산업 혁명으로, 가상 물리 시스템의 구축이 기대되는 산업상의 변화

③ 4차 산업 혁명으로 수많은 직업이 사라지거나 변하고, 동시에 새로운 일자리가 생겨날 것으로 예상됨.

④ 미래 기술과 더불어 생겨날 직업을 예측할 수 있어야 하며, 필요한 능력을 갖추어야 함.

(2) 새로운 기술과 직업

기술 분야	새로운 직업들
정보 통신 기술	빅 데이터 전문가, 디지털 증거 분석관, 소프트웨어 자산 관리사
항공 우주 기술	인공위성 개발원, 항공 우주 공학 기술자, 무인 항공 촬영 기사
바이오 기술	바이오 건강 관리 전문가, 인공 장기 조직 개발자, 유전 상담사
로봇과 자동화 기술	3D 프린팅 운영 전문가, 인공 지능 전문가, 공장 자동화 컨설턴트
환경과 건설 기술	건물 에너지 평가사, 도시 재생 전문가, 녹색 건축 전문가

3, 미래의 직업 세계 탐색

(1) 미래의 직업 세계 탐색

① 자신의 미래를 설계하기 위해 직업의 선택은 매우 중요함.

② 기술 발달에 따라 변화될 직업 세계의 정보를 얻고, 미래의 직업인으로서 자신의 흥미와 적성에 맞는 진로를 찾기 위해 노력해야 함.

(2) 직업 탐색과 계획

① **직업 탐색과 계획 과정**

- 나의 이해: 개인마다 흥미와 적성 등이 다르므로 자신에게 맞는 직업을 찾기 위해서는 나 자신을 정확히 파악해야 함.
- 미래 직업 정보 탐색: 자신이 평소 관심이 있던 분야의 미래 직업을 탐색
- 나에게 맞는 직업 선택 및 계획: 수집한 정보를 바탕으로 나의 특성에 맞는 직업을 선택하고, 해당 직업을 얻기 위해 앞으로 무엇을 준비해야 하는지 계획

② **직업 선택을 위해 파악해야 할 요소** 흥미, 적성, 가치관 등

개념 꽉꽉 다지기

1. 기술의 발달은 삶의 양식을 바꾸고 산업 구조를 변화시켜 기존의 (   )이/가 사라지거나 새로운 형태로 바뀌기도 하며, 새롭게 생겨나기도 한다.

📢 Helper

1. 산업의 세계는 곧 직업의 세계와 연결되어 있다.

2. 1차 산업 혁명을 가져온 가장 큰 원인은?

① 철도의 확대　　　　　② 대륙의 발견
③ 로봇의 개발　　　　　④ 컴퓨터의 등장
⑤ 증기 기관의 발명

2. 1차 산업 혁명은 가내 수공업에서 공장제 기계 공업의 변화를 말한다.

3. 공장 자동화를 가져온 변화의 원인으로 옳은 것은?

① 로봇과 컴퓨터　　　　② 컴퓨터와 인터넷
③ 석탄과 증기 기관　　　④ 글라이더와 비행기
⑤ 반도체와 트랜지스터

4. (   )(이)란 19세기 후반 2차 산업 혁명을 이끈 요인으로서, 작업자는 자기 자리에 있고 이 장비에 의해 작업의 대상이 이동하게 되어 대량 생산이 가능하게 된 것을 말한다.

4. 2차 산업 혁명은 컨베이어 벨트에 의해 제품이 이동하고, 작업자가 자신의 자리에서 반복적이면서도 효율적으로 작업함으로써 생산량이 증대된 것을 말한다.

5. 새롭게 생겨날 직업으로 옳지 <u>않은</u> 것은?

① 연탄 배달부　　　　　② 인공위성 개발자
③ 빅 데이터 전문가　　　④ 무인 항공 기술자
⑤ 소프트웨어 자산 관리사

01 1차 산업 혁명에 대한 설명으로 옳은 것은?

① 전기의 발명으로 생산량이 증가하였다.

② 수공업이 산업에서 가장 중심이 되었다.

③ 기술의 융합으로 새로운 분야가 만들어졌다.

④ 증기 기관의 발명으로 기계 공업이 발달하였다.

⑤ 컴퓨터와 인터넷의 발달로 공장이 자동화되었다.

[02~03] 산업 발달에 대한 순서도이다. 이를 보고 물음에 답하시오.

```
가내 수공업/공장제 수공업
         ⌄
공장제 기계 공업
         ⌄ (가)
대량 생산 체제
         ⌄ (나)
공장 자동화
```

02 (가)에 해당하는 기술 변화는?

① 전기의 발명   ② 풍차의 발명

③ 로봇의 발명   ④ 거중기의 발명

⑤ 인터넷의 발명

03 (나)에 해당하는 기술 변화는?

① 복사기   ② 컴퓨터

③ 휴대 전화   ④ 3D 프린터

⑤ 무선 인터넷

04 기술의 발달로 사라진 직업으로 옳지 <u>않은</u> 것은?

① 마부

② 전화 교환원

③ 버스 안내양

④ 수필 속기사

⑤ 정보 보안 전문가

05 정보 통신 분야의 발달로 새롭게 등장하고 있는 직업으로 옳은 것은?

① 인공위성 전문가

② 빅 데이터 전문가

③ 녹색 기술 전문가

④ 3D 프린팅 전문가

⑤ 바이오 건강 관리 전문가

06 바이오 기술 분야에서 새롭게 등장한 직업 분야로 옳지 <u>않은</u> 것은?

① 인공 장기 개발자

② 유전 관련 정보 제공자

③ 바이오 건강 관리 기획자

④ 지능 컴퓨터 프로그램 설계자

⑤ 바이오 건강 액세서리 개발자

07 4차 산업 혁명에서 주목 받는 새로운 기술 일자리 분야로 옳지 <u>않은</u> 것은?

① 인공 지능
② 가상 현실
③ 3D 프린팅
④ 캘리그라피
⑤ 사물 인터넷

08 항공 우주 기술분야에서 주목받는 직업은?

① 인공위성 개발자
② 사이버 범죄 수사관
③ 도시 에너지 관리자
④ 실시간 데이터 분석가
⑤ 공장 생산 설비 관리자

09 자신의 미래를 개척하기 위한 태도로 옳은 것은?

① 나의 과거에 대하여 조사한다.
② 현재 연봉이 높은 직업을 조사한다.
③ 새로운 직업에 대한 정보를 탐색한다.
④ 무조건 새로운 분야의 직업을 선택한다.
⑤ 나의 가치관보다는 남들이 추천하는 직업을 선택한다.

10 직업 분야에 대한 정보를 찾고자 할 때 알맞은 인터넷 정보로 옳은 것은?

① 한국 고용 정보원
② 한국 지리 정보원
③ 한국 교육 학술망
④ 한국 특허 정보원
⑤ 한국 산업 재해 보호원

핵심을 되짚는 O·X 문제

11 기술의 변화에 따라 산업 구조가 바뀌고 이로 인하여 새로운 직업들이 생겨나기도 한다. (O , ×)

12 4차 산업 혁명으로 인하여 인류의 직업들은 지금보다 획기적으로 증가할 것이다. (O , ×)

13 미래에는 사물 인터넷, 인공 지능, 가상 물리 시스템을 기반으로 제조업과 통신 기술이 융합되어 산업의 혁신이 이루어질 것이다. (O , ×)

14 무인 항공 촬영 기사는 소형 카메라가 장착된 무인 항공기를 조정하여 각종 물체나 대상을 촬영한다. (O , ×)

15 로봇과 자동화 분야에서는 공장 자동화 컨설턴트, 인공 지능 전문가라는 직업들이 사라질 예정이다. (O , ×)

16 환경 분야의 새로운 직업에는 건물 에너지 평가사, 도시 재생 전문가 등이 있다. (O , ×)

17 미래 직업 세계를 탐색하기 위해서는 나에 대한 이해뿐만 아니라 미래 직업 정보의 탐색 과정이 필요하다. (O , ×)

18 올바른 진로를 계획하기 위해서는 지금 나의 흥미만 집중적으로 고려하면 된다. (O , ×)

04 인간, 자연, 기술이 공존하는 발전

개념 더하기

주제 열기

» 우리 생활에서 커피 찌꺼기를 재활용할 수 있는 다양한 방법을 생각해 보자.

커피 찌꺼기를 생활용품, 방향제, 비료 등으로 활용할 수 있다.

» 폐기물을 재활용하는 기술적 방법에는 어떤 것들이 있는지 이야기해 보자.

분리수거가 가능한 폐기물은 그 재료에 따라 다양한 형태로 활용되고 있다. 타이어의 경우 냉각 후 파쇄하여 운동장 인공 잔디밭에 활용하고, 목재품의 경우 분쇄 후 접착제를 혼합하여 압착하는 기술 등을 적용하여 MDF 등의 가공재를 만든다.

+ 지속 가능 발전의 용어의 등장

1972년 로마 클럽에서 「성장의 한계」라는 보고서를 통해 환경과 개발에 관한 문제를 제기하였는데, 바로 이때 '지속 가능성'이라는 개념이 등장하게 되었다. 이 보고서는 사람들에게 생태학적인 관점에서 환경 의식을 일깨워 주는 매우 중요한 계기가 되었다.

1. 지속 가능 발전은 사회, 경제, 환경의 균형 있는 발전이다

미래 세대가 사용할 자원을 낭비하지 않으면서 현재 세대의 욕구와 필요를 충족하는 지속 가능한 발전을 위해 범지구적인 노력이 이루어지고 있다.

(1) 지속 가능 발전의 영역

① **지속 가능 발전이란** 사회 정의, 경제 성장, 환경 보전이 균형을 이루며, 조화롭게 발전해 나가는 것을 뜻한다.

② 과거에는 경제 발전에 초점이 맞춰졌다면, 현재에는 환경적·사회적 측면이 고려되어 시간이 갈수록 경제와 함께 사회, 정치, 환경을 모두 고려한 미래 지향적인 발전을 이루기 위해 노력 중이다.

③ 지속 가능 발전의 영역은 경제뿐만 아니라 빈곤과 불평등 등의 사회 영역, 생태 보존, 기후 변화 등의 환경 영역을 포괄한다.

④ **지속 가능 발전의 영역과 지향점**

+ 지속 가능 발전의 원칙 정립 발표

1992년 6월 브라질 리우데자네이루에서 개최된 유엔 환경 개발 회의(UNCED)에서는 지속 가능한 발전의 목표 달성을 위해 기본 원칙을 담은 선언서를 발표하였다. 이를 '리우 선언(Rio Declaration)'이라고 하는데, 리우 선언은 법적으로 제재를 가할 수 있는 구속력은 없지만, 지구 환경 보존을 위한 이념적인 방향을 제시하는 역할을 하고 있다.

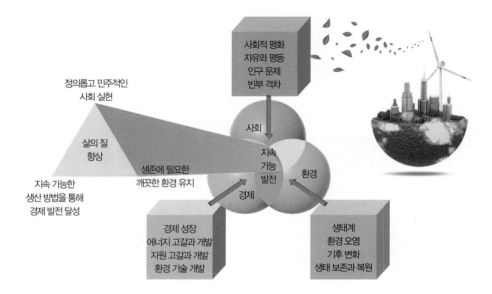

(2) 지속 가능 발전의 요건

① 지속 가능 발전을 위한 사회적 지속성, 경제적 지속성, 환경적 지속성의 균형 있는 통합은 인구의 증가와 성장이 생태계의 수용 능력 내에서 조화롭게 이루어져야 가능하다.

② 지속 가능 발전의 세 가지 요건

요건	구체적 내용
수용 한계 내에서의 성장 모색	지구적, 지역적 환경 용량의 분석, 산업과 인구의 합리적 재배치
절대 빈곤의 해소	공정한 배분과 경제의 질적 성장, 구성원의 만족과 합의를 통한 사회 복지
자원의 효율적 관리	자원 이용의 지속 가능성을 높여 주는 기술 개발, 친환경적인 생산과 소비, 자연 순환 기술의 개발

개념 더하기

+지속 가능 발전 교육의 가치
• 인권 존중
• 생태적 다양성 존중
• 미래 세대 존중
• 문화적 다양성 존중

+지속 가능 발전을 위한 교육의 역할
• 주인 의식 강화
• 가치, 행동, 생활 양식 변화 촉진
• 변화를 위한 역량 강화
• 미래 지향성 제고
• 장기적 관점과 의사 결정 능력 학습

2 인류는 지속 가능 발전을 위해 다양한 노력을 한다

(1) 지속 가능한 발전의 중요성

① 우리 삶의 터전인 지구의 다양한 문제는 현세대뿐만 아니라 미래 세대의 삶에도 영향을 미치기 때문에 지속 가능한 발전의 중요성이 점점 더 커지고 있다.

② 사회적 지속성·경제적 지속성·환경적 지속성은 서로 밀접한 연관을 맺고 있으므로 지속 가능 발전을 위해 사회, 경제, 환경 측면에서 다 함께 노력해야 한다.

(2) 지속 가능 발전의 방안

① **사회적 측면의 발전 방안**

• 개발 도상국에 적합한 맞춤형 기술 이전을 통해 국가 간의 불평등을 해소한다.
• 친환경 신재생 에너지 산업으로 새로운 일자리를 창출한다.
• 보행과 자전거 중심의 교통 체계를 통해 쾌적한 도시 환경을 조성한다.
• 건전한 공동 제도 구축과 효율적인 행정 능력 강화를 통해 사회를 안정시킨다.

② **경제적 측면의 발전 방안**

• 농·축산업의 기술, 정책 역량 강화를 통해 생산량 증가로 식량 부족을 해소한다.
• 친환경 생산 기술의 개발로 상품 생산 과정에서 환경에 미치는 영향을 최소화한다.
• 친환경 제품의 사용, 재활용 등을 생활화함으로써 자원 사용을 최소화한다.
• 지역 농산물 소비를 통해 수송 수단 이용 감소로 화석 연료 문제를 개선한다.

③ **환경적 측면의 발전 방안**

• 환경 보존을 위한 국제 협약을 통한 다차원적인 지구 환경 보존 활동을 한다.
• 정부의 환경 정책을 통해 국가 차원의 체계적인 환경을 관리한다.
• 신재생 에너지와 효율적인 에너지 사용으로 환경 오염, 기후 변화를 방지한다.
• 자원 재활용 또는 폐기물을 최대한 억제함으로써 환경을 보존한다.

더 들여다보기

지속 가능 발전 종합 목표(SDGs)

Goal 1. 빈곤 문제 해결	Goal 10. 국가 내 및 국가 간 불평등 해소
Goal 2. 기아와 식량 문제 해결	Goal 11. 지속 가능한 도시와 거주 문제
Goal 3. 건강한 삶	Goal 12. 지속 가능한 소비 및 생산
Goal 4. 교육의 기회 제공	Goal 13. 기후 변화의 대처
Goal 5. 성 평등	Goal 14. 해양 자원의 보존
Goal 6. 깨끗한 식수	Goal 15. 육지 생태계 문제 등
Goal 7. 지속적인 에너지 보장	Goal 16. 평화적이면서도 책임 있는 사회 제도 구축
Goal 8. 경제 성장과 일자리 문제 해결	Goal 17. 글로벌 파트너십
Goal 9. 사회 인프라 구축	

지속 가능 발전 종합 목표 중 '모두에게 지속 가능한 에너지 보장'을 위해 어떤 기술이 필요한지 생각해 보자.

예 저렴하고 믿을 수 있는 친환경적이고 현대적인 에너지 개발을 해야 한다.

+**신재생 에너지 기술(미래를 이끌 청정 에너지 기술 10가지)**

• 초고압 직류 송전: 전기를 빠르게 빨리 전달

• 에너지 저장 장치: 고효율 에너지 저장 및 활용

• 바이오 연료: 자원의 생물학적 및 화학적 변환과 사용

• 마이크로그리드: 에너지의 분산과 경제적 공급

• 탄소 포집 및 저장: 이산화 탄소의 저감 및 재활용

• 초고효율 태양광 발전: 태양광 발전의 효율 향상 및 제작 비용 절감

• 해상 풍력: 해상 에너지의 효율적 활용

• 신재생 하이브리드 시스템: 다양한 에너지의 결합 및 활용

• 빅 데이터 에너지 관리 시스템: 최소한의 에너지로 최적의 에너지 활용 환경 구축

• 지열 시스템: 지열 에너지의 활용 방안 마련

3 지속 가능 발전을 위한 기술이 있다

(1) 지속 가능한 발전을 위한 기술

① 신재생 에너지 기술, 토양, 수질, 대기 등의 환경 오염을 방지하는 오염 방지 기술, 소외된 계층을 위한 적정 기술 등이 있다.

② 적정 기술

• 제품을 생산하고 사용하는 과정에서 최소한의 자원을 소비하는 생태적인 기술로써 지속 가능 발전을 지향하는 기술이다.

• 팟인쿨러(냉장형 항아리), 태양열 조리기 등이 있다.

(2) 지속 가능 발전을 위한 기술적 방법의 적용 사례

① 신재생 에너지 기술(액티브 하우스)

• 태양열, 지열, 풍력 등의 신재생 에너지를 기계적인 시스템을 통해 자체 에너지로 만든다.

• 능동적으로 에너지를 생산하는 주택을 의미한다.

② 적정 기술(태양열 조리기)
- 태양열을 이용해서 음식을 요리하는 오븐이다.
- 적외선은 지구 표면을 데우는 역할을 하는데, 태양열 조리기는 이 온실 효과를 극대화하여 음식을 데운다.

③ 오염 방지 기술(미생물 연료 전지)
- 미생물 연료 전지 폐수의 유기 물질을 분해할 때 나오는 전자를 미생물을 통해 전극으로 이동시켜 전기 에너지를 만드는 시스템이다.
- 수질 개선뿐 아니라 전력 생산이 가능하다.

주제 활동 생태 발자국과 지속 가능 발전 토론하기

1. 위 지도를 보고 생태 발자국이 생태 용량을 초과하는 지역과, 생태 용량이 생태 발자국을 초과하는 지역을 확인한 후 그 원인에 관해 토의해 보자.

	생태 발자국이 생태 용량을 초과하는 지역		생태 용량이 생태 발자국을 초과하는 지역
지역	미국, 중국, 인도, 일본, 한국 등	지역	몽골, 브라질 등
원인	화석 연료의 사용과 일회용 소비재 사용의 증가 등	원인	농업 국가이거나 저개발 국가임.

2. 생태 발자국 지수를 낮추기 위해 우리가 실천할 수 있는 방법에 관해 토의해 보자.

우리 모두를 위한 교통 문화를 만든다. 물을 소중히 사용한다. 쓰레기는 만들지 않는다. 전기를 절약한다. 일회용품을 줄인다. 식습관을 개선한다. 등

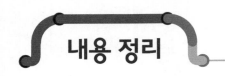
내용 정리

1. 지속 가능한 발전

(1) 지속 가능 발전

① **지속 가능 발전** 사회 정의, 경제 성장, 환경 보전이 균형을 이루며 조화롭게 발전해 나가는 것

② **지속 가능 발전 영역과 지향점**
- 사회: 사회적 평화, 자유와 평등, 인구 문제, 빈부 격차
- 경제: 경제 성장, 에너지 고갈과 개발, 자원 고갈과 개발, 환경 기술 개발
- 환경: 생태계, 환경 오염, 기후 변화, 생태 보존과 복원

(2) 지속 가능 발전의 요건

① 지속 가능 발전을 위한 사회적 지속성, 경제적 지속성, 환경적 지속성의 균형 있는 통합은 인구의 증가와 성장이 생태계의 수용 능력 내에서 조화롭게 이루어져야 가능함.

② **지속 가능 발전의 세 가지 요건**
- 수용 한계 내에서의 성장 모색
- 절대 빈곤의 해소
- 자원의 효율적 관리

2. 지속 가능 발전을 위한 다양한 노력

(1) 지속 가능한 발전의 중요성

① 우리 삶의 터전인 지구의 다양한 문제는 현세대뿐만 아니라 미래 세대의 삶에도 영향을 미치기 때문에 지속 가능한 발전의 중요성이 점점 더 커짐.

② 지속 가능 발전을 위해 사회, 경제, 환경 측면에서 다 함께 노력해야 함.

(2) 지속 가능한 발전의 방안

① **사회적 측면의 발전 방안**
- 개발 도상국에 적합한 맞춤형 기술 이전을 통해 국가 간의 불평등 해소
- 친환경, 신재생 에너지 산업으로 새로운 일자리 창출
- 보행과 자전거 중심의 교통 체계를 통해 쾌적한 도시 환경 조성
- 건전한 공공 제도 구축과 효율적인 행정 능력 강화를 통해 사회 안정

② **경제적 측면의 발전 방안**
- 농·축산업의 기술, 정책 역량 강화를 통해 생산량 증가로 식량 부족 해소
- 친환경 생산 기술의 개발로 상품 생산 과정에서 환경에 미치는 영향 최소화
- 친환경 제품 사용, 재활용 등을 생활화함으로써 자원 사용을 최소화
- 지역 농산물 소비를 통해 수송 수단 이용 감소로 화석 연료 문제 개선

③ **환경적 측면의 발전 방안**
- 환경 보존을 위한 국제 협약을 통한 다차원적인 지구 환경 보존 활동
- 정부의 환경 정책을 통하여 국가 차원의 체계적인 환경 관리
- 신재생 에너지와 효율적 에너지 사용으로 환경 오염, 기후 변화 방지
- 자원을 재활용하거나 폐기물을 최대한 억제함으로써 환경 보존

3. 지속 가능 발전을 위한 기술

(1) 지속 가능한 발전을 위한 기술

① 신재생 에너지 기술, 토양, 수질, 대기 등의 환경 오염을 방지하는 오염 방지 기술, 소외된 계층을 위한 적정 기술 등이 있음.

② **적정 기술** 제품을 생산하고 사용하는 과정에서 최소한의 자원을 소비하는 생태적인 기술로써 지속 가능 발전을 지향하는 기술

(2) 지속 가능한 발전을 위한 기술적 방법의 적용 사례

① **신재생 에너지 기술(액티브 하우스)**
- 태양열, 지열, 풍력 등의 신재생 에너지를 기계적인 시스템을 통해 자체 에너지로 만드는 기술
- 능동적으로 에너지를 생산하는 주택을 의미함.

② **적정 기술(태양열 조리기)**
- 태양열을 이용해서 음식을 요리하는 오븐
- 적외선은 지구 표면을 데우는 역할을 하는데, 태양열 조리기는 이 온실 효과를 극대화하여 음식을 데움.

③ **오염 방지 기술(미생물 연료 전지)**
- 미생물 연료 전지 폐수의 유기 물질을 분해할 때 나오는 전자를 미생물을 통해 전극으로 이동시켜 전기 에너지를 만드는 기술
- 수질 개선뿐 아니라 전력 생산이 가능함.

개념 꽉꽉 다지기

1. 사회 정의, 경제 성장, 환경 보전이 균형을 이루며, 조화롭게 발전하는 것을 (   )(이)라고 한다.

2. 지속 가능 발전의 지향점으로 옳지 <u>않은</u> 것은?

① 생태계 복원　　　　② 자유와 평등

③ 환경 기술 개발　　　④ 빈부 격차 심화

⑤ 에너지 고갈 문제 해결

3. 지속 가능 발전의 사회적 측면에 해당하는 것은?

① 친환경 제품의 사용

② 자원 재활용률 높이기

③ 농·축산 기술 역량 증가

④ 개발 도상국에 적합한 기술 이전

⑤ 정부의 체계적 환경 관리 정책 추진

4. (   )(이)란 사회 공동체의 정치, 문화, 환경 조건을 고려하여 현지에서 지속하여 생산과 소비를 할 수 있게 만든 기술을 말한다.

5. 다음 중 오염 방지 기술로 옳지 <u>않은</u> 것은?

① 흡착탑　　　　　　② 팟인쿨러

③ 지중 차단벽　　　　④ 증발 농축기

⑤ 여과 집진 장치

📢 Helper

1. 성장과 보전은 함께 유지되어야 할 요소이다. 이를 위하여 지속적인 노력이 요구된다.

2. 지속 가능 발전에서는 빈부 격차의 해소 문제를 다루고 있다.

4. 지속 가능 발전 가운데 개발 도상국 및 후진국에서 요구하는 기술은 첨단 기술보다는 적정 기술이다.

5. 팟인쿨러는 적정 기술이 적용된 제품이다.

01 지속 가능 발전의 영역에 해당하지 <u>않는</u> 것은?

① 생태계　　　② 사회 정의
③ 경제 성장　　④ 환경 보전
⑤ 우주 개발

02 지속 가능 발전의 요건으로 옳지 <u>않은</u> 것은?

① 자연 순환 기술의 개발
② 산업과 인구의 합리적 재배치
③ 공정한 배분와 경제의 질적 성장
④ 지구적, 지역적 환경 용량의 분석
⑤ 자원의 활용성을 낮추는 기술 개발

03 지속 가능한 발전의 사회적 측면으로 옳은 것은?

① 자원의 재활용으로 환경 보존
② 국가 차원의 체계적 환경 관리
③ 농·축산 기술 개발로 식량 부족 해소
④ 건전한 공공 제도 구축과 효율적인 행정 능력 강화
⑤ 지역 농산물의 지역 소비를 통한 화석 연료 오염 방지

04 미래를 이끌 청정 에너지 기술로 옳지 <u>않은</u> 것은?

① 탄소 포집　　　② 적정 기술
③ 지열 시스템　　④ 마이크로그리드
⑤ 초고압 직류 송전

05 경제적 측면의 지속 가능 발전 방안에 대한 설명으로 옳지 <u>않은</u> 것은?

① 농·축산업의 기술 강화로 생산량을 증가시킨다.
② 지역 농산물 소비를 최소화하고 수입을 강화한다.
③ 재활용품을 생활화하여 자원의 사용을 최소화한다.
④ 친환경 생산 기술을 개발하여 환경에 미치는 영향을 최소화한다.
⑤ 수송 수단의 이동 거리를 짧게 하여 화석 연료의 사용량을 줄인다.

06 환경적 측면의 지속 가능 발전 방안에 대한 설명으로 옳지 <u>않은</u> 것은?

① 환경 보존을 위한 국제 협약을 강화한다.
② 자원의 재활용을 통하여 환경을 보존한다.
③ 신재생 에너지를 통해 자원의 고갈을 방지한다.
④ 효율적인 에너지의 사용으로 환경 오염을 방지한다.
⑤ 개발 도상국에 맞는 맞춤형 기술 이전을 통하여 국가 간의 불평등을 해소한다.

07 지속 가능 발전 종합 목표에 대한 내용으로 옳지 <u>않은</u> 것은?

① 모든 국가에서의 빈곤 종식
② 모두에게 지속 가능한 경제력 보장
③ 성 평등 달성 및 여성, 여야의 역량 강화
④ 기후 변화와 그 영향을 대처하는 긴급 조치 시행
⑤ 평화적이고 포괄적인 사회 증진과 모두가 접근할 수 있는 사법 제도

08 그림의 주택에 대한 설명으로 옳지 <u>않은</u> 것은?

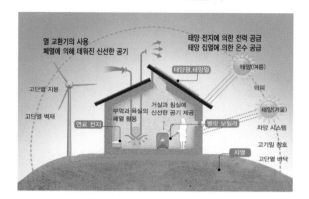

① 풍력 에너지를 활용하였다.

② 태양 에너지를 적극 활용한다.

③ 탄소 배출량을 늘이고 전기를 적게 사용한다.

④ 지열을 이용한 연료 교환 기술이 적용되었다.

⑤ 단열에 신경써서 에너지 소비를 최소화하였다.

09 그림에 대한 설명으로 옳지 <u>않은</u> 것은?

① 첨단 기술이 적용된다.

② 쉽게 기술 이전이 가능하다.

③ 현지에서 쉽게 만들 수 있다.

④ 적정 기술의 대표적인 예시이다.

⑤ 적은 비용으로 생산과 소비가 가능하다.

핵심을 되짚는 O·X 문제

10 지속 가능 발전의 개념은 환경 오염 방지와 별개의 개념이다.
(O , ×)

11 지속 가능 발전이 웰빙과 다른 측면은 개인을 넘어 사회, 환경적 측면까지 고려한다는 것이다. (O , ×)

12 절대 빈곤의 해소 문제는 지속 가능 발전의 중요한 요건 중 하나이다. (O , ×)

13 지속 가능 발전의 개념은 2014년에 처음 등장한 것으로, 이전에는 이러한 논의가 없었다. (O , ×)

14 지속 가능한 발전을 위한 대표적인 기술에는 적정 기술이 포함된다. (O , ×)

15 대기 및 토양 오염을 줄이기 위한 노력은 지속 가능 발전 기술에 포함되지 않는다. (O , ×)

16 적정 기술은 현지에서 쉽게 구할 수 있으면서도 지속적으로 관리가 가능하도록 하는 것이 중요하다. (O , ×)

17 지속 가능 발전은 국가 내의 개념으로 다른 국가와의 교류는 불필요하다. (O , ×)

01 자동차 사고의 인적 원인으로 보기 <u>어려운</u> 것은?

① 차선을 위반한 경우

② 속도를 위반한 경우

③ 안전띠를 미착용한 경우

④ 안전거리를 미확보한 경우

⑤ 차량 자체의 결함이 있는 경우

중요

02 자동차 사고 발생 시 대처 요령을 순서대로 나열한 것은?

> ㄱ. 응급조치
> ㄴ. 정황 증거 확보
> ㄷ. 신고
> ㄹ. 즉각 정차

① ㄱ, ㄴ, ㄷ, ㄹ   ② ㄱ, ㄴ, ㄹ, ㄷ

③ ㄹ, ㄱ, ㄷ, ㄴ   ④ ㄷ, ㄴ, ㄱ, ㄹ

⑤ ㄹ, ㄱ, ㄴ, ㄷ

중요

03 다음 기상 상황에서 안전하게 운전하는 요령은?

> • 비가 계속 내리고 있다.
> • 온도가 내려가 갑자기 바닥이 미끄럽다.

① 창문을 열고 운전한다.

② 안전거리를 확보한다.

③ 타이어에 체인을 설치한다.

④ 가속 페달을 빠르게 작동한다.

⑤ 기상 상태가 좋아질 때까지 계속 기다린다.

[04~05] 그림을 보고 물음에 답하시오.

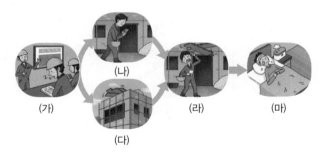

(가)   (나)   (다)   (라)   (마)

출제 예감

04 산업 재해의 발생 원인 중 불안전한 상태에 해당하는 것은?

① (가)   ② (나)

③ (다)   ④ (라)

⑤ (마)

05 위 그림이 의미하는 법칙에 대한 설명으로 옳은 것은?

① 큰 사고에는 작은 사고들이 선행한다.

② 큰 사고 이후에는 작은 사고들이 따른다.

③ 안전 관리의 결함이 바로 재해로 이어진다.

④ 재해의 원인은 단일한 요인에 의해서만 발생한다.

⑤ 불안전한 행동과 불안전한 상태가 동시에 갖춰져야 산업 재해가 발생한다.

06 화공 재해를 예방하는 방법 <u>옳지 않은</u> 것은?

① 물에 젖은 장갑을 끼지 않는다.

② 방독 마스크 착용을 생활화한다.

③ 맨홀 작업 시 환기 장치를 가동한다.

④ 화공 약품이 있는 공간은 자주 환기시킨다.

⑤ 화공 약품은 안전 취급자만 취급하도록 한다.

중요

07 다음 설명에 해당하는 기술(제품)로 옳은 것은?

> • 2차 산업 혁명을 이끈 원인이다.
> • 작업자는 자리에 서 있고, 작업의 대상이 이동하게 되었다.
> • 생산량이 급격히 증가하였다.

① 로봇
② 인터넷
③ 컴퓨터
④ 증기 기관
⑤ 컨베이어 벨트

08 산업 발달의 순서를 바르게 나열한 것은?

① 공장제 수공업 – 공장 자동화 – 수공업
② 수공업 – 공장제 기계 공업 – 공장 자동화
③ 수공업 – 공장 자동화 – 공장제 기계 공업
④ 공장 자동화 – 대량 생산 체제 – 공장제 수공업
⑤ 공장제 기계 공업 – 공장 자동화 – 대량 생산 체제

중요

09 지속 가능 발전에 대한 설명으로 옳은 것을 〈보기〉에서 있는 대로 고른 것은?

> ┤ 보기 ├
> ㄱ. 환경 보존을 위한 국제 협약을 강화한다.
> ㄴ. 국가별 불평등을 해소하기 위하여 협력을 강화한다.
> ㄷ. 새로운 자원 개발을 위하여 지속적으로 채굴한다.
> ㄹ. 농·축산업을 미래 핵심 산업으로 육성한다.

① ㄱ, ㄴ
② ㄱ, ㄹ
③ ㄴ, ㄷ
④ ㄴ, ㄹ
⑤ ㄷ, ㄹ

10 운전자에 의한 사고 원인으로 보기 어려운 것은?

① 무단횡단을 한 경우
② 운전 중 통화한 경우
③ 속도 위반을 한 경우
④ 음주 운전을 한 경우
⑤ 안전띠를 미착용한 경우

11 다음 설명에 해당하는 알맞은 말로 옳은 것은?

> 정차 중인 자동차가 갑자기 급가속되어 추돌 사고가 발생하였다. 운전자는 브레이크를 작동하였으나 자동차는 멈추지 않았다.

① 급제동
② 급발진
③ 급추돌
④ 중앙선 침범
⑤ 주행 거리 미확보

12 교통사고 예방을 위한 시설물로 옳지 않은 것은?

① 졸음 쉼터
② 회전 교차로
③ 보행자 육교
④ 중앙선 가드레일
⑤ 고속도로 톨게이트

13 교통사고 예방을 위한 자동차 점검 요령으로 옳지 <u>않은</u> 것은?

① 매일 모든 부품을 정비한다.
② 차량 운행 전 점검을 일상화한다.
③ 기상 조건에 따라 다른 점검을 실시한다.
④ 안전 운행과 자동차 점검은 관련성이 높다.
⑤ 차량은 연식과 운행 거리에 상관없이 동일하게 한다.

14 건설 재해의 특성으로 옳지 <u>않은</u> 것은?

① 사고 발생 시 손실이 큰 편이다.
② 다른 산업에 비해 규모가 작은 편이다.
③ 고층화와 대형화 추세가 증가하고 있다.
④ 작업 참여 인력이 많아 사고 발생 빈도가 높다.
⑤ 옥외 작업으로 공사 현장의 환경에 영향을 많이 받는다.

15 산업 안전 수칙으로 옳은 것은?

① 작업장 상태 확인할 것
② 작업 절차, 안전 수칙을 무시할 것
③ 기계 상태는 항상 작동 상태로 유지할 것
④ 기계에 부착된 방호 조치는 항상 변경할 것
⑤ 기계의 청소, 점검, 수리 보수 시 기계를 작동시킬 것

16 4차 산업 혁명이 가져올 기술 분야와 새로운 직업이 바르게 짝지어지지 <u>않은</u> 것은?

① 정보 통신 분야 – 빅 데이터 전문가
② 바이오 기술 분야 – 도시 재생 전문가
③ 로봇 자동화 기술 분야 – 인공지능 전문가
④ 환경 건설 기술 분야 – 건물 에너지 평가사
⑤ 항공 우주 기술 분야 – 무인 항공 촬영 기사

17 훈련에 의해 숙달될 수 있는 개인의 능력에 대한 개념으로, 진로 선택과 결정에 있어서 중요한 요소는?

① 흥미
② 적성
③ 창의성
④ 몰입도
⑤ 가치관

18 사회 정의, 경제 성장, 환경 보전이 균형을 이루어 조화롭게 발전하기 위한 요건에 해당하지 <u>않는</u> 것은?

① 자연 순환 기술의 개발
② 산업과 인구의 합리적 재배치
③ 공정한 배분와 경제의 질적 성장
④ 지구적, 지역적 환경 용량의 분석
⑤ 자원의 활용성을 낮추는 기술 개발

19 적정 기술의 사례로 옳지 <u>않은</u> 것은?

① 페트병 조명

② 스마트 시계

③ 간이 정수기

④ 태양열 조리기

⑤ Q모양 물드럼

20 지속 가능 발전을 위한 기술로 적절하지 <u>않은</u> 것은?

① 내진 구조

② 지열 시스템

③ 마이크로그리드

④ 초고압 직류 송전 기술

⑤ 신재생 하이브리드 시스템

21 정보 통신 기술의 융합으로 이루어지는 차세대 산업 혁명을 주도하는 기술이 <u>아닌</u> 것은?

① 인공 지능　　② 석유 채굴

③ 로봇 기술　　④ 생명 과학

⑤ 정보 통신

서술형 평가

22 건설 재해를 예방하기 위한 방법을 세 가지 서술하시오.

23 산업의 변화로 인해 사라진 직업과 새롭게 생겨난 직업을 각각 세 가지씩 서술하시오.

24 지속 가능 발전을 위한 기술을 세 가지 서술하시오.

01 최근 들어 자동차 사고의 발생량이 증가한 원인으로 옳은 것은?

① 보행자 수의 증가
② 자동차 이용률 증가
③ 교통 신호의 체계화
④ 자동차 이용의 급감
⑤ 수송 기관 종류의 증가

중요
02 교통 환경을 변화시켜 교통사고를 줄인 사례로 옳은 것은?

① 야간 조명의 제거
② 회전각이 큰 도로
③ 졸음 쉼터의 설치
④ 교량의 안전벽 철거
⑤ 안전 표지판의 미설치

03 자동차 사고 발생 시 응급 대처법으로 가장 마지막으로 해야 할 일은?

① 바로 정차한다.
② 119나 112에 신고한다.
③ 보험 회사에 연락한다.
④ 정황 증거를 확보한다.
⑤ 안전한 곳으로 이동 주차한다.

04 자동차의 일상 점검에 대한 설명으로 옳지 <u>않은</u> 것은?

① 기상 조건과 관련이 깊다.
② 안전 운전을 위해 꼭 해야 한다.
③ 전문가의 도움이 없어도 가능하다.
④ 운행하기에 앞서 차량을 점검하는 것을 말한다.
⑤ 차량의 운행 거리가 짧을수록 더 많이 해야 한다.

05 산업 재해의 범위로 옳지 <u>않은</u> 것은?

① 업무 과정에서 발가락을 다쳤다.
② 출근 과정에서 넘어져 골절되었다.
③ 작업 환경으로 인해 혈액암에 걸렸다.
④ 작업 시설에 부딪쳐 어깨가 골절되었다.
⑤ 지속적인 노동 강도로 스트레스가 심하다.

출제 예감
06 하인리히의 법칙에 대한 설명으로 옳은 것을 있는대로 고른 것은?

ㄱ. 큰 사고에는 작은 사고가 선행한다.
ㄴ. 큰 사고 이후에는 작은 사고들이 따른다.
ㄷ. 안전 관리의 결함이 바로 재해로 이어진다.
ㄹ. 재해의 원인은 단일한 조건 하에서 이루어진다.
ㅁ. 불안전한 행동과 불안전한 상태로 산업 재해가 발생한다.

① ㄱ, ㄴ   ② ㄱ, ㅁ
③ ㄴ, ㄹ   ④ ㄷ, ㄹ
⑤ ㄷ, ㅁ

07 산업 재해의 발생 원인과 관련이 낮은 요인은?

① 경험이 많다.

② 작업 동기가 낮다.

③ 피로가 누적되었다.

④ 갈등과 근심이 많다.

⑤ 안전 의식이 부족하다.

08 그림에 해당하는 재해의 유형은?

① 전기 재해   ② 화공 재해

③ 기계 재해   ④ 건설 재해

⑤ 자연 재해

09 다음 기술(제품) 중 공장 자동화를 가져온 원인에 해당하는 것은?

① 로켓과 항공기

② 컴퓨터와 인터넷

③ 석탄과 증기 기관

④ 글라이더와 비행기

⑤ 반도체와 트랜지스터

10 산업의 종류와 특징을 연결한 것 중 옳지 않은 것은?

① 무인 자동화 – ICT와 제조업 융합

② 공장제 수공업 – 간단한 기계의 활용

③ 공장 자동화 – 컴퓨터와 인터넷의 활용

④ 가내 수공업 – 손으로 직접 제품을 제작

⑤ 공장제 기계 공업 – 컴퓨터를 이용한 생산

11 직업 탐색과 계획에 대한 학생들의 설명 중 옳지 않은 것은?

① 미정: 직업 현장을 체험하는 것이 필요해.

② 화진: 직업 전문가와 상담하는 것은 어떨까?

③ 창열: 인공 지능이 알아서 내 직업을 찾아주겠지.

④ 동식: 직업 정보 사이트를 보는 것도 도움이 될 거야.

⑤ 철수: 나에게 맞는 직업은 흥미, 적성, 가치관 등을 살펴봐야 해.

12 사회 정의, 경제 성장, 환경 보전의 균형을 이루기 위한 지구적 노력의 방향이 아닌 것은?

① 생태계 복원

② 자유와 평등

③ 환경 기술 개발

④ 빈부 격차 심화

⑤ 에너지 고갈 문제 해결

STEP2 내신 실전형

중요

13 자동차 사고 시 대처 요령을 순서대로 나열한 것은?

① 즉각 정차 – 응급조치 – 신고 – 정황 증거 확보

② 응급조치 – 즉각 정차 – 정황 증거 확보 – 신고

③ 즉각 정차 – 응급조치 – 정황 증거 확보 – 신고

④ 신고 – 정황 증거 확보 – 응급조치 – 즉각 정차

⑤ 정황 증거 확보 – 응급조치 – 즉각 정차 – 신고

출제 예감

14 산업 재해의 원인으로서 불안전한 행동에 해당하지 **않는** 것은?

① 실수

② 부주의

③ 근로자의 피로

④ 예방 대책 준비

⑤ 낮은 작업 숙련도

중요

15 4차 산업 혁명으로 인하여 새롭게 생겨날 직업에 해당하는 것은?

① 연탄 배달부

② 전화 교환수

③ 버스 안내원

④ 자동차 수리공

⑤ 빅 데이터 분석가

16 자신의 미래를 개척하기 위한 올바른 태도로 옳은 것은?

① 과거 이력 조사하기

② 새로운 직업 정보 탐색하기

③ 연봉이 높은 직업 탐색하기

④ 유명한 사람들에게 물어보기

⑤ 가치관보다는 흥미에 맞춰 선택하기

17 지속 가능 발전을 위한 노력으로 옳지 **않은** 것은?

① 자원의 재활용으로 환경 보존

② 국가 차원의 체계적 환경 관리

③ 공정한 배분와 경제의 양적 성장

④ 자원의 활용성을 높이는 기술 개발

⑤ 농·축산 기술 개발로 식량 부족 해소

18 다음의 기술들 가운데 신재생 에너지 기술에 해당하지 **않는** 것은?

① 핵분열

② 탄소 포집

③ 바이오 연료

④ 지열 시스템

⑤ 초고압 직류 송전

19 산업 재해가 발생했을 경우 올바른 대처 방안으로 옳은 것은?

① 바로 112에 신고한다.

② 침착하게 상황을 파악하여 행동한다.

③ SNS로 주변 친구들에게 사고 소식을 전한다.

④ 사고의 상황을 주관적으로 판단하여 설명한다.

⑤ 부상자의 개인 정보를 고려하여 부상 내용을 숨긴다.

출제 예감

20 다음 그림의 기술의 가치에 대한 설명으로 옳은 것은?

① 기술의 이전이 어렵다.

② 선진국에서만 사용할 수 있다.

③ 첨단 기술을 적용한 제품이다.

④ 신재생 에너지를 사용하는 기술이다.

⑤ 현지에서 구하기 쉽고 유지하기 쉽다.

21 지속 가능 발전을 위한 환경적 측면의 발전 방안으로 옳지 않은 것은?

① 신재생 에너지를 활용한다.

② 국제 협약을 통해 공동으로 노력한다.

③ 개발 도상국에 적합한 기술을 이전한다.

④ 보행과 자전거 중심의 교통 체제를 만든다.

⑤ 친환경 제품의 사용으로 자원 사용을 최소화한다.

22 변화하는 사회에서 자신의 미래를 올바르게 개척하고자 할 때 우선시해야 할 일로 옳은 것은?

① 나의 출생 정보를 알아본다.

② 현재 인정받는 직업을 선택한다.

③ 미래의 기술에 관한 정보를 찾아본다.

④ 나의 능력과 흥미에 대해 깊이 고민해 본다.

⑤ 선생님이 추천하는 직업을 무조건 선택한다.

23 오염 방지를 위한 기술에 대한 설명으로 옳지 않은 것은?

① 흡착 탑은 대기 오염을 방지하는 기술이다.

② 증발 농축기를 사용하여 수질 오염을 줄인다.

③ 지하수의 오염을 막기 위해 농약 사용을 줄인다.

④ 지중 차단벽을 설치하여 토양 오염을 줄일 수 있다.

⑤ 여과 집진 장치를 사용하여 미세 먼지를 줄일 수 있다.

24 UN에서 정의한 지속 가능 발전 종합 목표에 대한 내용으로 옳은 것은?

① 남성의 역량을 더욱 강화하겠다.

② 기후 변화에 따른 노력은 충분하다.

③ 모든 국가에서 빈곤이 없도록 하겠다.

④ 경제력이 높은 사람에게 지속적인 지원을 하겠다.

⑤ 평화적인 사회가 될 수 있도록 군병력을 강화하겠다.

실력을 높여 주는
정답 및 해설

I 인간 발달과 가족

01 / 끌림의 시작 '사랑', 가족의 시작 '결혼'

개념 꽉꽉 다지기   p. 11

1. 사랑   2. 배우자 선택   3. 혼인 신고
4. 책임, 의무   5. ②

01 사랑은 두 사람을 결합시켜 하나의 가족을 형성하게 한다.

02 배우자 선택은 개인의 행복뿐만 아니라 그들을 둘러싼 인간 관계에도 광범위하게 영향을 미치므로, 가족의 성공적인 발달 여부를 결정해 주는 중요한 변수가 된다.

04 결혼은 단순히 사랑하는 관계 이상의 의미로, 결혼으로 인해 발생하는 여러 가지 의무와 책임을 다할 수 있는 성숙함이 요구된다.

05 |오답 피하기| 서로 다른 문화와 환경에서 성장한 남녀가 결혼 후 서로에게 적응하며 함께 발전해 나가기 위해 노력해야 하므로 성격적 적응, 성적 적응, 경제적 적응, 친·인척과의 적응 등이 필요하다.

차곡차곡 실력 쌓기   p. 12

01 ②	02 ④	03 ①	04 ①	05 ⑤	06 ①
07 ①	08 ②	09 ②	10 애착	11 ○	12 ○
13 ○	14 ×	15 ○	16 ×	17 ○	18 ○

01 |오답 피하기| ① 친하고 가깝게 느끼는 것은 친밀감이다.
③ 첫눈에 반하거나 신체적 매력 등을 느끼는 것은 열정이다.
④ 사랑의 구성 요소인 친밀감, 열정, 헌신이 모두 존재하면 성숙한 사랑이다.
⑤ 사랑을 약속하고 유지하기 위해 노력하는 것은 헌신이다.

02 배우자를 선택할 때에는 본인이 원하고 필요로 하는 사람이어야 한다.

03 모든 데이트 가능한 상대와 만남을 시작한 후 결혼에 이르기까지 6개의 여과망을 거친다.

04 배우자 선택에 영향을 주는 요인에는 동질적 요인과 이질적 요인이 있다.

05 결혼의 사회적 의미는 종족과 사회 구성원 충원, 사회적 성 윤리 기강 확립, 사회 유지 및 발전에 기여 등이 있다.

06 남녀 모두 만 18세 이상이면 혼인이 가능하지만, 미성년자의 경우 부모의 동의가 필요하다.

07 부부는 서로 다른 성격적 특성을 가지는 것이 당연하다는 것을 인정하며, 상대방의 행동과 특성을 이해하도록 노력해야 한다. 서로 상대방을 인격적으로 존중하며 자신과 상대방의 장점과 단점을 알아서 함께 발전적인 방향으로 성장해 갈 수 있도록 도와야 한다.

08 부부가 양성평등 의식을 가지고, 각자가 처한 상황과 능력을 고려하여 역할을 공유할 때, 건강하고 행복한 결혼 생활을 유지할 수 있다.

09 결혼 생활에서 갈등이 발생하는 것은 당연하고 정상적이라는 말은 갈등이 그대로 존재해도 된다는 말은 아니다.

14 배우자를 선택할 때에는 가치관, 성격, 배경, 외모, 건강, 경제력, 관심사, 직업, 성장 배경 등을 고려하는 것이 좋다. 그리고 상대방이 얼마나 완전한가를 따지기보다는 서로의 차이와 개성을 인정하고, 자신도 좋은 배우자가 되기 위해 성숙한 태도와 능력을 갖추어야 한다.

02 / 책임 있는 부모, 지금부터 준비하기

개념 꽉꽉 다지기   p. 19

1. 부모 됨   2. ③   3. ④   4. 진통   5. 산욕기

01 부모 됨의 개인적 의미는 부모라는 지위를 얻고, 자녀의 성장과 발달을 도우며 성취감을 얻는 것이다.

02 건강한 임신을 위해서는 금연과 금주, 건강 검진, 풍진 항체 여부 검사, 꾸준한 엽산 복용, 배란일 체크, 충분한 영양 섭취, 꾸준한 운동 등의 준비가 필요하다.

03 공급되는 혈액량이 늘어나 분비물도 많아진다.

04 진통은 자궁 입구가 열리면서 골반 안쪽과 등에 있는 근육에 부담을 주고 산도를 압박해서 생기는 통증이다.

차곡차곡 실력 쌓기   p. 20

01 ③	02 ③	03 ②	04 ⑤	05 ③	06 ②
07 ⑤	08 ②	09 ⑤	10 ⑤	11 ○	12 ×
13 ×	14 ×	15 ○	16 ×	17 ○	18 ○

01 ㅣ오답 피하기ㅣ ①, ②, ④, ⑤ 부모됨의 개인적 의미이다.

02 자녀를 받아들일 마음의 준비를 하고, 자녀에게 사랑과 헌신을 베풀 수 있는 심리적으로 성숙한 상태여야 한다.

03 ㅣ오답 피하기ㅣ 임신 중에는 태아의 태반 조직 및 태아의 형성과 모체의 적혈구 증가, 태아의 간 내 철 비축을 위해 철 요구량이 증가한다.

04 임신 4~5개월경 유방과 복부가 커지며, 태동을 느끼기 시작한다.

05 임신 1~3개월경 뇌와 신경계의 세포가 80 % 정도 만들어지고, 신장, 간, 위 등의 기관 분화가 시작된다. 얼굴과 손발 모양이 형성되고, 머리와 몸통의 구분이 확실해진다.

06 임신 중 적당한 운동은 체중 조절, 혈액 순환 촉진, 원활한 분만을 도와주므로 꾸준히 하는 것이 좋다.

07 이슬은 출산이 임박했음을 알리는 신호로, 자궁에서 피가 섞인 이슬이 나오는데, 이는 양막의 일부가 자궁벽에서 떨어지면서 나오는 출혈 현상이다.

08 ㄱ. 개구기 → ㄷ. 만출기 → ㄴ. 후산기

10 ㅣ오답 피하기ㅣ ① 소변이 잦아지는 것은 출산의 징후이다.
② 질에서 암적색의 오로가 분비된다.
③ 신체적, 정신적으로 매우 약해진 상태이므로 산후 우울증을 겪기도 한다.
④ 임신 9~10개월경 배가 단단히 뭉치는 현상을 느끼기도 하고, 허리 통증이 심해진다.

12 건강한 임신을 준비하기 위한 풍진 항체 여부 검사는 여성에게 필수적이다.

13 태아의 신경 발달과 기형아 출산 방지를 위해 임신 3개월 전부터 엽산을 섭취해야 한다. 풍진을 예방하기 위해서는 항체 검사를 통한 예방 접종이 필수적이다.

14 태반이 발달하여 임신 안정기에 접어드는 때는 임신 4~5개월경이다.

16 임신부가 섭취하는 영양소는 태반을 통하여 태아에게 전달된다.

03 / 자녀의 발달 단계에 따른 부모 역할

개념 꽉꽉 다지기 p. 29

1. 발달 단계   **2.** 반사 행동   **3.** 애착   **4.** ②
5. 학교생활

01 자녀가 어릴 때 부모는 자녀의 보육자, 양육자로서의 역할을 수행해야 한다. 그리고 자녀가 점차 성장함에 따라 격려자, 상담자로서의 역할이 필요하다.

04 유아기 사고의 특징은 자기중심적 사고, 직관적 사고, 물활론적 사고, 상징적 사고 등이 있다.

05 아동기에는 학교에서 학습할 수 있는 인지적 능력과 사회성, 그리고 도덕성 등이 발달한다.

차곡차곡 실력 쌓기 p. 30

01 ③	**02** ⑤	**03** ⑤	**04** ②	**05** ⑤	**06** ③
07 ④	**08** ②	**09** ④	**10** ⑤	**11** ○	**12** ×
13 ×	**14** ×	**15** ○	**16** ×	**17** ×	**18** ○

01 부모의 구체적인 역할은 자녀의 발달 단계에 따라 다르다. 자녀의 발달 단계별 요구되는 돌보기 방법에 따라 부모의 역할을 적절히 수행하여 자녀가 긍정적인 자아 정체감을 형성하고 사회생활을 원만하게 해 나갈 수 있도록 돕는 것이 중요하다.

02 청소년기는 신체와 정서 면에서 성숙해지면서 자아 정체성이 형성되는 시기로, 학업, 친구 관계, 진로 등 고민이 많은 시기이다.

03 신생아는 배내똥 배설, 피부 수분 증발 등으로 생후 2~3일 동안 체중이 일시적으로 감소한다.

04 ㅣ오답 피하기ㅣ ① 손에 잡히는 것을 꽉 쥐려고 한다.
③ 입에 무언가 닿으면 빠는 동작을 한다.
④ 발바닥이 땅에 닿으면 걷는 듯한 동작을 한다.
⑤ 발바닥에 자극을 주면 부채처럼 쫙 폈다가 오므린다.

05 영아기는 신체적·언어적·인지적 발달 속도가 매우 빠른 시기이므로 제1의 성장 급등기라 불린다. 생후 1년이 되면 출생 때보다 키는 1.5배(약 77 cm), 체중은 3배(약 10 kg) 정도가 된다.
ㅣ오답 피하기ㅣ ㄱ, ㄴ 아동기의 신체 발달 특징이다.

06 발달 순서에 따라 머리에서 다리 방향으로, 대근육 운동에서 소근육 운동으로, 몸통에서 팔다리 쪽으로 발달한다.

08 대근육과 소근육, 그리고 골격의 발달로 빨리 달리기, 계단 오르내리기, 자전거 타기 등을 할 수 있다.
ㅣ오답 피하기ㅣ ①, ③, ④, ⑤ 손과 눈의 협응이 발달하여 할 수 있는 운동 기능이다.

09 유아기에는 호기심이 왕성하여 "왜?" 등의 질문을 많이 하는데, 이때 부모가 성실하게 대답해 주는 것이 중요하다.

10 자기중심적 사고는 유아기에 해당된다.

12 초유는 면역 성분이 많고, 배내똥 배설을 도우므로 반드시 먹이는 것이 좋다.

13 신생아 황달은 간의 기능이 미숙하여, 색소인 빌리루빈을 제거하지 못해 생기는 증상이다.

14 아기는 양육자와 애착을 형성하였기 때문에 양육자와 떨어지면 분리 불안을 느낀다.

16 생후 6개월 전후까지는 모유나 분유만으로 정상적인 성장, 발달이 가능하다. 그러나 그 이후에는 성장에 필요한 영양소를 골고루 제공하고, 소화·흡수 기능의 발달을 위해 이유식을 먹여야 한다.

17 병행 놀이에 대한 설명이다. 협동 놀이는 공동 목표를 달성하기 위해 구성원들의 역할을 나눈 조직적인 놀이이다.

04 / 건강한 세대 간의 관계 만들기

개념 꽉꽉 다지기   p. 37

1. 가족 문화   **2.** 세대   **3.** 건강한 가족 문화   **4.** ③
5. ④

02 세대란 부모와 자식, 손자로 이어지는 대 또는 같은 시대를 살면서 공통의 의식을 가지는 비슷한 연령층의 사람들을 의미한다.

04 |오답 피하기| ① 사회적 조화나 배려가 제대로 이루어지지 않아 세대 차별을 강화하는 요인이 된다.
② 세대 간 갈등은 건강한 가족 관계를 위협한다.
④ 윗세대가 아랫세대를 통해 새로운 삶의 방식을 배울 기회를 단절시키는 등 세대 간 교류를 방해한다.
⑤ 윗세대의 경험과 교훈이 아랫세대에게 제대로 전달되지 않는 문제를 발생시킨다.

05 건강한 세대 관계를 유지하기 위해서는, 갈등을 덮어 버리거나 분노와 미움으로 반응하기보다는 갈등을 자연스러운 일상의 한 부분으로 인정하고, 지혜롭게 해결하려는 노력이 필요하다.

차곡차곡 실력 쌓기   p. 38

01 ③	02 ④	03 ⑤	04 ④	05 ④	06 ①
07 ④	08 ③	09 소통하기		10 ③	11 ×
12 ○	13 ○	14 ×	15 ○	16 ○	17 ×
18 ○					

01 가족 문화는 한 가족이 일상생활에서 공유하는 고유한 생활 습관이나, 가치관, 규범, 생활 태도, 행동 유형 등이 반영된 삶의 양식을 말한다. 이혼율 증가와 평균 수명 연장 등으로 가족의 형태는 다양하게 변화되었다.

02 |오답 피하기| ① 가족의 정서적 기능이 강조되고 있다.
② 가족의 양육 및 부양의 기능이 축소되었다.
③ 결혼하지 않거나 결혼 시기를 늦추는 경우가 많아졌다.
⑤ 가족의 형태가 다양하게 변화하면서 오늘날에는 가족 문화가 다양한 모습을 나타나고 있다.

03 개인주의와 양성평등 의식의 확대는 가족 문화의 변화에 영향을 주었다.

04 과거의 가족 문화는 효와 예를 중시하고, 차례와 제사를 지내며 조상을 섬겼다. 가부장을 중심으로 수직적인 가족 관계였으며, 남녀 역할이 엄격히 구분되었다.
|오답 피하기| ①, ②, ③, ⑤ 현대의 가족문화이다.

05 |오답 피하기| ① 개인주의의 영향으로 가족 간 유대감이 약화되었다.
② 급격한 사회 변화로 세대 간 삶의 방식과 생각이 차이가 벌어지면서 가족 내 세대 간 소통과 교류에 어려움을 겪고 있다.
③ 가족 가치관의 변화로 가족 구성원 간의 부적응과 갈등이 늘어나고 있다.
⑤ 과거와 현대의 가족 문화의 혼재로 가족 구성원 간의 부적응과 갈등이 늘어나고 있다.

06 건강한 가족은 갈등이나 문제가 없는 가족이 아니라 가족과 관련된 다양한 문제들이 발생했을 때 긍정적으로 대처해 나갈 수 있는 가족이다.

07 효와 예를 중시하고 차례와 제사를 지내며, 조상을 섬기는 것은 과거의 가족 문화이다.
|오답 피하기| ①, ② 가족의 건강성은 곧 건강한 사회의 기초가 되므로, 우리 사회의 건강을 위해서도 매우 중요하다.
③ 가족 구성원 개개인의 행복을 위해서도 매우 중요하다.
⑤ 건강한 가족 문화를 가지고 있는 가족은 가족 관계 혹은 가족 생활에서 경험할 수 있는 크고 작은 문제가 발생했을

때 가족 구성원이 함께 협력하고 노력하여 가족의 건강성을 회복하고 더 강화할 수 있다.

08 건강한 가족 문화 형성을 위해 세대 간 관계를 조화롭게 유지한다면, 가족 구성원은 서로 도와주는 관계이자 삶의 의미를 부여해 주는 관계로 발전할 수 있다. 또한, 사회 전체의 갈등과 손실을 최소화하는 데 이바지할 수 있다.

09 |오답 피하기| • 배려하기: 상대방을 먼저 생각하며 이해하고 존중할 때 세대 간의 조화로운 관계를 형성할 수 있다.
• 서로 돌보기: 세대 간의 상호 보완적인 관계를 유지할 수 있다.
• 갈등 해결하기: 갈등을 자연스럽게 일상의 한 부분으로 인정하고 지혜롭게 해결하려는 노력이 필요하다.
• 서로의 문화 이해하기: 서로의 문화 차이를 존중하고 진정으로 이해하려는 태도를 보이는 것이 중요하다.

10 가족 간의 대화는 친밀감을 높이고 원만한 관계를 유지하는 데 중요한 역할을 한다. 가족 구성원이 대화하는 시간을 늘려 세대 간 이해의 폭을 넓히고 세대 차이를 좁히도록 노력해야 한다.

11 가족 문화는 여러 세대를 통해 끊임없이 변화하며 전수되어 온 것으로, 가족의 역사가 담겨 있어 가정마다 다르며, 사회의 변화에 따라 계속해서 변화한다.

14 어떤 가족이든지 가족 관계 혹은 가족 생활에서 크고 작은 문제를 경험할 수 있다. 그러나 건강한 가족 문화를 가지고 있는 가족은 이러한 문제가 발생했을 때 가족 구성원이 함께 협력하고 노력하여 가족의 건강성을 회복하고 더 강화할 수 있다.

17 건강한 세대 관계를 유지하기 위해서는, 갈등을 덮어 버리거나 분노와 미움으로 반응하기보다는 갈등을 자연스러운 일상의 한 부분으로 인정하고, 지혜롭게 해결하려는 노력이 필요하다.

18 세대 간 갈등은 사회 전체를 고려했을 때에도 사회적 조화나 배려가 제대로 이루어지지 않아 세대 차별을 강화하는 요인이 된다.

대단원 마무리하기   p. 40

01 ⑤	**02** ①	**03** ①	**04** ②	**05** ③	**06** ③
07 ⑤	**08** ④	**09** ①	**10** ②	**11** ③	**12** ③
13 ④	**14** ④	**15** ②	**16** ①	**17** ②	**18** ⑤

19~21 해설 참조

---

01 |오답 피하기| ① 열정, ② 헌신, ③ 열정, ④ 열정

02 |오답 피하기| 동질적 요인이라는 것은 당사자가 서로 동질에 속해서 쉽게 선택하고 선택받을 수 있는 요인을 말한다. 즉, 상대방의 조건이 자신과 비슷해야 더 공감이 가고 서로 이해와 적응이 쉽게 이루어지는 요인이다.
②, ③, ④, ⑤ 이질적 요인에 대한 설명이다.

03 성숙함은 배우자를 선택하는 하나의 기준이자 갖추어야 될 조건으로, 결혼 생활 중 수많은 어려움과 갈등을 슬기롭게 해결하기 위해서는 성숙함을 갖추는 것이 중요하다.

04 임신을 계획했다면 부부는 건강 검진을 통해 임신을 할 수 있는 몸 상태인지 미리 점검한다. 특히 여성에게는 풍진 항체 여부 검사를 통한 예방 접종이 필수적이다.

05 |오답 피하기| ㄱ. 임신 9~10개월: 태아의 피하 지방이 늘어나고, 감각 체계가 거의 완성된다.
ㄹ. 임신 1~3개월: 태아의 신장, 간, 위 등의 기관 분화가 시작된다.

06 임신 중 철분의 섭취는 임신성 빈혈, 조산, 미숙아, 사산 등을 예방할 수 있다. 임신 중이라도 적당한 운동을 통해 체중을 조절하는 것이 좋다.

07 |오답 피하기| ㄱ. 개구기에 해당한다.
ㄴ. 만출기에 해당한다.

08 |오답 피하기| ㄱ. 휴가 기간은 5일이다.
ㄴ. 최초 3일은 유급 휴가이다.

09 출산 때 자궁과 산도에 상처가 생겨 혈액이 섞인 분비물이 나오는 현상을 오로라고 한다. 산욕기에는 질에서 암적색의 오로가 분비되는데, 이때 세균 감염에 주의해야 한다.

10 |오답 피하기| ① 청각이 잘 발달하여 여러 가지 소리를 구분할 수 있다.
③ 여러 가지 소리 중에서도 엄마의 목소리를 구분하며, 민감하게 반응한다.
④ 미각은 이미 태어나기 전부터 발달하였고, 특히 단맛을 좋아한다.
⑤ 후각으로 엄마 젖 냄새를 구분할 수 있다.

11 두 개의 숫구멍은 머리뼈 접합부가 완전히 닫히지 않아 말랑말랑한 부분으로, 2세 이내에 닫힌다. 저절로 닫힐 때까지 심하게 누르거나 압박을 주는 일이 없도록 주의한다.

12 수유 직후에는 목욕을 피한다.

14 기본 생활 습관을 형성하는 시기는 유아기이다.

15 물체의 형태가 바뀌어도 양과 질은 변하지 않는다는 것을 이해하지 못하므로, 직관적 사고이다.

16 철수는 직관적 사고를 하고 있으므로 유아기에 해당된다.
|오답 피하기| ㄷ, ㄹ 아동기의 부모 역할이다.

17 천 조각에 의미를 부여하고 베개라고 상상하여 생각하고 있으므로 유아기의 인지 발달 특성인 상징적 사고에 해당된다.

19 [정답]
사랑은 친밀감, 열정, 헌신의 요소로 구성되며, 이 세 가지 요소가 모두 균형 있게 존재할 때 성숙한 사랑이라고 한다. 사랑의 강도가 클수록 삼각형의 면적은 커지고, 세 변의 길이가 같은 정삼각형일 때 사랑의 세 요소가 균형 잡힌 성숙한 사랑이 된다.

[채점 기준]

등급	채점 기준	배점
A	성숙한 사랑의 의미를 구성 요소와 균형을 모두 서술한 경우	100%
B	성숙한 사랑의 의미를 구성 요소와 균형 중 한 가지만 서술한 경우	50%

20 [정답]
분만실을 어둡게 하고, 분만에 임하는 모든 사람은 소곤소곤 말한다. 분만 후에는 아기를 바로 엄마 배 위에 올려놓아 젖을 빨게 하고, 탯줄은 5분 후에 자른다.

[채점 기준]

등급	채점 기준	배점
A	르봐이예 분만 방법을 세 가지 이상 서술한 경우	100%
B	르봐이예 분만 방법을 두 가지 서술한 경우	70%
C	르봐이예 분만 방법을 한 가지 서술한 경우	40%

21 [정답]
첫째, 발달 단계와 안전성을 고려한 장난감을 제공한다.
둘째, 다양한 영역의 놀이 활동을 할 수 있는 기회를 많이 준다.
셋째, 놀이 도중 문제가 발생하면 스스로 해결할 수 있도록 도와준다.

[채점 기준]

등급	채점 기준	배점
A	자녀의 놀이 지도에 대한 부모 역할을 세 가지 모두 서술한 경우	100%
B	자녀의 놀이 지도에 대한 부모 역할을 두 가지 서술한 경우	70%
C	자녀의 놀이 지도에 대한 부모 역할을 한 가지 서술한 경우	40%

내신 UP 프로젝트 p. 44

01 ②	02 ③	03 ④	04 ④	05 ②	06 ④
07 ③	08 ③	09 ①	10 ④	11 ①	12 ⑤
13 ②	14 ④	15 ③	16 ②	17 ②	

01 열정만 있는 경우는 '홀린 사랑'이라고 할 수 있으며, 대표적인 예가 첫눈에 반한 사랑이다. 이 유형의 사랑은 상대를 있는 그대로 보지 않고 이상화시키는 경향이 있다. 친밀감만 있는 경우에는 '호감'이라고 할 수 있는데, 이는 친구 관계에서 느끼는 우정과 같은 것으로, 뜨거운 열정과 상대에 대한 헌신적 행동은 없지만, 가깝고 따뜻하게 느끼는 상태를 말한다. 열정이나 친밀감은 없고 헌신만 있는 경우에는 공허한 사랑으로, 오랜 기간 서로가 감정적인 몰입이나 매력을 전혀 느끼지 못하는 정체된 관계 속에서 사랑 없이 결혼 생활을 하는 부부를 예로 들 수 있다.

03 ㄱ은 개구기, ㄴ은 만출기, ㄷ은 후산기를 나타낸 것이다. 만출기에는 진통이 최고조에 이른다.

04 황달 및 생리적 체중 감소 현상이 나타나므로 (가)의 시기는 신생아기이다. 맥박은 성인보다 빠르고, 체온은 36.5~37.5 ℃ 정도이다. 머리는 전체의 $\frac{1}{4}$ 정도로 머리 둘레가 가슴둘레보다 크다.

05 배내똥 배설, 피부 수분 증발 등으로 생후 2~3일 동안 체중이 일시적으로 감소한다.
|오답 피하기| ㄴ. 간 기능이 미숙하여 생후 2~3일경 황달이 나타난다.
ㄹ. 출생 후 7~10일 이내에 탯줄이 떨어지면서 배꼽이 된다.

06 사랑의 삼각 이론을 기하학적으로 살펴보면, 사랑의 강도와 사랑의 균형이라는 두 가지 측면을 나타낸다. 상대방에 대해 느끼는 사랑의 강도가 클수록 삼각형의 면적은 커지며, 그 크기는 세 요소가 균형 있게 증가할 때 최대한 커진다. 또한 세 변의 길이가 같은 정삼각형일 때 사랑의 세 요소가 균형 잡힌 완전한 사랑이 된다. 불균형적인 관계는 가장 큰 요소의 방향으로 치우치는 형태의 삼각형이 된다.

07 |오답 피하기| ㄱ. 헌신은 시간과 정비례해서 강도가 높아진다.
ㄹ. 열정이 친밀감 아래로 떨어질 때 결별할 가능성이 가장 높다.

08 |오답 피하기| ㄹ. 결혼 생활에서 부부의 경제적인 적응은 수입이나 금전에 비례하는 것이 아니라 수입을 사용하는 방법에 대한 부부의 태도에 따라 달라진다. 경제적 문제에 대

해 부부간에 일치된 의견을 갖는 것은 친밀감 형성에 중요한 요인이 된다.

09 엽산은 유전자를 만드는 핵산인 DNA 복제에 관여하는 효소의 조효소로 관여하므로 세포 분열과 성장에 중요하다. 엽산의 결핍증으로 인한 거대혈구성 빈혈, 유산, 태반 박리, 저체중아, 신경관 손상 등 태아 기형을 초래할 수 있으므로 보충해 주는 것이 바람직하다.

10 임신 중 어머니의 마음가짐과 언행 및 주위 환경이 태아에게 중요한 영향을 끼친다는 생각으로 태교의 중요성을 강조한 것이다. 태교는 건강한 아기를 출산하기 위하여 부부가 함께하는 교육적 노력으로, 태아의 정신적·심리적 발달과 임신부의 안정에 도움을 준다. 태교와 육아에 관한 가장 오래된 기록으로는 중국 전한 시대 유향(劉向)의 『열녀전(烈女傳)』이 있고, 우리나라에서는 사주당 이씨(師朱堂李氏)의 『태교신기(胎敎新記)』, 빙허각 이씨(憑虛閣李氏)의 『규합총서(閨閤叢書)』, 『동의보감』·『계녀서(戒女書)』·『성학집요(聖學輯要)』 등에서도 강조되었다.

11 |오답 피하기| ㄷ. 9~10개월: 배가 단단히 뭉치는 현상을 느끼기도 하고, 허리 통증이 심해진다.
ㄹ. 6~8개월: 발등과 발목이 붓기 시작하고, 아랫배에 임신선이 나타난다.

12 |오답 피하기| ① 분만 예정일은 마지막 월경 시작일로부터 40주 후이다.
② 소변의 횟수가 늘고, 태동이 감소한다.
③ 분만의 첫 신호로 이슬이 나온다.
④ 적당한 운동은 순산에 도움을 준다.

13 |오답 피하기| ㄴ. 분만에 임하는 모든 사람은 소곤소곤 말한다. 조용한 분위기 속에서 분만이 진행된다.
ㅁ. 분만실을 어둡게 한다.

14 |오답 피하기| ㄱ. (가)는 바빈스키 반사이다.
ㄷ. 반사 행동은 외부 자극에 의한 무의식적인 반응이다.

15 |오답 피하기| ㄱ. 유아기에는 감정을 조절하는 능력이 부족하여 웃다가 울다가 떼를 쓰기도 한다. 감정을 조절하는 능력은 아동기에 발달한다.
ㄹ. 유아기에는 자기중심성 때문에 사회화된 언어를 사용하지 못하고, 자기중심적 언어를 구사한다.

16 |오답 피하기| ㄱ. 결과보다는 과정을 중시하여 격려와 칭찬을 충분히 해 준다.
ㄷ. 시간이 걸리거나 미숙하더라도 스스로 할 수 있도록 지도하는 것이 좋다.

17 서로 문제를 얘기하고, 이해도를 높여야 한다는 것이므로 소

통하기에 해당된다. 소통을 통해 조화롭게 상호 작용하며, 열린 마음으로 대할 때 상호 이해와 친밀감이 증진될 수 있다. 가족 구성원은 함께 대화하는 시간을 늘려 세대 간 이해의 폭을 넓히고 세대 차이를 좁히도록 노력하는 것이 좋다.

가정생활 문화

01 / 건강한 먹거리, 한식의 우수성 찾기

개념 꽉꽉 다지기			p. 55

1. 한식　　**2.** ②　　**3.** 약식동원　　**4.** 할랄, 하람
5. ③

02 |오답 피하기| 한식은 주식과 부식이 명확하게 구분되어 있어 영양적으로 균형 잡힌 식사를 할 수 있다.

03 약식동원이란 음식이 우리 몸을 보호하고 병을 예방하거나 회복을 돕는다고 생각하는 것이다. 우리 조상들은 일상에서 먹는 것이 곧 약이라고 생각하였다.

05 한식은 건강에 좋아 현대인의 식생활 대안으로 주목받고 있으나 바쁜 생활 속에서 비교적 만들기가 복잡한 한식의 섭취가 줄어들고 있다. 따라서 한식을 생활화하여 건강한 식생활을 실천하기 위한 구체적인 노력이 필요하다.

차곡차곡 실력 쌓기					p. 56
01 ②	**02** ③	**03** ③	**04** ②	**05** ②	**06** ⑤
07 ③	**08** ⑤	**09** ④	**10** ⑤	**11** ○	**12** ×
13 ○	**14** ×	**15** ○	**16** ×	**17** ○	**18** ×
19 ○					

01 주식인 밥, 죽, 국수 등은 탄수화물의 급원이 된다. 부식을 통해 단백질, 지방, 각종 비타민과 무기질, 식물성 섬유소 등 영양소를 고르게 섭취할 수 있다.

02 |오답 피하기| ③ 우리나라는 시식과 절식, 향토 음식이 발달하는 등 자연과 조화를 이루는 식생활을 실천하였다.

03 한식은 국, 탕, 찜 등과 같이 물과 수증기를 이용하여 끓이기, 찌기, 삶기, 데치기, 무치기 등의 조리법을 많이 활용한다.

04 고추장은 탄수화물의 분해로 생긴 단맛과 아미노산의 감칠맛, 고추의 매운맛, 소금의 짠맛이 잘 조화를 이룬 식품으로, 세계에서 유일한 맛을 내는 복합 발효 조미료이다.

05 김치가 숙성되는 과정에서는 비타민 C와 비타민 B$_{12}$가 합성되며, 다량의 섬유소와 젖산균은 체내에서 정장 작용을 한다.

07 |오답 피하기| ③ 편육은 고기의 다른 조리 방법에 비해 열량이 낮다.

08 |오답 피하기| ① 중국, ② 멕시코, ③ 중국, ④ 프랑스

09 |오답 피하기| ① 멕시코, ② 중국, ③ 이란, ⑤ 일본

10 |오답 피하기| ⑤ 한식을 새롭게 응용한다고 하더라도 우리 고유의 조리법을 고수하여 맛을 유지한다.

12 한식은 채식과 육식의 비율이 대략 8:2로, 채식 위주의 식단이다.

14 된장은 시간이 지날수록 깊은 맛이 난다.

16 명절이나 절기에 해 먹는 음식을 절식, 제철에 나는 재료로 만든 음식을 시식이라고 한다.

18 프랑스 사람들은 식사 시간을 매우 중요하게 여겨 아침은 간단히 먹지만, 점심은 2시간, 저녁은 2~4시간에 걸쳐 먹는다.

02/ 한복과 현대 의복의 동행

개념 꽉꽉 다지기   p. 63

1. 치마   **2.** ②   **3.** 평면적   **4.** ④
5. 전통 의복의 현대화

02 |오답 피하기| 남자는 아래옷으로 바지를 입고, 위에는 저고리, 조끼, 마고자를 입는다.

03 서양 의복은 처음 만들 때부터 체형에 맞게 입체적으로 만들지만, 한복은 평면적인 형태로 만든다. 그래도 실제로 입으면 입은 사람의 체형에 맞춘 듯 입체적으로 변화한다.

04 |오답 피하기| ① 중국 – 치파오, ② 인도 – 사리, ③ 베트남 – 아오자이, ⑤ 일본 – 기모노

차곡차곡 실력 쌓기   p. 64

01 ⑤	**02** ④	**03** ⑤	**04** ①	**05** ①	**06** ④
07 ⑤	**08** ③	**09** ②	**10** ③	**11** ×	**12** ○
13 ○	**14** ○	**15** ○	**16** ×	**17** ×	**18** ○

01 두루마기는 주로 외출할 때 입지만, 남자는 예의를 갖추기 위한 목적으로 실내에서도 입는다. 여자는 방한을 목적으로 하는 외출복이며 실내에서 벗는 것이 예의이다.

02 여자 한복의 저고리와 치마의 비율은 하체를 길어 보이게 하는 착시 효과를 준다.

03 저고리 색은 보통 치마보다 더 옅게 하는 경우가 보통이다. 특히 상의는 명도가 높은 색, 하의는 명도가 낮은 색을 사용하여 시각적 안정감을 추구하였다.

04 가슴을 시원하게 하고, 배를 따뜻하게 하는 것은 건강적 측면의 우수성이다.

05 대님은 밖의 찬 기운을 막아 주고, 몸의 기운이 빠져나가는 것을 막는 기능을 한다. 활옷, 원삼, 단령포, 족두리 등은 혼례복에 해당된다.

06 |오답 피하기| ① 중국, ② 멕시코, ③ 일본, ⑤ 베트남

07 |오답 피하기| ① 솔브레로, ② 조리, ③ 사리, ④ 치파오

08 베트남 여성들이 쓰는 모자인 농라는 비가 올 때는 우산, 햇볕이 내리쬘 때는 양산, 더울 때는 부채로 사용한다.

09 치파오는 보통 원피스 형태의 중국 여성 의복이고, 우이필은 멕시코 여성의 원피스이다.

11 한복은 각 시대의 생활 문화와 시대 상황, 미적 기준 등에 따라 형태와 구조가 다양하게 변화해 왔는데, 현재 우리가 입는 한복은 조선 시대 중·후기의 형태를 따르고 있다.

16 서양 의복은 처음 만들 때부터 체형에 맞게 입체적으로 만들지만, 한복은 평면적인 형태로 만든다. 그래도 실제로 입으면 입은 사람의 체형에 맞춘 듯 입체적으로 변화한다.

17 한방에서는 머리를 맑게 하고 아랫배를 따뜻하게 하는 것을 중요하게 생각하는데, 한복은 이에 적합한 구조로 되어 있다.

03/ 한옥에서 찾은 친환경살이

개념 꽉꽉 다지기   p. 71

1. 한옥   **2.** ②   **3.** ①   **4.** 온돌   **5.** ②

02 |오답 피하기| 굴피집은 참나무, 굴참나무, 상수리나무 등의 속껍질을 벗겨 낸 굴피를 이어 지붕을 만든 집이다.

03 ② 주춧돌, ③ 용마루, ④ 처마, ⑤ 대들보

05 |오답 피하기| 마루와 마당은 독립적인 공간을 연결하여 소통과 통합을 이루는 공간이다.

차곡차곡 실력 쌓기
p. 72

01 ④	**02** ⑤	**03** ③	**04** ③	**05** ④	**06** ②
07 ⑤	**08** ②	**09** ①	**10** ⑤	**11** ○	**12** ×
13 ○	**14** ○	**15** ○	**16** ×	**17** ○	**18** ×

01 그림은 기와집이다.

02 |오답 피하기| ① 기와집, ② 굴피집, ③ 초가집, ④ 돌기와집

04 |오답 피하기| 기둥부는 축부라고 하는데, 기단에서 지붕 사이 사람들이 사는 공간이다.

05 |오답 피하기| ① 서까래, ② 대청, ③ 주춧돌, ⑤ 대들보

07 온돌은 전도, 복사, 대류를 이용한 난방 방식으로, 열 보존도가 매우 뛰어나며, 바닥에 깐 돌이 열기를 오래 잡아 주는 역할을 한다. 취사와 난방이 동시에 이루어지기 때문에 에너지 효율성 면에서도 우수하다.

08 한옥은 가족 구성원의 독립성을 인정하는 공간으로, 안채, 사랑채, 행랑채, 곳간채 등으로 나뉜다.

12 한옥의 구조는 지붕부, 기둥부, 기단부로 나뉜다.

16 토루는 중국 여러 민족 가운데 혈족 중심의 단결력이 강한 객가족의 전통 가옥이다.

18 한옥은 흙과 나무로 지어져 자연과 함께 숨쉬는 집이다.

대단원 마무리하기
p. 74

01 ④	**02** ⑤	**03** ④	**04** ③	**05** ④	**06** ②
07 ①	**08** ③	**09** ②	**10** ①	**11** ③	**12** ①
13 ①	**14** ②	**15** ⑤	**16** ④	**17** ④	**18** ③
19 ③	**20** 소목장		**21~23** 해설 참조		

01 향토 음식은 지역 산물 위주의 자급자족적 식생활로, 현재의 로컬 푸드 운동과도 맞물리는 특색을 가지고 있다.

02 김치, 장류, 젓갈 등은 오랜 숙성과 발효를 거쳐 특유의 맛과 향, 소화성, 건강 기능성, 저장성이 향상되는 발효 과학 음식이다.

03 섭취량이 많은 식품: 식물성 기름, 곡물, 어패류 등
섭취량이 적은 식품: 유제품, 육류, 가금류 등

04 |오답 피하기| ①, ②, ④, ⑤ 자연적 요인
③ 사회·문화적 요인

05 이슬람인에게 금지된 음식으로는 돼지고기, 양서류, 술 등이 있다.

06 |오답 피하기| 부리토, 케사디야는 멕시코의 대표 음식이다.

08 마고자는 저고리나 조끼 위에 입는 옷으로, 깃과 고름이 없고, 단추로 여며 입는다. 배자는 저고리 위에 덧입는 소매 없는 옷으로, 좌우에 같은 모양의 깃이 있고, 긴 끈이나 단추로 여며 입는다.

10 |오답 피하기| ② 짧은 저고리와 긴 치마는 몸의 비율을 조화롭게 보이게 한다.
③ 시접을 넉넉하게 두어 고쳐 입기가 가능하고, 버려지는 옷감이 거의 없다.
④ 깃, 도련, 배래 등 곡선이 많아 입은 사람의 아름다움을 살려 준다.
⑤ 대님은 외부의 찬 기운을 막아 주고, 몸의 기운이 빠져나가는 것을 막는 기능을 한다.

11 |오답 피하기| ㄱ. 한복은 깃 사이를 넓게 하여 가슴을 시원하게 하고, 허리를 묶어 배를 따뜻하게 한다.
ㄹ. 한복은 옷과 몸 사이에 충분한 공기층이 만들어져 단열 효과가 생기기 때문에 추울 때는 따뜻하고, 더울 때는 시원하다.

13 중국인들은 붉은색을 행운을 가져다 주는 색이라고 생각하기 때문에 대체로 붉은 계통의 옷이 많다. 인도는 옷감을 잘라 내고 바느질하는 것을 불경스러운 행위로 본 힌두의 옛 전통에 따라 직사각형의 한 조각 천으로 만든다. 솔브레로와 아오자이는 자연환경의 영향을 많이 받았다.

15 서까래: 지붕의 뼈대를 이루는 나무
대들보: 지붕을 떠받치기 위해 기둥과 기둥 사이를 건너지른 보
처마: 기둥 밖으로 나와 있는 지붕의 일부
용마루: 건물 지붕 중앙의 수평으로 된 부분
대청: 방과 방 사이의 큰 마루
추녀: 처마의 네 귀퉁이에 있는 큰 서까래
주춧돌: 건물의 기둥을 받쳐 주는 돌

16 |오답 피하기| 한옥은 초가집, 너와집, 기와집 등의 주택뿐만 아니라 궁궐, 사찰, 향교 등 한국의 전통 건축물을 포함한다.

17 ①, ②, ③, ⑤는 한옥의 과학적인 우수성에 대한 설명이다.

18 |오답 피하기| 갓쇼 가옥은 자연환경의 영향을 받아 발전해왔다.

19 |오답 피하기| 바깥 창은 비바람을 막아 주는 유리창으로, 실내 창은 한지 바른 창을 설치함으로써 단열 효과를 높인다.

21 [정답]
첫째, 한식의 우수성, 재료와 조리 방법에 대한 바른 이해가 필요하다. 둘째, 전통 음식 만들기 체험을 통해 한식의 거리감을 줄이고 더욱 친숙하게 한식을 생활화할 수 있다. 셋째, 한식의 재료 및 조리법을 표준화하여 누구나 한식을 쉽게 만들 수 있게 한다. 넷째, 한식을 응용한 다양한 퓨전 음식을 개발한다.

[채점 기준]

등급	채점 기준	배점
A	한식의 생활화 방안을 세 가지 이상 서술한 경우	100%
B	한식의 생활화 방안을 두 가지 서술한 경우	70%
C	한식의 생활화 방안을 한 가지 서술한 경우	40%

22 [정답]
서양 의복은 처음 만들 때부터 체형에 맞게 입체적으로 만들어 정해진 치수의 사람만이 착용할 수 있다. 반면에 한복은 평면적인 형태로 재단하여 단순하지만 실제로 입으면 입은 사람의 체형에 맞춘 듯 입체적으로 변한다.

[채점 기준]

등급	채점 기준	배점
A	한복의 평면 재단과 서양 의복의 입체 재단을 비교하고 그 우수성을 서술한 경우	100%
B	한복의 평면 재단과 서양 의복의 입체 재단을 비교하여 서술한 경우	50%

23 [정답]
한옥은 자연환경에 순응하고 자연을 활용하는 지혜가 담겨 있는 과학적인 주거이다. 또한 가족 간의 소통과 존중이 있는 집이며, 실용적인 아름다움이 있는 집이다.

[채점 기준]

등급	채점 기준	배점
A	한옥의 과학적 우수성을 세 가지 서술한 경우	100%
B	한옥의 과학적 우수성을 두 가지 서술한 경우	70%
C	한옥의 과학적 우수성을 한 가지 서술한 경우	40%

내신 UP 프로젝트   p. 78

01 ⑤	02 ②	03 ⑤	04 ⑤	05 ④	06 ②
07 ④	08 ①	09 ④	10 ④	11 ③	12 ④
13 ③	14 ③	15 ①	16 ④	17 ④	18 ②

01 음식을 먹게 될 사람들의 문화와 입맛을 고려해야 한다. 특히 고기를 이용할 때에는 종교의 윤리와 부합되도록 하고, 양념의 종류와 사용량 등을 대상에 따라 선정한다. 이슬람교를 믿는 사람들에게는 조미료로 술 종류를 사용해서는 안 된다.

02 • 붉은색 고명: 홍고추와 실고추, 대추, 당근
• 녹색 고명: 대파, 실파, 은행, 미나리, 쑥갓, 애호박, 오이, 풋고추
• 노란색 고명: 달걀노른자 지단
• 흰색 고명: 달걀흰자 지단, 참깨, 잣, 밤
• 검은색 고명: 소고기, 표고버섯, 흑임자, 석이버섯

03 몸에 꼭 맞는 옷을 입는 것보다 여유 있는 옷을 입어야 건강에 좋다는 것을 뜻한다.

04 한복은 특별하게 무언가를 해야만 입는 특수복으로 대우받는다. 누구라도 입을 수 있는 옷이 아니라 '무언가 하는' 사람만 입는 정복의 느낌이 강하다. 이러한 이상한 잣대들과 한복에 대한 바르지 못한 인식들이 한복 확산에 방해가 되고 있다.

06 멕시코의 대표 음식이다.

07 |오답 피하기| ㄴ. 발효 식품에 대한 설명으로, 고추장, 된장, 김치, 간장 등이 있다.

09 한국, 일본, 중국, 대만, 몽골, 홍콩, 마카오 등 동북아시아의 국가들은 농경지와 산, 바다로 이루어진 자연환경을 가지고 있다. 따라서 쌀을 주식으로 하고, 채소, 해산물, 콩, 콩 발효 식품을 많이 사용한다.

10 녹의홍상이란 연두저고리에 다홍치마라는 뜻으로, 젊은 여자의 고운 옷차림을 이르는 말이다. 여자 복식의 색상은 저고리와 치마에 각각 다른 색을 사용하여 대비되는 효과를 준다. 상의와 하의의 색상 대비는 상하의 경계를 명확하게 구분 짓는 역할을 하면서 얼굴과 두상을 강조하였고, 원색을 사용해도 잘 어울리는 배색의 조화미가 있었다.

11 (가)는 중국, (나)는 베트남이다.

12 강한 햇빛을 차단하기 위해 몸 전체를 감싸고, 몸의 습도를 유지하기 위해 여러 겹을 입는다. 여성들은 온몸을 감싸는 검정색 아바야를 입고, 안이 보이지 않는 베일을 씀으로써 자신의 얼굴과 몸을 완전히 감춘다. 남성은 통이 넓지 않고

장식이 없는 긴 셔츠 드레스 모양의 토베를 주로 입고, 그 밑에는 시르왈을 입는데, 이것은 허리에 고무줄을 넣은 속바지이다.

14 처마는 기둥 밖으로 나와 있는 지붕의 일부로, 지붕 처마의 길이로 일조량을 조절할 수 있다.

15 대청마루는 과학적 우수성의 측면이 아니라 기능적인 측면에서 소통하는 공간을 만들어 주며, 처마는 겨울철에 집안으로 깊숙이 햇빛이 들어오게 한다.

16 한옥의 얼굴이라고 할 수 있는 창호는 가는 살로 만든 세살, 한자를 이용하여 만든 문창살, 사찰에서 많이 사용하는 가장 화려한 꽃살 등이 있다.

17 유목 생활을 하는 몽골인이 주로 생활하는 게르는 이동에 용이하도록 가벼운 재료를 사용하며, 신속하게 조립하고 해체할 수 있도록 만든다.

18 온돌은 북방 민족의 난방 방식으로 현대의 아파트에서는 난방만 활용하고 있다.

Ⅲ 자원 관리와 자립

01/ 안전하고 행복한 가족 만들기

개념 꽉꽉 다지기   p. 91

1. 가족 생활 주기   **2.** 발달 과업   **3.** ⑤   **4.** ①
5. 긴급 복지 서비스

03 |오답 피하기| ① 자녀 교육기
② 자녀 교육기
③ 자녀 출산 및 양육기
④ 자녀 독립기

04 ① 자녀 독립기에 도움을 얻을 수 있는 서비스이다.

차곡차곡 실력 쌓기   p. 92

01 ②	02 ⑤	03 ④	04 ③	05 ②	06 ②
07 ①	08 ⑤	09 ×	10 ×	11 ○	12 ○
13 ○	14 ×	15 ○	16 ○	17 ×	

03 자녀 출산 및 양육기에 가사 노동의 부담이 급격하게 증가하므로, 부부간의 역할 분담을 재조정할 필요가 있다.

04 초등 돌봄 교실은 자녀 교육기에 이용할 수 있는 복지 서비스이다.

05 자녀 독립기에 자녀의 경제적·정서적 독립을 지원한다.

06 가정이 축소되는 자녀 독립기에는 다양한 변화에 안정적으로 적응할 수 있도록 근로 관련 서비스를 비롯하여 다양한 복지 서비스를 제공하고 있다.

10 가족 생활의 변화에 안정적으로 대처하고 적응하면서 개인과 가족의 삶이 조화를 이루기 위해서 가족 생활의 장기적인 계획이 필요하고, 이를 위해 가족은 가족 생활 설계를 수립해야 한다.

13 주택 도시 기금에서 주택 마련에 목돈이 필요한 무주택 가구주에게 전세 자금 또는 주택 구매 자금을 낮은 금리로 대출해 준다.

14 화상을 입은 상처 부위는 흐르는 찬물로 15~30분 정도 식힌다.

02/ 내가 만들어 가는 행복한 노후

개념 꽉꽉 다지기   p. 99

1. 노년기   **2.** ③   **3.** ③   **4.** 자아 통합감   **5.** ⑤

02 |오답 피하기| 노년기에는 흰머리가 생기고 모발의 숱이 줄어든다.

03 형제자매가 사회적 지지망으로써 중요한 역할을 한다.

05 노년기의 일은 사회 참여와 자아실현의 기회를 제공하여 신체 및 정신 건강이 향상된다는 점에서 의미가 있다.

차곡차곡 실력 쌓기   p. 100

01 ⑤	02 ④	03 ①	04 ③	05 ⑤	06 ③
07 ③	08 ①	09 ①	10 ②	11 ×	12 ○
13 ○	14 ○	15 ×	16 ×	17 ○	18 ○

01 노년기 변화에 대한 이해는 노년기를 접어든 가족 구성원을 이해하는 데 도움이 될 뿐만 아니라 자신의 노년기 준비를 위한 밑거름이 된다.

02 살아온 삶에서 의미를 찾고, 죽음을 초연히 준비하고 수용할 경우 자아 통합감을 느낄 수 있다.

03 |오답 피하기| ② 형제자매 관계는 사회적 지지망으로서 중요한 역할을 한다.
③ 조부모는 손자녀에게 길잡이 또는 훌륭한 놀이 친구가 되어 준다.
④ 성인 자녀와의 관계는 도움을 주고받으며 긴밀한 관계를 유지한다.
⑤ 친구와의 관계는 취미 활동을 공유하면서 친밀한 관계를 형성한다.

06 활동량이 감소하므로 일상생활에서 적절히 신체 활동을 하고, 관절에 무리를 주지 않는 선에서 유산소와 근력 강화 운동 등을 한다.

07 |오답 피하기| ① 은퇴 시점을 예상하여 노후 자금을 준비할 수 있는 시간과 은퇴 이후의 기간을 예측한다.
② 은퇴 후 생활비는 물가 상승률을 고려하는 것이 좋다.
④ 은퇴 후 예상 생활비는 현재 월평균 생활비에 0.7을 곱한 값이다.
⑤ 준비해야 할 노후 자금=은퇴 후 필요 자금−이미 모아 둔 자산

08 바닥은 단 차이를 없애고 미끄럽지 않게 하며, 벽면이나 가구 등에 돌출 부분이 없도록 한다.

10 |오답 피하기| ① 노년기 근로 활동은 경제적인 도움뿐만 아니라 사회 참여와 자아실현의 기회를 제공한다.
③ 은퇴 후 지속적인 근로 활동을 위해서는 새로운 지식과 기술은 습득하는 등 개인적인 노력이 필요하다.
④ 국가에서 노년기 근로 활동을 위해 다양한 제도적인 지원을 마련하고 있다.
⑤ 노년기 근로 활동은 신체 및 정신 건강을 향상한다는 점에서 의미가 크다.

15 조부모는 손자녀에게 길잡이 또는 훌륭한 놀이 친구가 되어 준다. 맞벌이 가정의 증가와 함께 부모 대신 아이를 돌보는 할머니, 할아버지도 같이 증가하면서, 할빠(할아버지+아빠), 할마(할머니+엄마)라는 신조어까지 생겼다. 이처럼 황혼 육아는 자연스러운 사회 현상이 되면서 조부모들은 손자녀와 좋은 관계를 형성하고, 최신의 육아 방법을 배우기 위해 부모 교육에도 참여한다.

17 안정적인 자산 관리를 하기 위해서는 노후 자금 산정, 노후 자금 계산, 노후 자금 마련을 해야 한다. 노후 자금을 마련하기 위해서는 연금 가입과 재테크, 투자, 저축, 직업 유지 등 노후 자금 마련을 위한 다양한 계획을 수립해야 한다.

18 커뮤니티 키친에 참여하는 노인들은 함께 식사를 준비하면서 식비를 절약할 뿐만 아니라 안전한 식품의 정보를 공유하고, 건강한 요리법을 배울 수 있다. 또한, 새로운 친구를 사귈 수 있는 장소가 되므로, 노인들의 사회적 고립을 예방하는 역할도 하고 있다.

03/ 가족 건강성 회복을 위한 치유

개념 꽉꽉 다지기 p. 107

1. 회복 탄력성 **2.** ② **3.** ④
4. 외상 후 장애(트라우마) **5.** 쉼터

02 |오답 피하기| • 예견 가능한 가족 문제: 자녀 출산, 자녀의 진학과 결혼, 취직, 은퇴 등의 가족 발달 과정 중에 일어나는 사건
• 예기치 못한 가족 문제: 갑작스러운 가족의 신체적·정신적 질병, 사고, 사망, 실직, 이혼, 외상 후 장애, 자연재해 등

05 쉼터는 대체로 구타 또는 학대받는 여성과 무주택자, 유기 또는 학대받는 아동, 그리고 범죄, 자연재해의 피해자 등을 위해 대부분 지역 사회에 설치되어 있다.

차곡차곡 실력 쌓기 p. 108

01 ④	02 ③	03 ③	04 ③	05 ①	06 ②
07 ③	08 긴급 전화	09 ②	10 ○	11 ×	
12 ×	13 ○	14 ×	15 ○	16 ×	17 ×

03 자살은 정신적 요인뿐만 아니라 경제적·심리적·사회·문화적 요인으로 발생할 수 있다.

04 |오답 피하기| 자연재해 및 재난은 가족 외적인 원인으로 발생하는 가족 문제이다.

05 |오답 피하기| ② 웃음: 정서적 카타르시스에 탁월한 기제이다.
③ 수용: 무의식적으로 감정을 억압하는 대신 자신의 문제를 자각하고 그것을 인내하기로 하는 방법이다.
④ 이타주의: 나의 욕구보다는 타인의 욕구를 신경 쓰는 것을 말하며, 봉사 활동을 하면서 다른 사람을 돕는 활동을 통해 자신에 대한 만족감을 얻는다.

⑤ 예술 활동: 자신의 심리적 에너지를 미술, 음악, 연극, 무용 등 예술 활동으로 나타내는 방식이다.

06 McCubbin의 가족 탄력성 모델
· 조정 단계: 가족은 스트레스 요인이 발생했을 때 조정을 시도하고 일상생활을 영위하기 위해 형성해 온 상호 작용 패턴, 역할, 규칙을 유지하고자 한다.
· 가족 위기: 인지된 가족 스트레스는 가족의 요구와 가족 능력의 불균형에 의해 초래되는 긴장 상태가 된다.
· 적응 단계: 가족 위기를 해소하기 위해 가족의 기능 유형에 따라 다양한 방식으로 상호 작용하며, 가족 스키마, 응집력, 가족 내구력 등의 요소가 상황에 대한 평가를 하고 문제 해결과 대처를 한다.

07 숙식, 의료, 복지 후생 지원의 보호 서비스는 쉼터에서 이루어진다.

16 여성 긴급 전화는 1366이다.

17 가족의 위기 상황과 사회적 위기 상황으로 정상적인 숙소가 없는 경우 일시적인 거주나 보호를 제공하는 시설을 쉼터라고 한다.

04/ 할 수 있어요! 경제적 자립

개념 꽉꽉 다지기   p. 115

1. 경제적 자립   **2.** ②   **3.** 가계 재무   **4.** ①
5. 예산 세우기

01 경제적 자립을 이룬다는 것은 주변 환경의 영향을 받지 않고, 자기 자신이 돈의 역할을 결정한다는 뜻이다.

02 개인과 가족 구성원의 욕구를 만족시키는 것을 넘어선 무분별한 충동 소비, 과소비 등은 가계 경제를 위협할 수 있다. 또한 예상하지 못한 재해, 질병, 실직 등으로 가정의 재무 상태가 나빠지는 상황이 발생할 수도 있다. 가계 경제를 위협하는 요인으로는 인플레이션, 실업, 예상하지 못한 사고, 소득과 지출의 불균형이 있다.

04 |오답 피하기| ② 30대: 양육 및 주택 구매
③ 40대: 자녀 교육 및 주거 확대 준비
④ 50대: 자녀 대학 교육 및 노후 준비
⑤ 60대: 여유로운 은퇴 생활 시작 및 건강 유지 준비

차곡차곡 실력 쌓기   p. 116

01 ⑤	**02** ②	**03** ③	**04** ④	**05** ②	**06** ③
07 ⑤	**08** ②	**09** ③	**10** ④	**11** ○	**12** ○
13 ×	**14** ×	**15** ×	**16** ○	**17** ×	**18** ×
19 ×	**20** ○				

01 돈의 사용과 돈 버는 방법을 알아야 한다.

02 |오답 피하기| ① 용돈 기록장을 만들어 돈의 흐름을 관찰한다.
③ 경제적 자립을 이루려면 기본적으로 수입에 맞게 지출하여 예측이 가능한 생활을 해야 한다.
④ 경험을 쌓다 보면 수입과 지출의 균형을 생각하며 계획적으로 돈을 사용하는 힘을 체득하게 된다.
⑤ 휴대 전화 요금, 친구들과의 교제비 등 자신이 무엇에 어느 정도의 돈을 사용하는지 알아야 한다.

03 |오답 피하기| ① 부업은 본래의 직업이 아닌 임시로 하는 일이다.
② 경제를 보는 태도나 입장을 말하며, 어릴 때부터 올바른 경제관 확립은 경제적 자립을 수월하게 해 준다.
④ 물가 오름세가 발생하면 소득 격차가 심해져 빈익빈 부익부 현상을 초래한다.
⑤ 주변 환경의 영향을 받지 않고, 자기 자신이 돈의 역할을 결정한다는 뜻이다.

04 지출보다 소득이 많은 경우에는 별문제가 없으나 소득보다 지출이 많은 경우에는 미리 준비하지 않는다면 가계가 불안해진다.

05 |오답 피하기| ① 금융 거래에 어려움을 겪게 된다.
③ 재산상의 법적 권리를 행사할 수 없게 된다.
④ 소비자 신용은 미리 대비하는 자세가 필요하다.
⑤ 외상 매입, 할부, 소비 금융을 원활하게 이용할 수 없다.

06 가계 재무 설계를 하면 자신의 목표와 원하는 생활 양식을 이룰 수 있고, 효율적인 소비를 실천할 수 있다. 또한 미래의 불확실성에 대비할 수 있으며, 안정된 노후 생활을 준비할 수 있다.

08 |오답 피하기| ① 안정성은 원금과 이자가 보장될 수 있는 정도를 말한다.
④ 수익성은 가격 상승이나 이자 수익을 기대할 수 있는 정도를 말한다.
⑤ 위험성은 안정성과 반대되는 말이다.

09 |오답 피하기| ① 현금 영수증을 통해 연말 정산 시 혜택을 받을 수 있다.

② 예산과 결산은 합리적인 가계 재무 설계를 위해서 해야 한다.
④ 납부 기한 내 세금을 납부하지 않으면 추가 금액을 납부하여야 한다.
⑤ 자동 이체 서비스를 이용하면 납부 기한 내에 세금을 납부하여 추가 금액을 지불하지 않아도 된다.

10 |오답 피하기| ① 예금: 일정한 계약으로 은행, 우체국 등의 금융 기관에 돈을 맡기고, 이자를 받는 상품이다
② 적금: 예금의 한 종류로, 일정 기간 동안 일정 금액을 입금하고 정해진 기간이 지나면 원금과 이자를 받는 상품이다.
③ 투자: 예금보다 적극적인 경제 활동으로, 이익을 보다 많이 얻을 목적으로 운용하지만, 원금 손실의 가능성이 있는 상품이다. 주식 투자, 부동산 투자, 채권 투자, 펀드 투자 등이 있다.
⑤ 연금: 노후 대비를 위하여 저축하는 금융 상품으로, 노후에 장기간에 걸쳐 지속해서 일정 금액을 받을 수 있는 금융 상품이다.

13 청소년기에는 용돈이나 부업 수입의 범위 내에서 생활할 수 있는지를 생각해야 한다. 경험을 쌓다 보면 수입과 지출의 균형을 생각하며 계획적으로 돈을 사용하는 힘을 체득하게 된다.

14 물가 오름세가 발생하면 소득 격차가 심해져 빈익빈 부익부 현상을 초래하고, 화폐 가치가 떨어진다. 화폐 가치가 떨어지면 물가는 오르고 가정 경제가 불안해진다.

15 소비자 신용을 잃게 되면 금융 거래를 할 때, 취업 또는 재산상의 권리를 행사할 때 불이익을 받을 수 있으므로 미리 대비하는 자세가 필요하다.

16 가계 재무 설계를 하면 자신의 목표와 원하는 생활 양식을 이룰 수 있고, 효율적인 소비를 실천할 수 있다. 또한 미래의 불확실성에 대비할 수 있으며, 안정된 노후 생활을 준비할 수 있다.

05/ 세상을 바꾸는 지속 가능한 소비

개념 꽉꽉 다지기   p. 123

1. 소비   **2.** 지속 가능한 소비   **3.** ⑤   **4.** ②
5. 슬로 패션

03 |오답 피하기| ① 무조건 절약하는 것이 아니다.
② 자연을 생각하고 공동체 의식을 가진다.

③ 생활의 편리함이나 개인적, 이기적 욕구를 조절하여 검소하게 소비한다.
④ 기부와 나눔은 다른 사람을 돕기 위해 내가 가진 것을 대가 없이 공유한다.

04 푸드 마일리지 값이 클수록 식품의 신선도가 떨어진다.

차곡차곡 실력 쌓기   p. 124

01 ②	**02** ③	**03** ④	**04** ⑤	**05** ①	**06** ③
07 ③	**08** ②	**09** ③	**10** ②	**11** ○	**12** ×
13 ×	**14** ×	**15** ×	**16** ○	**17** ○	**18** ○
19 ○					

02 |오답 피하기| ① 소비 절제는 자연을 생각하고 공동체 의식을 가진다.
② 자연과 조화롭게 살아가는 것이 녹색 소비의 핵심이다.
④ 돈이나 물건 등과 같은 유형의 자산도 가능하다.
⑤ 시간이나 생각, 재능과 같은 무형의 것도 가능하다.

03 생산 과정에서 환경을 파괴하지 않는 새로운 형태의 대안 무역이다.

04 로컬 소비를 통해 식품의 이동이나 가공에 드는 자원의 양을 감소시킬 수 있다.

05 소비자가 어떤 식품과 음식을 선택하느냐에 따라 소비자의 건강에 영향을 미친다.

06 현대인들은 개인용 컴퓨터와 휴대 전화 등의 디지털 기기를 쉽게 사서 쓰고 버리는 행동을 반복하고 있고, 교체 주기는 점점 빨라지고 있다.

07 |오답 피하기| ① T.P.O는 시간, 장소, 상황에 따른 옷차림을 의미한다.
② 슬로 패션은 환경과 건강에 나쁜 영향을 미치지 않으면서 윤리적으로 생산된 의복을 구매하거나 재활용, 개량 등을 적극적으로 활용하는 친환경적인 의생활 행동을 말한다.
⑤ 깨끗한 옷 입기는 옷을 깨끗하게 입어 의복의 관리 과정에서 세제, 물, 전기 등 에너지 소비를 줄이기 위한 방법이다.

08 |오답 피하기| ① 무조건 저렴한 옷은 제3세계 노동자의 저임금 문제를 일으킬 수 있다.
③ 드라이클리닝은 유기 용제를 이용하여 환경 오염을 일으킨다.
④ 가죽과 모피 생산으로 동물들의 희생이 지금도 계속되고 있다.

⑤ 제3세계 국가 노동자의 인권 문제로 슬로 패션을 추구해야 한다.

10 공정 여행을 실천하기 위한 방법으로는 물 낭비하지 않기, 일회용품 사용하지 않기, 현지인이 운영하는 숙소 이용하기, 현지인들의 음식점 이용하기, 관광객들이 쓴 돈이 현지인들에게 돌아가기 등이 있다.

12 소비자 자신의 만족을 추구하는 선택만이 아닌, 지역적 혹은 지구촌의 사회, 경제, 문화, 정치, 자연환경 등에 나타나는 결과까지도 인식하여 책임 있는 행동을 해야 한다.

13 소비를 절제한다는 것은 무조건 절약하는 것이 아니다. 자연을 생각하고 공동체 의식을 가진다. 생활의 편리함이나 개인적, 이기적 욕구를 조절하고 자신에게 진정으로 필요한 것과 필요하지 않은 것을 구분하여 검소하게 소비하는 것을 말한다.

14 녹색 소비는 환경 오염과 기후 변화 등 환경 문제의 심각성을 인식하여 시작된 소비 행동이다. 재화와 용역의 구매, 사용, 처분의 전 단계에서 지속 가능한 소비를 실천하는 것을 말한다. 녹색 소비의 핵심은 자연을 개발하는 것이 아니고 자연과 조화롭게 살아가는 것이라 할 수 있다.

15 공정 무역은 자유 무역 거래에서 발생한 제3세계의 빈곤과 노동력 착취, 열악한 노동 문제, 환경 문제 등을 해결하기 위한 것이다.

19 여행은 관광 산업에서 발생하는 경제적 이익 배분의 불공정성, 관광 인프라 건설에 따른 환경 파괴, 숙박 시설, 운송 수단 등에서 발생하는 이산화 탄소 배출로 지구 온난화 가속에 영향을 미친다.

대단원 마무리하기   p. 126

01 ④	02 ②	03 ③	04 ④	05 ②	06 ⑤
07 ⑤	08 ④	09 ③	10 ③	11 ⑤	12 ⑤
13 ①	14 ②	15 ③	16 캥거루족		17 ③
18 ①	19 ④	20 ③	21~23 해설 참조		

01 **|오답 피하기|** ① 자녀 출산 및 양육기, ② 자녀 독립기, ③ 자녀 교육기, ⑤ 자녀 출산 및 양육기

05 노년기는 한 사람의 생애 주기의 마지막 단계로, 중년기 이후부터 죽음에 이르기까지의 시기를 말한다. 우리나라 노인 복지법에서는 대체로 65세 이상을 노인으로 규정하고 있다.

06 **|오답 피하기|** ① 혈관벽은 두꺼워지고 혈액 순환이 감퇴한다. ② 신경계가 퇴화되어 치매에 걸릴 가능성이 커진다. ③ 시력이 나빠지고, 어두운 곳에서 잘 보지 못한다. ④ 허리가 굽어져 키가 작아지고, 몸무게도 감소한다.

08 소화 기능이 약화되어 영양 상태가 나빠지기 쉬우므로 영양소가 풍부하고, 소화가 잘되는 식품을 골고루 섭취한다.

09 회복 탄력성이 높은 사람은 위기 상황에 긍정적인 태도로 위기를 유연하게 대처하고 안정감 있는 생활로 복귀한다.

12 가계 재무 설계는 가정의 재정 상태가 어려울 시기에만 하는 것이 아니라 일생 동안 지속해야 한다.

13 **|오답 피하기|** 생애 주기별 가계 재무 목표는 가족의 구성, 결혼 여부, 자녀 유무 등에 따라 달라질 수 있다.
② 자녀 양육 및 주택 구매 – 가족 형성기
③ 자녀 대학 교육 및 노후 준비 – 자녀 독립기
④ 자녀 교육 및 주거 확대 준비 – 자녀 교육기
⑤ 여유로운 은퇴 생활 시작 및 건강 유지 준비 – 노년기

14 금융 상품의 선택 기준은 안정성(원금과 이자가 보전될 수 있는 정도), 환금성(자산의 완전한 가치를 현금화할 수 있는 정도), 수익성(가격 상승이나 이자 수익을 기대할 수 있는 정도)이 중요하다.

15 금융 상품에는 예금(일정한 계약으로 금융 기관에 돈을 맡기고 이자를 받은 상품), 투자(예금보다 적극적인 경제 활동으로 이익을 보다 많이 얻을 목적으로 운용하지만 원금 손실의 가능성이 있는 상품), 보험(예측 불가능한 사고나 위험에 대비하여 미리 일정 금액을 적립해 두는 금융 상품) 등이 있다.

16 경제적 자립 능력을 갖추지 못하여 성인이 되어서도 부모의 경제 능력에 기대어 사는 사람을 일컫는 말이다.

17 로컬 소비는 세계화로 인해 나타나는 다양한 문제를 극복하고자 하는 운동이다. 지역에서 생산되는 상품을 구입하여 운송 거리를 단축하고, 지역 경제와 환경에 긍정적인 영향을 미치는 소비 운동이다.

20 소비 절제와 간소한 삶이란 자연을 생각하고 공동체 의식을 가지며, 소비 생활의 편리함이나 개인적, 이기적 욕구를 조절하고, 자신에게 진정으로 필요한 것과 필요하지 않은 것을 구분하여 검소하게 소비하는 것을 말한다.

21 [정답]
• 부모의 이혼을 아이는 어떻게 생각하는지 잘 들어 주고, 충분히 설명한다.
• 부모의 갈등이나 걱정에서 분리시키고, 자신의 일상생활을 찾도록 돕는다.

• 상실감과 배척당한 기분이 들지 않도록 헤어진 부모와 규칙적으로 만나게 도와준다.
• 분노와 자기 비난을 하지 않도록 정서적 안정감을 제공해 준다.

[채점 기준]

등급	채점 기준	배점
A	이혼 가정 아이의 적응을 돕는 심리적 방법을 세 가지 서술한 경우	100%
B	이혼 가정 아이의 적응을 돕는 심리적 방법을 두 가지 서술한 경우	70%
C	이혼 가정 아이의 적응을 돕는 심리적 방법을 한 가지 서술한 경우	40%

22 [정답]
B 영역은 소득이 소비보다 많은 시기로, 청년기 후반부터 나이가 많아짐에 따라 소득이 증가하다가 장년기 후반에 접어들면서 소득이 감소하는 역U자 유형을 보인다. 이 시기에는 은퇴 이후를 대비하여 저축이 가능한 시기이다.

[채점 기준]

등급	채점 기준	배점
A	B 영역의 특징을 두 가지 서술한 경우	100%
B	B 영역의 특징을 한 가지 서술한 경우	50%

23 [정답]
소비로 발생하는 사회와 환경에 미치는 영향은 생산국 노동자의 인권 문제, 자연환경 파괴로 인한 지역 주민들의 위기, 멸종 위기에 처한 동물의 복지 문제, 자원 고갈과 환경 오염, 지구 온난화 가속 등이 있다.

[채점 기준]

등급	채점 기준	배점
A	소비가 사회와 환경에 미치는 영향을 세 가지 서술한 경우	100%
B	소비가 사회와 환경에 미치는 영향을 두 가지 서술한 경우	70%
C	소비가 사회와 환경에 미치는 영향을 한 가지 서술한 경우	40%

01 ①	02 ②	03 ①	04 ③	05 ③	06 ①
07 ④	08 가족 복지 정책		09 ③	10 ⑤	11 ①
12 ②	13 ①	14 ④	15 ③	16 ⑤	
17 쉼터	18 ②	19 ①	20 ①	21 ④	22 ③
23 ①	24 ③				

01 가족 형성기는 결혼 후 첫 자녀 출산 전까지의 시기를 말하며, 남편과 아내라는 새로운 역할에 적응하기 위해 가족 공동의 목표를 설정하고, 이를 바탕으로 자녀 출산 및 교육, 주택 마련, 경제 생활, 노후 생활 등의 장기적인 계획을 수립하는 것이 필요하다.

02 |오답 피하기| ㉠, ㉡ – 자녀 출산 및 양육기, ㉢ – 노년기

04 개인적인 치유와 회복 방법에는 가족 및 친척으로부터의 치유와 가족 외의 믿을 만한 조력자로부터의 치유가 있다.

05 가정 경제를 위협하는 요인에는 물가 오름세, 실업, 예상하지 못한 사고, 소득과 지출의 불균형 등이 있다.

07 가정이 축소되는 자녀 독립기에는 다양한 변화에 안정적으로 적응할 수 있도록 근로 관련 서비스를 비롯하여 다양한 복지 서비스를 제공하고 있다.

08 제도적·법적인 가족 복지 정책에 따라 각 가족의 실제적인 문제 해결과 다양한 요구를 충족시키기 위해 가족에게 직접적으로 제공하는 프로그램이나 사업을 가정 생활 복지 서비스라고 한다.

09 영·유아기는 호기심이 증가하고 탐색할 수 있는 환경의 범위가 넓어 지속적인 관심이 필요하다. 특히, 문 끼임, 충돌, 추락에 의한 사고, 찔림 사고, 삼킴, 중독 사고 등에 각별히 주의를 기울여야 한다.

10 화상의 경우 우선 상처 난 부위를 흐르는 찬물로 15~30분 정도 식힌다. 1도 화상의 경우 화상 연고를 바르지만 2도 화상 이상이면 병원에서 치료를 받아야 한다. 이때 상처 난 부위가 옷에 달라붙었을 때는 무리하게 떼지 말고 가위로 자른다. 물집이 생겼을 때는 임의로 터뜨리지 않는다.

11 노년기의 신체적 변화는 기능적 측면에서 노화 현상이 나타난다. 침 분비량이 감소하여 소화 기능이 떨어지고, 맛의 감지 능력이 저하되며, 뼈 구조의 밀도가 낮아져 골다공증 위험이 커진다.

13 노년기는 일상의 대부분이 여가로 채워지므로 삶의 질을 향상하기 위해서는 여가를 잘 보내는 것이 중요하다.

14 노인의 주거 생활은 낙상 방지를 위하여 화장실이나 침실 등에 안전장치를 설치하고, 바닥의 단 차이를 없애고 미끄럽지 않게 하며, 벽면이나 가구 등에 돌출 부분이 없도록 한다. 또한, 주거 지역은 의료 시설 이용과 대중교통 이용이 편리한 곳이 좋다.

15 노후 자금 마련은 연금 가입과 재테크, 투자, 저축, 직업 유지 등 노후 자금 마련을 위한 다양한 계획을 수립한다.

19 예산과 결산 과정은 예산 세우기 → 예산 실행하기 → 결산하기의 과정을 거친다.

20 패스트 패션은 과소비와 쇼핑 중독 조장, 개발 도상국 생산자의 노동력 착취, 섬유 소비량의 증가에 따른 자원 고갈, 의복 폐기물의 증가로 인한 환경 오염 등의 문제를 일으킨다.

21 공정 무역은 거래에 불평등을 해소하고 생산 과정에서 환경을 파괴하지 않는 새로운 형태의 대안 무역이다.

22 공정 여행은 관광객이 쓴 돈이 현지인들의 삶과 그 지역에 돌아가도록 하며, 현지인들의 삶과 문화를 존중하고 배우며 자연을 훼손하지 않는 여행을 말한다.

23 |오답 피하기| ㉠ 지속 가능한 소비를 실천하기 위해 외국에서 수입된 저렴한 농산물보다 지역의 친환경적 농산물을 구매한다.
㉣ 많은 개수를 묶어서 저렴하게 판매하는 상품을 구매하기보다는 꼭 필요한 상품만 구매하는 실천이 중요하다.

Ⅳ 기술 혁신과 개발

01/ 기술 혁신을 여는 창의 공학 설계

개념 꽉꽉 다지기   p. 143

1. 창의 공학 설계   **2.** ①   **3.** ③   **4.** 문제 해결
5. ①-ⓒ, ②-ⓛ, ③-㉠

02 설계는 만들고자 하는 제품의 구조나 재료, 가공 방법 등을 고려하여 목적을 달성하기 위해 계획을 세우고 설계도를 작성하는 것이다.

03 창의 공학 설계 과정
• 문제 확인하기: 주어진 문제의 핵심을 구체적으로 파악
• 새로운 생각 떠올리기: 정보를 수집하고 다양한 아이디어 창출
• 최적의 안 선정하기: 창출된 아이디어 중 최적의 아이디어 선정
• 구체적 계획하기: 아이디어를 도면으로 나타내고 제작 계획서 작성
• 시제품 만들기: 시제품 제작
• 평가 및 보완하기: 시제품을 통한 문제점 개선 및 최종 제품 완성

차곡차곡 실력 쌓기   p. 144

01 ⑤	**02** ④	**03** ②	**04** ⑤	**05** ④	**06** ③
07 ②	**08** ①	**09** ①	**10** ⑤	**11** ○	**12** ×
13 ×	**14** ○	**15** ×	**16** ○	**17** ○	**18** ○
19 ×	**20** ×				

01 창의 공학 설계란 새로운 상황과 요구에 맞춰 기존의 제품과 다른 창의적인 제품을 설계하는 것 또는 창의적인 사고 기법을 활용해 설계하는 것을 의미한다.

03 창의 공학 설계에서 고려해야 할 사항
• 제품의 용도
• 제품의 형태
• 재료와 가공 기술
• 기능과 구조

05 도면의 기능
• 정보의 전달
• 정보의 보존
• 정보의 창출

07 선의 종류와 용도

종류		모양	명칭	용도
실선	굵은 실선	——	외형선	물체의 보이는 부분을 나타내는 선
	가는 실선	——	치수선 치수 보조선 지시선	치수, 기호, 참고 사항 등을 나타내는 선
		∧∧∧	파단선	부분 생략 또는 단면의 경계를 표시한 선
		▨	해칭선	물체의 절단면을 나타내는 선
파선		------	숨은선	물체의 보이지 않는 부분을 나타내는 선
1점 쇄선		-·-·-·	중심선	물체 및 도형의 중심을 나타내는 선
2점 쇄선		-··-··-	가상선	물체가 움직인 상태를 가상하여 나타내는 선

08 축척: 실물을 축소해서 그린 도면
- 1(도면 크기) : 1000(실제 크기)

배척: 실물을 확대해서 그린 도면
- 2(도면 크기) : 1(실제 크기)

02 / 창업의 밑거름이 되는 발명과 특허

개념 꽉꽉 다지기   p. 151

01 ㉠ 기술적 문제 해결, ㉡ 발명   **02** ⑤   **03** ①
04 ①-㉡, ②-㉠, ③-㉢   **05** ③

01 기술적 문제 해결이란 어떠한 일을 해결하는 과정에서 생기는 불편하고 어려운 점을 기술적인 방법으로 해결하는 것이다. 발명이란 기술적인 문제를 창의적으로 해결하는 활동이다.

03 지식 재산의 종류
- 산업 재산권 – 특허권, 디자인권, 실용신안권, 상표권
- 저작권 – 문학, 예술적 창작권
- 신지식 재산권 – 반도체 집적 회로, 식물 신품종, 컴퓨터 프로그램, 데이터베이스 등

차곡차곡 실력 쌓기   p. 152

01 ④   **02** ④   **03** ⑤   **04** ①   **05** ⑤   **06** ④
07 ①   **08** ③   **09** ②   **10** ⑤   **11** ○   **12** ○
13 ×   **14** ○   **15** ×   **16** ×   **17** ○   **18** ×
19 ○   **20** ○

02 아이디어 선정 및 구체화 단계에서는 창출한 아이디어를 평가해 최적의 아이디어를 선정하고 발명 설명서 또는 도면으로 나타내 구체화한다.

03 정보 재산권은 신지식 재산권에 해당한다.

04 저작권에 대한 설명이다.

05 지식 재산이란 인간의 창조적 활동 또는 경험 등으로 창출하거나 발견한 지식, 정보, 기술 등 재산적 가치가 실현될 수 있는 것을 말하며, 발명, 디자인, 특허, 실용신안. 상표 등은 지식 재산의 종류를 말한다.

07 상표권은 갱신이 가능해 반영구적인 권리이다.

07 지식 재산에 대한 권리를 지식 재산권이라고 하며, 산업 재산권, 저작권, 신지식 재산권이 있다.

08 발명 특허 심사 기준: 신규성, 진보성, 산업적 이용 가능성, 자연법칙의 이용

03 / 글로벌 경쟁력을 키우는 기술 개발과 표준

개념 꽉꽉 다지기   p. 159

01 ㉠ 표준, ㉡ 표준화   **02** ⑤   **03** ④
04 ①-㉢, ②-㉠, ③-㉡

01 표준이란 관계되는 사람이나, 단체, 기업에서 이익 또는 편리가 공정하게 얻어지도록 통일·단순화를 목적으로, 제품, 성능, 배치, 상태, 동작, 절차, 방법 등에 대하여 규정한 약속이며, 이를 생활에 적용하여 활용하는 것을 표준화라 한다.

차곡차곡 실력 쌓기   p. 160

01 ③   **02** ④   **03** ③   **04** ④   **05** ②
06 특허 괴물   **07** ①   **08** ②   **09** ⑤   **10** ○
11 ○   **12** ×   **13** ○   **14** ×   **15** ○   **16** ○
17 ×   **18** ×   **19** ○

01 신기술이 서로 중복되거나 규격이 달라 바꿔 쓸 수 없는 경우와 기존의 특허 문제로 신기술 개발에 많은 연구 개발 비용이 소요된다. 따라서 이러한 문제를 해결하고 개발된 기술의 경쟁력을 확보하기 위해 기술의 표준화가 필요하다.

03 일반적으로 기술 연구 개발은 기초 연구 – 개발 – 시제품 제작 – 제품화 및 평가 – 제품 생산의 과정으로 이루어진다.

04 특허는 개인이나 기업의 연구 개발 결과물에 따른 독점적·배타적 권리를 의미한다.

05 기술 표준화의 중요성에는 상호 운용성 제공, 비용 절감, 무역 활성화, 시장 진출 도구, 소비자 편의성 제고, 제품 및 서비스 제공, 공공 안전 및 보호 등이 있다.

06 특허 괴물은 기술 생산력은 없지만 가치가 있고 분쟁의 소지가 될 만한 지식 재산을 낮은 가격으로 사들이고, 이를 이용해 특허 침해 소송을 제기하여 엄청난 이익을 얻으려고 하는 특허 전문 회사를 빗대어 부르는 표현이다.

07 표준이란 관계되는 사람이나 단체, 기업에서 이익 또는 편리가 공정하게 얻어지도록 통일·단순화를 목적으로 제품, 성능, 배치, 상태, 동작, 절차, 방법 등에 대하여 규정한 약속을 말한다.

08 국제 전기 전자 협회(IEEE)는 미국 표준 협회(ANSI)에 의하여 미국 국가 표준을 개발하도록 인증받은 국제 전기 전자 기술자 협회이다.

09 국제 표준 특허로 등록이 되면 기술 시장에서 독점력을 강화할 수 있고, 기술 사용료를 확보하게 되므로 국가적으로 경제적인 이익은 물론 시장에서 경쟁 우위를 점하게 되므로 막대한 이익을 얻을 수 있게 된다.

대단원 마무리하기   p. 162

01 ②	02 ④	03 ③	04 ①	05 ⑤	06 ⑤
07 ①	08 ④	09 ⑤	10 ④	11 ⑤	12 ④
13 ②	14 ⑤	15 ①	16 ②	17 ②	18 ①
19 표준 제정		20 ⑤	21 ④	22~24 해설 참조	

01 기술 혁신이란 기존의 기술이나 물건을 개선하거나 시스템을 향상시키는 것을 말한다.

02 창의 공학 설계의 과정
문제 확인하기 – 새로운 생각 떠올리기 – 최적의 안 선정하기 – 시제품 만들기 – 평가 및 보완하기

04 선의 종류와 용도

종류		모양	명칭	용도
실선	굵은 실선	——	외형선	물체의 보이는 부분을 나타내는 선
	가는 실선	——	치수선 치수 보조선 지시선	치수, 기호, 참고 사항 등을 나타내는 선
		∿∿∿	파단선	부분 생략 또는 단면의 경계를 표시한 선
		▨	해칭선	물체의 절단면을 나타내는 선
파선		------	숨은선	물체의 보이지 않는 부분을 나타내는 선
1점 쇄선		-·-·-	중심선	물체 및 도형의 중심을 나타내는 선
2점 쇄선		-··-··	가상선	물체가 움직인 상태를 가상으로 나타내는 선

05 발명은 창의적인 문제 해결의 과정에서 시작된다.

06 발명의 종류에는 구체적인 형태가 있는 물건의 발명과 실체가 없는 수단이나 과정을 고안하는 방법의 발명이 있다. 통신 방법은 방법의 발명에 속한다.

08 물체의 각 면이 서로 120° 이루는 세 개의 기본 축에 길이, 높이, 너비를 나타내는 방법이다.

09 정투상법은 도면 제작에 가장 많이 사용되는 방법으로, 제3각법과 제1각법이 있으며, 한국 산업 규격에서는 제3각법으로 그리도록 하고 있다. 정면도를 중심으로 위쪽에 평면도, 오른쪽에 우측면도가 위치하도록 작도한다.

10 ⓐ – 평면도, ⓑ – 정면도, ⓒ – 우측면도이다.

11 과학 기술의 급속한 발달과 사회 변화로 소프트웨어는 물론 신품종, 유전 자원, 빅 데이터 등의 새로운 분야의 지식 재산을 신지식 재산이라고 한다.

12 상표권은 갱신이 가능해 반영구적인 권리를 갖는다.

13 발명 특허의 요건: 자연법칙을 이용한 것, 기술성, 창작성, 고도성(진보성), 산업상 이용 가능성, 신규성

14 저작물을 바꾸지 못하게 할 권리가 저작자에게 있으므로 저작자의 동의 없이는 어떠한 변경도 할 수 없다.

15 영화를 제작한 저작권자의 동의 없이 사용할 수 없으며, 교육적 목적이라고 해도 유료로 상영하는 것은 저작권에 위배된다.

18 표준화의 효과: 품질 향상, 원가 절감, 호환성 증가, 종업원의 교육 및 훈련 용이, 작업 능률의 향상, 균일성 유지 등

21 기술 표준화를 통한 성공 사례에 대한 예이다.

22 [정답]
기술 혁신을 위해서는 기존의 제품을 새로운 상황과 요구에 맞춰서 창의적 기법을 활용한 설계를 해야 한다. 여기에 기술적 문제 해결인 공학 설계의 기법을 더하므로 창의 공학 설계가 완성되게 된다.

[채점 기준]

등급	채점 기준	배점
A	창의 공학 설계의 개념과 필요성을 모두 서술한 경우	100%
B	창의 공학 설계의 개념과 필요성 중 한 가지만 서술한 경우	50%

23 [정답]
인간의 창조적 활동 또는 경험 등으로 창출하거나 발견한 지식, 정보, 기술 등 재산적 가치가 실현될 수 있는 것을 지식 재산이라고 한다. 발명, 디자인, 상표와 같은 산업 재산과 문화 예술 분야의 저작물에 해당하는 저작물, 그리고 급속한 과학 기술의 발달로 생겨난 소프트웨어와 같은 신지식 재산이 있다.

24 [정답]

기술 표준화의 중요성에는 상호 운용성 제공, 비용 절감, 무역 활성화, 시장 진출 도구, 소비자 편의성 제고, 제품 및 서비스 제공, 공공 안전 밀 보호 등이 있다.

내신 UP 프로젝트　　　　　　　　p. 166

01 ②	02 ④	03 ⑤	04 ②	05 ③	06 ①
07 ①	08 ③	09 ②	10 ⑤	11 ②	12 ⑤
13 ③	14 ①	15 ①	16 ⑤	17 ③	18 ③
19 ④	20 ⑤	21 ⑤	22 ④	23 ①	

24 국제 표준화 기구

---

01 기술 혁신이란 기존의 기술이나 물건을 개선하거나 시스템을 향상시키는 것을 말한다.

02 특허 정보를 검색할 때는 특허 정보넷 키프리스(http://www.kipris.or.kr)에서 검색하고자 하는 내용을 입력한다.

03 기술 연구 개발은 기초 연구 – 개발 – 시제품 제작 – 제품화 및 평가 – 제품 생산의 순으로 이루어진다.

04 유니버설 디자인이 기본 원칙은 기능적 지원성, 수용성, 접근 가능성, 경제성 , 안전성이다.

06 아이디어는 스케치와 구상도를 통해 시각적으로 나타낸다.

07 (a) – 지시선, (b) – 치수선, (c) – 치수 보조선

08 Ø는 지름을, R은 반지름을 의미한다.

종류	기호	예
지름	ø(파이)	ø30
반지름	R(아르)	R20
정사각형의 변	□(사각)	□40
판의 두께	t(티)	t5
45° 모따기	C(시)	C6

10 발명의 종류에는 구체적인 형태가 있는 물건의 발명과 실체가 없는 수단이나 과정을 고안하는 방법의 발명이 있다.

11 특허 정보는 특허 정보넷(키프리스)은 물론 포털 사이트(네이버, 다음 등)에서도 검색이 가능하다.

13 우리나라 특허법은 선출원주의를 따르며, 이는 같은 발명일 경우 먼저 출원한 사람에게 특허 권리를 부여하는 것이다.

14 지식 재산권의 종류
• 산업 재산권: 특허권, 디자인권, 실용신안권, 상표권
• 저작권: 문학, 예술적 창작권
• 신지식 재산권: 반도체 집적 회로, 컴퓨터 프로그램, 데이터베이스 등

16 창업 준비 시 고려해야 할 사항

외부 환경	내부 환경
시대의 흐름에 적합 유동성이 크고 경쟁이 적을 것 성장성과 장래성 안정적인 매출과 이익	창업자의 적성과 능력 제품의 기술성 높은 자금 회전율 시설 및 협력자 확충

17 표준화의 기본 원칙
공공의 이익 반영, 합의에 기초, 공개의 원칙, 경제적 요인의 반영, 시장 적합성의 보유, 통일성과 일관성 유지, 자발성의 존중

18 창업은 사업 계획 수립 – 창업 자금 확보 – 사업의 인허가 – 사업자 등록의 순서로 진행된다.

19 특허 괴물은 기술 생산력은 없지만 가치가 있고 분쟁의 소지가 될 만한 지식 재산을 낮은 가격으로 사들이고 이를 이용해 특허 침해 소송을 제기하여 엄청나 이익을 얻으려고 하는 특허 전문 회사를 빗대어 부르는 표현이다.

20 특허 정보를 검색할 수 있는 전문 사이트로는 특허청에서 제공하는 키프리스(kipris)가 있으며, 요즘은 대부분의 포털 사이트에서도 검색이 가능하다.

23 표준화를 통해 가격의 요인보다는 소비자의 편리성을 향상시킨다.

첨단 기술의 세계

01 / 세상을 풍요롭게 하는 첨단 제조 기술

개념 꽉꽉 다지기　　　　　　　　　　p. 179

1. ③　　**2.** 기계(mechanics), 전자(electronics)

3. 하향식 제조 방식　**4.** ⑤　**5.** 슬라이싱

01 4차 산업 혁명은 3차 산업 혁명을 기반으로 한 제조 기술, 정보 통신 기술, 생명 기술 등의 경계가 없어지고 융합되는 기술 혁명을 의미한다.

03 나노 기술은 하향식 제조 방식과 상향식 제조 방식으로 나뉜다. 하향식은 물체를 깎고 다듬는 방식으로, 포토리소그래피 방식이 핵심 공정이다. 상향식 제조 방식은 원자나 분자를 하나씩 쌓거나 조립하는 방식으로, STM(주사 터널 현미경), self-assembly(자기 조립) 등이 있다.

04 |오답 피하기| ① 작고 소규모의 제품부터 건축물과 같은 대규모도 프린팅할 수 있다.
② 생산량과 관계 없이 제조 비용이 일정하다.
③ 디지털 데이터에 따라 소재를 쌓아 올려 3차원 물체를 제조하는 과정이다.
④ 복잡한 구조의 제품 생산이 쉬운 특징이 있다.

05 3D 프린팅 과정은 모델링 → 슬라이싱 → 프린팅 → 후처리 과정을 거치는데, 출력에 앞서 슬라이서(slicer) 프로그램을 통해 여러 개의 얇은 층으로 나누어진 데이터로 변환하며, 3D 프린터가 읽을 수 있는 G-code 파일로 저장하는 단계는 슬라이싱 단계이다

차곡차곡 실력 쌓기　　　　　　　　　　p. 180

01 ③	02 ③	03 ②	04 ③	05 ②	06 ④
07 ㄴ-ㄹ-ㄷ-ㄱ	08 ④	09 ④	10 ②	11 ○
12 ○	13 ×	14 ×	15 ×	16 ×	17 ○
18 ○

01 |오답 피하기| ③ 제품의 대형화, 경량화, 고급화

04 |오답 피하기| ㄱ. 1nm는 10^{-9} m(10억분의 1미터)이다.
ㄷ. 상향식 제조 방법은 과도한 에너지 소모가 없다.

05 |오답 피하기| ① 탄소 나노 튜브는 둥근 관과 같은 입체적인 모양을 하고 있다.

③ 그래핀은 얇은 막으로 이루어져 있다.
④ 그래핀은 전기 전도성과 열전도율이 뛰어나다.
⑤ 탄소 나노 튜브는 가볍고 전기 전도성과 열전도율이 뛰어나다.

06 나노 입자가 물질에서 탈락했을 경우 추적이 어려운 단점이 있다.

09 분말 기반형 방식은 레이저로 융합하기 때문에 선택적으로 레이저를 발사하여 부분 융합이 가능하다.

02 / 편안한 삶을 디자인하는 첨단 건설 기술

개념 꽉꽉 다지기　　　　　　　　　　p. 187

1. 200, 50　**2.** 현수교, 사장교　**3.** ①　**4.** 내진　**5.** ⑤

02 초장대 교량의 대표적인 구조에는 경간의 길이를 길게 할 수 있는 현수교와 사장교가 있다.

03 패시브하우스는 에너지의 효율을 극대화하기 위하여 고단열·고성능 창호, 기밀 시공, 열 회수 환기 등의 설계 공법을 적용한 주택이다. 따라서 냉·난방 설비가 없이도 쾌적한 실내 환경을 유지할 수 있으며, 기존 건물보다 약 30~70%의 에너지를 절감할 수 있다.

04 내진 설계는 하중을 견디는 방식에 따라 내진, 면진, 제진으로 나눌 수 있는데, 구조물이 지진 발생 시 자체의 내력으로 버틸 수 있도록 구조물을 강화하는 설계는 내진 방식에 해당한다.

05 계측 센서를 이용한 감시 시스템은 구조물의 손상을 사전에 파악하여 유지·관리 비용을 최소화하고, 사고를 사전에 방지하는 것에 목표를 둔다. 따라서 계측 센서가 사전에 구조물의 처짐이나 진동을 탐지하여 대책을 세울 수 있도록 한다.

차곡차곡 실력 쌓기　　　　　　　　　　p. 188

01 ④	02 ①	03 ①	04 ④	05 ⑤	06 ①
07 ④	08 ②	09 ①	10 ㄱ-ㄷ-ㄴ	11 ○
12 ○	13 ×	14 ○	15 ×	16 ×	17 ×
18 ×

01 공항 여객 터미널, 항만 지역 지원 센터는 건축 구조물에 해당된다.

04 구조물의 무게를 늘리는 것은 적절하지 않다.

05 거푸집은 공사 중 콘크리트의 형태를 유지하기 위해 사용하며, 공사가 끝난 후 철거한다.

06 |오답 피하기| ㄹ. 주탑을 넓게 설계하는 것보다는 높게 설계하는 것이 효과적이다.
ㅁ. 초장대 교량은 길이도 길고 경제적이다.

08 패시브 하우스는 냉·난방 설비를 되도록 하지 않는다.

03/ 건강한 삶을 약속하는 첨단 생명 기술

개념 꽉꽉 다지기   p. 195

1. ③   **2.** 식물 공장   **3.** ①   **4.** 재활 로봇
5. ③

01 유용한 유전자를 금속과 결합하여 고압 가스나 화약으로 식물 세포에 직접 투입하는 기술은 유전자 총 방법이다.

02 특정 시설 안에서 식물이 자라나는 조건을 인공적으로 제어하여 식물을 생산하는 시스템은 식물 공장에 대한 설명이다.

04 몸이 불편한 장애인이나 노약자가 스스로 독립적인 생활을 할 수 있도록 돕는 의료 로봇은 재활 로봇이다.

05 의료 로봇은 사람이 손보다 정교하여 정확한 수술과 시술이 가능하다.

차곡차곡 실력 쌓기   p. 196

01 ③	**02** ③	**03** ⑤	**04** ④	**05** ⑤	**06** ①
07 ①	**08** ⑤	**09** 정보 취합 및 전송	**10** ④	**11** ×
12 ×	**13** ×	**14** ○	**15** ○	**16** ×	**17** ○
18 ○					

02 |오답 피하기| ① 원형의 DNA이다.
② 자기 복제가 가능하다.
④ 세포 속에 들어 있는 주 염색체와 별도로 존재한다.
⑤ 숙주 세포가 분열할 때 같이 분열할 수 있다.

04 체세포의 핵을 제공한 생명체와 같은 형질을 갖게 된다.

05 |오답 피하기| ① 생식 세포를 이용하지 않아도 융합이 가능하다.
② 세포질이 아닌 핵이 융합하는 것이다.
③ 기존에 존재하지 않은 새로운 생명체가 탄생하게 된다.

06 포마토는 세포 융합과 관련된 기술이다.

10 |오답 피하기| ① 콘텍트 렌즈, ② 목걸이 형태의 스마트 기기, ③ 피부 부착형 바이오 스탬프, ⑤ 귀에 꽂는 스마트 기기

04/ 꿈을 실현하는 첨단 수송 기술

개념 꽉꽉 다지기   p. 205

1. ②   **2.** 수소 연료 전지 자동차   **3.** ②, ③
4. 로켓 기관   **5.** ①

01 |오답 피하기| ① 엔진 + 모터 작동, ③ 모터 작동, ④ 모터로 엔진 시동, ⑤ 엔진 + 모터 작동

02 자체적으로 전기를 생산하여 주행하는 자동차이기 때문에 전기를 생산할 수 있는 연료 전지가 탑재되어 있어야 한다.

03 드론의 이륙하기 위한 프로펠러의 기본적인 회전 방향은 ①, ④번이 시계 방향, ②, ③이 반시계 방향으로 회전해야 한다.

04 제트 기관이나 램제트 기관, 스크램제트 기관은 대기 중에서 공기를 얻을 수 있지만 로켓 기관은 산소가 희박한 곳을 날기 때문에 연료와 산화제를 탑재해야 한다.

05 개발 비용을 절감하기 위해서 로켓을 재사용하거나 작은 인공위성이나 발사체를 만들어 절약할 수 있으며, 적도 부근이나 선박에서 로켓을 발사하는 방식, 비행기에서 로켓을 발사하는 방식 등으로 실현시킬 수 있다.

차곡차곡 실력 쌓기   p. 206

01 ④	**02** ③	**03** ④	**04** ④	**05** ③	**06** ④
07 ③	**08** ②	**09** ②	**10** ④	**11** ○	**12** ×
13 ×	**14** ○	**15** ×	**16** ×	**17** ×	**18** ○

01 |오답 피하기| ① 차량의 중량이 무겁다.
② 기존 화석 연료 엔진 자동차보다 가격이 비싸다.
③ 감속이나 내리막에서는 배터리가 충전된다.

⑤ 플러그인 하이브리드 자동차는 기존 하이브리드 자동차보다 모터에 의존한다.

03 |오답 피하기| ㄴ. 연료와 오염 물질이 절감된다.

04 기체와 조종사는 적정 거리를 유지해야 한다.

06 준수 사항을 위반할 경우 최대 200만 원의 과태료가 부과된다.

08 |오답 피하기| ㄴ. 제트 기관은 공기 중 산소를 공급받을 수 있어 산화제는 필요 없다.
ㄹ. 램제트 기관을 변형하여 추진 속도를 극대화한 것이 스크램 제트 기관이다.

09 지구의 자전 속도가 가장 빠른 적도에서 로켓을 발사하는 것이 효율적이다.

10 |오답 피하기| ㄱ. 자국산 인공위성은 일찍이 개발되었으며, 현재 한국형 발사체를 목표로 연구하고 있다.

05/ 똑똑한 사회, 첨단 정보 통신 기술

개념 꽉꽉 다지기
p. 215

1. 빅 데이터   **2.** ②   **3.** ③   **4.** 증강 현실(AR)   **5.** ③

01 빅 데이터(Big Data)는 데이터 폭증, 즉 기존 데이터에 비해 양이나 종류가 턱없이 커서, 기존 방법으로는 도저히 수집, 저장, 검색, 분석 등이 어려운 데이터를 총칭해서 일컫는다. 빅 데이터 기술은 이러한 대량의 데이터를 가치 있는 정보로 가공하여 활용하는 정보 통신 기술이다.

03 2 GHz 이하의 주파수를 사용하는 4G와 달리, 5G는 28 GHz의 초고대역 주파수를 사용한다.

05 명확한 송신자를 알 수 없거나 의심스러운 문자 메시지 및 메일은 바이러스나 악성 코드와 같은 보안 문제를 예방하기 위해 삭제하여야 한다.

차곡차곡 실력 쌓기
p. 216

01 ①	02 ②	03 ②	04 ⑤	05 ②	06 ⑤
07 ⑤	08 ③	09 ①	10 ④	11 ○	12 ○
13 ×	14 ○	15 ×	16 ×	17 ×	18 ○

01 빅 데이터는 비정형의 다양한 데이터(문자, 영상, 위치)로 이루어져 있다.

03 단순히 동영상을 찍어 공유하는 것은 빅 데이터를 활용하기로 보기는 어렵다.

05 빅 데이터는 많은 양의 정보를 근거로 예측하기 때문에 정확도가 높은 편이다.

06 |오답 피하기| ㄴ. 유선뿐만 아니라 무선 연결도 함께 이루어져야 한다.

08 |오답 피하기| ㄷ. 사물 인터넷의 전송도 가능하다.
ㄹ. 4G는 800MB 용량의 영화를 내려받을 때 약 40초, 5G는 1초가 걸린다.

09 자동차 정지 감지 시스템 및 횡단보도 부근에서 보행자 감지 등의 기술로 교통 사고율이 낮아질 것이다.

대단원 마무리하기
p. 218

01 ④	02 ③	03 ③	04 ②	05 ②	06 ④
07 ④	08 ③	09 ④	10 ⑤		
11 ㄷ → ㄹ → ㄱ → ㄴ			12 ②	13 ②	14 ⑤
15 ④	16 ④	17 ③	18 ③	19 ①	
20 3D 홀로그램		21 ③	22~24 해설 참조		

01 |오답 피하기| ② 로봇과 기계가 사람을 대체하여 일자리가 줄어들 것이다.
③ 다품종 생산이 가능해진다.

02 |오답 피하기| ① 전원부 – 내장
② 센서부 – 오감
④ 메커니즘부 – 골격
⑤ 액추에이터 – 손, 발

03 |오답 피하기| ㄱ. 뾰족한 침을 이용해 원자를 옮기거나 변형시키는 것이 가능하다.
ㄴ. 침과 물질의 표면을 최대한 가깝게 접근시킨다.

04 |오답 피하기| ① 밀리: 10^{-3}, ③ 피코: 10^{-12}, ④ 데시: 10^{-1}, ⑤ 마이크로: 10^{-6}

05 |오답 피하기| ㄴ. 레이어를 두껍게 설정하면 출력 시간이 단축된다.
ㄹ. 노즐은 뜨겁기 때문에 손으로 만져서는 안 된다.

07 주탑과 케이블 모두 강해야 하며, 특히 케이블의 강도는 교량의 안전성을 좌우한다.

08 |오답 피하기| ① 단열 시공을 철저히 해야 난방 비용을 줄일 수 있다.
② 남향으로 집을 짓는다.
④ 창문 틈새의 기밀을 잘 유지해야 한다.
⑤ 따뜻한 공기는 밀도가 낮아 위에 머무르려고 하기 때문에 천장이나 다락방에 열 손실이 일어나지 않게 단열 설계를 꼼꼼히 해야 한다.

09 |오답 피하기| ㄷ. 모듈화 하우스는 최근 모듈 간의 접착 기술, 구조 보강 기술이 발달하여 중·고층으로 지을 수 있게 되었지만, 다른 공법이 비하여 고층화가 쉬운 것은 아니다.

10 |오답 피하기| ㄱ. 유전자 총 방법은 유용한 유전자를 도입하여 원하는 인간에게 혜택을 줄 수 있는 작물을 목적으로 한다.

12 |오답 피하기| ㄴ. 개체는 체세포를 제공한 개체와 동일한 형질을 갖는다.
ㄹ. 암컷의 체세포와 난자, 대리모 모두 암컷일 수 있다.

14 의사와 환자가 만나기 위한 교통수단보다는 먼 거리에서도 활발한 의사소통이 일어날 수 있도록 돕는 통신 기술이 빠르게 발달할 것이다.

16 하이브리드 자동차는 동력원이 두 개이기 때문에 구조가 복잡하고 무거운 단점이 있다.

17 |오답 피하기| ① 램제트 기관은 압축기가 없다.
② 램제트 기관이 제트 기관보다 구조가 간단하다.
④ 램제트 기관이 구조가 간단하여 중량이 가볍다.
⑤ 모든 제트 기관은 작용·반작용의 원리에 의해 추진된다.

18 자율 주행 자동차는 운전대와 페달 모두 자율 주행을 하는 것을 목표로 하고 있다.

19 |오답 피하기| ㄴ. 5G가 4G보다 초고대역의 주파수를 사용한다.
ㄹ. 5G는 전송 속도와 신호를 받는 속도 모두 빠르다. 특히 신호를 받는 기술은 정보를 주고받을 수 있는 안테나를 더 많이 설치함으로써 해결할 수 있다.

21 |오답 피하기| ㄱ. 랜섬웨어(Ransomware), ㄴ. 스푸핑(Spoofing), ㄹ. 트로이목마

22 [정답]
연료 전지 자동차는 기존 가솔린 내연 기관 대신 연료 전지 장치를 통하여 전기를 자체적으로 생산하는 자동차이다. 전기로 구동된다는 점에서 전기 자동차와 공통점이 있으며, 가솔린 내연 기관에 비하여 배기가스가 청정하여 친환경 자동차이다.

[채점 기준]

등급	채점 기준	배점
A	연료 전지 자동차의 특징을 두 가지 서술한 경우	100%
B	연료전지 자동차의 특징을 한 가지만 서술한 경우	50%

23 [정답]
대용량 전력 공급선을 해상으로 가져오는 것에 대한 연구가 있어야 하며, 바닷가 염분으로 인한 기체 부식, 악천후 대응, 위성 추적 안테나 운용의 문제, 지상 관제소 등 지원 부서 간의 실시간 망 구축과 같은 환경 조성 문제가 있다.

[채점 기준]

등급	채점 기준	배점
A	선박에서 로켓을 발사할 때 해결해야 할 문제를 세 가지 이상 서술한 경우	100%
B	선박에서 로켓을 발사할 때 해결해야 할 문제를 두 가지 서술한 경우	70%
B	선박에서 로켓을 발사할 때 해결해야 할 문제를 한 가지 서술한 경우	40%

24 [정답]
데이터 양(Volume), 다양한 형태(Variety), 빠른 생성 속도(Velocity), 가치(Value) 등이 있다.

[채점 기준]

등급	채점 기준	배점
A	빅 데이터의 특성을 세 가지 서술한 경우	100%
B	빅 데이터의 특성을 두 가지 서술한 경우	70%
B	빅 데이터의 특성을 한 가지 서술한 경우	40%

내신 UP 프로젝트　　　　　　　　p. 222

01 ①	02 ㄱ → ㄷ → ㄴ	03 ⑤	04 ④	05 ①
06 ②	07 ③	08 ⑤	09 ③	10 ④
11 유전자 편집 기술	12 ④	13 ⑤	14 ④	15 ⑤
16 ⑤	17 ④	18 ⑤	19 ⑤	20 ①	21 ①
22 ②	23 ⑤	24 ③		

01 ㄱ – 2차 산업 혁명, ㄴ – 1차 산업 혁명, ㄷ – 4차 산업 혁명, ㄹ – 3차 산업 혁명

05 |오답 피하기| ㉠ 높은 압축 강도
㉡ 무게를 줄이고

06 ②번은 수평 하중, 나머지는 수직 하중에 해당된다.

07 |오답 피하기| ㄱ. 고강도 케이블은 공사 기간과 공사 비용을 모두 줄일 수 있게 한다.
ㄹ. 극한 상황의 실험은 시공 전에 이루어져야 한다.

08 액티브 하우스는 태양 에너지를 적극적으로 이용하는 집이다. 기존의 화석 연료의 사용을 줄일 수 있기 때문에 액티브 하우스 또한 친환경 주택이다.

09 |오답 피하기| ㄴ과 ㄹ은 초고층 빌딩이 바람에 견디게 하기 위한 설계이다.

10 |오답 피하기| ① 내진 설계는 피해 예방과 관련이 있다.
② 면진에 대한 설명이다.
③ 지진 하중은 수평 하중이다.
⑤ 제진에 대한 설명이다.

13 혈관 속을 돌아다니는 로봇은 30~50년 후에 실현될 것이다.

15 주로 고령화, 고혈압, 당뇨병과 같이 만성 질환자의 증가로 실시간으로 꾸준한 관리를 할 수 있게 도와준다.

16 |오답 피하기| ① 화석 연료 기관이 함께 있기 때문에 매연이 배출된다.
③ 브레이크를 밟거나 내리막길에서 충전될 수 있다.
④ 기존의 엔진을 통해 구동력을 얻을 수 있다.

17 엔진과 모터가 함께 작동될 때는 부하가 걸린 엔진을 모터가 도와주게 된다.

18 |오답 피하기| ① 자체적으로 전기를 생산하기 때문에 수소만 충분히 충전한다면 주행 거리가 길다.
② 연소 과정이 아닌 산화 환원 과정을 거친다.
③ 생성물로 물이 배출된다.
④ 연료 전지는 자체적으로 전기를 생산한다.

19 |오답 피하기| ㄱ. 비행 금지 시간대: 야간 비행(일몰 후부터 일출 전까지)
ㄷ. 비행 금지 장소: 150 m 이상의 고도(항공기 비행 항로가 설치된 공역임.)

21 HTML은 웹 문서를 만들기 위한 프로그래밍 언어 중 하나로, 초연결 사회와 직접적인 영향이 있다고 보기는 어렵다.

 안전한 삶과 미래 기술

01 / 생명을 지키는 자동차 안전

개념 꽉꽉 다지기			p. 233
1. 자동차 사고	**2.** ②	**3.** ②	**4.** 일상 점검
5. ①			

02 자동차 사고의 원인으로 인적 요인은 운전자와 보행자로 나눌 수 있다.

03 졸음운전을 피하기 위해 만든 대표적인 교통 시설은 졸음 쉼터로, 고속 도로의 휴게소와 휴게소 사이에 설치한다. 회전 교차로는 교차로 사고 예방을 위한 시설이다.

04 자동차의 점검은 크게 일상 점검과 정기 점검으로 나눌 수 있다. 그중 평소에 운행 전에 실시하는 점검을 일상 점검이라고 한다.

차곡차곡 실력 쌓기					p. 234
01 ①	**02** ③	**03** ④	**04** ①	**05** ④	**06** ③
07 ①	**08** ①	**09** ⑤	**10** ④	**11** ○	**12** ○
13 ×	**14** ○	**15** ○	**16** ×	**17** ○	**18** ○

01 보행자와 보행자가 충돌하는 것은 자동차가 관여하지 않은 것으로 자동차 사고에 해당하지 않는다.

02 자동차 사고 발생이 증가하는 가장 큰 원인은 자동차 이용 대수가 증가했기 때문이다.

05 운전 중 스마트폰 사용으로 인한 사고는 운전자의 잘못된 행동으로 발생한 교통사고로, 이는 인적 원인에 해당하는 것이다.

08 부상자가 발생했을 경우에는 직접 치료하지 말고 반드시 응급 처치 외에는 구조대가 도착할 때까지 기다리는 것이 바람직하다.

10 시야 확보가 어려울 때에는 창문을 열어 청각 정보를 확보함으로써 자동차 사고를 예방할 수 있다.

02/ 산업 재해 위기 탈출 프로젝트

개념 꽉꽉 다지기   p. 241

1. 산업 재해   **2.** ①, ③   **3.** ④
4. 산업 안전   **5.** ②

02 산업 재해는 불안전한 행동과 불안전한 상태에서 발생한다.

03 전기는 보이지 않고 냄새와 소리가 나지 않기 때문에 산업 재해의 발생 위험이 큰 요인이다.

05 산업 재해 발생 시에는 침착하게 상황을 파악하고 행동하는 것이 가장 중요하다. 이 과정에서 사실을 숨기거나 주관적으로 판단하지 않도록 해야 한다.

차곡차곡 실력 쌓기   p. 242

01 ②	02 ①	03 ⑤	04 ②	05 ①	06 ②
07 ①	08 ⑤	09 ②	10 ○	11 ×	12 ○
13 ○	14 ○	15 ○	16 ○	17 ×	18 ×

02 하인리히의 법칙은 큰 사고의 이전에 반드시 작은 사고들이 선행한다는 것이다.

04~06 (가) 안전 관리 결함, (나) 불안전한 행동, (다) 불안전한 상태, (라) 사고, (마) 재해에 해당한다.

07 해당 그림은 회전하는 기계에서 작업자에게 발생할 수 있는 장면이다.

08 화공 재해를 예방하기 위해서는 지정된 전문 관리인이 있어야 하고, 반드시 환기를 시키는 것이 중요하다.

09 맨홀 작업 시에는 반드시 여러 명이 함께 작업하도록 하여 안전사고 발생 시 신속하게 대처하도록 해야 한다.

03/ 빠르게 변화하는 미래 기술과 직업 전망

개념 꽉꽉 다지기   p. 249

1. 직업   **2.** ⑤   **3.** ②   **4.** 컨베이어 벨트   **5.** ①

01 기술의 발달로 인하여 직업 세계의 변화가 나타난다.

02 1차 산업 혁명의 가장 큰 영향 요인은 증기 기관의 발명과 활용이다. 이를 통해 공장제 기계 공업이 성장하여 생산량이 증가를 가져왔다.

04 컨베이어 벨트를 활용하여 작업자는 제자리에서 이송되어 오는 제품을 제작하게 되어 작업이 표준화되고 생산량이 증가하게 되었다.

05 기술의 발달로 인하여 빅 데이터 전문가, 인공위성 전문가, 무인 항공 기술자, 소프트웨어 자산 관리사 등의 새로운 직업이 등장하게 되었다.

차곡차곡 실력 쌓기   p. 250

01 ④	02 ①	03 ②	04 ⑤	05 ②	06 ④
07 ④	08 ①	09 ③	10 ①	11 ○	12 ×
13 ○	14 ○	15 ×	16 ○	17 ○	18 ×

02~03 (가)에 해당하는 것은 전기의 발명이며, (나)는 컴퓨터의 발명이다.

04 정보 보안 전문가는 기술의 발달로 새롭게 등장하는 직업이다.

06 바이오 기술 분야에서는 바이오 건강 관리 기획자, 건강 관리 액세서리 개발자, 인공 장기 개발자, 유전 관련 정보 제공자 등의 전문 일자리가 만들어질 것이다.

07 4차 산업 혁명에서 주목받는 새로운 일자리 분야는 3D 프린팅, 사물 인터넷, 인공 지능, 가상 현실 등이다.

10 직업 분야에 대한 정보를 찾고자 할 때에는 한국 고용 정보원을 활용하는 것이 적합하다.

04/ 인간, 자연, 기술이 공존하는 발전

개념 꽉꽉 다지기   p. 257

1. 지속 가능 발전   **2.** ④   **3.** ④   **4.** 적정 기술
5. ②

01 성장과 보전은 함께 유지되어야 할 요소이다. 이를 위하여 지속적인 노력이 요구된다.

02 지속 가능 발전에서는 빈부 격차의 해소 문제를 다루고 있다.

03 |오답 피하기| ① 경제적 측면, ② 환경적 측면, ③ 경제적 측면, ⑤ 환경적 측면에 해당된다.

05 팟인쿨러는 적정 기술이 적용된 제품이다.

p. 258

01 ⑤	**02** ⑤	**03** ④	**04** ②	**05** ②	**06** ⑤
07 ②	**08** ③	**09** ①	**10** ×	**11** ○	**12** ○
13 ×	**14** ○	**15** ×	**16** ○	**17** ×	

01 지속 가능 발전의 영역은 사회, 경제, 환경으로 우주 개발은 해당하지 않는다.

07 지속 가능 발전 종합 목표는 지속 가능한 삶을 위한 것으로, 경제력을 모두 보장할 수 는 없다.

08 제시된 그림은 에너지 절감형 주택으로, 이는 탄소 배출량을 줄이고 전기를 적게 사용하는 것을 의미한다.

09 제시된 팟인쿨러는 적정 기술의 대표적인 사례로, 이는 첨단 기술이 아닌 현지에서 구하기 쉽고 유지하기 쉬운 기술이다.

대단원 마무리하기

p. 260

01 ⑤	**02** ③	**03** ②	**04** ③	**05** ①	**06** ①
07 ⑤	**08** ②	**09** ①	**10** ①	**11** ②	**12** ⑤
13 ①	**14** ②	**15** ①	**16** ②	**17** ②	**18** ⑤
19 ②	**20** ①	**21** ②	**22~24** 해설 참조		

01 자동차의 차량 자체 결함이 있는 경우에는 이는 인적 원인이 아닌 차량 원인에 해당한다.

03 우천 시 및 빙판길에서는 속도를 줄이고 안전거리를 확보하는 것이 가장 중요하다.

05 제시된 그림은 하인리히 법칙을 말하는 것으로, 큰 사고에는 작은 사고가 선행하며, 여기에는 불안전한 상태와 불안전한 행동이 그 원인임을 설명하고 있다.

07 컨베이어 벨트의 활용으로 작업자는 자신의 위치에서 이송된 제품을 빠르게 작업할 수 있게 되었다. 이를 통해 생산량이 증가할 수 있게 되었다.

09 지속 가능 발전은 환경, 사회, 경제적 문제를 균형 있게 해결하는 데 초점을 두고 있다. 하지만 새로운 자원의 개발보다

는 기존의 자원을 효율적으로 사용하고, 농·축산업의 본래의 역할을 찾도록 육성하는데 초점을 둔다.

10 무단횡단을 한 경우는 운전자가 아닌 보행자에 의한 사고 원인이 해당한다.

11 급발진이란 정차 중인 자동차가 갑자기 급가속을 하여 움직이는 것으로, 최근 이와 관련된 사고가 증가하고 있다.

12 |오답 피하기| ⑤ 고속도로 톨게이트는 교통사고를 예방하기 위한 것이 아닌, 고속도로의 효율적인 활용을 위한 시설에 해당한다.

13 교통사고 예방을 위하여 자동차를 점검하고자 할 경우 일상 점검은 모든 부품을 관리하지는 않는다.

14 건설 산업은 다른 산업에 비해 규모가 커서 사고가 발생할 경우 그 규모가 매우 큰 것이 특징이다.

15 작업장의 상태를 확인하는 것은 올바른 산업 수칙에서 가장 기본적인 요소이다.

16 도시 재생 분야는 환경 건설 기술 분야에 해당하는 요소이다.

17 진로 선택 시 훈련에 의해 숙달될 수 있고, 자신의 능력에 관련된 개념은 적성이다. 창의성은 숙달의 개념이 아니며, 가치관 역시 그러하다. 흥미는 변화 가능성이 큰 요소이므로, 진로 선택 시 지속적인 흥미가 유지되는지를 점검해 보아야 한다.

18 사회 정의, 경제 성장, 환경 보전이 균형을 이뤄 조화롭게 발전하기 위한 요건은 지속 가능 발전에 대한 것으로, 자원의 활용 가능성을 높이는 것이 요구된다.

19 |오답 피하기| ② 스마트 시계는 적정 기술이 아닌 첨단 기술에 해당한다.

20 내진 구조는 지속 가능 발전보다는 재난과 안전을 위해 유지, 발전시켜야 할 기술이다.

22 [정답]
자재는 2인 1조로 나르기, 난간 작업 시 안전 난간 설치하기, 작업 시 반드시 안전대 착용하기 등이 있다.

[채점 기준]

등급	채점 기준	배점
A	건설 재해를 예방하기 위한 방법을 세 가지 서술한 경우	100%
B	건설 재해를 예방하기 위한 방법을 두 가지 서술한 경우	70%
B	건설 재해를 예방하기 위한 방법을 한 가지 서술한 경우	40%

정답 및 해설 **295**

23 [정답]

사라진 직업에는 버스 안내양, 전화 교환원, 연탄 배달부 등이 있다. 생겨난 직업에는 드론 조종사, 빅 데이터 전문가, 정보 보안 전문가 등이 있다.

[채점 기준]

등급	채점 기준	배점
A	사라진 직업, 생겨난 직업을 각각 세 가지씩 서술한 경우	100%
B	사라진 직업, 생겨난 직업을 각각 두 가지씩 서술한 경우	70%
B	사라진 직업, 생겨난 직업을 각각 한 가지씩 서술한 경우	40%

24 [정답]

신재생 에너지 기술, 오염 방지 기술, 적정 기술 등이 있다.

[채점 기준]

등급	채점 기준	배점
A	지속 가능한 발전을 위한 기술을 세 가지 서술한 경우	100%
B	지속 가능한 발전을 위한 기술을 두 가지 서술한 경우	70%
B	지속 가능한 발전을 위한 기술을 한 가지 서술한 경우	40%

내신 UP 프로젝트   p. 264

01 ②	02 ③	03 ④	04 ⑤	05 ②	06 ②
07 ①	08 ④	09 ②	10 ⑤	11 ③	12 ④
13 ①	14 ④	15 ⑤	16 ②	17 ③	18 ①
19 ②	20 ⑤	21 ③	22 ④	23 ③	24 ③

01 자동차 이용률의 증가가 자동차 사고 발생량 증가의 원인이 되고 있다.

02 교통 환경의 변화로 교통사고를 줄이는 대표적인 예로 회전 교차로와 졸음 쉼터가 있다.

03 자동차 사고 응급 대처는 즉각 정차 → 응급조치 → 신고 → 정황 증거 확보 순서로 한다.

04 자동차의 운행 거리가 길수록 노후화되어 자동차의 고장이 더 발생하기 쉽다. 따라서 운행 거리가 길수록 점검을 더 많이 해야 한다.

05 출근 과정에서 발생하는 교통사고는 산업 재해의 범위에 해당하지 않는다.

07 산업 재해의 원인에서 불안전한 행동에는 낮은 작업 숙련도, 근로자의 피로, 부주의, 실수 등이 해당된다. 경험이 많은 것은 산업 재해의 발생의 원인을 낮추는 요인이다

08 제시된 그림은 건설 재해에 해당하는 것이다.

09 공장의 자동화 원인은 기존의 공장제 기계 공업에서 컴퓨터와 인터넷의 발달로 이루어진 것이다.

11 인공 지능은 직업 선택에서 활용하는 하나의 방법으로 사용할 수 있으나, 바람직한 진로 탐색 방법에 해당하지 않는다.

12 지속 가능 발전의 방향에 해당하는 것으로, 빈부 격차를 줄이는 방향으로 나아가야 한다.

13 자동차 사고가 발생하였을 때에는 즉각 정차하고 응급조치를 취한 다음 경찰에 신고하고, 사고 경위를 확인할 수 있도록 차량의 손상·파손 정도, 형태 등을 사진으로 찍어 둔다.

15 빅 데이터 분석가는 4차 산업 혁명으로 인해 새롭게 등장할 직업에 해당한다. 나머지 직업들은 사라질 직업에 해당한다.

16 미래를 개척하기 위해서는 새로운 분야에 대한 정보를 탐색하는 자세가 요구된다.

18 신재생 에너지 기술 개발에는 초고압 직류 송전, 바이오 연료, 탄소 포집, 지열 시스템 등이 해당한다. 핵분열은 해당되지 않는다.

20 제시된 그림은 팟인쿨러로, 전기를 사용하지 않는 냉장고 제품이다. 이런 기술은 적정 기술에 해당하며, 현지에서 구하기 쉽고 유지하기 쉽다는 특징이 있다.

21 개발 도상국에 적합한 기술을 이전하는 것은 지속 가능 발전을 위한 환경적 측면의 노력에 해당하지 않는다.

22 변화하는 사회에서 미래를 올바르게 개척하려면 먼저 자신의 능력과 흥미를 아는 것에서부터 시작한다.

23 농약 사용을 줄이는 것은 토양 및 지하수 오염 방지 대책이다.

24 '모든 국가에서 빈곤이 없도록 하겠다.'는 목표는 UN의 지속 가능 발전 종합 목표 중 하나이다.